Corso di arabo contemporaneo

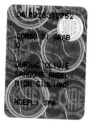

Olivier Durand
Angela Daiana Langone Giuliano Mion

Marzia Avallone

Corso di arabo contemporaneo
Lingua standard

Collana di Studi Orientali
diretta da Federico Masini

EDITORE ULRICO HOEPLI MILANO

via Hoepli 5, 20121 Milano (Italy)
tel. +39 02 864871 – fax +39 02 8052886
e-mail hoepli@hoepli.it

www.hoepli.it

ISBN 978-88-203-4552-5

Ristampa:

4 3 2 2011 2012 2013 2014

Realizzazione editoriale: Thèsis S.r.l., Firenze-Milano
Copertina: mncg S.r.l., Milano
Disegni: Andrea del Campo
Calligrafia di copertina: Giulia Giorgi
Registrazione CD-Audio: Millenium Audio Recording

Stampa: L.E.G.O. S.p.A., Stabilimento di Lavis (TN)

Printed in Italy

Indice

UNITÀ 28 | ماذا تنوي أن تفعل؟ Che cosa intendi fare?   353

UNITÀ 29 | ما حيلتي في ذلك؟ Cosa ci posso fare?   365

Premessa

1 Il libro

Questo corso di lingua araba è stato elaborato da tre docenti universitari e si rivolge pertanto in primo luogo a un pubblico universitario. Nondimeno esso è stato pensato ugualmente per chiunque non abbia la possibilità di iscriversi a un corso di arabo – universitario o meno – e desideri affrontare lo studio di questa lingua in privato. I CD-Audio che accompagnano il volume sono indispensabili per tutti i fruitori di questo libro.
Il testo presuppone tuttavia che il suo utente sia disposto a investire tempo ed energia a medio raggio nell'acquisirne i contenuti in maniera non superficiale. L'arabo infatti non è una lingua che richiede unicamente l'assimilazione di lessico e di procedimenti grammaticali, ma esige un vero e proprio trasloco culturale e una forte mobilitazione delle proprie capacità intellettive. Al di là di tali disposizioni, l'unico motore fondamentale nell'apprendimento di una lingua è l'*affetto*: se questo libro riuscirà a far nascere tale affetto e, soprattutto, a tenerlo in vita, il suo scopo potrà dirsi raggiunto.

2 La lingua

Chiunque maturi la decisione di studiare una lingua sa di intraprendere un viaggio. Apprendere l'arabo rappresenta certamente un viaggio particolare, prima del quale sarà bene controllare che bagagli, biglietti e documenti siano in ordine.
È prassi premettere a ogni manuale di lingua araba qualche considerazione sull'effettiva o presunta **difficoltà** di questa lingua. È quasi inutile ricordare che almeno due espressioni idiomatiche italiane inducono il profano a paventare una lingua eccezionalmente ostica e difficoltosa, di modo che chi mediti di avvicinarvisi si domanda con apprensione se tale aspirazione non rappresenti una sfida particolarmente ardita o temeraria, almeno per un soggetto di medie capacità intellettive.
Pertanto alcuni manuali rassicurano l'aspirante arabista, dicendogli che no, l'arabo è una lingua come tutte le altre, è solamente molto diversa da quelle europee, e quindi potrà occasionare qualche leggero spaesamento nel discente, ma alla fin fine non è poi così 'difficile', anzi qualcuno arriva persino a dire che a ben guardare è 'facile'.
Altri optano per un atteggiamento di franca sincerità, confessando al lettore che ebbene sì, l'arabo è in effetti una lingua di grande difficoltà, il cui apprendimento richiede anni di duro impegno, cercando in tal modo di instillare nell'animo dell'aspirante arabista quella rassegnata e necessaria abnegazione che, se piamente accettata e sopportata, porterà a lungo andare alla padronanza di questa lingua così speciale e misteriosa.
In questo libro non svicoleremo dicendo che tra le due scuole di pensiero la verità sta nel mezzo. Anche se ovviamente è così: l'arabo è oggettivamente difficile su alcuni punti, mentre può rivelarsi molto più facile dell'italiano su altri.
Potremmo anche tentare un'altra via ancora, dicendo che l'arabo, malgrado la sua complessità, è una lingua affascinante e di eccezionale bellezza, capace di offrire a chi la studia momenti di estasi e voluttà, sorprese ed emozioni tali da arricchire i suoi orizzonti culturali in misura totalmente inaspettata. Così è infatti e, quando lo studente si trova in grado di formare le sue prime frasi in arabo (anche per una conversazione elementare), ne trae un autentico piacere fisico.
Dopo quanto tempo? L'esperienza insegna che non è realisticamente possibile rispondere alla domanda 'quanto tempo ci vuole' per apprendere una lingua, quale essa sia. Ciò può variare considerevolmente da un soggetto all'altro, a seconda di vari fattori: il tempo e la tenacia accordati allo studio, la facilità o meno per le lingue, le motivazioni soggiacenti ecc. Per quanto riguarda l'arabo, diciamo che chi abbia assimilato il materiale linguistico contenuto in questo libro nel corso di tre, o massimo quattro, semestri, dovrebbe aver raggiunto il livello B2 del Quadro Comune Europeo di Riferimento per le lingue (QCER, che prevede i livelli A1, A2, B1, B2, C1, C2), ovvero essere in grado di sostenere conversazioni quotidiane e di leggere e scrivere testi di media difficoltà.

"Il latino apre la mente", recita un trito dogma da liceo. Molti studenti che si iscrivono alle facoltà di Lingue provengono dal liceo classico (apriamo una parentesi per dire che uno dei tre autori di questo libro non ha 'fatto latino' a scuola e ciononostante è sopravvissuto intellettualmente ed è persino riuscito a imparare l'arabo). Apre la mente il latino? Se studiato in maniera altro che superficiale, certamente sì. Ma sia chiaro che il dogma vale per *qualsiasi lingua*: lo studio approfondito di una lingua quale essa sia, anche 'facile' come potrà apparire a prima vista a un italofono lo spagnolo, finisce prima o poi per dare questa sensazione di accresciuta capacità di riflessione, ovvero di **apertura mentale**, appunto, derivata dalla constatazione che la vita può essere pensata in maniera diversa.
Elemento centrale della *cultura* di ogni popolo, la lingua è in primo luogo il centro di smistamento dei cinque sensi che consente a ognuno di noi di concepire il mondo, conoscerlo, amarlo, criticarlo, volerlo cambiare. Conoscere bene un'altra lingua, oltre a quella materna, significa rendersi conto del fatto che la propria cultura non solamente non è l'unica al mondo, ma non è neanche necessariamente quella che dà le risposte giuste a tutte le domande. Anche l'arabo, quindi, come il latino o lo spagnolo, è suscettibile di aprire la mente in misura considerevole e salutare.

3 Il popolo

Una premessa importante: è **arabo** chi abbia come lingua materna l'arabo; è **musulmano** (si eviti 'islamico') chi abbia come religione l'islàm. 'Arabo' e 'musulmano' **non** sono quindi sinonimi, come non sono sinonimi 'italiano' e 'cristiano'. Se la maggioranza degli arabi è indubbiamente musulmana, vi sono minoranze di arabi cristiani e di arabi ebrei; viceversa vi sono milioni di musulmani la cui lingua materna non è l'arabo, ad esempio persiani, turchi, malesi, somali, senegalesi ecc.
La scuola occidentale piuttosto raramente parla degli arabi, del mondo arabo, della civiltà araboislamica e dell'immenso percorso culturale che gli arabi hanno svolto nell'arco di più di tredici secoli. Gli arabi vengono ricordati a proposito di Carlo Martello (battaglia di Poitiers, 732) come pericolosi invasori o, a proposito delle Crociate, condotte da fulgidi e prodi difensori del cristianesimo in un territorio prudentemente chiamato Terra Santa (e cioè la Palestina, oggi Israele e/o Autorità Nazionale Palestinese). Si insegna ai liceali che l'Umanesimo nasce a partire dal 1453, con la caduta di Costantinopoli e la fuga da questa città di insigni studiosi che raggiungono l'Occidente, perché evidentemente perseguitati da nuovi barbari dominatori. Ma non si spiega mai agli scolari che, se l'Umanesimo 'nasce' a Costantinopoli (oggi Istànbul, Turchia), necessariamente qualche tradizione pregressa di studi doveva essere esistita da quelle parti. Poiché infatti un pensiero definibile come umanistico si sviluppò ben prima del XV secolo e precisamente a Baghdàd (Iràq) nientemeno che nel IX secolo, con il califfo al-Maʔmūn, contemporaneo di Carlo Magno. Si insegna che sono stati gli arabi a inventare lo zero (ossia il numerale 0); in realtà lo hanno inventato gli indiani, ma furono i matematici arabi a capire quale reale rivoluzione scientifica esso portava con sé. Non si dice quasi mai a scuola che la medicina occidentale è stata fondata dagli arabi, i quali vi eccelsero per un banalissimo motivo di ordine religioso: l'islàm, religione della maggioranza degli arabi, non vieta la dissezione di salme – ovvero l'autopsia –, consentendo ai medici musulmani già otto secoli fa di sviluppare conoscenze molto precise su quello che rappresenta l'anima della medicina: l'anatomia. Di un altro aspetto legato al mondo arabo la scuola parla ancora il meno possibile: la colonizzazione (il periodo coloniale, o sportivamente 'l'avventura coloniale'), che vide la Gran Bretagna, la Francia, la Spagna e l'Italia imporsi politicamente, militarmente, culturalmente, nella maggioranza delle regioni arabe, per ritirarsene in alcuni casi dopo più di un secolo di occupazione, sfruttamento e vicende drammatiche.
Nell'immaginario collettivo della maggioranza degli occidentali, 'gli arabi' sono stati a lungo concepiti come nomadi a dorso di dromedario che conducevano una vita molto primordiale sotto il sole implacabile di lontani deserti sabbiosi. Fu nel 1973, dopo la seconda guerra arabo-israeliana, e soprattutto dopo l'embargo sul petrolio che ne conseguì come ritorsione da parte del mondo arabo, che i mezzi di comunicazione di massa e la diplomazia occidentali dovettero concedere maggiore spazio a 'gli arabi'. Si

scoprì allora che 'gli arabi' non appartenevano soltanto a un Medioevo ormai concluso e dimenticato, ma che essi aspiravano come noi a una propria modernità, che non avevano nessuna intenzione di rimanere 'paesi sottosviluppati' – così si diceva allora –, e che se era necessario chiudere i pozzi di petrolio per imporsi sulla scena internazionale, allora così avrebbero fatto. Fu in questo modo che la lingua araba, la quale fino ad allora poteva attrarre tutt'al più qualche manciata di appassionati di cose lontane ed esotiche, entrò lentamente a far parte delle lingue importanti del mondo. Dopo il 1973 l'Occidente scoprì con sorpresa che l'arabo era il veicolo di una vita intellettuale insospettata, si accorse che da più di un secolo gli arabi erano curiosi di noi, apprendevano le nostre lingue, venivano a studiare in Europa per riportare successivamente in patria nuovi saperi da adattare, che la maggioranza di essi ci guardavano con sincero interesse, ammirazione, e nel più dei casi – sorvolando il ricordo del colonialismo – con profonda simpatia. L'Occidente si accorse che recarsi in un paese arabo non significava affatto intraprendere un viaggio scomodo, insicuro e inquietante, ma ben al contrario approdare in un mondo dove l'ospite è sempre sacro e accolto come un amico d'infanzia.
Ma l'incontro tra Occidente e Mondo Arabo è stato successivamente disturbato da eventi politici quasi sempre violenti. La Guerra fredda tra Stati Uniti d'America e Unione delle Repubbliche Socialiste Sovietiche, il conflitto arabo-israeliano, le divisioni interne al mondo arabo hanno contribuito a lasciare emergere correnti di pensiero legate non più a concezioni nazionalistiche ma all'appartenenza religiosa della maggioranza degli arabi, l'**islàm**, dando vita a ideologie di tipo messianico e fondamentalistico, sfociate traumaticamente nella strage dell'11 Settembre 2001. Si badi che l'islàm in sé – che riconosce apertamente e rispettosamente il cristianesimo e l'ebraismo come suoi predecessori immediati –, è una religione che come tutte le religioni predica l'unicità di Dio, la pace, la giustizia e la tolleranza, e da nessuna parte nei suoi testi sacri incita alla violenza o all'intolleranza, bensì il contrario. Movimenti fondamentalistici e intolleranti possono sorgere presso tutte le religioni del mondo, e per quanto riguarda l'islàm si ricordi che le vittime immediate del fanatismo religioso sono in primo luogo i musulmani moderati e tolleranti, di cui dovrebbe essere inutile precisare – perché purtroppo occorre invece spesso doverlo fare – che sono la stragrande maggioranza. Il fondamentalismo islamico non è quindi l'islàm autentico, né rappresenta oggi una qualche tendenza dominante di questa religione. Se la politica e la strategia delle superpotenze oggi, celermente incalzate da un giornalismo animato molto più da carrierismo che non da professionalità, si compiacciono nel propagare nell'opinione pubblica occidentale l'incombenza di un 'pericolo islamico' foriero di panico e angoscia, vogliamo assicurare alla persona che ha comprato questo libro che lo studio dell'arabo diverrà presto la più efficace e la più gradevole delle medicine per fugare tali sue eventuali ansie.

4 Maggiori dettagli

L'arabo è stato ed è quindi la lingua:

- di circa duecentocinquanta milioni di parlanti;
- di una religione che conta oggi più di un miliardo e mezzo di persone;
- di una letteratura tra le più gloriose nella storia del'umanità;
- di una civiltà che per secoli ha anticipato le grandi scoperte umanistiche e scientifiche del futuro Occidente;
- di una coscienza politica molto acuta e critica;
- di uno stile di vita che sa accogliere emozioni e passioni al contempo con semplicità e profondità.

Non deve pertanto sorprendere che sia una lingua un po' 'speciale' e correlativamente non sempre proprio facile. Ma rispondiamo a una domanda: quale lingua è, realmente, 'facile', compresa la propria lingua materna? Non abbiamo forse tutti subito, dalla prima elementare al diploma di maturità, un quotidiano addestramento al buon uso della nostra lingua natia? Non siamo stati sistematicamente ripresi, redarguiti, biasimati, sui nostri modi di dire o di scrivere? Anche da diplomati, non ci capita mai di aprire un vocabolario italiano o soffermarci dubbiosi su un participio, un passato remoto o un accordo grammaticale?

Dire dell'arabo che è una lingua difficile tuttavia non è errato ma inesatto. L'arabo è una lingua **complessa**, fatta di meccanismi morfologici e sintattici talvolta sconcertanti e di assimilazione tutt'altro che immediata, ma di una regolarità quasi matematica. Chi ha studiato il latino e il greco – ma anche chi, si badi bene, sia semplicemente consapevole della complicazione del sistema verbale italiano – non si aspetti il vero e proprio ginepraio di regole, controregole, eccezioni e controeccezioni offerto da queste tre lingue.
Ma cerchiamo di dare, in maniera pacata, una presentazione generale di tali complessità e difficoltà.

4.1. Fonologia: ovvero tutto ciò che riguarda la **pronuncia** della lingua in questione. Sul piano fonologico una lingua come lo spagnolo potrà essere recepita come 'facile' da parte di un italiano perché presenta un sistema fonetico molto simile a quello dell'italiano. Nondimeno l'italiano avrà qualche problema con la *j* e la *z*, e, se vuole acquisire una pronuncia natia, anche con la *r* e la *s*. Ma risulterà ancora più facile, sempre a livello fonologico, una lingua molto lontana e diversa dall'italiano come il swahili, parlato in Africa centrale. Viceversa – sempre per un italiano – acquisire una pronuncia accettabile in una lingua molto più vicina come il danese richiederà anni di esercizio.
La fonologia araba richiede nel corso dei primi mesi una paziente e sostenuta ginnastica articolatoria, in quanto presenta diversi fonemi assenti in italiano e almeno tre inesistenti nelle lingue europee, nonché un'alternanza tra vocali brevi e vocali lunghe totalmente disorientante i primi tempi. La fonetica araba è per certi versi aspra e gutturale ma per altri melodiosa e duttile: rudemente virile e dolcemente femminile allo stesso tempo. Acquisire una buona pronuncia dell'arabo, requisito indispensabile per apprezzare il fascino acustico di questa lingua (nonché per essere capiti dagli arabi...), richiede mesi di esercizio.

4.2. Morfologia: ossia tutto quello che tradizionalmente viene indicato come **coniugazioni** e **declinazioni**. È ovvio che una lingua i cui sostantivi siano sempre invariabili e i cui verbi non si coniughino mai – come il cinese – richiederà molto meno lavoro mnemonico rispetto a lingue come il russo, il latino, l'islandese (o l'italiano...), che impongono la memorizzazione di paradigmi lunghi e diversificati. È per tale motivo che l'inglese, lingua dalla morfologia povera, risulta relativamente 'facile', almeno agli inizi. Perché attenzione: una lingua dalla morfologia povera (come l'inglese), magari inesistente (come il cinese), non è una lingua 'elementare', bensì una lingua che 'si rifà' a livello di sintassi.
La morfologia araba è paradossalmente l'aspetto che più rende insicuro lo studente di arabo. Come già detto, essa non è certo 'facile' ma è caratterizzata da un altissimo grado di regolarità e sistematicità. La cosa non appare immediatamente, soprattutto a quanti provengano dal latino e dal greco, i quali tendono a rimanere incagliati per il timore di avere volta per volta a che fare con irregolarità o eccezioni.

4.3. Sintassi: ossia il modo di costruire enunciati ('frasi') dotati di senso collocando i diversi costituenti ('parole') in un dato **ordine**: se *tu è un somaro* contiene un errore morfologico, *tu un somaro sei* presenta un errore sintattico.
La sintassi araba è forse il livello che meno provocherà disagi allo studente, senza che ciò significhi che non necessiti attenzione (ad esempio il verbo viene normalmente prima del suo soggetto: l'esperienza insegna che sono necessari mesi per addestrare lo studente a dire *scrive il professore il testo alla lavagnai*) o che sia priva di originalità, talvolta apparentemente intraducibili – quali il *mafʿūl muṭlaq*, o 'complemento assoluto', il *tamyīz*, o 'specificazione' – talvolta disperanti, come la sintassi dei numerali.

4.4. Lessico: ossia l'inventario delle **parole** della lingua. Ogni lingua possiede un lessico teoricamente sterminato, tra lessico di uso comune, parole non più in uso e parole di recente acquisizione o coniazione, linguaggi specializzati o tecnici ecc. L'affermazione che tale lingua abbia un lessico 'più ricco' di tale altra è soltanto segno di ignoranza o pregiudizio da parte di chi la sostiene. Come in tutte le lingue, esiste un lessico 'di base', ossia di alta frequenza nel linguaggio quotidiano, cui va dato precedenza in un corso introduttivo come il presente.
La 'difficoltà' del lessico arabo risiede semmai nel fatto che l'arabo non appartiene alla famiglia delle

lingue **indeuropee** (di cui fanno parte tanto l'italiano quanto lo spagnolo, l'inglese, il tedesco o il russo), bensì a quella delle lingue **semitiche** (insieme all'ebraico principalmente). Ciò implica che non si hanno praticamente mai quelle assonanze atte a far intuire, con immediatezza o tramite riflessioni successive, la 'parentela' di una parola con quella corrispondente italiana. Lo spagnolo *mujer* è oggettivamente diverso dall'italiano *donna*, ma non occorre essere linguisti agguerriti per pensare prima o poi all'italiano *moglie*, al napoletano *mogliera*, o al latino *mulier* (che è alla base di tutti e tre). Il tedesco *Danke* non assomiglia affatto all'italiano *grazie*, ma se si pensa che assomiglia invece all'inglese *thank you* sarà più facile memorizzarlo. Il persiano (anche lui lingua indeuropea) *barådar* non fa pensare all'italiano *fratello*, ma non ci vorrà molta fantasia per accostarlo all'inglese *brother* o al tedesco *Bruder* (e quindi al latino *frater*...). Chiunque sa cosa si intenda con la parola *guru*, sospettando a ragione una provenienza indiana di tale termine; chi studi il sanscrito (antica lingua indeuropea dell'India) scoprirà che infatti *guru* significa 'maestro', ma che il primo significato è quello dell'aggettivo 'pesante', dalla stessa radice del latino *gravis*... Soltanto pochi casi dovuti a coincidenza, come *bayt* 'casa' (cf. ital. *baita*), o curiose assonanze o 'falsi amici', come *mustašfā* 'ospedale' (leggi *š* come *sh*, niente a che vedere con le *moustaches*, 'baffi' francesi), *ṣadīq* 'amico' (niente a che vedere con 'sadico'), *bizza* 'divisa' (niente a che vedere con 'pizza'), colpiscono la fantasia e aiutano a fissare la parola nella memoria.

E fin qui, nulla di particolarmente terrorizzante. Sussiste tuttavia un'ulteriore difficoltà, questa volta oggettiva: la scrittura.

4.5. La scrittura araba di per sé non presenterebbe grandi difficoltà, trattandosi di un alfabeto di ventotto grafemi ('lettere') i cui principali aspetti esotici sono l'essere **sinistrorso** (si scrive cioè da destra verso sinistra) e **corsivo** (i grafemi si legano l'uno all'altro). Il sistema vocalico è molto semplice, essendo fatto di tre timbri /a i u/ che possono essere brevi, *a i u*, o lunghi, *ā ī ū*, ma a livello grafico le tre vocali brevi *a i u* non vengono registrate nella scrittura corrente. Il che significa ad es. che *durğ* 'cassetto' e *darağ* 'scale' (leggi *ğ* come *j* di *jolly*) si scrivono entrambi ⟨درج *drğ*⟩: spetta al lettore indovinare la giusta lettura. Il contesto aiuta in molti casi, ma non sempre («ho trovato questo portafoglio nel *drğ*»...). Mettersi in grado di leggere correntemente l'arabo richiede effettivamente un paziente addestramento e una pratica regolare della lettura. Ciò non significa che, prima di allora, lo studente di arabo sia incapace di leggere, ma che per i primi anni avrà bisogno di parecchia inventiva (l'arabo apre la mente...).

Ma i problemi non sono finiti.

4.6. L'arabo che viene presentato in questo libro è l'**arabo standard contemporaneo**, lingua ufficiale di ventidue stati indipedenti uniti dall'istituzione della Lega Araba. Si tratta quindi della lingua che viene insegnata nelle scuole arabe dalle elementari al liceo, in cui compongono gli scrittori del Novecento, nella quale sono redatti i giornali, tutte le comunicazioni scritte amministrative, le indicazioni stradali, i divieti vari ecc. È la lingua in cui si esprimono gli animatori dei mezzi di comunicazione di massa, al telegiornale, alla radio, nei documentari. In questa lingua tiene il suo corso il professore universitario, risponde al microfono l'intervistato, vengono annunciati i programmi televisivi della giornata.

Questa lingua ha una lunga storia. Fu forgiata più di quindici secoli fa dai poeti dell'Arabia preislamica a scopi letterari; in essa è composto il testo sacro dell'islàm, il Corano, che la consacra come lingua eletta da Dio per rivolgersi all'umanità; è successivamente servita per tutta la letteratura dei primi secoli dell'ègira (a partire dal 622 d.C.). Questa lingua viene detta **arabo classico**. Dal XIII secolo dell'era cristiana, VI dell'ègira, l'arabo classico inizia un lungo letargo, che dura fin verso la fine del Settecento e ne fa una sorta di latino cui hanno accesso soltanto i letterati di professione. Nella vita quotidiana hanno preso forma nei diversi paesi arabi varie forme di lingue parlate **neoarabe**.

Dai primi dell'Ottocento assistiamo, con la *Nahḍa* 'Risveglio' (letterario), a una ripresa spettacolare di questa lingua. L'arabo classico, sempre fedele al suo modello antico, si modernizza, crea neologismi che dalla medicina all'informatica permettono oggi di parlare con parole arabe delle più recenti scoperte tecnologiche. Gli scrittori dell'Ottocento e del Novecento, quasi sempre eruditi di lingue e letterature

europee, creano nuovi stili e ridanno vita letteraria all'arabo classico, che, rimasto sostanzialmente immutato attraverso i secoli a livello fonologico, morfologico e sintattico, si è arricchito a livello lessicale e stilistico, divenendo l'arabo standard contemporaneo.
La diffusione dell'arabo standard nei paesi arabi è aumentata considerevolmente nel corso degli ultimi decenni, ma, e qui sta il problema, esso non si è ancora imposto come lingua di tutti i giorni, come lingua della conversazione e della comunicazione spontanea, anche presso le persone di più alto livello culturale. All'infuori dello scritto e delle situazioni formali ora ricordate, gli arabi non si esprimono praticamente mai in arabo standard bensì in una forma diversa di arabo, che non è la stessa da un paese arabo all'altro, ma neanche da una regione all'altra all'interno dei singoli stati. Quest'arabo parlato, sempre e ovunque abbastanza diverso dallo standard da risultare incomprensibile a chi sappia solamente quest'ultimo, viene chiamato **arabo dialettale** o **neoarabo**.
Significa ciò che lo studente di arabo, dopo aver dedicato sforzi non indifferenti all'acquisizione dello standard, recandosi in un paese arabo potrà farsi capire ma non sarà in grado di capire cosa dicono gli arabi per la strada? La risposta è inderogabilmente sì. Se lo studioso di lingua araba non ha interessi esclusivamente letterari, per i quali l'arabo standard può essere sufficiente (ma quale tristezza...), dovrà quanto prima affiancare allo studio dello standard quello di un dialetto di sua scelta. Imparare l'arabo per poter rispondere affermativamente alla domanda «parli arabo?» significa in definitiva studiare due lingue: lo standard e un dialetto, che, una volta appreso lo standard, si acquisisce con molta facilità. Certo, nulla vieta di ordinare un caffè al bar o di mandare un seccatore a quel paese in arabo standard – cosa che lascerà comunque sempre il cameriere e l'importuno vagamente perplessi –, ma l'arabista in erba cederà presto al fascino particolare dei vari dialetti che, complementarmente allo standard, permettono di vivere una vita araba autentica e di tuffarsi appieno in quel mondo arabo che gli auguriamo di scoprire al più presto.

4.7. Come è possibile gestire tutte queste complicazioni? Applicazione, costanza, tenacia, serietà e simili sono vocaboli cupi, freddi, affatto invoglianti, riferiti a disposizioni che *derivano* da qualcos'altro. La persona che si è iscritta a un corso di arabo, o che ha comprato questo libro, è già stata mossa da una pulsione istintiva che ha il nome di *curiosità*. La curiosità, specie se allegra e spensierata, è quella spinta viscerale e priva di motivazioni razionali che a un certo punto può trasformarsi in una ragione di vita e portare tante persone a diventare medici, ingegneri, fisici, musicisti, politici, attori, cronisti sportivi... o arabisti.
L'arabo è una lingua complessa, esigente, gelosa, ingombrante, ma bastano poche lezioni perché si riveli una sorta di droga di cui presto non si potrà più fare a meno. Chi ci ha seguito fino a questo paragrafo è già come l'aeroplano che, avendo rullato alcune centinaia di metri e raggiunto una certa velocità, sta per superare il punto di non ritorno, dopo il quale non avrà più altra scelta che quella di decollare e proseguire il volo fino alla fine.
Avvertimento: un'assillante domanda tormenterà d'ora in avanti l'utente di questo libro, e cioè: «Perché hai deciso di studiare l'arabo?». Se la sua risposta sarà: «Non lo so, ma so soltanto che mi sto divertendo molto», allora sappia che è sulla buona strada.

5 Come usare questo libro

- Ogni testo deve essere affrontato in primo luogo in maniera **passiva**, ascoltandolo più volte dal lettore e/o dal CD-Audio, seguendo il testo arabo, senza preoccuparsi di capirne il significato. Nella struttura neurologica di ognuno di noi è presente un riflesso arcaico, detto tecnicamente RAL (Riflesso di Acquisizione del Linguaggio), che ci ha permesso di acquisire la nostra lingua materna durante l'infanzia e che può scattare di nuovo se esposto a qualsiasi altra lingua. Nella fascia di età media in cui si trova il pubblico di questo libro il RAL non dovrebbe ancora essere totalmente atrofizzato.
- Lo studente deve **astenersi rigorosamente** da: *a*) introdurre a mano la vocalizzazione diacritica e *b*) scrivere la traduzione italiana dei singoli vocaboli in microcaratteri latini sovra o sottoscritti; se, per

via di irrefrenabile pusillanimità, non riesca a farne a meno, il consiglio è di farlo a matita, onde poter successivamente rimuovere tale errore metodologico.

- Seguiranno **successive riletture** controllando volta per volta le parole nuove fornite nel riquadro che segue il testo.
- Il testo va in seguito **oralizzato** (letto a voce alta) – in un primo momento frase per frase – più volte di seguito, badando con estremo rigore a non cedere alla tentazione di semplificare o elidere i fonemi difficili e più in generale a non conferire all'arabo le sonorità di un dialetto italiano. Lo studente potrà avvertire un senso di vergogna nello sforzarsi di riprodurre fonemi estranei all'italiano: il sintomo è positivo, in quanto tradisce umiltà e rispetto nei confronti della lingua studiata.
- Il testo potrà dirsi assimilato quando lo studente, dopo tali operazioni dovutamente ripetute, si sentirà in grado di leggerlo e oralizzarlo, non velocemente, ma seguendo un **ritmo**, e capendone il significato senza più cercare nell'elenco di parole nuove. Non si tratta di apprendere a memoria (cosa comunque non vietata), ma di acquisire scioltezza e naturalezza nella lettura e ripetizione, esattamente come con un esercizio ginnico.
- Le parole introdotte volta per volta nel corso dei testi debbono essere **memorizzate**, poiché, dice un proverbio arabo molto avveduto: "non si costruisce una casa senza mattoni". La memorizzazione dei vocaboli segue un andamento moltiplicativo più che additivo: una volta interiorizzato درس *dars* 'lezione', ad esempio, diventa più facile fissare دراسة *dirāsa* 'studio', مدرسة *madrasa* 'scuola', مدرس *mudarris* 'insegnante' ecc. L'intero corso presenta all'incirca 1600 parole di alta frequenza.
- Le spiegazioni grammaticali sono rivolte a un quoziente intellettuale medio di madrelingua italiana munito di diploma di maturità liceale; la terminologia grammaticale viene spiegata volta per volta e non presuppone alcuna preparazione glottologica preliminare.
- La lingua araba standard è sostanzialmente unitaria "dal Golfo arabico all'Oceano Atlantico" (per riprendere un'espressione cara agli arabi, من الخليج إلى المحيط). Nondimeno, dall'Iràq al Marocco gli accenti possono variare sensibilmente (si pensi agli accenti italiani anche presso le persone colte). Si ricordi quindi che l'arabo può essere parlato con qualsiasi accento, tranne che con quello italiano.

6 Raccomandazioni allo studente

- Il verbo italiano *studiare* deriva indirettamente dal latino *studēre* 'appoggiarsi a' e 'applicarsi a qualcosa', da cui si evince una nozione basilare di costanza e di fermezza. Secondo un autorevole vocabolario della lingua italiana, la definizione di 'studiare' è: «*applicare* la propria *intelligenza* all'apprendimento di una disciplina, un'arte, un particolare argomento e sim., seguendo un certo *metodo* e valendosi dell'aiuto di *libri*, *strumenti* e sim., spesso sotto la *guida* di un *maestro*» (lo *Zingarelli*, i corsivi sono nostri). Questa definizione deve essere meditata con la dovuta umiltà, soffermandosi sulle parole qui riportate in corsivo, da parte di chi voglia dichiararsi **studente**.
- Studiare una lingua deve essere concepito come fonte di **gioco** e **piacere** prima che di impegno e sofferenza, esattamente come qualsiasi attività ginnica: chi si iscrive a un corso di danza o di yoga non lo fa all'unico scopo di essere applaudito e premiato il giorno del saggio, ma per trarne piacere personale e serenità mentale. Anche lo sport richiede impegno e talvolta sofferenza. È naturale che apprendere una lingua – sempre come la pratica di uno sport – richiede **esercizio**: non si diventa calciatori o ballerini guardando partite alla televisione o balletti al teatro, così come non si impara l'arabo fissando con sguardo bovino il docente che spiega alla lavagna.
- Tra i tanti metodi elaborati dalla glottodidattica (disciplina che si interroga su come si debbano insegnare le lingue straniere) nel corso degli ultimi decenni, l'unico veramente efficace si rivela essere il metodo **intensivo**: più si studia, più si impara – e, correlativamente, meno si studia, meno si impara.

- Imparare una lingua non significa solamente mettersi in grado di tradurre testi con l'aiuto di un vocabolario: questo è un aspetto *secondario* e *accessorio* della padronanza di una lingua, che può avere un senso con le lingue non più parlate, come il latino, l'accadico o l'etrusco. Gli scopi primari di questo studio sono **parlare, capire, scrivere** e **leggere** la lingua in questione.

7 Chiarimenti per il docente

Questo corso si apre con un capitolo dedicato alla scrittura e alla fonetica, cui è indispensabile accordare il tempo dovuto. Le ventotto lettere dell'alfabeto arabo sono presentate per gruppi di due, tre o quattro, che possono corrispondere ognuno a un'ora di lezione circa. Alla scrittura corrisponderà quindi una decina di ore, e sarà pertanto bene dedicarvi il primo mese di lezioni. È indispensabile insistere sulla **pronuncia** del fonema corrispondente nonché sul **tracciato** delle singole lettere (molti studenti tendono a riprodurre i singoli grafemi da sinistra verso destra!). A questo capitolo introduttivo seguono 32 unità. Ogni unità comporta una prima e una seconda parte, fatte di *a*) un testo, *b*) un elenco di parole nuove, *c*) osservazioni grammaticali; concludono il tutto esercizi e note culturali. Le unità 8, 16, 24 e 32 offrono ripassi generali.

È noto che in Italia l'anno accademico dura in realtà sei mesi (ottobre-dicembre e marzo-maggio) e il semestre tre. Riuscire a coprire le prime ventitré unità nell'arco delle circa venticinque settimane utili concesse da tale anno accademico (prevedendo quindi democraticamente almeno uno sciopero dei trasporti e un'occupazione studentesca) permetterebbe allo studente di aver assimilato l'essenziale della morfologia araba – portandolo quindi a un 'livello B1' –, consentendogli in tal modo di poter successivamente frequentare un corso estivo in un paese arabo dove mettere in pratica con profitto le nozioni acquisite.

Le restanti unità dovranno essere completate nel secondo anno accademico, dopodiché il docente potrà passare a testi 'veri', ovvero tratti da letteratura, giornali, televisione ecc. Per tale fase di trapasso si consiglia vivamente di usare materiale teatrale e televisivo.

Il materiale di studio (testi, spiegazioni grammaticali, esercizi) andrebbe suddiviso tra docente e lettore. Gli esercizi possono essere svolti in parte a lezione e in parte a casa. Gli argomenti trattati nei singoli testi dovrebbero infine prestarsi a esercizi di conversazione.

Gli elementi metodologici innovativi proposti da questo corso sono fondamentalmente i seguenti:

- Introduzione diretta all'arabo **non vocalizzato**. L'atteggiamento tradizionale, che considera necessario iniziare con testi interamente vocalizzati per poi, 'progresivamente', passare a quelli non vocalizzati, ha da tempo evidenziato la propria inadeguatezza. Per quanti studiano secondo questo metodo il passaggio dall'arabo vocalizzato all'arabo non vocalizzato è sempre traumatico, caotico, disorientante, nonché fortemente scoraggiante anche per i soggetti più promettenti e tenaci. Chi voglia evitare simili disagi deve quindi apprendere sin dall'inizio che 'noccioline' si dice [bunduq] ma si scrive بندق, ossia ⟨*bndq*⟩, e non بُنْدُق, ⟨*bunduq*⟩.

- Presentazione di un linguaggio **quotidiano** e **colloquiale**, basato su una realtà studentesca, in un contesto contemporaneo e non più tra cammelli ed emiri portanti sciabola e turbante. A chi voglia obiettare che le situazioni presentate in questo libro non vanno *mai* gestite in arabo standard bensì in neoarabo o arabo dialettale andrà risposto che oggigiorno (e diversamente da soltanto vent'anni fa) l'arabo standard assume sempre più spesso il ruolo di lingua colloquiale in numerose situazioni, se non altro tra arabi di diversa provenienza, nei dibattiti televisivi su canali satellitari, negli scambi tra arabi colti e occidentali ecc.

- Uso estensivo della **terminologia grammaticale araba**, indispensabile non soltanto a chi si recherà a fare corsi di perfezionamento nei paesi arabi ma soprattutto per imparare a pensare la lingua araba secondo un pensiero arabo. Chiamare in italiano *mubtada'* e *fā'il* entrambi 'soggetto', ad esempio, impedisce a lungo di percepire con chiarezza la differenza fondamentale in arabo tra la frase nominale e la frase verbale. Chiamare il *manṣūb* 'accusativo' non ha senso visto che molto spesso il nominale al *manṣūb* riveste il ruolo di soggetto della proposizione. Se il *ḥāl*, il *maf'ūl muṭlaq* e il *tamyīz* non sono contemplati dalla grammatica grecolatina, non sarà certo ignorandoli che si aiuterà lo studente ad apprendere l'arabo.

- Presentazione progressiva del verbo privilegiando le flessioni del **verbo *sālim* e delle quattro classi *muʿtalla***, rimandando la riflessione sugli *ʾawzān mazīda* a più avanti, consentendo in tal modo di introdurre verbi di utilità quotidiana quali جاء 'venire', أعطى 'dare', استطاع 'potere', أجاب 'rispondere' ecc., che altrimenti vengono relegati nel miglior dei casi alle ultime settimane del secondo anno.
- Nel redigere i testi delle lezioni, gli autori si sono spesso ritrovati incerti di fronte a diverse **scelte lessicali**. Essendo l'arabo standard una lingua policentrica (ossia ufficiale in diversi stati indipendenti), è inevitabile che alcune nozioni, perlopiù tecnicismi, non siano le stesse da un paese arabo all'altro. Ciò avviene anche in altre lingue, come notoriamente in inglese (britannico, statunitense, canadese, australiano ecc.), spagnolo, francese e portoghese. È noto ad esempio che l'autunno, lo smoking, la benzina vengono detti *autumn*, *dinner-jacket* e *petrol* nel Regno Unito, *fall*, *tuxedo* e *gasoline* negli Stati Uniti d'America; che il numero settanta è *soixante-dix* in Francia e Canada ma *septante* in Svizzera e Belgio. Per l'arabo si aggiunga che i neologismi proposti dalle quattro accademie di lingua araba (Baghdad, Damasco, Amman, il Cairo) sono molto spesso concorrenziati da termini europei, inglesi in Oriente, francesi in Nordafrica, a tal punto che diviene in alcuni casi lecito invocare la 'naturalizzazione' (tecnicamente l'acclimatazione) di termini quali تاكسي *tāksī*, شامبو *šāmbū* 'shampoo' o مايوه *māyō* 'costume da bagno'. Viceversa possiamo dare per vincenti neologismi arabi quali سيارة *sayyāra* 'automobile', حاسوب *ḥāsūb* 'computer', ثلاجة *ṯallāǧa* 'frigorifero' (oggi piuttosto 'congelatore'). Un manuale di arabo standard dovrebbe quindi presentare al suo utente quei termini raccomandati dai vocabolari, come ad esempio حافلة *ḥāfila* per 'autobus', che tutti gli arabi conoscono ma usano unicamente allo scritto, e che all'ora attuale non sembra avere alcuna probabilità di soppiantare باص *bāṣ* in Oriente e توبيس *tūbīs* in Nordafrica. Cosa dire poi per 'supermercato', variamente reso متجر كبير 'grande negozio', مركب تجاري 'complesso commerciale' o altro da un paese all'altro, quando سوبرماركت *sūbarmārkit* la fa da padrone? Le scelte effettuate qui sono basate sulle prime risposte dateci spontaneamente da parlanti arabi alla domanda "come dici *x* in arabo (standard)?".
- Nel corso delle unità, alcuni tratti grammaticali vengono **anticipati**, ossia introdotti prima dell'unità in cui verranno successivamente affrontati. Ad esempio nel primo testo dell'Unità 4 compare لكنها, che viene tradotto 'ma lei' nel riquadro di parole nuove. Di fronte a questo *lākinna-hā* lo studente manifesterà perplessità ed esigerà spiegazioni. Se il docente si lancia in una spiegazione del tipo: «La parola si scompone in *lākin*, che sta per il coordinante 'ma, però', e va letta *lākinna* se seguita da un nominale, e in *-hā*, il quale è un pronome detto suffisso corrispondente a هي *hiya* 'lei' che va usato obbligatoriamente dopo un coordinante o un subordinante», lo studente non potrà che reagire con sconforto. In questa fase di studio, il docente deve essere inflessibile: لكنها *lākinna-hā* va, per ora, preso 'in blocco', come un'unità lessicale punto e basta; più avanti si vedrà meglio come funziona. Similmente nel secondo testo dell'Unità 10 compare عشرة أمتار 'dieci metri', mentre i numerali verranno studiati a partire dall'Unità 18. Anche in questo caso anticipare le regole sintattiche dei numerali sarebbe fortemente controproducente: di nuovo عشرة أمتار va memorizzato come unità lessicale senza fare domande (e se lo studente astuto incomincia a sospettare fra sé e sé che i numerali vengono usati al femminile con i maschili e vicerversa, ciò significa che si sta pian pianino adagiando nella logica araba).
- Le voci che hanno letto i testi arabi per i CD-Audio sono state volutamente scelte, onde offrire una gamma di accenti diversi, tra parlanti di madrelingua provenienti da paesi arabi diversi. In ordine di apparizione: Mounir Seghir (منير الصغير, Tunisi), Sofia Akki (صوفيا العكي, Rabat), Sabeha Ghorghis Danyal (سبيحة غرغيس

داناي, Baghdad), Wassim Dahmash (وسيم دهمش, Damasco), nonché, per le voci mancanti, Hatem El Tai (حاتم الطائي, Omm El Ghanam, Israele) e Ali Karakouz (علي الكاراكوز, Ksar Hallouf, Tunisia). A tutti loro vada qui un grazie particolare, se non altro per le due giornate estive, estenuanti malgrado le irrefrenabili risate, passate rinchiusi in sala di registrazione.

8 Nota conclusiva e ringraziamenti

Questo libro è frutto di riflessioni ed elaborazioni comuni, dovute a esperienze glottodidattiche individuali molto diverse dei tre autori. Le diverse parti del manuale sono state lette, commentate e corrette da tutti e tre. Nondimeno Olivier Durand è responsabile dei testi e delle spiegazioni grammaticali, Angela Daiana Langone della prima sezione sulla scrittura, Giuliano Mion degli esercizi e dei lessici finali.

I tre autori ringraziano con calore e amicizia le varie persone che hanno accettato di perdere lunghe ore alla ricerca di errori, imprecisioni, dimenticanze, refusi, stravaganze ecc., in particolare Angelo Arioli, Wasim Dahmash, Massimo Bevacqua, Mounir Seghir, Laura Bariani, Annamaria Ventura. Le imperfezioni superstiti conservano ovviamente la firma esclusiva Durand-Langone-Mion.
Un'infinita gratitudine va infine, da parte di tutti e tre, al معهد بورقيبة للغات الحية/Institut Bourguiba des Langues Vivantes dell'Università al-Manār di Tunisi, che meriterebbe il Premio Nobel per la lingua araba.

Il libro è dedicato, con profondo cordoglio e immensa tristezza, alla memoria di Sameh Faragalla (Il Cairo, 1943 – Roma, 2009), maestro dei tre autori e di tanti altri studenti tra Roma e Napoli, tragicamente venuto a mancare dopo aver impartito quella che sarebbe stata la sua ultima lezione di lingua araba alla Facoltà di Studi Orientali il 13 novembre 2009.

Olivier Durand   Angela Daiana Langone   Giuliano Mion

Scrittura e fonetica

Leggere e scrivere: l'alfabeto arabo

1 Caratteristiche marcanti

La lingua araba viene scritta con un alfabeto di **ventotto grafemi** ('lettere'). Rispetto all'alfabeto latino, quello arabo presenta le seguenti caratteristiche:

- È **sinistrorso**: esso procede cioè da destra verso sinistra. Ne consegue che una pagina incomincia in alto a destra e che tutte le pubblicazioni si sfogliano all'inverso rispetto a quelle composte in alfabeto latino. La parola *dār* 'casa', espressa dai tre grafemi consecutivi ⟨د⟩ *d*, ⟨ا⟩ *ā* e ⟨ر⟩ *r*, si scrive pertanto:

  دار

- È essenzialmente consonantico: esso trascrive cioè le consonanti e le tre vocali lunghe *ā*, *ī*, *ū*. Le tre vocali brevi corrispondenti *a*, *i*, *u* non vengono mai segnate nella scrittura corrente, eccezion fatta per i vocabolari, i testi destinati a scopi didattici, il Corano e in parte la poesia. In questi ultimi casi, le vocali brevi sono indicate da appositi **segni diacritici** (ossia scritti sopra o sotto le consonanti). Per scrivere la parola *ward* 'rose', intervengono i tre grafemi ⟨و⟩ *w*, ⟨ر⟩ *r* e ⟨د⟩ *d*.
  Nei testi non vocalizzati – che sono la schiacciante maggioranza –, essa apparirà come:

  ورد

  Nei testi vocalizzati invece:

  وَرْد

- **Non indica** nella scrittura corrente la **tensione** consonantica: le consonanti tese ('doppie') non vengono registrate. Per scrivere la parola *zirr* 'tasto, bottone', intervengono i due grafemi ⟨ز⟩ *z*, ⟨ر⟩ *r*.
  Nei testi non vocalizzati, essa apparirà come:

  زر

  Nei testi vocalizzati invece:

  زِرّ

- È **corsivo**: ventidue dei ventotto grafemi dell'alfabeto arabo si **legano** l'uno all'altro all'interno della parola (come avviene nella scrittura corsiva latina). I restanti sei – di cui fanno parte quelli presentati finora – non si legano sempre. Così la parola *bunduq* 'noccioline', nella quale intervengono i quattro grafemi ⟨ب⟩ *b*, ⟨ن⟩ *n*, ⟨د⟩ *d* e ⟨ق⟩ *q*, apparirà come:

  بندق

  Ossia, scomponendo i singoli grafemi:

  ب ن د ق

  Nei testi vocalizzati:

  بُنْدُق

- **Non conosce** distinzione tra **maiuscole** e **minuscole**. Rispetto alle varianti latine ⟨ABCD⟩, ⟨abcd⟩, l'arabo conosce quindi solamente ⟨abcd⟩.

2 Il vocalismo

L'arabo standard possiede un sistema vocalico molto semplice fatto di tre vocali, che si sdoppiano in brevi *a i u*, e lunghe *ā ī ū*. Vi si aggiungono i due dittonghi *aw* e *ay* (come in it. *aula* e *baita*):

Vocali brevi		Vocali lunghe		Dittonghi	
i	*u*	*ī*	*ū*	*ay*	*aw*
a		*ā*			

2.1 Vocali brevi e altri segni diacritici

- Nei testi vocalizzati le tre vocali brevi vengono indicate dai tre diacritici seguenti (il tratto indica qui una consonante qualsiasi, sopra o sotto la quale il segno vocalico va collocato):

Diacritico	Nome arabo		Valore	
ـَ	فَتْحة	*fatḥa*	[a]	sopra la consonante
ـِ	كَسْرة	*kasra*	[i]	sotto la consonante
ـُ	ضَمّة	*ḍamma*	[u]	sopra la consonante

Le tre sillabe *da, di, du*, espresse dalla consonante ⟨د⟩ *d*, possono quindi essere espresse come:

دَ *da* دِ *di* دُ *du*

- Volendo precisare senza ambiguità che la consonante ⟨د⟩ *d* è priva di vocale, interverrà sopra il grafema consonantico il diacritico ـْ, chiamato سُكُون *sukūn* (lett. 'silenzio'):

دْ *d*

- Come già accennato, la scrittura non vocalizzata non segnala le consonanti tese ('doppie'). Nella scrittura vocalizzata interviene il diacritico ـّ, chiamato شَدَّة *šadda* o تَشْدِيد *tašdīd* (lett. 'rafforzamento'; leggi *š* come *sh*):

دّ *dd*

- La *šadda* si combina con le tre vocali brevi nella maniera seguente:

دَّ *dda* دِّ *ddi* دُّ *ddu*

I segni diacritici َ *a*, ِ *i*, ُ *u*, ْ *sukūn*, ّ *šadda* sono **extralfabetici**, non fanno cioè parte dell'alfabeto.

2.2 Vocali lunghe

Le tre vocali lunghe sono *ā, ī, ū*. Nella pronuncia esse debbono essere **protratte**, senza timore di esagerare: دار *dār* si legge «*daar*». Esse si scrivono con l'ausilio dei tre diacritici *fatḥa, kasra* e *ḍamma* visti finora ma con l'intervento supplementare di tre grafemi semiconsonantici ⟨ا⟩ *ʾalif*, ⟨و⟩ *wāw*, ⟨ي⟩ *yāʾ*. Avremo per ogni vocale lunga la seguente combinazione:

ـَا *ā* ـِي *ī* ـُو *ū*

Si osservi la differenza tra vocali brevi e vocali lunghe:

دَ *da*	دِ *di*	دُ *du*
دَا *dā*	دِي *dī*	دُو *dū*

Nb: la *a* araba, specie quando lunga *ā*, ha nella maggioranza dei paesi arabi il valore [æ] dell'inglese *cat* (o del barese *Bari* [bæri] o del parmense *Parma* [pærma]). In Libano si sente proprio [ɛ] (ital. *bene*), in Tunisia francamente [e] (ital. *sera*). L'Iraq e l'Arabia orientale presentano invece [a].

Osservazione importante: chi ha studiato il latino ha già sentito parlare di vocali brevi e vocali lunghe, e sa quindi che in questa lingua *rosa* e *rosā* sono due cose diverse, come forse ricorderà che sono due parole diverse *palus* 'palude' e *pālus* 'palo'. Ora nessun docente di latino ha mai indotto i suoi studenti a distinguere nella pronuncia *rosa* da *rosaaa* (in AFI ['rosa] e ['rosa:]) e *palus* da *paaalus* (in AFI ['palus] e ['pa:lus]). In arabo occorre assolutamente abituarsi a pronunciare دَ دِ دُ *da di du* e دَا دِي دُو *daaa diii duuu*.

Forti di queste nozioni preliminari, possiamo andare avanti con lo studio progressivo delle ventotto consonanti arabe. Procederemo per ora non seguendo l'ordine alfabetico arabo ma raggruppando le lettere in serie di grafemi che presentano somiglianze grafiche. L'alfabeto arabo nel suo ordine canonico verrà presentato alla fine di questa prima sezione.
Le singole parole che verranno introdotte come esempi saranno sistematicamente riportate in una duplice grafia, vocalizzata e non vocalizzata. Ricordiamoci che la scrittura araba **non vocalizzata** non rappresenta un sottocaso marginale di quella vocalizzata bensì il contrario. In arabo 'noccioline' si dice *bunduq* ma si scrive ⟨*bndq*⟩. Alla fine di ogni sottosezione figurerà un esercizio di riconoscimento delle parole fino ad allora incontrate.

Primo gruppo di lettere: *ˀalif, dāl, ḏāl, rāˀ, zāy, wāw*

La maggioranza dei grafemi dell'alfabeto arabo si legano l'uno all'altro all'interno della parola (come avviene nella scrittura corsiva latina, *abcd...*). Così per scrivere la parola *burr* 'frumento', occorrerà legare la ب *b* iniziale alla ر *r* successiva nel modo seguente:

بر

In versione vocalizzata:

بُرّ

- Fanno eccezione sei grafemi, che non si legano alla lettera che segue, cioè non legano a sinistra. Abbiamo già incontrato quattro di questi grafemi:

Grafema	Trascrizione	Nome del grafema
ا	*ā*	*ˀalif*
و	*w*	*wāw*
د	*d*	*dāl*
ر	*r*	*rāˀ*

Gli altri due grafemi che non legano a sinistra sono ذ *ḏāl* e ز *zāy*, graficamente simili rispettivamente alla د *dāl* e alla ر *rāˀ*: la sola differenza sta nella presenza di un **punto** in alto.

Grafema	Trascrizione	Nome del grafema	Valore
ذ	ḏ	*ḏāl*	[ð], il *th* dell'inglese *that*
ز	z	*zāy*	[z], la *s* dell'italiano *sbaglio* o del francese *rose*

د *dāl* e ذ *ḏāl* poggiano sul rigo, ر *rāˀ* e ز *zāy* vanno sotto; il punto va aggiunto dopo:

د *d* ذ *ḏ*

ر *r* ز *z*

Oltre a دار *dār* 'casa', possiamo ora leggere:

Vocalizzato	Non vocalizzato	Trascrizione	Significato
زِرّ	زر	*zirr*	'tasto; bottone'
رُزّ	رز	*ruzz*	'riso'
ذَرُور	ذرور	*ḏarūr*	'cipria'

Attenzione: Il grafema ⟨و⟩ *wāw* ha due funzioni:
- se seguito da una vocale breve o lunga o da un *sukūn*, ha il valore semiconsonantico [w] (ital. *uomo*);
- se preceduto da una ُ *ḍamma* e non ha sopra di sé alcun segno diacritico, ha il valore di vocale lunga *ū*:

وَرْد ورد *ward* 'rose'

وِرْد ورد *wird* 'abbeveratoio'

وُدّ ود *wudd* 'innamorato'

دَوْر دور *dawr* 'ruolo'

دُود دود *dūd* 'vermi'

La *ˀalif* in inizio di parola non ha mai il valore vocalico di *ā* (a meno di essere sovrastata dalla *madda* (آ), v. più avanti). Generalmente appare munito del diacritico ⟨ء⟩, detto *hamza*, che va trascritto con una sorta di apostrofo: ˀ. In tal caso si parla di *ˀalif-hamza*. La *ˀalif* serve allora sostanzialmente come sostegno della consonante *hamza*. Quest'ultima pertanto può essere vocalizzata con *a*, *i*, *u*:

أَ *ˀa* إِ *ˀi* أُ *ˀu*

La *hamza* rappresenta un suono consonantico [ʔ]: una sorta di brusca interruzione, o leggero singhiozzo (tecnicamente un'occlusiva laringale sorda), che produciamo in italiano in alcune onomatopee come *ˀah, ˀah, ˀah!* e di cui riparleremo più in là.
Nella scrittura non vocalizzata le tre *ˀalif-hamza* appaiono sotto la forma أ, إ, أ, ma in testi poco curati o nella scrittura a mano esse possono apparire anche prive della *hamza*:

أَرْز أرز ارز *ˀarz* 'cedri'

إِذَا إذا اذا *ˀiḏā* 'se'

أُرْدُو أردو اردو *ˀurdū* '(lingua) urdu'

Ricapitolazione

In questa parte, sono stati incontrati i seguenti sei grafemi che, non legandosi a sinistra con la consonante che segue, vengono semplicemente giustapposti l'uno accanto all'altro.

Grafema	Nome del grafema	Trascrizione
ء	*hamza*	ʔ
ا	*ʔalif*	*ā* / ʔ
د	*dāl*	*d*
ذ	*ḏāl*	*ḏ*
ر	*rāʔ*	*r*[1]
ز	*zāy*	*z*
و	*wāw*	*ū* / *w*
ي	*yāʔ*	*ī* / *y*

Esercizi orali

CD1/1

1 Ascoltare il suono delle sei lettere dell'alfabeto incontrate e ripeterlo.

Esercizi scritti

1 Leggere le seguenti parole e trascriverle.

وَ 'e' ....

أَوْ 'o, oppure' ....

وَدّ 'amore' ....

وَدَاد 'affetto' ....

إِوَزّ 'oche' ....

دُرّ 'perle' ....

دَاوُد 'Daoud, Davide' ....

2 Copiare i grafemi e le parole dell'esercizio 1, facendo attenzione alla direzione del tratto.

[1] La ر ha lo stesso valore della /r/ italiana. Anche nel mondo arabo tuttavia vi è chi abbia la 'erre moscia'!

3 Riconoscere le seguenti parole.

ود   إوز   داود   أو

رز   وداد   در   و

Nb: attenzione ai casi di omografia: ورد, ad esempio, può essere letto *ward* o *wird* (secondo il contesto naturalmente).

Secondo gruppo di lettere: *bāʔ, tāʔ, ṯāʔ, nūn, yāʔ*

Come già accennato all'inizio di questa sezione, escludendo le sei lettere studiate finora, tutte le restanti ventidue lettere dell'alfabeto arabo si **legano** l'una all'altra all'interno della parola, a destra con la lettera che precede, a sinistra con la lettera che segue. In una parola, la lettera può quindi trovarsi all'*inizio*, al *centro* o alla *fine*. A seconda della posizione (*iniziale*, *mediana*, *finale* o *isolata*), la lettera assume una forma leggermente diversa.
Le cinque lettere ب *bāʔ*, ت *tāʔ*, ث *ṯāʔ*, ن *nūn*, ي *yāʔ* esprimono i cinque fonemi [b], [t], [θ], [n] e [j] rispettivamente e presentano tracciati molto simili.

- Il loro capogruppo è la lettera ب *bāʔ*, il cui suono è [b] come la *b* italiana.

La forma isolata è:

ب

Una sorta di barchetta con un punto sotto (la chiglia). Essa va tracciata **da destra verso sinistra** e **assolutamente non il contrario.** Il corpo della lettera si scrive sul rigo, il punto va aggiunto successivamente ed è situato sotto il rigo.

Con le حَرَكَات *ḥarakāt*, i segni vocalici diacritici, otteniamo le combinazioni seguenti:

بَ *ba*   بِ *bi*   بُ *bu*   بْ *b*   بّ *bb*

- Se la ب *bāʔ* è preceduta da una delle sei lettere viste finora, che non legano a sinistra, essa assume la forma **isolata**:

أَب	أب	*ʔab*	'padre'
رَبّ	رب	*rabb*	'padrone, signore'
دُبّ	دب	*dubb*	'orso'

▶**Le sei consonanti** ا, د, ذ, ر, ز e و non legano a sinistra. Ma legano a **destra.** Se sono precedute da una consonante (diversa da ا, د, ذ, ر, ز, و!), che qui figuriamo con un tratto ـ, esse si legano nella maniera seguente:

ـا

ـد

ـذ

ـر

ـز

ـو

- In posizione **iniziale**, la *bāʾ* perde la coda, ma conserva sempre il punto:

بـ

بَاب	باب	*bāb*	'porta'
بَارِد	بارد	*bārid*	'freddo'
بَدْر	بدر	*badr*	'luna piena'
بُرْد	برد	*burd*	'mantello'

- La *bāʾ* in posizione **mediana** è identica alla *bāʾ* in posizione iniziale con la sola differenza che viene legata alla lettera che la precede ed è quindi legata a destra e a sinistra in questo modo:

ـبـ

- La *bāʾ* in posizione **finale** è legata solo a destra perché con essa si chiude la parola, così:

ـب

Legando insieme la *bāʾ* nelle diverse posizioni, otteniamo quindi:

ببب

Attenzione: nello scrivere una qualsiasi parola araba occorre seguire l'ordine seguente:
1. tracciare per primo il ductus consonantico (senza interrompere il tratto per inserire i punti);
2. tornare indietro e aggiungere i punti (se necessari);
3. tornare indietro un'altra volta per aggiungere i diacritici vocalici.

- Le lettere sorelle della ب *bāʾ* sono la ت *tāʾ* [t], come la *t* italiana, e la ث *ṯāʾ* [θ], interdentale sorda, come la *th* inglese di *think*, in quanto presentano la stessa struttura a barca, con la sola differenza della posizione e del numero dei punti: due sopra per la *tāʾ*, tre sopra per la *ṯāʾ*:

ب	*bāʾ*	*b*
ت	*tāʾ*	*t*
ث	*ṯāʾ*	*ṯ*

Legando la ت *tāʾ* e la ث *ṯāʾ* nelle diverse posizioni, otteniamo:

تتت
ثثث

تُوت	توت	*tūt*	'more, gelsi'
ثَوْب	ثوب	*ṯawb*	'vestito, panno'
ثَوْر	ثور	*ṯawr*	'toro' (anche zodiacale)

- Vi sono infine due lettere 'cugine' della ب *bāʾ* in quanto hanno la stessa struttura (con la solita differenza della posizione e/o del numero dei punti) nelle posizioni iniziale e mediana, ma differiscono nelle posizioni finale e isolata. Si tratta delle lettere ن *nūn* [n], come la *n* italiana, e della ي *yāʾ*, che oltre a indicare la vocale lunga *ī* ha anche il valore semiconsonantico [j] (ital. *ieri*).

▶ Le posizioni iniziale e mediana della lettera ن *nūn* sono identiche a quelle della lettera ب *bāʾ* con la sola differenza del punto che si trova posto sopra la lettera e non sotto. Le posizioni finale e isolata invece non seguono la struttura a barca della ب *bā*ʾ, la ن *nūn* infatti è più panciuta e non poggia sul rigo ma scende al di sotto di esso:

Posizione iniziale: نـ
Posizione mediana: ـنـ
Posizione finale: ـن
Posizione isolata: ن

نُور	نور	*nūr*	'luce'
بِنْت	بنت	*bint*	'figlia, ragazza'
بُنّ	بن	*bunn*	'caffè [in chicchi]'
وَزْن	وزن	*wazn*	'peso'

▶ Anche la lettera ي *yā*ʾ che chiude questo gruppo di lettere simili, ha la stessa struttura della ب *bā*ʾ nelle posizioni iniziale e mediana, con due punti sotto la lettera. Nelle posizioni finale e isolata invece, essa si presenta sotto il rigo:

Posizione iniziale: يـ
Posizione mediana: ـيـ
Posizione finale: ـي
Posizione isolata: ي

- Analogamente a *ʾalif* e *wāw*, la ي *yā*ʾ, oltre a esprimere la vocale lunga *ī*, può avere valore semiconsonantico se presenta sopra di sé segni diacritici e come tale si trascrive *y*:

تِين	تين	*tīn*	'fichi'
يَابَان	يابان	*Yābān*	'Giappone'
أَيَّار	أيار	*ʾayyār*	'maggio'

Nelle diverse posizioni:

يَد	يد	*yad*	'mano'
بَيْت	بيت	*bayt*	'casa[2]'
بَيْتِي	بيتي	*bayt-ī*	'la mia casa'
يَدِي	يدي	*yad-ī*	'la mia mano'

Nb: come si può notare già dagli ultimi due esempi, il suffisso ي *-ī* unito al sostantivo rende l'equivalente dell'aggettivo possessivo di prima persona 'mio, mia, miei, mie':

أب	*ʾab*	'padre'	→	أبي	*ʾab-ī*	'mio padre'
بنت	*bint*	'figlia'		بنتي	*bint-ī*	'mia figlia'
ورد	*ward*	'rose'		وردي	*ward-ī*	'le mie rose'

[2] Sinonimo di *dār*. Quest'ultimo termine viene preferito nei paesi arabi del Maghreb, mentre *bayt* è di gran lunga più usato nel paesi arabi orientali.

Per interpellare una persona è d'obbligo la particella vocativa يَا *yā* (che equivale al toscano *o...!* o al romanesco *a...!*):

يا أبي! *yā ʔab-ī!* 'papà!' (tosc. *o babbo!*, rom. *a papà!*)

يا بنتي! *yā bint-ī!* 'figlia mia!' (tosc. *o la mi' figliola!*, rom. *a fija mia!*)

Ricapitolazione

In questa parte, sono state incontrate le seguenti cinque consonanti.

Grafema	Nome del grafema	Trascrizione
ب	*bāʔ*	*b*
ت	*tāʔ*	*t*
ث	*ṯāʔ*	*ṯ*
ن	*nūn*	*n*
ي	*yāʔ*	*y*

È stato inoltre visto che per rendere l'aggettivo possessivo di prima persona singolare si usa il suffisso ـِي *-ī*.

Esercizi orali CD1/2-3

1 Ascoltare il suono delle cinque lettere dell'alfabeto incontrate e ripeterlo.

Esercizi scritti

1 Leggere le seguenti parole e trascriverle.

بَدَن 'corpo' ....

أَنَا 'io' ....

أَنْتَ 'tu (uomo)' ....

أَنْتِ 'tu (donna)' ....

نَار 'fuoco' ....

دِين 'religione' ....

دَيْن 'debito' ....

زَيْت	'olio'	....
زَيْتُون	'olive'	....
بَيْرُوت	'Beirut'	....
دِيَانَا	'Diana'	....

2 Copiare i grafemi e le parole dell'esercizio 1, facendo attenzione alla direzione del tratto.

3 Inserire la lettera *bā'* negli spazi vuoti utilizzando la forma corretta a seconda della sua posizione.

bāb	'porta'	......ا......
zabīb	'uva passa, zibibbo'	......يـ......زَ
burr	'frumento'	رّ......

4 Tradurre in arabo.

Il mio vestito. ....

La mia luce. ....

La mia porta. ....

5 Leggere le seguenti parole.

أبي	بنتي	بيروت	بدن	بنت	بيت	يدي	يد
بدر	دب	دين	أنا	زيت	نار	ديانا	زيتون

Attenzione agli omografi: دين *dīn* 'religione' / *dayn* 'debito'

Terzo gruppo di lettere: *ǧīm, ḥā', ḫā'*

Il capogruppo di queste lettere è la ج *ǧīm*, la cui pronuncia canonica è [ʤ], ossia come la *g* dell'italiano *giro*. Essa viene tuttavia pronunciata [ʒ], come la *j* del francese *jour*, da molti arabi, in particolare nelle grandi città del Vicino Oriente e in quasi tutto il Nordafrica. La Penisola araba, l'Iraq e Algeri hanno invece [ʤ]. Al Cairo si ha [g] come nell'italiano *gara, ghiro*, ma tale pronuncia è considerata dialettale e da **evitare**. ج viene trascritta *ǧ*. La sua forma isolata parte da sopra il rigo, poi si sviluppa e termina sotto di esso. Così:

ج

- La forma finale è identica a quella isolata, con la sola differenza del tratto che la congiunge alla lettera precedente:

ـج

بُرْج	برج	*burǧ*	'torre'
نَرَنْج	نرنج	*naranǧ*	'arance amare'

- Nelle forme iniziale e mediana la ج *ǧīm* perde completamente la parte sotto il rigo (non va però dimenticato il punto sotto!):

جـ

ـجـ

جَوْز	جوز	*ǧawz*	'noci'
أَبْجَد	أبجد	*ˀabǧad*	'alfabeto'

Le quattro forme della ج *ǧīm* sono quindi le seguenti:

ججج ج

La lettera ج *ǧīm* ha due sorelle, ossia due consonanti con la medesima struttura ma in cui l'elemento distintivo è il punto.

- La lettera ح *ḥā*ˀ [ħ] ha il suono di una *h* faringale, particolarmente energica, da sentire dal CD e riprodurre sistematicamente. Si trascrive *ḥ* e presenta una struttura grafica identica a quella della ج *ǧīm*, ma priva del punto:

ححح ح

حَبِيب	حبيب	*ḥabīb*	'amico'
بَحْر	بحر	*baḥr*	'mare'
رِيح	ريح	*rīḥ*	'vento'
رُوح	روح	*rūḥ*	'spirito'

- La lettera خ *ḫā*ˀ [χ], prevelare fricativa, corrisponde al *ch* tedesco in *Bach* e alla *jota* spagnola nel nome proprio *José*. Si trascrive *ḫ* e presenta una struttura grafica identica a quella della ج *ǧīm* e della ح *ḥā*ˀ, con un punto sopra. Analogamente alla ج *ǧīm* e alla ح *ḥā*ˀ, avremo per la خ *ḫā*ˀ le seguenti posizioni:

خخخ خ

خُبْز	خبز	*ḫubz*	'pane'
بُخَار	بخار	*buḫār*	'vapore'
تَارِيخ	تاريخ	*tārīḫ*	'storia'
أَخ	أخ	*ˀaḫ*	'fratello'

Si raccomanda di non trascurare la corretta articolazione dei fonemi arabi assenti in italiano. I suoni 'esotici' finora incontrati sono:

- due **interdentali** ث *ṯ* e ذ *ḏ*, in AFI (Alfabeto Fonetico Internazionale) [θ] e [ð], come in inglese *think* e *this* (mettere la punta della lingua tra gli incisivi e articolare [s] e [z] rispettivamente);
- una **faringale** ح *ḥ*, in AFI [ħ], introvabile in altre lingue europee, come la [h] inglese ma con una contrazione della faringe che evoca il respiro affannato di chi ha fumato troppo;
- una **prevelare** خ *ḫ*, in AFI [χ], evoca il raschiamento di gola di chi (solo a tavola) cerca di espellere una lisca di pesce.

Nb: è tassativamente proibito accontentarsi di confondere i due fonemi ح *ḥ* e خ *ḫ* in un unico suono sputacchiato:

حَدّ	*ḥadd*	'confine'	≠	خَدّ	*ḫadd*	'guancia'
حَرِير	*ḥarīr*	'seta'		خَرِير	*ḫarīr*	'gorgoglio'

Ricapitolazione

In questa parte, sono state incontrate le seguenti tre consonanti.

Grafema	Nome del grafema	Trascrizione
ج	*ǧīm*	*ǧ*
ح	*ḥāʔ*	*ḥ*
خ	*ḫāʔ*	*ḫ*

Esercizi orali

CD1/4

1 Ascoltare il suono delle tre lettere dell'alfabeto incontrate e ripeterlo.

Esercizi scritti

1 Leggere le seguenti parole e trascriverle.

خَدّ 'guancia' ....

أُخْت 'sorella' ....

جَدّ 'nonno' ....

جَار 'vicino di casa' ....

تَاجِر 'commerciante' ....

بَحَّار 'marinaio' ....

حَزِيرَان 'giugno' ....

جِيبُوتِي 'Gibuti' ....

2 Copiare i grafemi e le parole dell'esercizio 1, facendo attenzione alla direzione del tratto.

3 Inserire la lettera *ğīm* negli spazi vuoti utilizzando la forma corretta a seconda della sua posizione.

dağāğ ‘polli’ دَ……ا……

ğawāb ‘risposta’ ……وَاب

ḥağar ‘pietra’ حَـ……ـر

4 Scrivere le seguenti parole.

ḥurr ‘libero’ ……………………

ğadīd ‘nuovo’ ……………………

ḥubb ‘amore’ ……………………

ğarrāḥ ‘chirurgo’ ……………………

5 Tradurre in arabo.

Mio padre. ……………………

Mia sorella. ……………………

Mio fratello. ……………………

Mio nonno. ……………………

Il mio vicino. ……………………

6 Leggere le seguenti parole.

جوز خبز أخت بحر أبجد

جد جيبوتي أخ بخار جار

Quarto gruppo di lettere: *sīn*, *šīn*

Questo gruppo è formato da due sole consonanti. Il capogruppo è la lettera س *sīn*, il cui suono è [s] come in ital. ‘sasso’:

س

- Le posizioni iniziali e mediana della lettera sono quasi identiche. Essa è formata da tre denti posti sul rigo, mentre manca la coda:

سـ

ـسـ

سِنّ سن *sinn* ‘dente’

جِسر جسر *ğisr* ‘ponte’

- Nelle posizioni finale e isolata, la *sīn* recupera la coda:

ـس
س

خَسّ	خس	*ḫass*	'lattuga'
جَرَس	جرس	*ǧaras*	'campanello'

Le quattro forme della *sīn* sono quindi le seguenti:

سـ ـسـ ـس س

- La *sīn* ha una sorella, ش *šīn*. Il suo suono è [ʃ] come nelle parole 'shampoo' e 'sci'. Nella scrittura, l'unica differenza rispetto alla *sīn* sta nella presenza di tre punti sopra la lettera:

شـ ـشـ ـش ش

شَابّ	شاب	*šābb*	'ragazzo'
خَشَب	خشب	*ḫašab*	'legno'
رِيش	ريش	*rīš*	'piume'
دُوش	دوش	*dūš*	'doccia'

Ricapitolazione

In questa parte, sono state incontrate le seguenti due consonanti.

Grafema	Nome del grafema	Trascrizione
س	*sīn*	*s*
ش	*šīn*	*š*

Esercizi orali CD1/5

1 Ascoltare il suono delle due lettere dell'alfabeto incontrate e ripeterlo.

Esercizi scritti

1 Leggere le seguenti parole e trascriverle.

شَاي 'tè' ....

شَوَارِب	'baffi'	....
حَشِيش	'erba'	....
أُسْتَاذ	'professore'	....
شَجَر	'alberi'	....
سَبْت	'sabato'	....
سُورِيَا	'Siria'	....
نِيسَان	'aprile'	....
تُونُس	'Tunisi(a)'	....
سَوْسَن	'Sawsan' (n.pr.f.)	....

2 Copiare i grafemi e le parole dell'esercizio 1, facendo attenzione alla direzione del tratto.

3 Inserire la lettera *sīn* negli spazi vuoti utilizzando la forma corretta a seconda della sua posizione.

ʔasad	'leone'	أ....ـد
sūs	'liquirizia'	....ـو....
ʔanānās	'ananas'	أنانا....
sirr	'segreto'	....ـر

4 Scrivere i seguenti aggettivi.

ḥasan	'bello, buono'	....
šadīd	'forte, intenso'	....
sāẖir	'ironico'	....
ʔaswad	'nero'	....

5 Tradurre in arabo.

Il mio dente. ....

I miei baffi. ....

Il mio professore. ....

6 Leggere le seguenti parole.

أسود   شاي   شاب   سن   أناناس

شجر   سوريا   سوسن   جرس   تونس

Quinto gruppo di lettere: le lettere enfatiche *ṣād, ḍād, ṭāʔ, ẓāʔ*

Alle quattro lettere س *sīn*, د *dāl*, ت *tāʔ* e ذ *ḏāl* corrispondono altre quattro lettere, ص *ṣād*, ض *ḍād*, ط *ṭāʔ* e ظ *ẓāʔ* che vengono dette **enfatiche** (o più tecnicamente *faringalizzate*), [sˤ dˤ tˤ ðˤ]. I quattro fonemi *ṣ*, *ḍ*, *ṭ* e *ẓ* vengono articolati esattamente come *s*, *d*, *t* e *ḏ* rispettivamente ma arretrando la radice della lingua verso il fondo della gola (la faringe). È indispensabile sentirne più volte la registrazione sul CD. Si noterà che la vocale *a/ā*, preceduta o seguita da una delle quattro enfatiche, assume molto nettamente il timbro [ɑ], [ɑ:] come nell'inglese *father*: tecnicamente si velarizza.

- La ص *ṣād*, [sˤ], si pronuncia come una س *sīn* enfatica. Si trascrive *ṣ*. La forma isolata della lettera ha una parte che poggia sul rigo e una coda che scende al di sotto:

ص

- La forma finale è identica a quella isolata se non per il tratto che la congiunge alla lettera precedente:

ـص

إِنْجَاص	إنجاص	*ʔinǧāṣ*	'pere'
نَصّ	نص	*naṣṣ*	'testo'

- Le forme iniziale e mediana perdono la coda (attenzione però al dentino sulla sinistra, che non deve mancare):

صـ
ـصـ

صَبَاح	صباح	*ṣabāḥ*	'mattina'
بَصَر	بصر	*baṣar*	'vista'

Le quattro forme della *ṣād* sono quindi:

صصص ص

- La ض *ḍād*, [dˤ], è una د *dāl* enfatica. Si trascrive *ḍ* e, dal punto di vista grafico, è identica alla lettera ص *ṣād*, con l'aggiunta di un punto:

ضضض ض

ضَبَاب	ضباب	*ḍabāb*	'nebbia'
خُضَر	خضر	*ḫuḍar*	'verdura'
بَيْض	بيض	*bayḍ*	'uova'
أَرْض	أرض	*ʔarḍ*	'terra'

- La ط *ṭāʔ*, [tˤ], è una ت *tāʔ* enfatica. Si trascrive *ṭ*. Si scrive come un occhiello che poggia sul rigo a cui viene aggiunta un'asta, come una sorta di *ʔalif*. La sua posizione isolata è:

ط

Le altre forme non si discostano essenzialmente da questa forma isolata. Avremo perciò:

ططط ط

طَيَرَان	طيران	*ṭayarān*	'volo'
بَطْن	بطن	*baṭn*	'pancia'
خَيْط	خيط	*ḫayṭ*	'filo'
خَيَّاط	خياط	*ḫayyāṭ*	'sarto'

- La ظ *ẓā*ˀ, [ð̴], è una ذ *ḏāl* enfatica. Si trascrive *ẓ* (sarebbe più corretto trascrivere *ḍ*). È sorella della lettera ط *ṭā*ˀ, identica nella struttura con l'aggiunta di un punto. Le sue forme sono quindi:

ظظظظ ظ

ظَنّ	ظن	*ẓann*	'opinione'
نَظَّارَات	نظارات	*naẓẓārāt*	'occhiali'
حَظّ	حظ	*ḥaẓẓ*	'fortuna'
حُظُوظ	حظوظ	*ḥuẓūẓ*	'fortune'

Attenzione: per interferenze dei dialetti locali molti arabi confondono nella pronuncia i due fonemi ض *ḍ* e ظ *ẓ*, pronunciando cioè entrambi come ض *ḍ* (ad esempio Damasco, Egitto, grandi città marocchine), o entrambi come ظ *ẓ* (ad esempio Baghdad, Tunisi).

Non si trascuri la corretta articolazione delle quattro enfatiche dell'arabo. Alcuni esempi:

سَبَب	*sabab*	'motivo'	≠	صَبَب	*ṣabab*	'pendio'
رَدّ	*radd*	'reazione'		رَضّ	*raḍḍ*	'contusione'
تِين	*tīn*	'fichi'		طِين	*ṭīn*	'argilla'
زِرّ	*zirr*	'bottone'		ظِرّ	*ẓirr*	'selce'

✓ Ricapitolazione

In questa parte, sono state incontrate le quattro consonanti enfatiche.

Grafema	Nome del grafema	Trascrizione
ص	*ṣād*	*ṣ*
ض	*ḍād*	*ḍ*
ط	*ṭā*ˀ	*ṭ*
ظ	*ẓā*ˀ	*ẓ*

Esercizi orali CD1/6-7

1 Ascoltare il suono delle quattro lettere dell'alfabeto incontrate e ripeterlo.

Esercizi scritti

1 Leggere le seguenti parole e trascriverle.

طِين	'argilla'	....
إِطَار	'cornice'	....
بَطِّيخ	'cocomeri'	....
صُبَّار	'fichi d'India'	....
طَبَّاخ	'cuoco'	....
صَابُون	'sapone'	....
شُبَاط	'febbraio'	....
أَبُو ظَبْي	'Abu Dhabi'	....
بُطْرُس	'Pietro'	....

2 Copiare i grafemi e le parole dell'esercizio 1, facendo attenzione alla direzione del tratto.

3 Inserire la lettera *ṣād* negli spazi vuoti utilizzando la forma corretta a seconda della sua posizione.

ṣawt	'voce'	......ـوت
ṣadr	'petto'	......ـدر
baṣīṣ	'bagliore'	بَـ......ـيـ......
ṣaḥn	'piatto'	......ـحْن

4 Inserire la lettera *ṭā*ʔ negli spazi vuoti utilizzando la forma corretta a seconda della sua posizione.

baṭāṭā	'patate'	بَـ......ـَا......ـَا
saṭḥ	'tetto'	سَـ......ـح
ṭabīb	'medico'	......ـبِيب
ṭaḥīn	'farina'	......ـحِين

5 Scrivere i seguenti aggettivi.

baṣṣāṣ	'brillante'	....
ʔaḫḍar	'verde'	....
ʔabyaḍ	'bianco'	....
našīṭ	'attivo'	....

6 Scrivere tutti i nomi di mestiere incontrati in questa parte.

....

....

....

....

7 Leggere le seguenti parole.

بطاطا	صابون	نظارات	بطيخ	خيط
أرض	صباح	بطرس	أبو ظبي	أبيض

Sesto gruppo di lettere: *ʿayn, ġayn*

Questo gruppo è formato da due sole consonanti sorelle. Il capogruppo è la lettera ع *ʿayn* [ʕ], una faringale sonora il cui suono si ottiene arretrando la radice della lingua verso la faringe: assolutamente impossibile da spiegare per iscritto, è indispensabile ascoltare ripetutamente questo fonema dalla registrazione del CD, trattandosi di un suono totalmente assente nelle lingue europee. Essa si trascrive come il segno ʿ (da non confondere con ʾ, che sta per *hamza*). È importantissimo sforzarsi di apprenderne progressivamente la giusta pronuncia, senza la quale numerose parole risulteranno incomprensibili (se invece di عَسِير *ʿasīr* 'difficoltoso' pronunciate أَسِير *ʾasīr* otterrete 'prigioniero'!).

- La sua forma iniziale assomiglia a una sorta di occhio stilizzato – e proprio questo significa *ʿayn*, nome della lettera. La forma iniziale della lettera è:

عـ

عَيْن عين *ʿayn* 'occhio; fonte'

- La forma mediana della lettera, invece, appare come un triangolo rovesciato:

ـعـ

شَعْر شعر *šaʿr* 'capelli'

- La forma finale prevede una coda che scende sotto il rigo:

ـع

رَبِيع ربيع *rabīʿ* 'primavera'

- La forma isolata differisce da quella finale ed è più simile a quella iniziale, con l'aggiunta del tratto di abbellimento che scende sotto il rigo:

ع

ذِرَاع ذراع *ḏirāʿ* 'braccio'

Le quattro forme della lettera sono quindi:

عـ ـعـ ـع ع

- La consonante sorella della ʿ*ayn* è غ *ġayn*. Il suo suono, [ʁ], è simile alla *r* francese o tedesca. Anche questo suono richiede un certo esercizio allo studente di lingua italiana (il quale può consolarsi pensando che sarà ر a dar filo da torcere a quello di lingua francese o tedesca...) e dovrà essere ascoltato più volte dalla registrazione su CD. Si trascrive *ġ* e la sua struttura è identica a quella della ʿ*ayn*, con l'aggiunta di un punto. Le forme della lettera secondo le differenti posizioni sono:

غغغ غ

غَرْب	غرب	*ġarb*	'occidente'
ضَغْط	ضغط	*ḍaġṭ*	'pressione'
صِيَغ	صيغ	*ṣiyaġ*	'figure'
صَيَّاغ	صياغ	*ṣayyāġ*	'orafo'

La corretta acquisizione di questi due fonemi è indispensabile e potrà richiedere mesi di esercizio.
- Per la ع ʿ*ayn* alcuni manuali parlano di 'miagolio' o non di rado di 'conato di vomito' (ed effettivamente l'onomatopea araba per il conato di vomito è أُعْ). Essa 'viene' più facilmente in prossimità di una [a], ad esempio نَعْنَع *naʿnaʿ* 'menta'. La tentazione dello studente alle prime armi è quella di eliderla: ma nessun arabo capirà mai 'menta' per *nana*.
- La غ *ġayn* porrà tutto sommato meno problemi, se si cerchi di riprodurla come una forte 'erre moscia'. Ci si diverta con il verbo غَرْغَرَ *ġarġara* 'gargarizzarsi'.

Ricapitolazione

In questa parte, sono state incontrate le due consonanti.

Grafema	Nome del grafema	Trascrizione
ع	ʿ*ayn*	ʿ
غ	*ġayn*	*ġ*

Esercizi orali CD1/8

1 Ascoltare il suono delle due lettere dell'alfabeto incontrate e ripeterlo.

Esercizi scritti

1 Leggere le seguenti parole e trascriverle.

عَصِير 'spremuta' ....

بُرْغُوث 'pulci' ....

عُشّ 'nido' ....

عَرْش 'trono' ....

سِعْر 'prezzo' ....

بَغْدَاد 'Baghdad' ....

سَعِيد 'Felice (n.pr.m.)' ....

2 Copiare i grafemi e le parole dell'esercizio 1, facendo attenzione alla direzione del tratto.

3 Inserire la lettera *ʕayn* negli spazi vuoti utilizzando la forma corretta a seconda della sua posizione.

naʕnaʕ	'menta'	نَـ.....نَـ.....
bayyāʕ	'venditore'	بَيَّا.....
šāʕir	'poeta'	شَا.....ـر
ʕarab	'arabi'	.....ـرَب

4 Scrivere i seguenti aggettivi.

ġarīb	'strano'	....
ṣaġīr	'piccolo'	....
baʕīd	'lontano'	....
ʕadīd	'numeroso'	....

5 Leggere le seguenti parole.

ربيع عرب غرب بغداد سعر

عين ذراع سعيد نعنع برغوث

Settimo gruppo di lettere: *fāʔ*, *qāf*

Questo gruppo è formato da due sole lettere 'cugine' e non sorelle poiché, pur avendo la medesima struttura nelle posizioni iniziale e mediana, questa differisce nelle posizioni finale e isolata. Il capogruppo è la lettera ف *fāʔ*, il cui suono è [f] come nell'italiano *filo*. La forma isolata della lettera è:

ف

- In posizione iniziale e mediana essa perde la coda:

فـ

ـفـ

- La coda viene recuperata in posizione finale:

ـف

- In tutte le posizioni, la ف *fā*ʔ si trova sul rigo:

ففف ف

فَرَس	فرس	*faras*	'cavallo'
ضَفْدَع	ضفدع	*ḍafda*ʕ	'rana'
أَنْف	أنف	ʔ*anf*	'naso'
خَرُوف	خروف	*ḫarūf*	'agnello'

- La lettera 'cugina' della ف *fā*ʔ è ق *qāf*. Il suono [q] è difficile da riprodurre inizialmente: esso si articola come [k], ma portando il dorso della lingua verso un punto ancora più arretrato, l'ugola (e infatti in fonetica [q] viene definito uvulare). NON va letto [kw]!. È contraddistinta da due punti ed ha la struttura grafica della ف *fā*ʔ nelle posizioni iniziale e mediana. Così:

قـ

ـقـ

قِطّ	قط	*qiṭṭ*	'gatto'
عَقْرَب	عقرب	ʕ*aqrab*	'scorpione'

- Nelle posizioni finale e isolata, invece, presenta una coda, che a differenza di quella di ف scende sotto il rigo ed ha forma arrotondata, così:

ـق

ق

إِبْرِيق	إبريق	ʔ*ibrīq*	'bricco, brocca'
عَرَق	عرق	ʕ*araq*	'arak, anisetta'

Le forme della ق *qāf* sono dunque:

ققق ق

Nell'acquisizione dei fonemi arabi occorre essere accaniti e inflessibili con se stessi. Una cattiva pronuncia dell'arabo distrugge il fascino di questa lingua e può compromettere seriamente la comprensione da parte dell'interlocutore: chiamare il/la proprio/a innamorato/a *yā qalb-ī* 'cuore mio' pronunciando *yā kalb-ī* verrebbe a significare 'cane mio'.

✓ Ricapitolazione

In questa parte, sono state incontrate le due consonanti.

Grafema	Nome del grafema	Trascrizione
ف	*fā*ʔ	*f*
ق	*qāf*	*q*

Esercizi orali

CD1/9

1 Ascoltare il suono delle due lettere dell'alfabeto incontrate e ripeterlo.

Esercizi scritti

1 Copiare i grafemi e le parole dell'esercizio 1, facendo attenzione alla direzione del tratto.

2 Leggere le seguenti parole e trascriverle.

فِي 'in' ....

فِي فَرَنْسَا 'in Francia' ....

دَفْتَر quaderno' ....

ظَرْف 'busta da lettera' ....

وَرَق 'carta' ....

سُوق 'mercato' ....

تُفَّاح 'mele' ....

صَدِيق 'amico' ....

قِرْد 'scimmia' ....

فَجْر 'alba' ....

قَطَر 'Qatar' ....

يُوسُف 'Yusuf' (= Giuseppe) ....

3 Inserire la lettera ف *fāʔ* negli spazi vuoti utilizzando la forma corretta a seconda della sua posizione.

ṣayf 'estate' ......صَيْـ

ḫarīf 'autunno' ......خَريـ

ṣūf 'lana' ......صُو

4 Scrivere i seguenti aggettivi.

ʔaṣfar 'giallo' ....

ʔazraq 'azzurro' ....

fātin 'affascinante' ....

ṣādiq 'sincero' ....

farḥān	'contento'	....
farīd	'unico'	....
ˀanīq	'elegante'	....
ẓarīf	'grazioso'	....
qarīb	'vicino'	....

5 Tradurre in arabo.

Il mio naso.	....
Il mio gatto.	....
Il mio quaderno.	....
Il mio amico.	....

6 Scrivere tutti i nomi di animali incontrati in questa parte.

....

....

....

....

....

....

7 Leggere le seguenti parole.

أنفي	أصفر	قط	تفاح	قطر
سوق	دفتر	في	في تونس	فرنسا

Ottavo gruppo di lettere: *kāf, lām, mīm, hāˀ*

Questa parte è suddivisa in quattro sottosezioni distinte poiché i grafemi che seguono non sono 'apparentati' tra loro, non hanno, cioè, dal punto di vista grafico, nulla che le accomuni ad altre; sono, insomma, 'figli unici'. Essi per contro non presentano problemi di pronuncia.

1 ك *kāf*

La prima di queste lettere è la ك *kāf.* Il suono [k] corrisponde all'italiano *c* di *casa*. La sua forma isolata poggia sul rigo e presenta, all'interno, una sorta di *s* posta per obliquo:

ك

- La posizione finale è sostanzialmente identica a quella isolata:

ـك

سِوَاك	سواك	*siwāk*	‘stuzzicadente’
بَنْك	بنك	*bank*	‘banca’

- Le forme iniziale e mediana non presentano la caratteristica ‘s obliqua’ all’interno della lettera e piegano indietro la prima parte dell’asta:

كـ

ـكـ

كَرَز	كرز	*karaz*	‘ciliegie’
عَنْكَبُوت	عنكبوت	*ʿankabūt*	‘ragno’

Le quattro forme del grafema sono quindi:

ك ـك ـكـ كـ

Esercizi scritti

1 Leggere le seguenti parole e trascriverle.

كِتَاب	‘libro’	....
كَاتِب	‘scrittore’	....
كُرْسِيّ	‘sedia’	....
بِسْكُوِيت	‘biscotto’	....
كَبَاب	‘spiedino’	....
كَعْب	‘tacco’	....
دِيك	‘gallo’	....
كَرْكَدَان	‘rinoceronte’	....
نُوَاكْشُوط	‘Nouakchott’	....
كَاتِيَا	‘Katia’	....

2 Copiare i grafemi e le parole dell’esercizio 1, facendo attenzione alla direzione del tratto.

3 Inserire la lettera ك *kāf* negli spazi vuoti utilizzando la forma corretta a seconda della sua posizione.

kaʿk	‘torta’	......ـعـ......
kākāw	‘cacao’	......ـا......ـاو
sukkar	‘zucchero’	سُـ......ـر

4 Scrivere i seguenti aggettivi.

kabīr	'grande'	....
ḥarik	'vivace'	....
šākk	'scettico'	....

5 Scrivere le seguenti parole.

كتاب كرز كرسي بنك كاتب

ديك كباب كعب كبير سكر

2 ل *lām*

La consonante ل *lām*: il suo suono [l] è *l* dell'italiano *luna*. Si trascrive *l*. La posizione isolata della lettera sembra un amo, con una parte che scende sotto il rigo:

ل

- La posizione finale è simile a quella isolata:

ـل

فُول	فول	*fūl*	'fave'
فِيل	فيل	*fīl*	'elefante'

- Nelle posizioni iniziale e mediana, il tratto di abbellimento che scende sotto il rigo non viene conservato:

لـ

ـلـ

لَوْز	لوز	*lawz*	'mandorle'
حَلِيب	حليب	*ḥalīb*	'latte'

Le quattro forme del grafema sono quindi:

للل ل

Attenzione a non confondere ل con ا in posizione iniziale e mediana: *ʔalif* non lega a sinistra, ـا, la *lām* invece sì: ـلـ. Quando una *lām* sia seguita da una *ʔalif*, la *ʔalif* viene a mettersi obliquamente sulla *lām*: لا nel grafema composto detto *lām-ʔalif*. Se legato a destra: ـلا.

لَا	لا	*lā*	'no'
لَاعِب	لاعب	*lāʕib*	'giocatore'
كَلَّا	كلا	*kallā*	'giammai!'

- L'unione inversa, ossia *ʔalif* + *lām*, è molto importante in arabo perché, come vedremo in seguito, si identifica con l'articolo determinato. L'articolo *al-* è l'unico articolo determinato presente in arabo, esso si prefigge e si unisce direttamente al sostantivo o all'aggettivo. Il tema *al-*, invariabile in genere e numero, traduce quindi tutti gli articoli determinati dell'italiano (non c'è quindi da chiedersi se scegliere *il*, *lo*, *l'*, *la*, *i*, *gli*, *le*: come anticipato nella Premessa, in alcuni casi l'arabo è decisamente più facile dell'italiano):

فِيل	فيل	*fīl*	'elefante'
اَلْفِيل	الفيل	*al-fīl*	'l'elefante'
فُول	فول	*fūl*	'fave'
اَلْفُول	الفول	*al-fūl*	'le fave'

Esercizi orali

CD1/10

1 Ascoltare il suono della lettera incontrata e ripeterlo.

Esercizi scritti

1 Leggere le seguenti parole e trascriverle.

حَلَزُون	'chiocciola'	....
جَوَّال	'cellulare'	....
قَلْب	'cuore'	....
كَلْب	'cane'	....
رَجُل	'uomo'	....
رِجْل	'piede'	....
طَالِب	'studente'	....
بُرْتُقَال	'arance'	....
أَيْلُول	'settembre'	....
فِلَسْطِين	'Palestina'	....
لِيبِيَا	'Libia'	....
لُبْنَان	'Libano'	....
طَرَابُلُس	'Tripoli'	....
بُولُص	'Paolo'	....

2 Copiare i grafemi e le parole dell'esercizio 1, facendo attenzione alla direzione del tratto.

3 Inserire la lettera *lām* negli spazi vuoti utilizzando la forma corretta a seconda della sua posizione.

ʕasal 'miele' عَسَـ.........

lawn 'colore' ....ـوْن

dalw 'secchio' دَ.........ـو

4 Scrivere i seguenti aggettivi.

laḏīḏ 'delizioso' ....

baḫīl 'avaro' ....

ṯaqīl 'pesante' ....

kasūl 'pigro' ....

laṭīf 'gentile' ....

ʕāqil 'intelligente' ....

5 Tradurre in arabo.

Il mio cuore. ....

Il mio cane. ....

Il mio cellulare. ....

6 Leggere le seguenti parole.

عسل	برتقال	فلسطين	رجل	حلزون
جوال	حليب	لا	رجل	لطيف

3 م *mīm*

La lettera م *mīm*: il suo suono è [m] *m* dell'italiano 'mamma'. Si trascrive *m*. Le posizioni iniziale e mediana della lettera sono come un tondino che sta sul rigo:

مـ

ـمـ

مَوْج موج *mawǧ* 'onde'

شَمْس شمس *šams* 'sole'

- Le posizioni finale e isolata presentano invece un tratto di abbellimento che scende sotto il rigo:

ـم

م

قَلَم قلم *qalam* 'penna'

أُمّ أم *ʔumm* 'madre'

Le quattro forme del grafema sono quindi:

ممم م

- La م *mīm* è una lettera importante perché se prefissa può indicare, in linea di massima:
  - se vocalizzata in *fatḥa*, un nome di luogo:

مَكْتَب	مكتب	*maktab*	‘ufficio’
مَلْعَب	ملعب	*malʕab*	‘stadio’
مَرْقَص	مرقص	*marqaṣ*	‘discoteca’

  - se vocalizzata in *kasra*, uno strumento:

مِفْتَاح	مفتاح	*miftāḥ*	‘chiave’
مِقْوَد	مقود	*miqwad*	‘volante’
مِشْجَب	مشجب	*mišǧab*	‘attaccapanni’

  - se vocalizzata in *ḍamma*, un ‘participio attivo’, quindi spesso un mestiere:

مُعَلِّم	معلم	*muʕallim*	‘maestro’
مُدَرِّس	مدرس	*mudarris*	‘insegnante’
مُمَرِّض	ممرض	*mumarriḍ*	‘infermiere’

Esercizi orali CD1/11

1 Ascoltare il suono della lettera incontrata e ripeterlo.

Esercizi scritti

1 Leggere le seguenti parole e trascriverle.

مِنْ	‘di, da’	....
مِنْ مِيلَانُو	‘da Milano’	....
مِنْ رُومَا	‘da Roma’	....
رُمَّان	‘melegrane’	....
تَمْر	‘datteri’	....
مَوْز	‘banane’	....
مِشْمِش	‘albicocche’	....
لَيْمُون	‘limoni’	....
مِصْر	‘Egitto’	....
مَرْيَم	‘Maryam’	....

2 Copiare i grafemi e le parole dell'esercizio 1, facendo attenzione alla direzione del tratto.

3 Leggere e riconoscere i nomi delle seguenti città arabe.

دِمَشْق   عَمَّان   مَسْقَط   اَلْخُرْطُوم   مَرَّاكُش

4 Inserire la lettera *mīm* negli spazi vuoti utilizzando la forma corretta a seconda della sua posizione.

mākiyāğ	'trucco, maquillage'	......اكِياج
sīnamā	'cinema'	سِينَـ......ـا
film	'film'	فِيلْـ......

5 Scrivere i seguenti aggettivi.

murīḥ	'confortevole'	....
marīḍ	'malato'	....
karīm	'generoso'	....
ğamīl	'bello'	....
rūmānsiyy	'romantico'	....

6 Scrivere i seguenti nomi di luogo e di mestiere.

masraḥ	'teatro'	....
muḫriğ	'regista'	....
mumaṯṯil	'attore'	....
maṭbaḫ	'cucina'	....

7 Leggere le seguenti parole.

فيلم   من نابولي   ليمون   مفتاح   ممثل

أم   شمس   قلم   رمان   روما

4 ه *hāʔ*

La lettera ه *hāʔ*: il suo suono [h] dell'inglese *house*, o del toscano *la Hohahola*. Si trascrive *h*. La posizione isolata della lettera assomiglia a un fagottino che sta sul rigo:

ه

دُكْتُورَاه	دكتوراه	*duktūrāh*	'dottorato'
مِيَاه	مياه	*miyāh*	'acque'

- La forma iniziale, invece, assomiglia, in un certo senso, a una sorta di 'chiocciola' @:

ﻫ

هُوَ	هو	*huwa*	'egli, lui'
هِيَ	هي	*hiya*	'ella, lei'

- La forma mediana è simile a un fiocchetto, ove la fibbia inferiore va tracciata per prima:

ﻬ

سَهَر	سهر	*sahar*	'serata'
ظَهْر	ظهر	*ẓahr*	'schiena'

- La forma finale è:

ﻪ

أَبْلَه	أبله	*ʔablah*	'sciocco'
وَجْه	وجه	*wağh*	'viso'

Le quattro forme del grafema sono quindi:

ههه ه

Attenzione a questo punto a distinguere chiaramente ه *h* da ح *ḥ*: la prima è una leggera esalazione di fiato (tecnicamente una laringale) mentre la seconda richiede la contrazione della faringe (ed è appunto una faringale). Qualche esempio di coppie minime:

هَرَم	*haram*	'piramide'	≠	حَرَم	*ḥaram*	'luogo sacro'
مَهْبُول	*mahbūl*	'scemo'		مَحْبُول	*maḥbūl*	'legato'
بَلَه	*balah*	'stupidità'		بَلَح	*balaḥ*	'datteri'

Esercizi orali

CD1/12

1 Ascoltare il suono della lettera incontrata e ripeterlo.

Esercizi scritti

1 Leggere le seguenti parole e trascriverle.

ذَهَب 'oro' ....

زَهْر 'fiori' ....

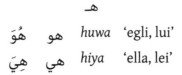

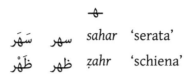

هُنَا	'qui'	....
هُنَاكَ	'lì'	....
ظُهْر	'mezzogiorno'	....
هِلَال	'mezzaluna'	....
وَهْرَان	'Orano'	....
هِنْد	'Hind (n.pr.f.); India'	....

2 Copiare i grafemi e le parole dell'esercizio 1, facendo attenzione alla direzione del tratto.

3 Inserire la lettera *hā'* negli spazi vuoti utilizzando la forma corretta a seconda della sua posizione.

nahār	'giornata'	نَـ.....ـار
nahr	'fiume'	نَـ.....ـر
wahm	'sospetto'	وَ.....ـم

4 Scrivere i seguenti aggettivi.

mašhūr	'celebre'	....
muhimm	'importante'	....
sahl	'facile'	....

5 Scrivere i seguenti nomi di mestiere.

muhandis	'architetto'	....
dahhān	'imbianchino'	....
zahhār	'fioraio'	....

6 Leggere le seguenti parole.

هند   هي   ظهر   ظهر   سهر

هنا   وجه   هو   هناك   مهندس

✓ Ricapitolazione

L'alfabeto arabo.

Grafema isolato	Grafema legato	Trascrizione	Nome del grafema
ا	ااا	*ā*	*ˀalif*
ب	ببب	*b*	*bāˀ*

Grafema isolato	Grafema legato	Trascrizione	Nome del grafema
ت	تتت	t	*tā'*
ث	ثثث	ṯ	*ṯā'*
ج	ججج	ğ	*ğīm*
ح	ححح	ḥ	*ḥā'*
خ	خخخ	ḫ	*ḫā'*
د	ددد	d	*dāl*
ذ	ذذذ	ḏ	*ḏāl*
ر	ررر	r	*rā'*
ز	ززز	z	*zāy*
س	سسس	s	*sīn*
ش	ششش	š	*šīn*
ص	صصص	ṣ	*ṣād*
ض	ضضض	ḍ	*ḍād*
ط	ططط	ṭ	*ṭā'*
ظ	ظظظ	ẓ	*ẓā'*
ع	ععع	ʿ	*ʿayn*
غ	غغغ	ġ	*ġayn*
ف	ففف	f	*fā'*
ق	ققق	q	*qāf*
ك	ككك	k	*kāf*
ل	للل	l	*lām*
م	ممم	m	*mīm*
ن	ننن	n	*nūn*
ه	ههه	h	*hā'*
و	ووو	w/ū	*wāw*
ي	ييي	y/ī	*yā'*

Esercizi orali

CD1/13-14

1 Ascoltare l'alfabeto e ripeterlo, lettera per lettera, memorizzandone l'**ordine esatto**.

Appendice all'alfabeto

Vi sono alcuni segni che, seppur non inclusi dai grammatici nell'alfabeto, sono fondamentali per poter leggere e scrivere correttamente in arabo.

1 La *tā' marbūṭa*

La تاء مربوطة *tā' marbūṭa*, ⟨ة⟩, è un segno che si trova solo in fine di parola. È, generalmente, la marca del femminile.
Si tratta della lettera ه *hā'* sovrastata da due punti. La forma isolata è quindi ة, la forma finale ـة. Essa è necessariamente preceduta dalla vocale *fatḥa*. In contesto di *pausa* (e vedremo più avanti cosa si intende), la *tā' marbūṭa* è muta, si legge cioè soltanto la vocale [a] che la precede (alcuni arabi tuttavia fanno sentire la *h*: [ah]).

فَاطِمَة	فاطمة	*Fāṭima*	'Fatima'
سَارَة	سارة	*Sāra*	'Sara'
مَدِينَة	مدينة	*madīna*	'città'
جَامِعَة	جامعة	*ǧāmi'a*	'università'

- Aggiungendo la *tā' marbūṭa* a un nominale (sostantivo o aggettivo), se ne ottiene in moltissimi casi il femminile corrispondente:

Maschile				Femminile		
صَدِيق	*ṣadīq*	'amico'	→	صَدِيقَة	*ṣadīqa*	'amica'
جَار	*ǧār*	'vicino di casa'		جَارَة	*ǧāra*	'vicina di casa'
أُسْتَاذ	*'ustāḏ*	'professore'		أُسْتَاذَة	*'ustāḏa*	'professoressa'
طَالِب	*ṭālib*	'studente'		طَالِبَة	*ṭāliba*	'studentessa'
كَبِير	*kabīr*	'grande^{m}'		كَبِيرَة	*kabīra*	'grande^{m}'
سَهْل	*sahl*	'facile^{m}'		سَهْلَة	*sahla*	'facile^{f}'

tā' marbūṭa letteralmente significa '*tā'* legata' perché, dal punto di vista grafico, può far pensare a una ت le cui estremità sono state accostate e legate.
In altri contesti (non di *pausa*), la *tā' marbūṭa* va letta [at]; ad esempio, vedremo più avanti che 'l'università di Roma', si dice:

جَامِعَةُ رُومَا *ǧāmi'atu Rūmā*

Se, inoltre, a un femminile uscente in *tā' marbūṭa* si unisce un suffisso, quale, ad esempio, -*ī* 'mio', allora essa va obbligatoriamente riscritta come una ت:

جَامِعَتِي *ǧāmi'at-ī* 'la mia università'

Analogamente avremo:

صَدِيقَتِي	*ṣadīqat-ī*	'la mia amica'
جَارَتِي	*ǧārat-ī*	'la mia vicina'
أُسْتَاذَتِي	*ʔustāḏat-ī*	'la mia professoressa'
مَدِينَتِي	*madīnat-ī*	'la mia città

2 La *hamza*

Della *hamza* si è già parlato: è stata vista in numerosi esempi in inizio di parola, ed è stato anticipato che essa esprime di per sé un fonema [ʔ], trascritto ʔ, descritto come 'leggero singhiozzo', detto anche 'colpo di glottide', tecnicamente una laringale occlusiva sorda.

أَنَا	أنا	*ʔanā*	'io'
إِذَا	إذا	*ʔiḏā*	'se'
أُمّ	أم	*ʔumm*	'madre'

Il suono [ʔ] non è inesistente in italiano ma non viene espresso graficamente. Lo facciamo sentire ad esempio quando occorra separare due vocali a scopo di maggiore chiarezza: «ho detto *le ʔelezioni*, non *le lezioni*». Le parole arabe أَنَا 'io', إِذَا 'se', أُمّ 'madre' non iniziano per vocale bensì per *hamza*+vocale: *ʔanā, ʔiḏā, ʔumm*.

Nb: per chi conosca altre lingue il suono [ʔ] si sente nitidamente nel *cockney* londinese *bottle*, pronunciato *boʔle*, o nel tedesco *verʔirren, erʔobern*.

Nelle sequenze وَأَنَا 'e io', وَإِذَا 'e se', اَلْأُمّ 'la madre', non è possibile, pena non essere capiti, elidere la *hamza* leggendo **waanā*, **waiḏā*, **alumm*: occorre nitidamente articolare *waʔanā, waʔiḏā, alʔumm*.

▶ *Hamza* può apparire, oltre che in inizio di parola, anche in posizione mediana e finale. Qui è necessario tenere ben distinti i due aspetti grafico ('come si scrive') e fonetico ('come si pronuncia').

- Sul piano **grafico** le regole di scrittura della *hamza* – l'unico grafema dell'alfabeto arabo che non lega né a destra né a sinistra – sono complicate e difficili da memorizzare, per lo meno in questa fase dello studio. In posizione mediana e finale essa appare molto spesso 'seduta' su uno dei tre grafemi semiconsonantici ا, ى (senza punti!) o و, che in tal caso non hanno valore fonetico ma fungono da semplice **sostegno** della *hamza* (detto in arabo كُرْسِيّ الْهَمْزَة *kursiyy al-hamza* 'sedia della *hamza*') sotto le tre forme أ, ؤ , ئ.

  Per ora si cerchi di memorizzare passivamente quanto segue:
  - *hamza* iniziale necessariamente poggia su una *ʔalif*: أَ, إِ, أُ;
  - *hamza* mediana nel più dei casi poggia su أ, ؤ , ئ (quest'ultima allora senza i punti: ئ/ـئـ/ـئ/ـئ);
  - *hamza* finale preceduta da una vocale breve necessariamente poggia su أ, ؤ , ئ;
  - *hamza* finale preceduta da una vocale lunga *ā ī ū* o da un dittongo *ay aw* figura senza sostegno e poggia sul rigo.

- Sul piano **fonetico** *hamza* mediana e finale ha sempre lo stesso valore di colpo di glottide ('leggero singhiozzo'). È indispensabile esercitarsi a riprodurre gli esempi seguenti:

Tra due vocali			Tra vocale e consonante			Tra consonante e vocale		
سُؤَال	*su'āl*	'domanda'	رَأْس	*ra's*	'testa'	مَسْأَلَة	*mas'ala*	'questione'
رَئِيس	*ra'īs*	'leader'	بِئْر	*bi'r*	'pozzo'	أَسْئِلَة	*'as'ila*	'domande'
رُؤُوس	*ru'ūs*	'teste'	مُؤْمِن	*mu'min*	'credente'	مَسْؤُول	*mas'ūl*	'responsabile'

Dopo vocale breve			Dopo vocale lunga			Dopo dittongo		
نَبَأ	*naba'*	'notizia'	مَسَاء	*masā'*	'sera'	ضَوْء	*ḍaw'*	'luce'
دَافِئ	*dāfi'*	'tiepido'	مَلِيء	*malī'*	'pieno'	شَيْء	*šay'*	'cosa'
تَنَبُّؤ	*tanabbu'*	'profezia'	هُدُوء	*hudū'*	'quiete'			

3 La *'alif madda*

Strettamente legato all'argomento della sezione precedente, è quello della *'alif madda*, آ.
È stato visto che *'alif-hamza* iniziale può essere vocalizzato in *fatḥa*, *kasra* e *ḍamma*:

أَمَل	أمل	*'amal*	'speranza'
إِبْهَام	إبهام	*'ibhām*	'pollice'
أُفُق	أفق	*'ufuq*	'orizzonte'

- Se *'alif-hamza* iniziale sia seguita da una vocale lunga ī ū (quindi 'ī-, 'ū-), sarà sufficiente aggiungere la semiconsonante ي o و corrispondente:

إِيمَان	إيمان	*'īmān*	'fede'
أُورُبَّا	أوربا	*'Ūrubbā*	'Europa'

▶Se *'alif-hamza* iniziale sia seguita da una ā lunga, ad esempio nella parola *'ādāb* 'letteratura', il modo atteso per ottenere questo *'ā-* iniziale, in base a quanto spiegato finora, sarebbe (ma non è!) اأَ*. Tale sequenza teorica non è ammessa e viene sostituita da آ: la *'alif* di prolungamento viene a sovrastare أ sopprimendo *hamza* e *fatḥa*.
Il segno ~ posto sopra la *'alif* viene detto مَدَّة *madda* 'prolungamento':

آدَاب	آداب	*'ādāb*	'letteratura'
آب	آب	*'āb*	'agosto'
آجُرّ	آجر	*'āǧurr*	'mattoni'

▶آ *'alif-madda* può apparire all'interno della parola, nel qual caso occorre ricordare che il suo valore non è quello di -ā- bensì di -'ā-, ossia quello di *hamza* + ā: la parola قُرْآن 'Corano' va letta *Qur'ān*, e non **Qurān* o **Quraān* (una grafia arcaica di questa parola era قُرْءَان):

كَآبَة	كآبة	*ka'āba*	'afflizione'
اَلْآنَ	الآن	*al-'āna*	'adesso'

4 La *ʔalif maqṣūra*

La *ʔalif maqṣūra* (letteralmente '*ʔalif* abbreviata'), che compare soltanto in finale di parola, esprime una vocale *ā* lunga, quindi esattamente come ـا, con la differenza che viene scritta ى, ossia come una *yāʔ* senza punti preceduta da *fatḥa*. Essa compare in diversi temi femminili:

لَيْلَى	ليلى	*Laylā*	'Leila'
هُدَى	هدى	*Hudā*	'Hoda'
مُنَى	منى	*Munā*	'Mouna'

ma anche in temi maschili:

مُوسَى	موسى	*Mūsā*	'Moussa'
مُصْطَفَى	مصطفى	*Muṣṭafā*	'Mustafa'

nelle due preposizioni di uso frequente:

إِلَى	إلى	*ʔilā*	'a, verso'
عَلَى	على	*ʕalā*	'su'

e in altri termini come:

مَتَى؟	متى؟	*matā?*	'quando?'

5 La *'alif* difettiva, o miniaturizzata

Vi è un ristretto numero di parole in cui la *ʔalif*, pur fungendo da allungamento vocalico e pur essendo regolarmente pronunciata, non risulta a livello scritto nei testi non vocalizzati: in quelli vocalizzati viene riportata miniaturizzata, in cima alla consonante che la precede. Si ricordino in particolare:

اَللّٰه	الله	*Allāh*	'Dio'
هٰذَا	هذا	*hāḏā*	'questo'
هٰذِهِ	هذه	*hāḏihi*	'questa'
ذٰلِكَ	ذلك	*ḏālika*	'quello'
لٰكِنْ	لكن	*lākin*	'ma'

6 La*'alif waṣla*

Alcune parole iniziano per una ا *ʔalif* che però **non** è *ʔalif-hamza*: si parla in tal caso di أَلِف وَصْلَة *ʔalif waṣla*, lett. '*ʔalif* di legamento'. Mentre la parole in *ʔalif-hamza* iniziale hanno una *hamza* stabile, quelle in *ʔalif waṣla* non hanno *hamza* e vedono elidersi la vocale *a i u* ogni volta che nell'enunciato siano precedute da un'altra parola uscente in vocale. Nella scrittura vocalizzata in tal caso la *ʔalif* porta il segno detto *waṣla*, ٱ.
Tra i termini più comuni troviamo:

اِسْم	اسم	*ism*	'nome'

Quando questo termine si trovi in inizio di enunciato lo si legge *ˀism*:

اِسْمِي لَيْلَى اسمي ليلى *ˀism-ī Laylā* 'mi chiamo Leila' <nome-mio [è] Leila>

Se اسم *ism* viene preceduto ad esempio dal coordinante وَ *wa-* 'e', dal tema interrogativo مَا؟ *mā?* 'cosa?', o da altro, la *i-* si **elide**:

وَٱسْمِي لَيْلَى	واسمي ليلى	*wa-sm-ī Laylā*	'e mi chiamo Leila'
مَا ٱسْمِي؟	ما اسمي؟	*mā sm-ī?*	'come mi chiamo?'
هٰذَا ٱسْمِي	هذا اسمي	*hāḏā sm-ī*	'questo è il mio nome'

▶La *ˀalif* dell'articolo *al-* è *waṣla*:

اَلْبَيْت	البيت	*al-bayt*	'la casa'
فِي ٱلْبَيْت	في البيت	*fī l-bayt*	'nella casa, a casa'

▶Lo stesso succede normalmente alla *ˀalif* protetica dell'imperativo:

أُسْكُتْ!	اسكت!	*uskut!*	'sta' zitto!'
كُلْ وَٱسْكُتْ!	كل واسكت!	*kul wa-skut!*	'mangia e sta' zitto!'

Nella scrittura non vocalizzata, in linea di massima, le *ˀalif hamza* stabili vengono sempre scritte con la *hamza* أ, إ, mentre le *ˀalif waṣla* vengono segnate senza *hamza*. In questo libro ci atterremo a questo principio. Quindi, incontrando nelle liste di vocaboli nuovi, ad esempio:

إبهام	*ˀibhām*	'pollice'
اتصال	*ittiṣāl*	'comunicazione'

Lo studente dovrà capire che, nel primo caso, la *hamza* è stabile mentre nel secondo si elide:

وإبهام	*wa-ˀibhām*	'e un pollice'
واتصال	*wa-ttiṣāl*	'e una comunicazione'

7 Lettere solari e lettere lunari

Le lettere dell'alfabeto, oltre a dividersi in lettere che si legano sia a destra che a sinistra e lettere che si legano solo a destra (le sei lettere del § 2.1), si caratterizzano per il loro comportamento quando sono precedute dall'articolo (cf. 2.8.2). A questo proposito esse vengono tradizionalmente distinte in due gruppi: lettere **solari** e lettere **lunari**.
La differenza tra i due gruppi è soltanto fonetica e si manifesta solo in presenza dell'articolo, senza alcun cambiamento dal punto di vista grafico e grammaticale.
La *lām* dell'articolo **si assimila** alle (ossia diventa uguali alle) lettere solari.
Nell'unire l'articolo determinato اَلْـ *al-* al nominale شَمْس *šams* 'sole' si ha ***aš-šams*** (invece di **al-šams*), che nella scrittura vocalizzata viene reso:

اَلشَّمْس الشمس *aš-šams* 'il sole'

L'alfabeto risulta diviso in due parti uguali: quattordici lettere sono solari e quattordici lettere sono lunari. Le lettere solari (dentali e sibilanti) sono, nell'ordine:

Lettera solare	Esempio	Pronuncia	Significato
ت	التوت	*at-tūt*	'le more'
ث	الثوب	*aṯ-ṯawb*	'il vestito'
د	الدار	*ad-dār*	'la casa'
ذ	الذرور	*aḏ-ḏarūr*	'la cipria'
ر	الريح	*ar-rīḥ*	'il vento'
ز	الزيت	*az-zayt*	'l'olio'
س	السر	*as-sirr*	'il segreto'
ش	الشمس	*aš-šams*	'il sole'
ص	الصباح	*aṣ-ṣabāḥ*	'il mattino'
ض	الضباب	*aḍ-ḍabāb*	'la nebbia'
ط	الطين	*aṭ-ṭīn*	'i fichi'
ظ	الظل	*aẓ-ẓill*	'l'ombra'
ل	اللوز	*al-lawz*	'le mandorle'
ن	النار	*an-nār*	'il fuoco'

Le lettere lunari non pongono nessuna difficoltà nella pronuncia poiché la *lām* dell'articolo rimane inalterata, come avviene per la *qāf* nel termine *qamar* 'luna':

اَلْقَمَر القمر *al-qamar* 'la luna'

Le lettere lunari sono:

Lettera lunare	Esempio	Pronuncia	Significato
أ	الأرز	*al-ʔarz*	'i cedri'
ب	البدر	*al-badr*	'la luna piena'
ج	الجوز	*al-ǧawz*	'le noci'
ح	الحب	*al-ḥubb*	'l'amore'
خ	الخبز	*al-ḫubz*	'il pane'
ع	العين	*al-ʕayn*	'l'occhio'
غ	الغرب	*al-ġarb*	'l'occidente'
ف	الفيل	*al-fīl*	'l'elefante'
ق	القط	*al-qiṭṭ*	'il gatto'
ك	الكلب	*al-kalb*	'il cane'
م	الموج	*al-mawǧ*	'le onde'
ه	الهلال	*al-hilāl*	'la mezzaluna'

Lettera lunare	Esempio	Pronuncia	Significato
و	الورد	*al-ward*	'le rose'
ي	اليد	*al-yad*	'la mano'

8 Il *tanwīn*

Nei nominali (sostantivi e aggettivi) arabi appaiono spesso i tre diacritici vocalici finali ٌ, ً, ٍ, detti **تَنْوين** *tanwīn* (in italiano si parla anche spesso di *nūnazione*), che hanno una funzione importante nella sintassi del nominale indeterminato. Il *tanwīn -an* viene accompagnato da una ا *ʔalif*, a meno che il nominale esca ة *tāʔ marbūṭa* o in اء:

ـٌ	*-un*	ad es.:	كِتابٌ	*kitābun*	صَدِيقَةٌ	*ṣadīqatun*	مَسَاءٌ	*masāʔun*
ـً(ا)	*-an*		كِتابًا	*kitāban*	صَدِيقَةً	*ṣadīqatan*	مَسَاءً	*masāʔan*
ـٍ	*-in*		كِتابٍ	*kitābin*	صَدِيقَةٍ	*ṣadīqatin*	مَسَاءٍ	*masāʔin*

I diacritici rispettivi vengono detti in arabo اَلضَّمَّتان *aḍ-ḍammatāni* 'le due *ḍamma*', اَلْفَتْحَتان *al-fatḥatāni* 'le due *fatḥa*', اَلْكَسْرَتان *al-kasratāni* 'le due *kasra*'.

9 I numeri

Nella scrittura latina usiamo per scrivere i numerali una serie di grafemi detti numeri arabi (ossia ⟨1, 2, 3, 4, 5⟩ ecc.), contrapposti ai **numeri romani** (ossia ⟨I, II, III, IV, V⟩ ecc.). I numeri arabi sono detti così perché furono presi a prestito a partire dal Quattrocento dai numeri usati appunto dai matematici arabi. Questi a loro volta li avevano mutuati dal sistema indiano che per primo li aveva inventati (e in arabo vengono quindi detti اَلأَرْقام الهِنْدِيَّة *al-ʔarqām al-himdiyya* 'i numeri indiani'). Oggigiorno sono soprattutto i paesi arabi orientali a continuare l'uso dei numeri 'indiani', mentre il Maghreb vi ha da tempo rinunciato adottando quelli 'arabi occidentali'.
I numeri indiani sono i seguenti:

٠	0		
١	1	٦	6
٢	2	٧	7
٣	3	٨	8
٤	4	٩	9
٥	5	١٠	10

Come si può notare dalla resa corrisponente a ⟨10⟩, ossia ⟨١٠⟩, i numeri arabi non si scrivono da destra verso sinistra bensì da sinistra verso destra, per cui '2010' verrà scritto ٢٠١٠.
Si tenga a mente che:
- ⟨٠⟩ è *zero* (صِفْر *ṣifr*, da cui l'italiano *cifra*), per cui ⟨٥٠٠٠⟩ sta per *5000* (e non per ...5!);
- ⟨٥⟩ invece sta per 5, per cui ⟨١٥٥٥⟩ sta per *1555* (e non per *1000*!);
- ⟨٢⟩ *2* si distingue da ⟨٦⟩ *6* in quanto il ciuffo in alto va verso destra (come due);
- un ⟨٧⟩ *7* messo sopra un ⟨٨⟩ *8* fa una X, per cui ٧ viene prima di ٨.

10 I segni di interpunzione

I segni di interpunzione arabi sono i seguenti:

نُقْطَة	.	punto
فَاصِلَة	،	virgola
نُقْطَتَانِ	:	due punti
نقطة فاصلة	؛	punto e virgola
عَلَامَةُ ٱسْتِفْهَامٍ	؟	punto interrogativo
علامة تَعَجُّبٍ	!	punto esclamativo
علاماتُ وَقْفٍ	...	punti di sospensione

11 Sillaba, prosodia e accento

- Le sillabe arabe sono fondamentalmente di tre tipi (*c* = consonante, *v* = vocale breve, *v̄* = vocale lunga):
  -*cv*-
  -*cv̄*-
  -*cvc*-

Non sono quindi ammesse (escludendo i prestiti, che talvolta contraddicono questa regola):
  *-*cv̄c*-
  *-*cvcc*-

- L’accento tonico in arabo non è mai distintivo (come può esserlo in italiano in casi come *capìto* ≠ *càpito*). Nondimeno, nella maggioranza delle pronunce, soprattutto orientali, valgano le due regole seguenti:
  - l’accento colpisce la prima sequenza -*v̄c*- o -*vcc*- a partire dalla fine della parola;
  - in assenza di tali sequenze, l’accento colpisce la **prima** sillaba, senza tuttavia mai risalire oltre la **terzultima** sillaba.

كِتَاب	*kitâb*	‘libro’
مَقَصّ	*miqáṣṣ*	‘forbici’
قَالَتْ	*qâlat*	‘ha^{f} detto’
مَرَّة	*márra*	‘una volta’
قَرَّرَ	*qárrara*	‘ha^{m} deciso’
سَافَرَ	*sâfara*	‘è partito’
سَافَرْنَا	*sāfárnā*	‘siamo partiti’
كَلِمَة	*kálima*	‘parola’
كَلِمَتِي	*kalímatī*	‘la mia parola’
كَلِمَتُكَ	*kalimátuka*	‘la tua^{m} parola’
كَلِمَتُكُمَا	*kalimatúkumā*	‘la vostra^{2} (di voi due) parola’

▶ In italiano l'accento tonico comporta automaticamente l'allungamento della vocale accentata (in sillaba aperta): *banāna*, *andāvano*, mentre in arabo le due cose debbono essere tenute ben distinte: è importantissimo, tanto per una buona dizione quanto in molti casi per essere capiti, saper rispettare l'alternarsi tra vocali lunghe e brevi:

مَدِينَتُنَا *madīnátunā* 'la nostra città'

va letto qualcosa come *ma-dii-ná-tu-naa* (assolutamente non **ma-di-náá-tu-na*!).

Si osservino le opposizioni seguenti:

كُرَة	*kúra*	'pallone'	≠	كُورَة	*kūra*	'distretto'
كَانَ	*kāna*	'era^{m}'		كَانَا	*kānā*	'erano (loro due)'
حَرَبْتُ	*ḥarábtu*	'ho spogliato'		حَارَبْتُ	*ḥārábtu*	'ho combattuto'
مَجَلَّتُكَ	*mağallátuka*	'la tua^{m} rivista'		مَجَلَّاتُكَ	*mağallâtuka*	'le tue^{m} riviste'
صَدِيقَتُنَا	*ṣadīqátunā*	'la nostra amica'		صَدِيقَاتُنَا	*ṣadīqâtunā*	'la nostre amiche'
صَدِيقَتُكُمَا	*ṣadīqatúkumā*	'la vostra^{2} amica'		صَدِيقَاتُكُمَا	*ṣadīqātúkumā*	'le vostre^{2} amiche'

Esercizi orali — CD1/15-18

1 Ascoltare il suono delle parole incontrate e ripeterlo.

12 La *ʔalif al-wiqāya*

Alcune forme verbali, che verranno studiate più avanti, terminano con il morfema -*ū*. Solamente in questo caso tale morfema viene scritto وُا, con una *ʔalif* muta detta أَلِفُ الْوِقَايَة *ʔalif al-wiqāya* ('di protezione'), che quindi non va letta:

كَتَبُوا	*katabū*	'hanno^{m} scritto'
أَنْ يَكْتُبُوا	*ʔan yaktubū*	'che scrivano^{m}'

Tale *ʔalif al-wiqāya* scompare tuttavia dalla scrittura se alla forma verbale venga aggiunto un suffisso pronominale:

كَتَبُوهُ	*katabū-hu*	'lo hanno^{m} scritto'
أَنْ يَكْتُبُوهُ	*ʔan yaktubū-hu*	'che lo scrivano^{m}'

13 I caratteri composti

Nelle scrittura corrente avviene, facoltativamente ma spesso, che alcuni grafemi nel legarsi l'uno all'altro subiscano contrazioni. Diamo qui di seguito le più frequenti:

لم	لم	الماء	*al-māʔ*	'l'acqua'
نز	نز	منزل	*manzil*	'domicilio'

14 Trascrizione dei nomi propri

Quest'ultimo paragrafo permetterà allo studente di esercitarsi in maniera ludica.
La trascrizione in caratteri arabi dei nomi propri può essere fatta in diversi modi, a seconda della sensibilità fonetica di chi trascrive.
Alcuni nomi propri, in quanto appartenenti alla tradizione religiosa giudeocristiana, hanno equivalenti in arabo per cui, volendo, non sarebbe necessaria una trascrizione di tipo fonetico. Tra i nomi propri di persona, hanno equivalenti arabi, ad esempio:

Abramo	إِبْرَاهِيم	*ˀIbrāhīm*
Alessandro	إِسْكَنْدَر	*ˀIskandar*
Antonio	أَنْطُون	*ˀAnṭūn*
Chiara	نُور	*Nūr* ('Luce')
Davide	دَاوُود / دَاوُد	*Dāwūd* o *Dāwud*
Gabriele	جِبْرِيل / جَبْرَائِيل	*Ǧibrīl* o *Ǧabrāˀīl*
Giacomo / Jacopo	يَعْقُوب	*Yaˁqūb*
Giobbe	أَيُّوب	*ˀAyyūb*
Giovanni	يُوحَنَّا / حَنَّا	*Yūḥannā* o *Ḥannā*
Giovanbattista	يَحْيَى	*Yaḥyā*
Giuseppe	يُوسُف	*Yūsuf*
Isacco / Isaac	إِسْحَاق	*ˀIsḥāq*
Luca	لُوقَا	*Lūqā*
Marco	مَرْقُص	*Marquṣ*
Maria	مَرْيَم	*Maryam*
Matteo / Mattia	مَتَّى	*Mattā*
Michele	مِيخَائِيل	*Mīḫāˀīl*
Paolo	بُولُس	*Būlus*
Pietro	بُطْرُس	*Buṭrus*
Raffaele	رُفَائِيل	*Rufāˀīl*
Salomone	سُلَيْمَان	*Sulaymān*
Samuele	سَمَوْأَل	*Samawˀal*
Sara	سَارَة	*Sāra*
Sergio	سَرْكِيس	*Sarkīs*
Simone	سِمْعَان	*Simˁān*
Susanna	سَوْسَن	*Sawsan*
Tommaso	تُومَا	*Tūmā*

Alcuni nomi cristiani trovano corrispondenti musulmani nel significato:

Felice	سَعِيد	*Saʕīd*
Vincenzo	مَنْصُور	*Manṣūr* ('Vincitore')
Viviana	عَائِشَة	*ʕĀʔiša* ('Vivente')

Analogamente, diversi nomi e cognomi di personaggi storici hanno una grafia ormai standardizzata. Per citare qualche esempio:

Napoleone	نابوليون	*Nābūliyūn*
Platone	أفلاطون	*ʔAflāṭūn*
Aristotele	أرسطو	*ʔArisṭū*

Numerosi toponimi hanno una propria versione araba. Per citare qualche esempio:

Europa	أوربا / أوروبا	*ʔŪrubbā* / *ʔŪrūbā*
Italia	إيطاليا	*ʔĪṭāliyā*
Roma	روما	*Rūmā*
Milano	ميلانو	*Mīlānū*
Venezia	البندقية / فينيسيا	*Al-Bunduqiyya*[3] / *Fīnīsiyā*
Napoli	نابولي	*Nābūlī*[4]

A parte questi casi, a causa della differenza tra suoni arabi e italiani, è possibile che alcuni nomi propri abbiano delle varianti.

- In genere, le vocali arabe utilizzate per la traslitterazione dei nomi propri sono sempre vocali lunghe. Le vocali *e* e *o* non esistono in arabo (standard!), pertanto verranno trascritte rispettivamente come ي *ī* e و *ū*. La *-e* finale può, talora, essere trascritta come una *hāʔ* finale: ـه/ه.
- Il suono [tʃ] di *cena*, non presente in arabo classico, può essere trascritto con la lettera *tāʔ* seguita da una *šīn*: تش, ad esempio ليتشي 'Lecce', ma nel più dei casi si ricorre a ش: فرانشيسكو 'Francesco'.
- Anche i due suoni [ʦ] e [ʣ] di *pezzo* e *zero* andrebbero, a rigor di precisione, trascritti in arabo con تس e دز rispettivamente.
- Il suono [g] di *gatto* può venir trascritto in diversi modi: l'Egitto ricorre a ج *ǧīm*; l'Iraq e il Marocco usano la گ *gāf* dell'alfabeto persiano (una *kāf* con due barre), ad esempio اگادير 'Agadir'; la Tunisia scrive ڨ (o per semplicare ق); in tempi passati si ricorreva a غ *ġayn*, ad esempio غاز 'gas'.
- Il suono [p] può essere trascritto con una ب *bāʔ* o, più raramente, con la پ *p* dell'alfabeto persiano (una *bāʔ* con tre punti).

---

[3] *Al-Bunduqiyya* significa letteralmente 'il fucile'. A sua volta, deriva dal termine بندقة *bunduqa* 'nocciola' perché i primi proiettili sparati dalle balestre, prima delle armi da fuoco, erano simili al frutto del nocciolo. Nel Vicino Oriente, le prime armi da fuoco sarebbero state introdotte da mercanti veneziani: per questo Venezia si chiamerebbe *madīnat al-bunduqiyya*, 'la città del fucile'.

[4] Il nome Napoli deriva dal greco Νεάπολις *Neápolis* 'città nuova'. Stessa etimologia hanno due note città del mondo arabo: Nablus نابلس *Nābulus* in Palestina e Nabeul نابل *Nābil* in Tunisia.

- Il suono [v] viene trascritto con una ف *fāʾ* oppure, più raramente, con ڤ (una *fāʾ* con tre punti sopra; in Tunisia i tre punti vanno sotto, perché ڤ viene usato per [g]).

  Ciò premesso, si troveranno qui di seguito trascrizioni possibili di alcuni nomi propri italiani particolarmente diffusi:

Alessandra	آليساندرا
Barbara	باربارا
Carlo	كارلو
Elisa	إيليسا
Francesco	فرانتشيسكو
Giulia	جوليا
Ilaria	إيلاريا
Laura	لاورا
Marco	ماركو
Roberto	روبيرتو
Silvia	سيلفيا
Tiziana	تيتسيانا
Maurizio	ماوريتسيو
Valerio	فاليريو

Si ricordi che اِسْمِي *ism-ī* ‘il mio nome’ serve a presentarsi: اسمي كارلا ‘mi chiamo Carla’ (<nome-mio [è] Carla>).

Esercizi scritti

1 Scrivere in arabo il proprio nome e cognome.

اسمي ....

2 Leggere i seguenti nomi di personaggi noti e di aeroporti.

شارلمان	دانته	جوزيبي فيردي	جورجو نابوليتانو
ميكيلانجيلو	شارل دي غول	غوردون براون	باراك أوباما
جورج واشنطون	إنريكو فيرمي	شيكسبير	جوليو اندريوتي
ج ف ك	شامبينو	مالبنسا	هيثرو
باريس ش د غ	روما ف	تونس قرطاج	باراخاس

3 Leggere i seguenti paesi arabi con le rispettive capitali e trascrivere correttamente.

La bandiera *al-ʿalam* العلم	Il paese *al-balad* البلد	La capitale *al-ʿāṣima* العاصمة
	المَغْرِب .... 'Marocco'	الرِباط .... 'Rabat'
	مُورِتانِيا .... 'Mauritania'	نُواكْشوط .... 'Nouakchott'
	الجَزائِر .... 'Algeria'	الجَزائِر .... 'Algeri'
	تونُس .... 'Tunisia'	تونُس .... 'Tunisi'
	ليبْيا .... 'Libia'	طَرابُلُس .... 'Tripoli'
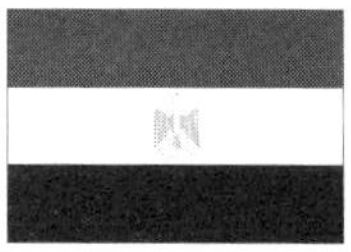	مِصر .... 'Egitto'	القاهِرة .... 'il Cairo'
	السودان .... 'Sudan'	الخُرْطوم .... 'Khartum'
	جيبوتي .... 'Gibuti'	جيبوتي .... 'Gibuti'
	الصومال .... 'Somalia'	مُقَدِيشو .... 'Mogadiscio'

La bandiera *al-ʕalam* العلم	Il paese *al-balad* البلد	La capitale *al-ʕāṣima* العاصمة
	القُمْر .... ‘Comore’	موروني .... ‘Moroni’
	السُّلْطَة الوَطَنِيَّة الفِلَسْطِينِيَّة .... ‘Autorità Nazionale Palestinese’	أَرِيحَا .... ‘Gerico’
	لُبْنان .... ‘Libano’	بَيْروت .... ‘Beirut’
	سورِية .... ‘Siria’	دِمَشْق .... ‘Damasco’
	الأُرْدُنّ .... ‘Giordania’	عَمّان .... ‘Amman’
	العِراق .... ‘Iraq’	بَغْداد .... ‘Baghdad’
	العَرَبِيَّة السَعوديّة .... ‘Arabia Saudita’	الرِياض .... ‘Riyad’
	اليَمَن .... ‘Yemen’	صَنْعاء .... ‘Sanaa’
	عُمان .... ‘Oman’	مَسْقَط .... ‘Mascate’
	الإمارات العَرَبِيَّة المُتَّحِدة .... ‘Emirati Arabi Uniti’	أَبوظَبْي .... ‘Abu Dhabi’

La bandiera *al-ʿalam* العلم	Il paese *al-balad* البلد	La capitale *al-ʿāṣima* العاصمة
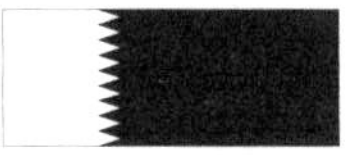	قَطَر .... 'Qatar'	الدَوْحة .... 'Doha'
	البَحْرَيْن .... 'Bahrein'	المَنامة .... 'Manama'
	الكُوَيْت .... 'Kuwayt'	مَدِينَةُ ٱلْكُوَيْت .... 'Città del Kuwayt'

4 Scrivere sulla carta il nome in arabo dei paesi in grigio.

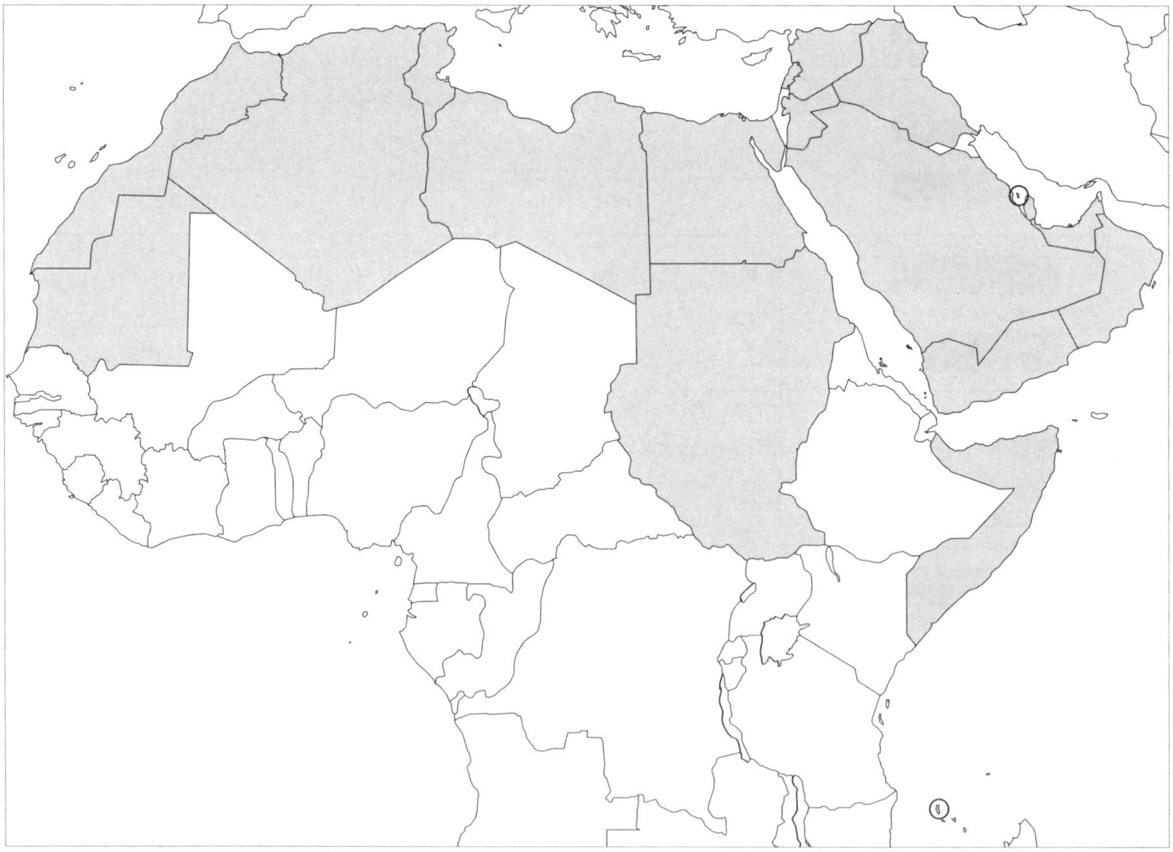

Esercizi orali

CD1/19

1 Ascoltare e ripetere i nomi dei paesi e delle capitali arabe.

15 Alcuni scioglilingua

- Una buona raccolta di suoni arabi difficili si ha nei numerali da uno a dieci. Impariamo quindi a contare tutto d'un fiato:

٠	صِفْر	صفر	*ṣifr*	'zero'
١	أَحَد	أحد	*ʔaḥad*	'uno'
٢	اِثْنَان	اثنان	*iṯnān*	'due'
٣	ثَلَاثَة	ثلاثة	*ṯalāṯa*	'tre'
٤	أَرْبَعَة	أربعة	*ʔarbaʕa*	'quattro'
٥	خَمْسَة	خمسة	*ḫamsa*	'cinque'
٦	سِتَّة	ستة	*sitta*	'sei' (Attenzione: *sei*, non *sette*!)
٧	سَبْعَة	سبعة	*sabʕa*	'sette'
٨	ثَمَانِيَة	ثمانية	*ṯamāniya*	'otto'
٩	تِسْعَة	تسعة	*tisʕa*	'nove'
١٠	عَشَرَة	عشرة	*ʕašara*	'dieci'

- Apprendiamo inoltre i numerali seguenti:

١٩	تِسْعَ عَشْرَةَ	تسع عشرة	*tisʕa ʕašrata*	'diciannove'
٢٠	عِشْرُونَ	عشرون	*ʕišrūna*	'venti'
٢١	إِحْدَى وَعِشْرُونَ	إحدى وعشرون	*ʔiḥdā wa-ʕišrūna*	'ventuno'
٢٢	اِثْنَتَانِ وَعِشْرُونَ	اثنتان وعشرون	*iṯnatāni wa-ʕišrūna*	'ventidue'
٢٣	ثَلَاثٌ وَعِشْرُونَ	ثلاث وعشرون	*ṯalāṯun wa-ʕišrūna*	'ventitré'

Con عُمْر *ʕumr* 'età', unito al suffisso ي *-ī* 'mio' e سَنَة *sana* 'anno' (che in questo caso diviene سَنَةً *sanatan*, non chiedete perché) potete dire quanti anni avete:

عُمْرِي تِسْعَ عَشْرَةَ سَنَةً	عمري تسع عشرة سنة	*ʕumr-ī tisʕa ʕašrata sanatan*	'ho 19 anni'	<età-mia [è] 19 anno>
عُمْرِي عِشْرُونَ سَنَةً	عمري عشرون سنة	*ʕumr-ī ʕišrūna sanatan*	'ho 20 anni'	<età-mia [è] 20 anno>

Nb: ovviamente se dite *umr-ī tisa ašrata sanatan, umr-ī išrūna sanatan*, elidendo le ع, pronunciate male.

- Il seguente scioglilingua è sull'alternanza ح\خ, lo si provi più volte andando pianissimo all'inizio:

خَيْطُ حَرِيرٍ عَلَى حَائِطِ خَلِيلٍ *ḫayṭu ḥarīrin ʕalā ḥāʔiṭi Ḫalīlin* 'un filo di seta sul muro di Khalil'

- Questo è terribile; **dovete** impararlo:

يُغَرْغِرُ ٱلْغِرْغِرُ غَرْغَرَةَ ٱلْغُرُورِ *yuġarġiru l-ġirġiru ġarġarata l-ġurūri* 'le faraone gorgogliano di un gorgoglio di sussiego'

- Questo è più facile, ma le *h* **non** vanno saltate; fatevi toscani, e dopo aver ripetuto quattro o cinque volte *la Hohahola* imparate:

هَا هُوَ هُنَا وَهَا هِيَ هُنَاكَ	*hā huwa hunā wa-hā hiya hunāka*	'eccolo qua, eccola là,
وَهَا هُمَا هُنَاكَ يُهَمْهِمَانِ	*wa-hā humā hunāka yuhamhimāni*	eccoli lì tutti e due che borbottano'

- Saprete realizzare una ق *qāf* decente quando riuscirete a dire:

قُمْ يَا مُتَقَمْقِم،	*qum yā mutaqamqim,*	'alzati brontolone,
قُمْ فَتَقَمْقَم،	*qum fa-taqamqam,*	alzati e brontola,
قُمْ قَمْقِمْ قَمْحَاتِكَ	*qum qamqim qamḥāti-ka*	alzati e brontola il tuo grano'

- A questo punto non dovreste più avere problemi con il seguente:

أَنَا مَبْحُوحٌ وَأَقُحُّ وَأُبَحْبِحُ	*ʔanā mabḥūḥun wa-ʔaquḥḥu wa-ʔubaḥbiḥu*	'sono roco, tossisco e mi diverto'

- Neanche il seguente, irto di *hamze*:

إِنِّي أَئِنُّ أَنِينًا وَتَأْنَانًا	*ʔinn-ī ʔaʔinnu ʔanīnan wa-taʔnānan*	'gemo piagnucoloso e lamentoso'

Esercizi orali CD1/20

1 Ascoltare gli scioglilingua e ripeterli.

أهلاً Ciao!

🎧 اَلنَّصُّ ٱلْأَوَّلُ Testo 1   CD1/21

– أَهْلاً!

– أَهْلاً بِكِ!

– كَيْفَ الْحَالُ؟

– الْحَمْدُ لله!

– هَلْ أَنْتَ مُصْطَفَى؟

– لا، أَنَا رِضَا. وَهَلْ أَنْتِ هُدَى؟

– نَعَم، أَنَا هُدَى.

– تَشَرَّفْنَا!

– الشَّرَفُ لَنَا!

🗣 اَلْكَلِمَاتُ ٱلْجَدِيدَةُ Parole nuove

مصطفى	Muṣṭafā	Mustafa (n.pr.m.)	أنا	ʾanā	io
رضا	Riḍā	Ridha (n.pr.m.)	أنت	ʾanta	tu[m] (uomo)
هدى	Hudā	Huda (n.pr.f.)	أنت	ʾanti	tu[f] (donna)
أهلا	ʾahlan	ciao	نعم	naʿam	sì
أهلا بك	ʾahlan bi-ka	ciao a te[m] (uomo)	لا	lā	no
أهلا بك	ʾahlan bi-ki	ciao a te[f] (donna)	و	wa-	e
كيف؟	kayfa?	come?	هل...؟	hal...?	forse che...?
ال	al-	il, la, i, le	حمد	ḥamd	lode
حال	ḥāl	stato, condizione	الله	Allāh	Dio
كيف الحال؟	kayfa l-ḥāl?	come va?	الحمد لله	al-ḥamdu li-Llāhi	grazie a Dio
تشرفنا!	tašarrafnā!	piacere!	الشرف لنا	aš-šarafu la-nā	piacere mio!

اَلنَّحْوُ Grammatica

1 حرف, فعل, اسم

La grammatica araba medievale, fondata da سِيبَوَيْهِ Sībawayhi (شيراز Šīrāz, Iran, 750 – البصرة Baṣra, Iraq, 793) nel II sec. dell'egira / VIII sec. d.C., divide la lingua araba in tre parti del discorso:

- **اِسْم** ***ism*** (pl. أَسْمَاء *ʔasmāʔ*), che in questo libro verrà tradotto 'nominale':
  - sostantivi,
  - aggettivi,
  - pronomi;
- **فِعْل** ***fiʕl*** (pl. أَفْعَال *ʔafʕāl*) 'verbo':
  - qualsiasi forma verbale coniugata;
- **حَرْف** ***ḥarf*** (pl. حُرُوف *ḥurūf*) 'particella' (lett. 'lettera'):
  - preposizioni,
  - coordinanti,
  - subordinanti.

2 الجُمْلة الاِسْمِيَّة La frase nominale (primi cenni)

Viene detto **frase nominale** un enunciato costituito da soli nominali (اسم *ism*) e nel quale non interviene alcun verbo. In italiano la frase nominale è ammessa soprattutto nella lingua parlata o nei proverbi:

Bella, questa camicia!
Furbo, lui...
Risultato: zero.
Sposa bagnata, sposa fortunata.

- In arabo la ***ǧumla ismiyya*** rappresenta il modo abituale di rendere la frase dichiarativa, che in italiano richiede l'intervento del verbo *essere*:

أَنَا رِضَا	*ʔanā Riḍā*	'io sono Ridha'	<io Ridha>
هِيَ هُدَى	*hiya Hudā*	'lei è Huda'	<lei Huda>
نَحْنُ هُنَا	*naḥnu hunā*	'siamo qui'	<noi qui>

- Una frase nominale può essere resa interrogativa dal solo tono della voce, oppure dall'intervento della particella هل *hal*, traducibile come 'forse che?' (cf. franc. *est-ce que?*):

أَنْتَ مُصْطَفَى؟	*ʔanta Muṣṭafā?*	'sei Mustafa?'	<tu^{m} Mustafa?>
هَلْ أَنْتِ هُدَى؟	*hal ʔanti Hudā?*	'sei Huda?'	<forse-che tu^{f} Huda?>

Oppure interviene un tema interrogativo:

أَيْنَ هُوَ؟	*ʔayna huwa?*	'dov'è^{m}?'	<dove lui?>
كَيْفَ ٱلْحَالُ؟	*kayfa l-ḥālu?*	'come va?'	<come lo-stato?>

3 أَدَاةُ ٱلتَّعْرِيفِ L'articolo determinato

L'articolo determinato arabo ha la forma **اَلْ** *al-*; esso è:

- graficamente prefisso al nominale che determina;
- invariabile in genere e numero.

Dell'articolo ال *al-* occorre inoltre ricordare che:

▶ la *ʔalif* è waṣla: la /a/ cade quando un'altra parola la precede:

اَلْحَالُ *al-ḥālu* → كَيْفَ ٱلْحَالُ؟ *kayfa l-ḥālu?* 'come va?'

▶ la /l/ si **assimila** ad alcune consonanti iniziali:

اَلْ + شَرَفٌ	*al-* + *šarafu*	→	اَلشَّرَفُ	*aš-šarafu*	'l'onore'
اَلْ + رَجُلٌ	*al-* + *rağulu*	→	اَلرَّجُلُ	*ar-rağulu*	'l'uomo'

اَلنَّصُّ ٱلثَّانِي Testo 2 CD1/22

- ما هذا؟
- هذا قاموس.
- ما هو القاموس؟
- القاموس هو كتاب كبير، فيه كلمات عربية وترجمتها. مفهوم؟
- نعم... وكتاب كبير فيه كلمات إيطالية وترجمتها، هل هو قاموس أيضا؟
- طبعا! أنت ذكي!

الكلمات الجديدة Parole nuove

هو	*huwa*	egli; (qui:) è	كتاب	*kitābun*	un libro
ما؟	*mā?*	cosa?	قاموس	*qāmūsun*	un vocabolario
ما هو؟	*mā huwa?*	cos'è?	القاموس	*al-qāmūsu*	il vocabolario
هذا	*hāḏā*	questo	ترجمة	*tarğamatun*	una traduzione
أيضا	*ʔayḍan*	anche	ترجمتها	*tarğamatu-hā*	la loro traduzione
طبعا!	*ṭabʕan*	certo!	كبير	*kabīrun*	grande
فيه	*fī-hi*	in esso; (qui:) in cui c'è	عربي	*ʕarabiyyun*	arabo
مفهوم	*mafhūm*	capito	عربية	*ʕarabiyyatun*	araba; (qui:) arabe

كلمة	*kalimatun*	una parola	إيطالي	*ʔīṭāliyyun*	italiano
الكلمة	*al-kalimatu*	la parola	إيطالية	*ʔīṭāliyyatun*	italiana; (qui:) italiane
كلمات	*kalimātun*	delle parole	ذكي	*ḏakiyyun*	intelligente^m^

النحو Grammatica

4 الإعراب L'*iʕrāb* (primi cenni)

Alla domanda 'come si dice *libro* in arabo?', la risposta è كِتَاب *kitāb*. Questa è la **forma nuda** del nominale arabo corrispondente al nominale italiano *libro*. All'interno della frase araba classica tuttavia كِتَاب *kitāb* non può comparire in questo modo: esso deve essere munito di **إِعْرَاب** *ʔiʕrāb*, ovvero di una vocalizzazione finale che dipende dal ruolo sintattico che كِتَاب *kitāb* svolge nell'enunciato. Ad es.:

ٱلْكِتَابُ هُنَا	***al-kitābu hunā***	'il libro è qua'	*al-kitāb-u* = <ARTICOLO-libro-SOGGETTO>
فِي كِتَابٍ	***fī kitābin***	'in un libro'	*kitāb-i-n* = <libro-OBLIQUO-INDETERMINATO>

Nella scrittura corrente non vocalizzata, i due enunciati suddetti compaiono sotto la forma:

الكتاب هنا

في كتاب

L'*iʕrāb*, altrimenti detto, non viene registrato dalla scrittura corrente (tranne il *manṣūb* indeterminato *-an* in molti casi, v. dopo). Determinare se ⟨الكتاب⟩ debba essere letto *al-kitābu*, *al-kitāba* o *al-kitābi* dipende dal ruolo sintattico di *al-kitāb* nella frase. La mancata registrazione dell'*iʕrāb* è effettivamente uno degli inconvenienti maggiori della scrittura araba, o, visto in maniera più filosofica, uno dei suoi scherzi enigmistici più stimolanti.

- L'*iʕrāb*, o 'declinazione' araba, prevede tre casi:

مرفوع	*marfūʕ*	soggetto	ـُ *-u*
منصوب	*manṣūb*	oggetto	ـَ *-a*
مجرور	*mağrūr*	obliquo	ـِ *-i*

Ad es.:

ٱلْقَامُوسُ هُنَا	*al-qāmūsu hunā*	'il vocabolario è qui' (correntemente:)	القاموس هنا
أُرِيدُ ٱلْقَامُوسَ	*ʔurīdu l-qāmūsa*	'voglio il vocabolario'	أريد القاموس
فِي ٱلْقَامُوسِ	*fī l-qāmūsi*	'nel vocabolario	في القاموس

- Se il nominale è indeterminato ('*un* vocabolario'), interviene inoltre una /-n/ finale (assente nella scrittura non vocalizzata) detta **تنوين** *tanwīn*:

مرفوع	*marfūʕ*	soggetto	ـٌ *-un*
منصوب	*manṣūb*	oggetto	ـًا *-an*
مجرور	*mağrūr*	obliquo	ـٍ *-in*

Ad es.:

هٰذَا قَامُوسٌ	*hāḏā qāmūsun*	'questo è un vocabolario'	(correntemente:)	هذا قاموس
أُرِيدُ قَامُوسًا	*ʔurīdu qāmūsan*	'voglio un vocabolario'		أريد قاموسا
فِي قَامُوسٍ	*fī qāmūsin*	'in un vocabolario'		في قاموس

• Con i femminili terminanti in ة *tāʔ marbūṭa*, questa va letta *-at*:

اَلْجَرِيدَةُ هُنَا	*al-ǧarīdatu hunā*	'il giornale è qui'	(correntemente:)	الجريدة هنا
أُرِيدُ ٱلْجَرِيدَةَ	*ʔurīdu l-ǧarīdata*	'voglio il giornale'		أريد جريدة
فِي ٱلْجَرِيدَةِ	*fī l-ǧarīdati*	'nel giornale'		في الجريدة
هٰذِهِ جَرِيدَةٌ	*hāḏihi ǧarīdatun*	'questo è un giornale'		هذه جريدة
أُرِيدُ جَرِيدَةً	*ʔurīdu ǧarīdatan*	'voglio un giornale'		أريد جريدة
فِي جَرِيدَةٍ	*fī ǧarīdatin*	'in un giornale'		في جريدة

▶Alcuni nominali, come ad es. i nomi propri رضا, مصطفى e هدى, sono indeclinabili.

5 Leggere e vocalizzare lo scritto arabo

Quando si legge un testo arabo, come già detto più volte nel capitolo 'Scrittura e fonetica', occorre vocalizzarlo, ossia 'restituire' le vocali non registrate, ad es.:

رقصت مع هند ⟨*rqṣt mʕ hnd*⟩ *raqaṣtu maʕa Hindin* 'ho ballato con Hind' (= رَقَصْتُ مَعَ هِنْدٍ)

Ora tale lavoro è in realtà duplice.

• In primo luogo occorre procedere alla vocalizzazione **lessicale** (تشكيل *taškīl*), ossia riconoscere la parola con cui si ha a che fare. Imbattendomi nella grafia:

البرد

devo in primo luogo decidere – ovviamente in base al contesto – se si tratta di اَلْبَرْد *al-bard* 'il freddo', اَلْبَرَد *al-barad* 'la grandine' o اَلْبُرْد *al-burd* 'il mantello'.

• In secondo luogo occorre procedere alla vocalizzazione **grammaticale** (إعراب *ʔiʕrāb*). Appurato, mettiamo, che si sia optato per اَلْبَرْد *al-bard* 'il freddo', è necessario capire se occorra leggere اَلْبَرْدُ *al-bardu*, اَلْبَرْدَ *al-barda*, o اَلْبَرْدِ *al-bardi*.
Lo stesso ad es. per:

مدرسة

? مَدْرَسَة *madrasa* 'scuola' oppure مُدَرِّسَة *mudarrisa* 'insegnante^{f} (donna)'?

? se مَدْرَسَة *madrasa*, allora مَدْرَسَةٌ *madrasatun*, مَدْرَسَةً *madrasatan* o مَدْرَسَةٍ *madrasatin*?

Il corretto *taškīl* dipende dal livello di padronanza della lingua: chiunque conosca bene l'arabo sa che *bard* 'freddo', *barad* 'grandine' e *burd* 'mantello' si scrivono nello stesso modo, ⟨برد⟩, che *madrasa* e *mudarrisa* si scrivono entrambi ⟨مدرسة⟩, così come chiunque conosca bene l'italiano sa che ['venti] e ['vɛnti] si scrivono entrambi ⟨*venti*⟩, o ['subito] e [su'bito] entrambi ⟨*subito*⟩.
Il corretto *ʔiʕrāb* invece dipende dal ruolo sintattico svolto dalla parola all'interno dell'enunciato.
A ogni modo i casi di omografia in arabo sono numerosissimi. Alcuni esempi:

برد	بَرْد	*bard*	'freddo'	بَرَد	*barad*	'grandine'
مدرسة	مَدْرَسَة	*madrasa*	'scuola'	مُدَرِّسَة	*mudarrisa*	'insegnante^{f}'
سلم	سِلْم	*silm*	'pace'	سُلَّم	*sullam*	'scala a pioli'
درج	دَرَج	*darağ*	'scale'	دُرْج	*durğ*	'cassetto'
درس	دَرَس	*darasa*	'ha^{m} studiato	دَرَّس	*darrasa*	'ha^{m} insegnato'
أنت	أَنْتَ	*ˀanta*	'tu (uomo)'	أَنْتِ	*ˀanti*	'tu (donna)'

اَلتَّمَارِينُ Esercizi

1 Formare frasi nominali semplici usando le parole nuove date qui di seguito.

1.	أنا	*ˀanā*	'io sono...'	طبيب	*ṭabīb*	'medico'	مهندس	*muhandis*	'ingegnere'
				موسيقار	*mūsīqār*	'musicista'			
2.	هذا	*hāḏā*	'questo è...'	قلم	*qalam*	'penna'	دفتر	*daftar*	'quaderno'
				قميص	*qamīṣ*	'camicia'			
3.	هذه	*hāḏihi*	'questa è...'	بنت	*bint*	'ragazza'	دراجة	*darrāğa*	'bicicletta'
				مقلمة	*miqlama*	'astuccio'			
4.	هي	*hiya*	'lei è...'	مدرسة	*mudarrisa*	'insegnante^{f}'	أميرة	*ˀamīra*	'principessa'
				ممثلة	*mumaṯṯila*	'attrice'			

2 Leggere le espressioni seguenti.

١. أهلا! – أهلا بك!

٢. ما هذا؟ – هذا كتاب.

٣. هل أنت رضا؟ – لا، أنا مصطفى.

٤. هل أنت مدرسة؟ – نعم، أنا مدرسة.

٥. هو عربي. – طبعا، وأنا عربي أيضا.

٦. هذا قاموس إيطالي، مفهوم؟ – نعم، طبعا...

3 Tradurre in arabo.

1. Io sono Marco, e tu^{f} sei Huda? ....
2. No, io sono Leila (لَيْلى), lei è Huda. ....
3. Come va? – Tutto a posto! ....
4. Questa è una parola italiana, capito? ....
5. Anche questa è una parola italiana? ....
   – No, questa è una parola araba. ....

Radici...

Come si avrà ampio modo di vedere nel corso delle lezioni seguenti, il modo di costruire parole e derivarne altre in arabo segue modalità in molti casi totalmente diverse da quelle operanti in italiano o nelle lingue indeuropee. Nelle 'famiglie di parole' italiane, come ad es. *piega, piegare, pieghevole, ripiegato, spiegazione, impiegato* ecc. è sempre possibile isolare un elemento nucleare, in questo caso *-pieg-*, noto come 'radice'. In linguistica contemporanea la radice viene detta **morfema lessicale**, mentre le 'desinenze' suffisse e prefisse *-a, -are, -evole, -ato, -azione, ri-, s-, in-*, sono **morfemi grammaticali**, i quali si uniscono al morfema lessicale, ma esclusivamente – in italiano – alle frontiere destra o sinistra di quest'ultimo.
Ora, in arabo, se da una parte apparrà evidente che كتاب *kitāb* 'libro', كتب *kutub* 'libri', كاتب *kātib* 'scrittore', أكتب *ʔaktubu* 'scrivo', مكتبة *maktaba* 'biblioteca', مكاتبة *mukātaba* 'corrispondenza', استكتاب *istiktāb* 'dettatura' ecc. costituiscono una 'famiglia di parole' derivate da una radice comune recante l'idea generale di 'scrivere', da un'altra si rivela impossibile – perlomeno in questa fase di studio – isolare un morfema lessicale simile a *-pieg-*, *-libr-* o *-scriv-*.
Uno studente acuto, tuttavia, potrebbe sin da ora avere osato sospettare che l'equivalente del morfema lessicale condiviso dalle sette parole arabe ora citate consista in definitiva nella sequenza fissa ma discontinua delle tre consonanti ***k-t-b***. All'eventuale acuto osservatore diciamo bravissimo!, poiché questa è infatti la duplice anima della morfologia araba: **radicalismo** e **triconsonantismo**.
Abituarsi a tale meccanismo richiede una certa pratica. Per ora invitiamo lo studente a non porsi troppi perché e a lasciarsi portare per mano dalla lingua araba. Agli esercizi delle Unità 1-23 seguirà puntualmente una rubrica 'Radici...' in cui verranno evidenziati gli 'imparentamenti radicali'.

In questa unità abbiamo incontrato il sostantivo شرف *šaraf* 'onore' e la forma verbale تشرفنا *tašarrafnā* 'siamo onorati', da cui estrapoliamo facilmente una radice √*š-r-f*. Più tardi scopriremo che da questa radice è generato l'aggettivo شريف *šarīf* 'nobile, aristocratico', che coincide con il cognome del famoso attore egiziano Omar Sharif (عُمَر شَرِيف).

مدرسة *madrasa* 'scuola' e مدرسة *mudarrisa* 'insegnante[f]' hanno in comune la radice √*d-r-s* che ritroveremo presto in altre parole quali درس *dars* 'lezione' o دراسة *dirāsa* 'studio'.

سلام *salām* 'pace' è più o meno sinonimo di سلم *silm*, anche se il primo si intende più come contrapposto alla guerra mentre il secondo come tranquillità e serenità. La 'scala a pioli' سلم *sullam* è un'intrusa nella radice √*s-l-m*, trattandosi di un prestito ebraico.

أَكْثَر Di più

1 Principali saluti

Le formule di cortesia sono molto numerose in arabo. Per lo studente di arabo la difficoltà sta nel fatto che ogni formula comporta una risposta da fornire automaticamente (come in it. *grazie* → *prego*).

- Un 'buongiorno' e un 'buonasera' correnti sono:

	صَبَاحَ ٱلْخَيْرِ	*ṣabāḥa l-ḫayr*	'mattina di bene'
→	صَبَاحَ ٱلنُّورِ	*ṣabāḥa n-nūr*	'mattina di luce'

	مَسَاءَ ٱلْخَيْرِ	*masāʾa l-ḫayr*	'sera di bene'
→	مَسَاءَ ٱلنُّورِ	*masāʾa n-nūr*	'sera di luce'

- Più asciutto (ad es. annunciandosi al telefono) è:

	مَرْحَبًا	*marḥaban*	'salve'
→	مَرْحَبًا بِكَ	*marḥaban bi-ka*	(بِكِ *bi-ki* 'a una donna')

- Il saluto rituale musulmano, una volta riservato agli uomini ma oggi utilizzato da tutti, si usa spesso per salutare un gruppo di persone ('buongiorno a tutti'), conosciuti o sconosciuti:

	اَلسَّلَامُ عَلَيْكُمْ	*as-salāmu ʿalay-kum*	'la pace sia con voi'
→	وَعَلَيْكُمُ ٱلسَّلَامُ	*wa-ʿalay-kum*^u^ *s-salām*	'e con voi sia la pace'

Nb: si noti che gli arabi, con questo saluto usato nell'intero mondo musulmano, sono l'unico popolo ad anteporre la pace, السلام *as-salām*, alla salute.

- Equiparabile al nostro 'ciao' è:

	أَهْلًا	*ʾahlan*	
→	أَهْلًا بِكَ	*ʾahlan bi-ka*	(بِكِ *bi-ki* 'a una donna')

- Per accomiatarsi è usuale:

	مَعَ ٱلسَّلَامَةِ	*maʿa s-salāma*	'[che tu possa andare] con la salvezza'
→	مَعَ ٱلسَّلَامَةِ	*maʿa s-salāma*	

Maggiormente calcato sulle formule europee nonché più formale è:

	إِلَى ٱللِّقَاءِ	*ʾilā l-liqāʾ*	'al (ri)incontro'
→	إِلَى ٱللِّقَاءِ	*ʾilā l-liqāʾ*	

- Per augurare la buona notte una formula usuale è:

	لَيْلَة مُرِيحَة	*layla murīḥa*	'notte riposante'
→	لَيْلَة مُرِيحَة	*layla murīḥa*	

2 Sì, no ecc.

- نَعَمْ *naʿam* 'sì' viene accompagnato da un abbassamento del capo. Nei dialetti vengono adoperati altri temi, il più diffuso dei quali è l'egiziano أَيْوَة *ʾaywa* – da evitare tuttavia quando ci si esprima in *fuṣḥā*.
- لَا *lā* 'no' è invece accompagnato da un innalzamento del capo, come in Italia meridionale. Da evitare accuratamente è il gesto di scuotere la testa (come in Occidente per 'no'), che presso gli arabi ha il significato di 'non ho capito'.
- 'Grazie e 'prego' sono:

	شُكْرًا	*šukran*
→	عَفْوًا	*ʿafwan*

- نَعَمْ؟ *naʿam?* e عَفْوًا؟ *ʿafwan?* interrogativi equivalgono a 'prego?' ('non ho capito/sentito').

3 Osservazioni culturali

Le regole di أَدَب *ʔadab* 'buona creanza' nel mondo arabo non sono molto diverse da quelle italiane, specie meridionali. Gli arabi sono molto sensibili al fatto che un occidentale dimostri di sapere come comportarsi in determinate occasioni. Un esempio tra i tanti: in casa ci si toglie le scarpe per camminare sul tappeto del salotto.

Durante una visita, un incontro per la strada o nel corso di una telefonata, occorre accordare il dovuto tempo ai convenevoli preliminari. Alla domanda كيف الحال؟ si risponde automaticamente e obbligatoriamente الحمد لله, anche se si sta poco bene: parlare di malanni e acciacchi è ineducato. Si può aggiungere بِخَير *bi-ḫayr* 'bene'. I cristiani ricorrono piuttosto all'espressione نَشْكُرُ ٱللّهَ *naškuru Llāh* 'ringraziamo Iddio'.

La stretta di mano, soprattutto tra uomini, è usuale: dopo lo stretta l'arabo porta la mano destra all'altezza del proprio cuore (per significare 'ti porto nel mio cuore'). Si ricordi che il musulmano osservante evita nel più dei casi di dare la mano a una donna che non sia una parente e, se invitato alla stretta di mano da una sconosciuta, ritirerà la propria verso la spalla con un sorriso di scusa.

All'infuori dei contesti formali, lo scambio di baci sulle guance, anche tra uomini che si incontrano per la prima volta, è molto diffuso (nel Mashreq debbono essere tre, in Israele quattro, nel Maghreb generalmente due). Il bacio 'alla beduina', che consiste nel baciare la spalla destra e poi sinistra della persona incontrata, è segno di grande rispetto ma da parte di un occidentale risulterebbe ridicolo. Ancora più ossequioso, negli ambienti tradizionali mashreqini, è baciare la mano della persona per poi portarsela alla fronte.

Durante una visita a casa occorre evitare con molta cura di entrare subito nell'argomento della visita, il quale va rimandato a dopo i convenevoli e a dopo aver bevuto qualcosa insieme. Gli occidentali sono infatti noti per essere materialisti e grossolani nel parlare con irruenza e senza delicatezza dei propri fatti.

In linea generale, nella comunicazione occidentale si tende a presentare per prima cosa il fatto come si è svolto, per passare in seguito a eventuali spiegazioni e commenti. Gli arabi tendenzialmente fanno le cose all'incontrario. Ad es.:

Comunicazione occidentale	Comunicazione araba
– **Ho perso il treno...** – C'era un traffico terribile e l'autobus è rimasto bloccato per quaranta minuti nel centro. – Sai, piove, e qui appena cadono due gocce diventa un pantano. – Questa città è sempre più invivibile... – È un periodaccio...	– È un periodaccio... – Questa città è sempre più invivibile... – Sai, piove, e qui appena cadono due gocce diventa un pantano. – C'era un traffico terribile e l'autobus è rimasto bloccato per quaranta minuti nel centro. – **Ho perso il treno...**

Questo modo di procedere fa sì che noi spesso percepiamo gli arabi come criptici e fumosi, mentre loro percepiscono noi come diretti, invadenti e brutali.

من أنت؟ Chi sei?

النص الأول Testo 1 CD1/23

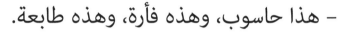

- ما هذا؟
- هذا حاسوب، وهذه فأرة، وهذه طابعة.
- الشاشة كبيرة ولكنها وسخة جدا...
- معك الحق. ها هي فوطة نظيفة، تفضل.
- شكرا، يا حبيبي. أين المفتاح يو آس بي؟
- ليس معي... انتظر! ها هو!
- ولكن... هناك مشكلة!
- وما هي؟
- في الحاسوب فيروس!!

الكلمات الجديدة Parole nuove

حاسوب	*ḥāsūb*	computer	شاشة	*šāša*	schermo
فأرة	*faʔra*	topo; mouse	ولكن	*wa-lākin*	ma, però
طابعة	*ṭābiʕa*	stampante	ولكنها	*wa-lākinna-hā*	ma lei [è]
مع	*maʕa*	con	وسخ	*wasiḫ*	sporco
معك	*maʕa-ka*	con te^{m}	وسخة	*wasiḫa*	sporca
معك	*maʕa-ki*	con te^{f}	ها هو	*hā huwa*	ecco[lo]
حق	*ḥaqq*	verità	ها هي	*hā hiya*	ecco[la]
معك الحق	*maʕa-ka l-ḥaqqu*	hai^{m} ragione	تفضل!	*tafaḍḍal!*	[ti^{m}] prego!
معك الحق	*maʕa-ki l-ḥaqqu*	hai^{f} ragione	تفضلي!	*tafaḍḍalī!*	[ti^{f}] prego!
فوطة	*fūṭa*	panno	شكرا	*šukran*	grazie
نظيف	*naẓīf*	pulito	عفوا	*ʕafwan*	non c'è di che
نظيفة	*naẓīfa*	pulita	يا	*yā*	(partic. vocativa)

مفتاح	*miftāḥ*	chiave	حبيب	*ḥabīb*	amico
مفتاح يو آس بي	*miftāḥ yū ʔās bī*	chiave USB	حبيبي	*ḥabīb-ī*	amico mio
انتظر!	*intaẓir!*	aspetta^{m}!	معي	*maʕ-ī*	ho, ce l'ho
انتظري!	*intaẓirī!*	aspetta^{f}!	ليس معي	*laysa maʕ-ī*	non (ce l')ho
هناك	*hunāka*	lì; c'è	مشكلة	*muškila*	problema
في	*fī*	in	فيروس	*vayrūs*	virus

النحو Grammatica

1 Il تَنْوِين *tanwīn* e l'indeterminazione

Negli enunciati seguenti – frasi nominali – i sostantivi أستاذ 'professore', طالبة 'studentessa', صديق 'amico' e l'aggettivo جديدة 'nuova' sono **indeterminati** (نكرة *nakira*): essi devono portare il *tanwīn*:

أَنَا أُسْتَاذٌ	***ʔanā ʔustāḏun***	'sono un professore'
أَنْتِ طَالِبَةٌ	***ʔanti ṭālibatun***	'sei una studentessa'
هُوَ صَدِيقٌ	***huwa ṣadīqun***	'è un amico'
أَنْتِ طَالِبَةٌ جَدِيدَةٌ	***ʔanti ṭālibatun ǧadīdatun***	'sei una nuova studentessa'

2 Il *ḥarf* يا (primi cenni)

La particella vocativa يا viene usata per interpellare o rivolgersi a qualcuno ('o'):

يَا رِضَا!	*yā Riḍā!*	'Ridha!'
يَا سُوزَان!	*yā Sūzān!*	'Suzan!'
يَا لَطِيف!	*yā Laṭīf!*	'O Signore!'
يَا هٰذَا!	*yā hāḏā!*	'ehi tu^{m}!' (lett. 'ehi questo!')

- Il nominale che segua يا viene considerato determinato (quindi non interviene il *tanwīn*):

يَا أُسْتَاذُ! *yā ʔustāḏu!* 'professore!' (correntemente *yā ʔustāḏ!*)

▶ In italiano un titolo come *professore* è obbligatoriamente accompagnato dal cognome (o dal nome seguito dal cognome); in arabo è invece consueto ricorrere al **nome**:

اَلْأُسْتَاذُ رِضَا	*al-ʔustāḏu Riḍā*	'il professor Ridha'
يَا أُسْتَاذَةُ هُدَى!	*yā ʔustāḏatu Hudā!*	'professoressa Huda!'

- L'espressione يا حبيبي *yā ḥabīb-ī* 'amico mio' può avere diverse valenze, da 'caro, amore' a 'caro mio, amico, ehi tu', magari con tono ironico o sarcastico 'vecchio mio'. Al femminile يا حبيبتي *yā ḥabībat-ī*.

3 اَلصِّفَة *aṣ-ṣifa* L'aggettivo

▶L'aggettivo **segue** obbligatoriamente il sostantivo cui si riferisce, con il quale si accorda in genere, numero, caso e determinazione:

قَامُوسٌ كَبِيرٌ	*qāmūsun kabīrun*	'un grande dizionario'	
طَالِبَةٌ جَدِيدَةٌ	*ṭālibatun ǧadīdatun*	'una nuova studentessa'	
اَلْأُسْتَاذُ ٱلْجَدِيدُ	*al-ʔustāḏu l-ǧadīdu*	'il nuovo professore'	<il-professore il-nuovo>
اَلْأُسْتَاذَةُ ٱلْجَدِيدَةُ	*al-ʔustāḏatu l-ǧadīdatu*	'la nuova professoressa'	<la-professoressa la-nuova>

النص الثاني Testo 2 CD1/24

- مَن أنتَ؟
- أنا رِضا، أنا أُستاذ.
- ومَن أنتِ؟
- أنا هُدى، أنا طالِبَة.
- مَن هُوَ؟
- هُوَ مُصطفى، هُوَ صَديق لي.
- هَل هِيَ سوزان؟
- لا، هي جوليا.
- أهلاً وَسهلاً، يا جوليا، مِن أينَ أنتِ؟
- أنا من روما، يا أُستاذ.
- أنتِ طالِبَة جَديدَة، حَسَناً جداً.

الكلمات الجديدة Parole nuove

من	*man?*	chi?	أستاذ	*ʔustāḏ*	professore
طالب	*ṭālib*	studente	أستاذة	*ʔustāḏa*	professoressa
طالبة	*ṭāliba*	studentessa	جديد	*ǧadīd*	nuovo
صديق	*ṣadīq*	amico	جديدة	*ǧadīda*	nuova
صديقة	*ṣadīqa*	amica	أهلا وسهلا	*ʔahlan wa-sahlan*	benvenuto

لي	*l-ī*	a me, mio	من	*min*	di
صَدِيقٌ لي	*ṣadīqun l-ī*	un mio amico	أين؟	*ʔayna?*	dove?
حسنا	*ḥasanan*	bene	جدا	*ǧiddan*	molto

Attenzione agli omografi: ⟨من⟩ *min* 'di, da' e *man?* 'chi?'

النحو Grammatica

4 الجملة الاسمية La frase nominale (seguito)

Gli enunciati seguenti:

هٰذَا حَاسُوبٌ	*hāḏā ḥāsūbun*	'questo è un computer'
هٰذِهِ فَأْرَةٌ	*hāḏihi faʔratun*	'questo è un mouse'
اَلشَّاشَةُ كَبِيرَةٌ	***aš-šāšatu** kabīratun*	'lo schermo è grande'

sono frasi nominali.

La *ǧumla ismiyya* è composta da due elementi:
- **مُبْتَدَأ** ***mubtadaʔ*** 'soggetto' (lett. 'quello da cui si incomincia');
- **خَبَر** ***ḫabar*** 'predicato' (lett. 'notizia, informazione').

Il *mubtadaʔ* può essere:	Il *ḫabar* può essere:
un pronome personale	un sostantivo
un dimostrativo	un aggettivo
un nominale **determinato**	un avverbio
un nome proprio	un sintagma preposizionale

- Tanto il *mubtadaʔ* quanto il *ḫabar*, se costituiti da nominali (declinabili), vanno al caso مرفوع *marfūʕ*, soggetto (o 'nominativo'), caratterizzato dal morfema suffisso -***u*** se determinato, -***un*** se indeterminato.

  Esempi:

أَنَا طَالِبٌ	*ʔanā ṭālibun*	'*sono* uno studente'
أَنْتَ مُتَّسِخٌ	*ʔanta muttasiḫun*	'*sei* sporco'
هُوَ هُنَا	*huwa hunā*	'lui *è* qui'
أَنْتِ مِنْ رُومَا	*ʔanti min Rūmā*	'*sei*ᶠ di Roma'
هٰذِهِ طَابِعَةٌ	*hāḏihi ṭābiʕatun*	'questa *è* una stampante'
هٰذِهِ مُتَّسِخَةٌ	*hāḏihi muttasiḫatun*	'questa *è* sporca'
اَلشَّاشَةُ نَظِيفَةٌ	***aš-šāšatu** naẓīfatun*	'lo schermo *è* pulito'
رِضَا مَعَ هُدَى	*Riḍā maʕa Hudā*	'Ridha *è* con Huda' (رضا e هدى sono indeclinabili)
اَلْحَقُّ مَعَكَ	*al-ḥaqqu maʕa-ka*	'haiᵐ ragione' (la verità *è* con teᵐ)

Nb: i due aggettivi وسخ e متسخ possono considerarsi sinonimi; il primo tuttavia non va riferito a persone (a meno che si intenda 'sporcaccione'), il secondo sta piuttosto per 'che si è sporcato, macchiato, imbrattato' ecc.

- Se il *mubtadaʾ* è un nominale indeterminato, esso viene **dopo** il *ḫabar*:

avverbio sintagma preposizionale	nominale **indeterminato**

Esempi:

هُنَاكَ مُشْكِلَةٌ	*hunāka muškilatun*	'c'è un problema'	<lì [è] problema>
فِي ٱلْحَاسُوبِ فَيْرُوسٌ	*fi l-ḥāsūbi vayrūsun*	'c'è un virus nel computer'	<in il-computer [è] virus>

- Se il *ḫabar* è costituito da un avverbio interrogativo, esso obbligatoriamente **precede** il *mubtadaʾ*, determinato o indeterminato:

Esempi:

أَيْنَ ٱلْمِفْتَاحُ؟	*ʾayna l-miftāḥu?*	'dov'è la chiave?'	<dove [è] la-chiave?>
كَيْفَ ٱلْحَالُ؟	*kayfa l-ḥālu?*	'come va?'	<come [è] lo-stato?>

▶ In alcuni casi il confine tra *mubtadaʾ* e *ḫabar* può essere incerto, soprattutto quando entrambi siano determinati; in tal caso è possibile inserire il pronome personale autonomo di 3ª persona – detto **pronome separante** – tra i due:

رِضَا هُوَ ٱلْأُسْتَاذُ	*Riḍā* ***huwa*** *l-ʾustāḏu*	'Ridha è il professore'
اَلْأُسْتَاذَةُ هِيَ ٱلْجَدِيدَةُ	*al-ʾustāḏatu* ***hiya*** *l-ǧadīdatu*	'la professoressa è [quel]la nuova'

Altrimenti infatti رضا الأستاذ e soprattutto الأستاذة الجديدة potrebbero essere interpretati come 'Ridha il professore' e 'la nuova professoressa'.

Attenzione: l'espressione صَدِيقٌ لِي *ṣadīqun l-ī* '**un** mio amico' è letteralmente 'un-amico [che è] a-me', e non deve essere confusa con (e meno che mai presa come sinonimo di) صَدِيقِي *ṣadīq-ī*, che sta per '**il** mio amico'. La prima espressione è indeterminata (come 'un amico'), la seconda determinata (come 'l'amico').

5 Il coordinante و

Il coordinante و *wa-* 'e' è unito graficamente alla parola seguente:

أُسْتَاذٌ وَطَالِبٌ	*ʾustāḏun wa-ṭālibun*	'un professore e uno studente'
اَلْحَاسُوبُ وَٱلْفَأْرَةُ	*al-ḥāsūbu wa-l-faʾratu*	'il computer e il mouse'

- Essendo la *wāw* un grafema che non lega a sinistra, essa va semplicemente accostata graficamente alla parola seguente: **non** va messo uno spazio tra essa e la parola seguente, e se و è l'ultima parola della riga **non** può rimanere staccata dal resto:

~~رضى و هدى~~	~~*Riḍā wa Hudā*~~
~~المفتاح و~~	~~*al-miftāḥu wa*~~
~~الفوطة~~	~~*l-fūṭatu*~~

▶Elencando più di due cose, l'italiano effettua una pausa (sulla carta una virgola) tra le prime e inserisce il coordinante *e* soltanto prima dell'ultima; in arabo و viene ripetuto ogni volta:

حَاسُوبٌ وَطَابِعَةٌ وَفَأْرَةٌ وَشَاشَةٌ *ḥāsūbun wa-ṭābiˁatun wa-faˀratun wa-šāšatun*

'un computer, una stampante, un mouse e uno schermo'

اَلطَّالِبُ وَٱلطَّالِبَةُ وَٱلْأُسْتَاذُ *aṭ-ṭālibu wa-ṭ-ṭālibatu wa-l-ˀustāḏu*

'lo studente, la studentessa e il professore'

التمارين Esercizi

1 Leggere le frasi seguenti.

١. هذا حاسوب، وها هي فأرة جديدة.
٢. ما هي المشكلة؟
٣. أين رضا ومصطفى؟
٤. أنت ذكية جدا، يا هدى!
٥. أهلا وسهلا يا سوزان، أنت جديدة هنا؟
٦. أهلا بك، نعم، أنا طالبة جديدة.
٧. يا أستاذ، أين الحاسوب؟
٨. هناك فيروس.
٩. هل أنت من ميلانو؟ - لا، أنا من كاتانيا.
١٠. انتظر، المفتاح هنا!
١١. الفوطة وسخة. - معك الحق.
١٢. أنا مع هدى وأنت مع رضى.
١٣. هناك مشكلة؟ - لا، الحمد لله.
١٤. يا هدى، انتظري!

2 Tradurre in arabo.

1. Sei tu Marco? – Sì, sono Marco, sono uno studente nuovo. – Benvenuto! ....
2. Di dove sei^{m}? Di dove sei^{f}? – Sono di Lecce (ليتشي). ....
3. Professore, dov'è il computer? – Lì. ....
4. Lo schermo è pulito, hai ragione. ....
5. Non ho la chiave USB. ....
6. C'è un problema, amico. – E qual è? – Non ho la stampante. ....
7. Prego. – Grazie. ....
8. Ecco Huda. Ma è con Mustafa! ....

9. C'è un panno sporco. ....
10. Sei[f] di Milano? – No, sono di Parigi (باريز Bārīz). ....
11. C'è un vocabolario nuovo. ....
12. C'è una parola nuova. ....
13. C'è anche un giornale nuovo. ....

3 Ordinare le parole seguenti per costruire frasi corrette.

١. جديدة / هناك / شاشة. ....
٢. الأستاذ / روما / الجديد / من. ....
٣. و / رضا / من / من / مصطفى؟ ....
٤. فوطة / و / جديدة / هذه / وسخة. ....
٥. معي / المفتاح / ليس. ....
٦. هذا / يا / قاموس / هل / طالب؟ ....

Radici...

I due nominali طالبة *ṭāliba* e طابعة *ṭābiʿa* sono generati da due radici diverse, √*ṭ-l-b* e √*ṭ-b-ʿ* rispettivamente. Tuttavia se accostati ad altri temi quali كاتبة *kātiba* 'segretaria' (lett. 'scrivente', √*k-t-b*), حاسبة *ḥāsiba* (altro termine per حاسوب *ḥāsūb* 'computer', √*ḥ-s-b*), osserviamo la sequenza vocalica *-ā-i-* (più la ة del femminile) che viene a inserirsi nelle quattro radici, con un significato generico di 'colei che fa...'.
Similmente, osservando i nominali كبير 'grande', نظيف *naẓīf* 'pulito', جديد *ǧadīd* 'nuovo', حبيب *ḥabīb* 'amico' (lett. 'caro, diletto'), radici rispettive √*k-b-r*, √*n-ẓ-f*, √*ǧ-d-d*, √*ḥ-b-b*, osserviamo la sequenza vocalica *-a-ī-*, che molto spesso interviene per generare degli aggettivi.
Tali sequenze vocaliche vengono dette **schemi**, in arabo (ج أوزان) **وزن** *wazn* (pl. *ʾawzān*).

أكثر Di più

1 الحاسوب Il computer

حاسوب (anche حَسُوب *ḥasūb*) è il neologismo più diffuso per 'computer'; si incontrano ugualmente حَاسِبَة *ḥāsiba* e عَقْل إِلِكْتْرُونِيّ *ʿaql ʾiliktrūniyy* 'cervello elettronico'; nella conversazione quotidiana si sente ovviamente spesso كمبيوتر *kambyūtar*. Nel Maghreb si ricorre piuttosto al francese *ordinateur*.
Come la maggioranza delle lingue del mondo – e contrariamente all'italiano – la terminologia informatica in arabo standard è per la maggior parte arabizzata: così il mouse è فَأْرَة *faʾra* 'topo' (cf. franc. *souris*, spagn. *ratón*), il CD قُرْص مُدْمَج *qurṣ mudmaǧ* 'disco compatto' (nella conversazione سِيدِي *sīdī*) ecc.

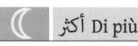

2 أهلا وسهلا Benvenuto!

Quest'espressione, traducibile come 'benvenuto', 'bentrovato', ma anche come 'vieni a trovarmi/ci quando vuoi' o come 'piacere' nel corso di una presentazione, significa letteralmente '[che tu possa trovare] famiglia (أَهْل) e pianura (سَهْل)': esso risale al più antico periodo beduino, dove la famiglia è simbolo di calore e protezione, la pianura quello di viaggio spensierato a dorso del dromedario.

3 تفضل Prego!

Imperativo di un verbo تَفَضَّلَ *tafaḍḍala* 'essere così gentile da fare qualcosa', si traduce genericamente come 'accomodati, favorisci, prego, fa' pure' e viene usato per invitare l'interlocutore a fare come desidera. Secondo i contesti potrà quindi anche valere 'prendi, serviti, entra, passa prima tu, dimmi' ecc. Rivolgendosi a una donna si userà تَفَضَّلي *tafaḍḍalī* (cf. اِنْتَظِرْ *intaẓir* 'aspetta[m]!', اِنْتَظِري *intaẓirī* 'aspetta[f]!', da cui deduciamo che la 2ª persona femminile dell'imperativo prende un suffisso *-ī*, e più in generale che l'arabo distingue un 'tu' maschile, أَنْتَ, da un 'tu' femminile, أَنْتِ).

4 من أين أنت؟ Di dove sei?

Gli arabi sono un popolo di viaggiatori e di antichi beduini: fa parte dell'*adab* informarsi sulla provenienza dell'ospite. من أين أنت؟ sarà sempre la seconda domanda che vi verrà posta dopo 'come ti chiami?'. A una donna sola verrà inoltre chiesto se è sposata (questo per offrirle, qualora si rivelasse nubile, una protezione da fratello o da padre).

5 يا لطيف! O Signore!

Iddio, الله *Allāh*, possiede nel Corano novantanove nomi (di cui الله è il principale). Altri nomi di Dio sono اَللَّطِيف *al-Laṭīf* 'il Gentile' e اَلسَّلَام *as-Salām* 'la Pace'. Le interiezioni يا لطيف! e يا سلام! corrispondono a 'o Signore!', 'o mio Dio' ecc.

Una prova dell'esistenza di Dio? Guardate il palmo della vostra mano sinistra: le linee della mano disegnano il numero ٨١; guardate il palmo destro: le linee disegnano ١٨; ora ٨١ + ١٨ fanno indiscutibilmente ٩٩...

3 UNITÀ

ماذا تريد؟ Cosa vuoi?

النص الأول Testo 1

CD1/25

- السلام عليكم، يا شباب.
- وعليكم السلام، يا معلم.
- ماذا تريدون؟
- أنا أريد عصيرا وفطيرة. وأنت، يا محمد، ماذا تريد؟
- أنا؟ أنا أريد كبابا وقهوة. وأنت، يا هند، ماذا تريدين؟
- أريد ماء معدنيا وبوظة، من فضلك.
- فورا، يا شباب. هل تريدون أيضا بطاطا مقلية؟
- طبعا يا معلم!

(بعد أن أكلوا وشربوا)

- يا معلم، من فضلك، نريد الحساب الآن!

الكلمات الجديدة Parole nuove

شباب	*šabāb*	ragazzi	أريد	*ʔurīdu*	voglio
معلم	*muʕallim*	maestro	تريد	*turīdu*	vuoi^{m}
ماذا؟	*mādā?*	cosa?	تريدين	*turīdīna*	vuoi^{f}
عصير	*ʕaṣīr*	spremuta, succo	تريدون	*turīdūna*	volete^{m}

فطيرة	*faṭīra*	frittella	محمد	*Muḥammad*	Mohammed (n.pr.m.)
كباب	*kabāb*	spiedino	هند	*Hind*	Hind (n.pr.f.)
قهوة	*qahwa*	caffè	فورا	*fawran*	subito
ماء	*mā*ˀ	acqua	بعد أن	*baʕda ˀan*	dopo che
معدني	*maʕdiniyy*	minerale	أكلوا	*ˀakalū*	hanno mangiato[m]
بوظة	*būẓa*	gelato	شربوا	*šaribū*	hanno bevuto[m]
بطاطا	*baṭāṭā*	patate	حساب	*ḥisāb*	conto
مقلية	*maqliyya*	fritta; fritte	من فضلك	*min faḍli-ka*	per piacere[m]
الآن	*al-ˀāna*	ora, adesso	من فضلك	*min faḍli-ki*	per piacere[f]
نريد	*nurīdu*	vogliamo			

النحو Grammatica

1 الإعراب L'*iʕrāb* (seguito)

Negli enunciati seguenti:

أُرِيدُ عَصِيرًا	*ˀurīdu ʕaṣīran*	'voglio una spremuta'
أُرِيدُ قَهْوَةً	*ˀurīdu qahwatan*	'voglio un caffè'
نُرِيدُ ٱلْحِسَابَ	*nurīdu l-ḥisāba*	'vogliamo il conto'

le parole عصير, قهوة e الحساب sono al caso منصوب *manṣūb*, oggetto (o 'accusativo'), caratterizzato dal morfema suffisso *-a* se determinato, *-an* se indeterminato. Il nominale va al *manṣūb*, principalmente, quando è **complemento oggetto**, in arabo **مَفْعُول بِهِ** ***mafʕūl bi-hi***, di un verbo.

Esempi:

أُرِيدُ قَامُوسًا	*ˀurīdu qāmūsan*	'voglio un vocabolario'
أُرِيدُ ٱلْقَامُوسَ	*ˀurīdu l-qāmūsa*	'voglio il vocabolario'
شَرِبُوا قَهْوَةً	*šaribū qahwatan*	'hanno bevuto un caffè'
شَرِبُوا ٱلْقَهْوَةَ	*šaribū l-qahwata*	'hanno bevuto il caffè'

- A livello grafico si ricordi che il *manṣūb* indeterminato *-an* viene espresso da una *ˀalif*, che ne facilita il riconoscimento: عصيرا *ʕaṣīran*, قاموسا *qāmūsan*. La *ˀalif* **non** interviene tuttavia con i nominali che terminano in ة *tāˀ marbūṭa* o in اءَ (ossia *-āˀ*): قهوة *qahwatan*, ماء *māˀan*.

▶ Alcuni nomi propri, come ad es. مُحَمَّدٌ e هِنْدٌ, prendono il *tanwīn* anche se ovviamente essi vanno considerati determinati. Con la particella vocativa يا si dovrebbe quindi avere يا مُحَمَّدُ *yā Muḥammadu*, يا هِنْدُ *yā Hindu*; nella conversazione corrente tuttavia tale uso risulterebbe molto sostenuto, e si dirà pertanto *yā Muḥammad*, *yā Hind*.

النص الثاني Testo 2

CD1/26

- ماذا تفعل اليوم؟
- عندي امتحان كتابي هذا الصباح.
- معك القاموس؟
- طبعا يا أمي، هل أنا غبي؟
- كلا، يا ابني، ولكنك دائما تنسى شيئا في البيت.

الكلمات الجديدة Parole nuove

تفعل	*tafʿalu*	fai^m	عندي	*ʿind-ī*	ho
يوم	*yawm*	giorno	امتحان	*imtiḥān*	esame
اليوم	*al-yawma*	oggi	كتابي	*kitābiyy*	scritto (esame)
مع	*maʿa*	con	صباح	*ṣabāḥ*	mattina
معك	*maʿa-ka*	con te^m, hai^m	هذا الصباح	*hāḏā ṣ-ṣabāḥa*	stamattina
معك	*maʿa-ki*	con te^f, hai^f	غبي	*ġabiyy*	stupido
أم	*ʾumm*	madre	غبية	*ġabiyya*	stupida
أمي	*ʾumm-ī*	mia madre	كلا	*kallā*	certo che no
ابن	*ibn*	figlio	ولكنك	*wa-lākinna-ka*	ma tu^m
ابني	*ibn-ī*	mio figlio	دائما	*dāʾiman*	sempre
يا ابني	*yā bn-ī*	o figlio mio	تنسى	*tansā*	dimentichi^m
في البيت	*fī l-bayti*	a casa	شيء	*šayʾ*	qualcosa

النحو Grammatica

2 ماذا e ما

Sia ما che ماذا si traducono con il pronome interrogativo 'cosa?'. Il primo però viene usato in frasi nominali il secondo in frasi verbali, dove appare come complemento oggetto:

مَا هٰذَا؟	*mā hāḏā*	'che cos'è?' ('cosa *è* questo?')
مَا ٱلْمُشْكِلَةُ؟	*mā l-muškilatu*	'qual è il problema?'
مَاذَا تُرِيدِينَ؟	*māḏā turīdīna?*	'cosa vuoi[f]'
مَاذَا أَكَلُوا؟	*māḏā ʾakalū?*	'cos'hanno[m] mangiato?'

3 تريدين e تريد

In questa lezione anticipiamo alcune forme verbali, qui del verbo 'volere'. Per ora si noti che in seconda persona il verbo arabo distingue un maschile (أنتَ تريد) da un femminile (أنتِ تريدين).

4 Usi del *manṣūb*

Oltre a esprimere il ruolo di مفعول به *mafʿūl bi-hi*, complemento diretto, il *manṣūb* interviene spesso a formare avverbi o espressioni avverbiali (nel qual caso viene detto مفعول فِيهِ *mafʿūl fī-hi*). Così اَلْيَوْمَ, lett. 'il giorno', al *manṣūb* esprime '*questo* giorno', ossia 'oggi'. Molti avverbi vengono formati a partire da sostantivi, aggettivi, talvolta preposizioni, messi al *manṣūb*, facendo sì che il morfema *-an* corrisponda quasi del tutto a quello italiano *-mente*:

صَبَاح	*ṣabāḥ*	'mattina'	→	صَبَاحًا	*ṣabāḥan*	'di mattina'
مَسَاء	*masāʾ*	'sera'	→	مَسَاءً	*masāʾan*	'di sera'
دَائِم	*dāʾim*	'continuo'	→	دَائِمًا	*dāʾiman*	'sempre, continuamente'
نَظَرِيّ	*naẓariyy*	'teorico'	→	نَظَرِيًّا	*naẓariyyan*	'teoricamente'
خَاصَّة	*ḫāṣṣa*	'speciale[f]'	→	خَاصَّةً	*ḫāṣṣatan*	'specialmente'
مَعَ	*maʿa*	'con'	→	مَعًا	*maʿan*	'insieme'

Si ricordino inoltre أيضا 'anche', طبعا 'certamente, naturalmente' e فورا 'subito'.

التمارين Esercizi

1 Leggere e tradurre in italiano.

١. ماذا أكلوا؟ – أكلوا فطيرة وكبابا وبوظة وبطاطا مقلية. ....

٢. ماذا شربوا؟ – شربوا عصيرا وقهوة وماء معدنيا. ....

٣. هل تريدين الحساب الآن؟ – نعم، يا معلم، شكرا. ....

٤. وأنت، يا رضا، ماذا تريد؟ – أنا أريد فطيرة مقلية وكوكاكولا. ....

٥. هل تريد بوظة مقلية؟ – ولكنك غبي جدا... ....

٦. نريد قاموسا جديدا، مفهوم؟ ....

٧. تفضل، خُذْ (prendi^m) شيئا! – لا، شكرا. ....

٨. هي غبية جدا! – معك الحق، يا حبيبي، ولكنها جميلة جدا... ....

2 Tradurre in arabo.

1. Cosa vuoi, Muhammad? ....
2. Cosa vuoi, Hind? ....
3. Vogliamo un caffè, un gelato e dell'acqua minerale. ....
4. Ora voglio delle patatine fritte, subito! ....
5. Hanno bevuto spremuta e birra (بيرة *bīra*). ....
6. Sei sempre stupidissimo, caro mio. ....
7. Mamma, oggi ho un esame, capito? ....
8. Figlio mio, prendi (خُذْ) il vocabolario. ....
9. Qual è il problema? ....
10. Questo è un mouse? – Certo che no. ....
11. Cosa fai questa mattina? ....
12. Cosa hanno mangiato e cosa hanno bevuto? ....
13. Dopo che hanno mangiato le patate fritte hanno bevuto un caffè arabo. ....
14. Hai^m il vocabolario arabo? ....

3 Aggiungere i complementi alle forme verbali.

١. أنا أريد (كتاب، قاموس، الدفتر، القلم). ....

٢. أنت تريد (حاسوب، القهوة، قميص، البوظة). ....

٣. أنت تريدين (العصير، ماء، المقلمة، فأرة). ....

٤. نحن نريد (الجريدة، دراجة، سيارة، الحاسوب). ....

٥. خُذْ (الفوطة، الطابعة، مفتاح، فطيرة). ....

٦. شربوا (بيرة، الماء المعدني، قهوة). ....

٧. أكلوا (الكباب والبطاطة المقلية). ....

4 Mettere la forma verbale corretta del verbo 'volere' secondo il pronome.

أنتَ: .... أنا: .... نحن: .... أنتِ: ....

5 Modificare le frasi nominali seguenti secondo il modello

القلم في المقلمة *al-qalamu fī l-miqlamati* 'la penna è nell'astuccio'
→ في المقلمة قلم *fī l-miqlamati qalamun* 'nell'astuccio c'è una penna'

١. الفيروس في الحاسوب ← ....
٢. الكلمة في القاموس ← ....
٣. الترجمة في الكتاب ← ....
٤. المدرسة في المدرسة ← ....
٥. المشكلة في الترجمة ← ....
٦. الدرس في الصباح ← ....
٧. المفتاح في البيت ← ....

6 Interpellare le persone seguenti.

Mustafa!	professore!	maestro!	professoressa!	amico!	studente!
....	....	....	....	....	....
ragazzi!	Hind!	studentessa!	mamma!	figlio mio!	stupido!
....	....	....	....	....	....

Radici...

L'aria di famiglia tra حساب *ḥisāb* 'conto' e حاسوب *ḥāsūb* 'computer' è evidente, da cui estrapoliamo la radice √*ḥ-s-b*. Quando le accademie di lingua arabe furono chiamate a creare un neologismo per l'elaboratore elettronico, fu naturale ricorrere al verbo حَسَبَ *ḥasaba* 'contare', ma anche 'calcolare, elaborare', applicandogli lo schema raro *-ā-ū-* di valore intensivo come in فاروق *fārūq* 'saggio' (che fu il nome dell'ultimo sovrano d'Egitto, Re Farouk), talvolta con valenza strumentale, come ناظور *nāẓūr* 'cannocchiale' e جاسوس *ǧāsūs* 'spia'.
Nell'espressione من فضلك *min faḍli-ka* 'per favore', lett. 'dalla tua cortesia', andrà riconosciuta la radice √*f-ḍ-l* dell'imperativo تفضل *tafaḍḍal*.
La forma verbale coniugata تفعل *taf'alu* 'tu^{m} fai' deve essere accostata a فعل *fi'l* 'verbo', ma anche 'azione, fatto, effetto'.

أكثر Di più

1 المَشْرُوبات Bevande

L'islàm vieta l'alcol (اَلْخَمْر 'il vino'), per cui nelle case di musulmani non sono normalmente previste bevande alcoliche nel corso di pasti o serate. I ristoranti e i bar frequentati dalla gente comune nel più dei casi non hanno la licenza necessaria per vendere alcolici. Nondimeno alcuni paesi arabi, come in particolare il Marocco e il Libano, sono produttori di vini (خَمْر o نَبِيذ) apprezzati dagli intenditori,

e l'Egitto e la Tunisia hanno ottime birre. La parola italiana *alcol* deriva da اَلْكُحُول, che si riferisce piuttosto allo spirito. Come grappe vanno segnalate lo عَرَق *ʕaraq* 'arak (anisetta)' nel Mashreq e la بوخة *būḫa* 'boukha (grappa di fichi)' in Tunisia.
In Italia è consuetudine, quando si è invitati a cena, portare qualcosa da mangiare o da bere. Nei paesi arabi è prassi presentarsi con un vassoio di dolci comprati in pasticceria, ma, se non si è al corrente delle abitudini della famiglia da cui ci si reca, occorre evitare **assolutamente** di portare una bottiglia di vino, al rischio di creare una situazione fortemente imbarazzante.
Il caffè (قهوة) nel Mashreq è ottimo sebbene diverso da quello italiano. Esso va zuccherato durante la cottura e quindi occorre precisare al cameriere se lo si vuole dolce o amaro. Qualcuno lo apprezza profumato con il هَال 'cardamomo', spezia particolarmente amara. Viene servito in tazzine di porcellana ed è necessario aspettare qualche minuto perché depositi e non girarlo con un cucchiaino. Lo si beve quindi lentamente stando attenti a non sorbirne il fondo.
Il viaggiatore italiano che si rechi invece nel Maghreb abbandoni ogni speranza di trovarvi un caffè bevibile: vi si apprezzerà invece il tè (شَاي, in Tunisia però تَاي e in Marocco أَتَاي) alla menta (نَعْنَع), che è consigliabile preferire zuccherato. Esso viene servito in bicchieri alti e decorati. Occorre prevedere di attendere diversi minuti prima di bere per non ustionarsi. Il tè viene versato alzando la teiera in alto mentre esso scende, affinché si formi una schiuma in superficie.
Diffusa nell'intero mondo arabo è la limonata (لَيْمُونَاضَة), ottenuta dalla spremitura del limone fresco con tutta la buccia, con un forte contrasto dolce-amaro.
L'ospitalità araba è proverbiale e ogni invito da parte di un arabo si risolve perlomeno nel sorseggiare insieme qualche tazza di tè. L'arabista in fiore si prepari dunque a sorbirne svariati litri anche nell'arco della stessa giornata.
Nel Mashreq, in particolare, vedersi offrire del caffè al posto del tè durante un invito indica una maggiore premura da parte del padrone di casa nei confronti del suo ospite.

2 فِي المَقْهَى Al bar

Nei bar arabi, come nel resto del mondo civilizzato, ci si siede, si aspetta il cameriere e si beve o mangia seduti: soltanto in Italia esiste l'abitudine, per gli arabi assolutamente esecrabile, di consumare in piedi appoggiati al bancone.
Il cameriere viene interpellato con !يا مُعَلِّم. Il termine (lett. 'maestro, insegnante') può quindi essere rivolto a un docente (sebbene per un professore يا أستاذ sia molto più usuale), ma viene diffusamente adoperato per interpellare un artigiano, un tassista ecc. (cf. it. *mastro*, *capo*). Usuale è altresì il francesismo گرسون *garsōn*. Il termine standard per 'cameriere' è نادِل *nādil*, che però viene usato unicamente in letteratura.
In Italia il termine *kebab* indica il panino ('pita', parola turco-greca) imbottito di carne e verdure crude; in arabo, كباب, esso si riferisce a uno spiedino di carne macinata o a pezzettini cotto sulla brace. Il contorno di patate fritte è d'obbligo.
بوظة per 'gelato' sarebbe dialettale siropalestinese; in Egitto viene usato جِيلاتي *ǧīlātī*, in Iraq دُنْدُرْمَة *dundurma*. Il termine classico (che tuttavia è del tutto inusitato nella conversazione) sarebbe مَثْلُوج *maṯlūǧ*, o anche مُثَلَّج *muṯallaǧ* ('congelato'), o مُرَطِّب *muraṭṭib* ('rinfrescante'). Naturalmente si sente anche آيس كريم *ʔāys krīm* nel Mashreq e گلاس *glās* nel Maghreb (fr. *glace*, ma attenzione: in Arabia saudita, Paesi del Golfo e Iraq گلاس *glās* sta per 'bicchiere'!).

4 UNITÀ

على فكرة! A proposito!

النص الأول Testo 1

CD1/27

– هل لك دروس اليوم؟*

– نعم، لي درس في الصباح ودرسان بعد الظهر.

– وبعد الدروس؟

– بعد الدروس عندي موعد مع هدى وصديق لنا أمام الكلية.

– هدى؟ ولكنها في القاهرة!

– لا: كانت في القاهرة قبل أسبوع!

– ومن هذا الصديق؟

– ليس شغلك، يا عزيزي!

– كما تريد. على فكرة، ألا تنسى شيئا مهما؟

– ماذا؟

– الجوال...

– صحيح، الحق معك! أين هو؟ ... آه! ها هو في الدرج.

*Attenzione alla corretta lettura: *hal la-ka durūsun*^{i} *l-yawma?*

الكلمات الجديدة Parole nuove

لك	*la-ka*	a te^{m}; hai^{m}	درس	*dars*	lezione
لك	*la-ki*	a te^{f}; hai^{f}	دروس	*durūs*	lezioni
لي	*l-ī*	a me; ho	درسان	*darsāni*	due lezioni
لنا	*la-nā*	a noi; abbiamo	موعد	*mawʿid*	appuntamento

ظهر	*ẓuhr*	mezzogiorno	أمام	*ˀamāma*	davanti a
بعد	*baʕda*	dopo	كلية	*kulliyya*	facoltà
بعد الظهر	*baʕda ẓ-ẓuhri*	questo pomeriggio	كانت	*kānat*	era^{f} (lei)
صديق	*ṣadīq*	amico	قبل	*qabla*	prima
هذا الصديق	*hāḏā ṣ-ṣadīqu*	quest'amico	أسبوع	*ˀusbūʕ*	settimana
ولكنها	*wa-lākinna-hā*	ma lei	قبل أسبوع	*qabla ˀusbūʕin*	una settimana fa
القاهرة	*al-Qāhira*	il Cairo	كما	*kamā*	come (subord.)
شغل	*šuġl*	lavoro, affare	فكرة	*fikra*	idea
ليس شغلك!	*laysa šuġla-ka!*	non è affar tuo^{m}!	على	*ʕalā*	su, sopra
ليس شغلك!	*laysa šuġla-ki!*	non è affar tuo^{f}!	على فكرة!	*ʕalā fikra!*	a proposito!
ألا تنسى؟	*ˀa-lā tansā*	non dimentichi^{m}?	جوال	*ǧawwāl*	cellulare
مهم	*muhimm*	importante	صحيح	*ṣaḥīḥ*	vero
عزيز	*ʕazīz*	caro	درج	*durǧ*	cassetto
عزيزي	*ʕazīz-ī*	mio caro			

النحو Grammatica

1 الإعراب L'iʕrāb (seguito)

Negli enunciati seguenti:

مَعَ صَدِيقٍ	*maʕa ṣadīqin*	'con un amico'	<con amico>
عَلَى فِكْرَةٍ	*ʕalā fikratin*	'a proposito'	<su idea>
فِي ٱلصَّبَاحِ	*fī ṣ-ṣabāḥi*	'la mattina'	<in la-mattina>
أَمَامَ ٱلْكُلِّيَّةِ	*ˀamāma l-kulliyyati*	'davanti alla facoltà'	<davanti la-facoltà>

I sostantivi صديق 'amico', فكرة 'idea', صباح 'mattina' e كلية 'facoltà' sono al caso مجرور *maǧrūr*, obliquo (o 'genitivo'), caratterizzato dal morfema suffisso *-i* se determinato, *-in* se indeterminato. Il nominale va al *maǧrūr*, principalmente, quando è **complemento preposizionale.**

- In arabo **tutte le preposizioni reggono il *maǧrūr*.**
  Le preposizioni incontrate finora sono:

فِي	*fī*	'in, a, dentro' (stato in luogo)
مِنْ	*min*	'da, di' (stato da luogo, provenienza)
مَعَ	*maʕa*	'con'
بَعْدَ	*baʕda*	'dopo, tra' (temporale)
قَبْلَ	*qabla*	'prima' (e 'da', 'fa', temporale)

عَلَى	*ʿalā*	'su, sopra'
أَمَامَ	*ʾamāma*	'davanti'

La preposizione in arabo viene detta حَرْفُ جَرٍّ, intendendo per *ğarr* la condizione dell'*ism* al *mağrūr*.

Nb: من *min* viene vocalizzato مِنَ quando segua una *ʾalif waṣla*, ad es. أَنَا مِنَ ٱلْقَاهِرَةِ *ʾanā min*^{a} *l-Qāhirati* 'io sono del Cairo'.

- Sono state incontrate ugualmente le due preposizioni ل *li-* (sempre prefissa al nominale seguente) 'a, per', e عند *ʿinda* 'presso, da' (cf. francese *chez*), nonché مع *maʿa* 'con', che unite ai pronomi suffissi – che vedremo più avanti – traducono il nostro verbo 'avere':

لَكَ دُرُوسٌ	*la-ka durūsun*	'hai^{m} delle lezioni'	<a-te^{m} [sono] lezioni>
لِي دَرْسٌ	*l-ī darsun*	'ho una lezione'	<a-me [è] lezione>
عِنْدِي مَوْعِدٌ	*ʿind-ī mawʿidun*	'ho un appuntamento'	<presso-me [è] appuntamento>
عِنْدِي ٱمْتِحَانٌ	*ʿind-ī mtiḥānun*	'ho un esame'	<presso-me [è] esame>
مَعَكَ ٱلْحَقُّ	*maʿa-ka l-ḥaqqu*	'hai^{m} ragione'	<con-te^{m} [è] la-verità>

▶ Si noti quindi che, mentre nelle traduzioni italiane 'lezioni' ecc. sono complementi del verbo *avere*, in arabo essi sono soggetti di frasi nominali, e pertanto vanno al *marfūʿ*.

النص الثاني Testo 2 CD1/28

– ما الكلمة العربية لـpassaporto؟

– «جواز سفر»

– جواز السفر فيه:

الاسم،

اسم العائلة (أو اللقب*)،

تاريخ الولادة،

محل الولادة.

– والجنسية؟

– طبعا! غلاف الجواز عليه الجنسية!

– هل هذا جواز سفر؟

– لا، هذه رخصة قيادة (أو رخصة سوق).

*ʾaw^{i} l-laqabu.

الكلمات الجديدة Parole nuove

جواز	*ǧawāz*	permesso	عائلة	*ʕāʔila*	famiglia
سفر	*safar*	viaggio	اسم العائلة	*ʔismu l-ʕāʔilati*	cognome
جواز سفر	*ǧawāzu safarin*	un passaporto	لقب	*laqab*	cognome; soprannome
جنسية	*ǧinsiyya*	nazionalità	عليه	*ʕalay-hi*	su di lui [c'è]
تاريخ	*tārīḫ*	data; storia	غلاف	*ġilāf*	copertina
محل	*maḥall*	luogo	رخصة	*ruḫṣa*	permesso
ولادة	*wilāda*	nascita	قيادة	*qiyāda*	guida
أو	*ʔaw*	o, oppure	سوق	*sawq*	guida
اسم	*ism*	nome			

النحو Grammatica

2 الإضافة Lo stato costrutto (primi cenni)

Le espressioni:

جَوَازُ سَفَرٍ	*ǧawāzu safarin*	'un passaporto' ('un permesso di viaggio')
رُخْصَةُ قِيَادَةٍ	*ruḫṣatu qiyādatin*	'una patente di guida'
غِلَافُ ٱلْجَوَازِ	*ġilāfu l-ǧawāzi*	'la copertina del passaporto'
تَارِيخُ ٱلْوِلَادَةِ	*tārīḫu l-wilādati*	'la data di nascita'

sono costituite da due nominali in *ʔiḍāfa*, o **stato costrutto.**

- L'*iḍāfa* serve a rendere un complemento di specificazione o di materia:

ذَنَبُ ٱلْكَلْبِ	*ḏanabu l-kalbi*	'la coda del cane'
سَاعَةُ ذَهَبٍ	*sāʕatu ḏahabin*	'un orologio d'oro'

- L'*iḍāfa* è tecnicamente un sintagma nominale, in cui due nominali vengono giustapposti.
  - il primo nominale (qui ذنب 'coda' e ساعة 'orologio') viene detto **مضاف** ***muḍāf*** ('aggiunto'),
  - il secondo nominale (qui كلب 'cane' e ذهب 'oro') viene detto **مضاف إليه** ***muḍāf ʔilay-hi*** ('cui viene aggiunto').

▶Per ora si ricordi che:
- il *muḍāf* **non può avere né l'articolo** ال *al-* **né il** *tanwīn*.
- il *muḍāf ʔilay-hi* – che può avere o non avere l'articolo a seconda del significato – **va al** ***maǧrūr*** (da cui la traduzione di 'genitivo' generalmente data a questo termine).

التمارين Esercizi

1 Unire le preposizioni con i sostantivi.

١. في + الجامعة
٢. من + الصباح
٣. مع + صديق
٤. بعد + الدرس
٥. على + الفأرة
٦. قبل + المساء
٧. أمام + البيت
٨. قبل + الموعد
٩. من + االدرج

2 Unire in *ʔiḍāfa* le coppie di parole seguenti.

١. فأرة، حاسوب. ……………
٢. امتحان، العربية. ……………
٣. عائلة، هند. ……………
٤. جريدة، اليوم. ……………
٥. شباب، الكلية. ……………
٦. تاريخ، الموعد. ……………
٧. جنسية، الطالبة. ……………
٨. شاشة، حاسوب. ……………
٩. فكرة، الصديقة. ……………
١٠. اسم، الأستاذ. ……………
١١. حبيب، الطالب. ……………
١٢. دروس، الأسبوع. ……………
١٣. كتاب، تاريخ. ……………
١٤. حاسوب، رضا. ……………
١٥. موعد، مساء. ……………
١٦. حاسوب، الطالب. ……………
١٧. مفتاح، بيت. ……………
١٨. شغل، الطبيب. ……………

3 Stati costrutti quotidiani.

عصير	*ʕaṣīr*	‘succo’	+	برتقال	*burtuqāl*	‘arance’	→	‘succo d’arancia’
			+	ليمون	*laymūn*	‘limone’		
			+	توت	*tūt*	‘more’		
			+	موز	*mawz*	‘banane’		
			+	كرز	*karaz*	‘ciliegie’		
كرة	*kura*	‘pallone’	+	القدم	*al-qadam*	‘il piede’	→	‘calcio’
			+	اليد	*al-yad*	‘la mano’		‘pallamano’
			+	السلة	*as-salla*	‘il cesto’		‘pallacanestro’
عيد	*ʕīd*	‘festa’	+	الميلاد	*al-mīlād*	‘la nascita’	→	‘compleanno’, o ‘Natale’
كُلِّيَّة	*kulliyya*	‘facoltà’	+	الآداب	*al-ʔādāb*	‘le lettere’		
			+	الطب	*aṭ-ṭibb*	‘la medicina’		
			+	الهندسة	*al-handasa*	‘l’architettura’		

4 Leggere e tradurre in italiano.

١. أين جواز السفر، يا هدى؟

٢. هل اسم العائلة على غلاف الجواز؟

٣. هل لك امتحان اليوم؟

٤. أين دفتر مصطفى؟ – هنا، في الدرج.

٥. عندي موعد مع صديقة لي بعد الظهر.

٦. لنا موعد مهم في القاهرة بعد أسبوع.

٧. لنا درسان هذا الصباح، يا عزيزي.

٨. على فكرة، أين الجوال؟

٩. ألا تنسى الموعد مع الأستاذ؟

١٠. هل تريدين عصير برتقال، يا حبيبتي؟

5 Tradurre in arabo.

1. Abbiamo lezione, oggi.
2. Dimentichi[m] sempre il cellulare, stupido!
3. Hai[m] un esame scritto questo pomeriggio, non dimentichi il vocabolario?
4. Cameriere, per piacere, vogliamo un succo di ciliegia e acqua minerale.
5. Non dimentichi[m] qualcosa, vecchio mio, qui a casa?
6. Come si dice in arabo *famiglia*?
7. Non ho il passaporto.
8. Non dimentichi[m] la data di nascita?
9. La copertina del quaderno è pulita.
10. Ho appuntamento con un amico.
11. L'amica di Huda è professoressa alla (في) facoltà di lettere.
12. Voglio un orologio d'oro.

6 Ordinare le parole seguenti per costruire frasi corrette.

١. موز / معلم / نريد / فضلك / من / عصير / يا.

٢. دروس / صديقة / عندي / العربية / مع / اليوم / موعد / و.

٣. في / رخصة / هل / سفر / الدرج / جواز / قيادة / و؟

٤. ماء / بيرة / شربوا / كأس / و / معدنيا.

٥. يا / دروس / صديقتي / الصباح / لك / هذا / هل؟

٦. الإيطالية / لـ / ما / الكلمة / «كرز»؟

Radici...

Come annunciato all'Unità 1 a proposito di مدرسة 'scuola' e مدرّسة 'insegnante[f]', abbiamo incontrato oggi due nuovi temi della radice √*d-r-s*: درس *dars* 'lezione', e il suo plurale دروس *durūs*. Come vedremo più avanti, il plurale dei nominali è sostanzialmente imprevedibile e andrebbe sistematicamente memorizzato con il singolare di ogni parola nuova: 'lezione' si dice دَرْس، دُرُوس *dars, durūs* (come in latino si cita sempre il nominativo seguito dal genitivo, ad es. *rosa, rosae; rex, regis* ecc.).

Chi abbia memorizzato i numerali da 1 a 10 presentati alla fine del capitolo 'Scrittura e fonetica' dovrebbe riconoscere in أسبوع *ʔusbūʕ* la radice √*s-b-ʕ* di سبعة *sabʕa* 'sette' (chi voglia sentirsi colto pensi al greco ἑβδομάς *hebdomás* 'settimana' < ἑπτά *heptá* 'sette').

أكثر Di più

1 الجوال Il cellulare

Esistono diverse parole per indicare il telefonino cellulare; جوال, نقال *naqqāl*, خلوي *ḫalawiyy* sono i termini classici; più dialettale è محمول *maḥmūl* 'portabile' (cf. franc. *portable*), nonché ovviamente موبايل *mūbāyl*.

2 ما الكلمة؟ Come si dice?

A un arabofono si può chiedere ما الْكَلِمَةُ (الْعَرَبِيَّةُ) لِـ...؟ lett. 'quale è la parola (araba) per ...?'. Viceversa per informarsi di una parola sconosciuta ما مَعْنَى ...؟ lett. 'quale è il significato di ...?'

3 الهُوِيّة Generalità

In alcuni paesi il luogo di nascita viene chiamato مَسْقَطُ ٱلرَّأْسِ, lett. 'luogo di caduta della testa' (ma مَسْقَط da solo è anche Mascate, capitale del Sultanato di Oman).

Il sistema occidentale del nome e cognome, che fu imposto dalle autorità di occupazione nel periodo colonale, non è diffuso in tutti i paesi arabi. In Egitto e Sudan il singolo porta il proprio nome seguito da quelli del padre e del nonno (in Egitto oggi anche del bisnonno), ad es. مُحَمَّد حُسَيْن طَاهِر, e cioè Muḥammad (figlio di) Ḥusayn (figlio di) Ṭāhir. Se questo Muḥammad Ḥusayn Ṭāhir ha un figlio che chiamerà Fayṣal, questo si chiamerà فَيْصَل مُحَمَّد حُسَين Fayṣal Muḥammad Ḥusayn.

4 الأبجد L'*abǧad*

L'ordine dell'alfabeto arabo, adottato da secoli, non è tuttavia quello originario. L'ordine preislamico viene oggi conservato per la numerazione di paragrafi, sezioni ecc. – cf. it. *a*) *b*) *c*). Per facilitare la memorizzazione di questo antico ordine le lettere vengono riunite in gruppi di tre o quattro e vocalizzate convenzionalmente:

أَبْجَدْ هَوَزْ حُطِي كَلْمَنْ سَعْفَصْ قُرِشَتْ ثَخُذْ ضَظَغ

(Per chi studi anche l'ebraico si pensi a ...אבגד ecc.).
Per tali motivi l'*alfabeto* in arabo viene chiamato con diversi nomi: oggi اَلأَلِفْبَاء *al-ʔalifbāʔ*, oppure اَلأَبْجَدِيَّة *al-ʔabǧadiyya*, o ancora حُرُوفُ ٱلْهِجَاءِ *ḥurūf al-hiǧāʔ*.
Così un ipotetico elenco in arabo si presenterebbe come:

ا – الدروس
ب – الأستاذ
ج – الامتحان
د – القاموس

5 UNITÀ

!أنت جميلة مثل القمر Sei bella come la luna!

النص الأول Testo 1

CD1/29

أنا طالب في جامعة البندقية.

هل أنت زوج الأستاذة؟

وأنت أستاذة التاريخ؟

هو صديق قديم لي.

هي ذكية جدا!

نحن من الرباط.

أنتم مصطفى ورضا ومحمد، صحيح؟

أنتن جميلات مثل القمر!

هم في مكتب العميد.

هن ضد الحرب.

أنتما طالبان جديدان.

هما عميد الكلية وأستاذ الآداب

الكلمات الجديدة Parole nuove

البندقية	*al-Bunduqiyya*	Venezia	الرباط	*ar-Ribāṭ*	Rabat
مكتب	*maktab*	ufficio	جميلات	*ǧamīlāt*	belle
عميد	*ʿamīd*	preside	مثل	*miṯla*	come
طالبان	*ṭālibāni*	due studenti	قمر	*qamar*	luna
جديدان	*ǧadīdāni*	nuovi (duale)	ضد	*ḍidda*	contro
آداب	*ʾādāb*	letteratura	حرب	*ḥarb*	guerra (f.)
زوج	*zawǧ*	marito			

النحو Grammatica

1 اَلضَّمِيرُ ٱلْمُنْفَصِلُ Il pronome autonomo

L'arabo distingue:
- due generi: مُذَكَّر *muḏakkar* 'maschile', مُؤَنَّث *muʔannaṯ* 'femminile';
- tre numeri: مُفْرَد *mufrad* 'singolare', مُثَنًّى *muṯannā* 'duale', جَمْع *ǧamʕ* 'plurale'.

Il pronome personale distingue il genere in 2ª e 3ª persona del singolare e del plurale. La 1ª persona distingue singolare e plurale ma non ha il duale:

المفرد			الجمع			المثنى		
أَنَا	*ʔanā*	io	نَحْنُ	*naḥnu*	noi			
أَنْتَ	*ʔanta*	tu^m	أَنْتُمْ	*ʔantum*	voi^m	أَنْتُمَا	*ʔantumā*	voi$^{m/f}$ due
أَنْتِ	*ʔanti*	tu^f	أَنْتُنَّ	*ʔantunna*	voi^f			
هُوَ	*huwa*	egli	هُمْ	*hum*	essi	هُمَا	*humā*	loro$^{m/f}$ due
هِيَ	*hiya*	ella	هُنَّ	*hunna*	esse			

▶ In 2ª persona l'arabo non conosce l'equivalente di una forma di cortesia (ital. *Lei*, franc. *vous*, ted. *Sie*). Si dà quindi del tu a chiunque. Soltanto in situazioni di altissima formalità, rivolgendosi ad es. a un monarca o a un presidente, può essere il caso di usare أنتم *ʔantum* 'Voi'.

▶ Nell'elencare due o più pronomi autonomi, come ad es. 'tu e io', 'voi e noi' ecc., contrariamente all'italiano la precedenza spetta in arabo alla 1ª persona sulle altre e alla 2ª sulla 3ª:

أَنَا وَأَنْتَ *ʔanā wa-ʔanta* 'tu^m e io'

أَنَا وَهِيَ *ʔanā wa-hiya* 'lei e io'

أَنْتُمْ وَهُمْ *ʔantum wa-hum* 'voi^m e loro^m'

النص الثاني Testo 2 CD1/30

– ندرس اللغة العربية الفصحى في كلية الدراسات الشرقية.

– لكم أستاذ آداب فلسطيني.

– صحيح. إنه ماهر وخفيف الدم جدا.

– في أي قاعة أنتم؟

– نحن في قاعة المحاضرات الجديدة في آخر الممر.

– ما هو موضوع درس اليوم؟

– موضوع اليوم هو مسألة اللغة العامية في الرواية العربية المعاصرة.

الكلمات الجديدة Parole nuove

دراسة	*dirāsa*	studio	ندرس	*nadrusu*	studiamo
دراسات	*dirāsāt*	studi	شرقي	*šarqiyy*	orientale
ماهر	*māhir*	capace, bravo	لكم	*la-kum*	a voi^m, avete^m
خفيف	*ḫafīf*	leggero	فلسطيني	*filasṭīniyy*	palestinese
دم	*dam*	sangue	أي...؟	*ʔayyu...?*	quale...?
خَفِيفُ الدَّمِ		simpatico	قاعة	*qāʕa*	aula
محاضرة	*muḥāḍara*	lezione (univ.)	موضوع	*mawḍūʕ*	argomento
محاضرات	*muḥāḍarāt*	lezioni	مسألة	*masʔala*	questione
آخر	*ʔāḫir*	fine, termine	لغة	*luġa*	lingua
في آخِرِ		in fondo a	عامي	*ʕāmmiyy*	popolare
ممر	*mamarr*	corridoio	العربية الفصحى	*al-ʕarabiyyatu l-fuṣḥā*	l'arabo classico
رواية	*riwāya*	romanzo	اللغة العامية	*al-luġatu l-ʕāmmiyyatu*	il dialetto
معاصر	*muʕāṣir*	contemporaneo	اللغة الدارجة	*al-luġatu d-dāriǧatu*	il dialetto
إنه	*ʔinna-hu*	egli è	لهجة	*lahǧa*	dialetto

النحو Grammatica

2 الإضافة Lo stato costrutto (seguito)

Come già è stato visto, l'*iḍāfa* unisce due nominali, detti *muḍāf* e *muḍāf ʔilay-hi*, in un rapporto di complemento di specificazione sintetizzabile come 'il X di Y'.

- L'*iḍāfa* costituisce un sintagma nominale, ossia due nominali che si comportano grammaticalmente come uno solo:

اَلْحَاسُوبُ مُعَطَّلٌ	*{al-ḥāsūbu} muʕaṭṭalun*	'il computer è guasto'
لَوْحُ ٱلْمَفَاتِيحِ مُعَطَّلٌ	*{lawḥu l-mafātīḥi} muʕaṭṭalun*	'la tastiera (la tavola delle chiavi) è guasta'

▶Il *muḍāf* è grammaticalmente determinato dalla sua posizione, e pertanto non può prendere **né articolo ال né il *tanwīn*.**

▶Il *muḍāf ʔilay-hi*:
- non prende l'articolo se l'*iḍāfa* è indeterminata,
- prende l'articolo se l'*iḍāfa* è determinata.

  Ad es.: la nozione di 'bicchiere d'acqua' sarà indeterminata se dico *un bicchiere d'acqua*, sarà determinata se dico *il bicchiere d'acqua*. In arabo, facendo intervenire كأس *kaʔs* 'bicchiere' e ماء *māʔ* 'acqua', si ottiene quindi:

كَأْسُ مَاءٍ	*kaʔsu māʔin*	'un bicchiere d'acqua'
كَأْسُ ٱلْمَاءِ	*kaʔsu l-māʔi*	'il bicchiere d'acqua'

Altri esempi:

خَاتَمُ فِضَّةٍ	*ḫātamu fiḍḍatin*	'un anello d'argento'
خَاتَمُ ٱلْفِضَّةِ	*ḫātamu l-fiḍḍati*	'l'anello d'argento'
قِصَّةُ حُبٍّ	*qiṣṣatu ḥubbin*	'una storia d'amore'
قِصَّةُ ٱلْحُبِّ	*qiṣṣatu l-ḥubbi*	'la storia d'amore'

- *Muḍāf* e *muḍāf ʾilay-hi* sono **inseparabili** (tranne che da un dimostrativo, v. Unità 10 § 2).

  Il *muḍāf ʾilay-hi* va sempre, necessariamente, al *maǧrūr*. Il *muḍāf* invece prende il caso voluto dalla funzione che l'*iḍāfa* svolge nell'enunciato:

أُرِيدُ كَأْسَ مَاءٍ	*ʾurīdu kaʾsa māʾin*	'voglio un bicchiere d'acqua'
فِي كَأْسِ ٱلْمَاءِ	*fī kaʾsi l-māʾi*	'nel bicchiere d'acqua'

▶La lingua letteraria non tollera due *muḍāf* per un *muḍāf ʾilay-hi* ('il X e il Y di Z'): uno dei due va rimandato dopo l'*iḍāfa* e ripreso da un pronome suffisso (v. Unità 9 § 1):

كِتَابُ ٱلطَّالِبِ وَدَفْتَرُهُ	*kitābu ṭ-ṭālibi wa-daftaru-**hu***	'il libro e il quaderno dello studente' ('il libro dello studente e il suo quaderno')

L'opzione seguente, non canonica, è nondimeno frequente nella prosa giornalistica:

كِتَابُ وَدَفْتَرُ ٱلطَّالِبِ	*kitābu wa-daftaru ṭ-ṭālibi*

- Sono possibili, benché rare, catene di stati costrutti; soltanto l'ultimo *muḍāf ʾilay-hi* può ricevere l'articolo:

مِفْتَاحُ بَابِ ٱلْبَيْتِ	*miftāḥu bābi l-bayti*	'la chiave della porta della casa'
مَكْتَبُ عَمِيدِ كُلِّيَّةِ ٱلطِّبِّ	*maktabu ʿamīdi kulliyyati ṭ-ṭibbi*	'l'ufficio del preside della facoltà di medicina'

- In alcuni casi può rivelarsi necessario **sciogliere** l'*iḍāfa*, e cioè principalmente quando si voglia esprimere l'indeterminatezza del *muḍāf*. Con كتاب e طالب, ad es., ricorrendo all'*iḍāfa* possiamo ottenere solamente:

كِتَابُ طَالِبٍ	*kitābu ṭālibin*	'un libro di uno studente', 'un libro da studente'
كِتَابُ ٱلطَّالِبِ	*kitābu ṭ-ṭālibi*	'il libro dello studente'

- Volendo dire invece '*un* libro del*lo* studente', intendendo cioè uno tra i vari che egli possiede, possiamo optare per uno dei costrutti seguenti:

كِتَابٌ لِلطَّالِبِ	*kitābun **li**-ṭ-ṭālibi*	'un libro [che è] dello studente'
كِتَابٌ مِنْ كُتُبِ ٱلطَّالِبِ	*kitābun min kutubi ṭ-ṭālibi*	'un libro dei libri dello studente'

- Nel caso di catene di stati costrutti troppo articolate, come nell'esempio مكتب عميد كلية الطب, ricorre talvolta l'uso di ل *li-*:

كُلِّيَّةُ ٱلِاقْتِصَادِ لِجَامِعَةِ ٱلْقَاهِرَةِ	*kulliyyatu ^{l}-qtiṣādi **li**-ǧāmiʿati l-Qāhirati*	'la facoltà di economia dell'università del Cairo'

3 الإضافة والصفة Stato costrutto e aggettivi

- Se in un'*iḍāfa* il *muḍāf ʾilay-hi* deve essere completato da un aggettivo (صفة *ṣifa*), ad es. 'il professore della nuova facoltà', questo segue semplicemente l'*iḍāfa* accordandosi in genere, numero, caso e determinazione con il *muḍāf ʾilay-hi*:

أُسْتَاذُ ٱلْكُلِّيَّةِ ٱلْجَدِيدَةِ *ˀustāḏu l-kulliyyati l-ǧadīdati* ‘il professore della nuova facoltà’

- Se invece è il *muḍāf* a dover essere completato da un aggettivo, essendo l’*iḍāfa* inscindibile, ad es. ‘il nuovo professore della facoltà’, esso va necessariamente rimandato **dopo** l’*iḍāfa*:

أُسْتَاذُ ٱلْكُلِّيَّةِ ٱلْجَدِيدُ *ˀustāḏu l-kulliyyati l-ǧadīdu* ‘il nuovo professore della facoltà’

- L’accordo quindi dell’aggettivo permette solitamente di sapere se esso si riferisce al *muḍāf* o al *muḍāf ˀilay-hi*. In altri casi è la logica a chiarire. Nell’enunciato:

أُسْتَاذُ فَلْسَفَةٍ عَرَبِيٌّ *ˀustāḏu falsafatin ˁarabiyyun* ‘un professore arabo di filosofia’

l’aggettivo عربي, essendo al maschile, non può che riferirsi a ‘professore’ (فلسفة ‘filosofia’ è un sostantivo femminile). Volendo dire invece ‘un professore di filosofia araba’ (è la filosofia a essere araba e non più il professore):

أُسْتَاذُ فَلْسَفَةٍ عَرَبِيَّةٍ *ˀustāḏu falsafatin ˁarabiyyatin*

▶ Nel segmento non vocalizzato:

درس التاريخ القديم

l’intuito suggerirà di intepretare دَرْسُ ٱلتَّارِيخِ ٱلْقَدِيمِ *darsu t-tārīḫi l-qadīmi* ‘la lezione di storia antica’; sarebbe possibile ma meno logico intepretare دَرْسُ ٱلتَّارِيخِ ٱلْقَدِيمُ *darsu t-tārīḫi l-qadīmu* ‘l’antica lezione di storia’. Naturalmente possono presentarsi casi ambigui (tecnicamente *anfibologie*), quali:

قاعة الأستاذة الجديدة

che può essere interpretato (e quindi vocalizzato) in due modi:

qāˁatu l-ˀustāḏati l-ǧadīdati	‘l’aula della nuova professoressa’
qāˁatu l-ˀustāḏati l-ǧadīdatu	‘la nuova aula della professoressa’

▶ Se tanto il *muḍāf* quanto il *muḍāf ˀilay-hi* debbono essere completati da un aggettivo, quello relativo al *muḍāf* viene per ultimo:

عَمِيدُ الْكُلِّيَّةِ الْجَدِيدَةِ السَّابِقُ *ˁamīdu l-kulliyyati l-ǧadīdati s-sābiqu* ‘il preside precedente della nuova facoltà’

Nb: in questo caso tuttavia l’uso attuale tende a preferire:

العميد السابق للكلية الجديدة *al-ˁamīdu s-sābiqu li-l-kulliyyati l-ǧadīdati*

- Il costrutto خَفِيفُ ٱلدَّمِ *ḫafīfu d-dami* ‘leggero di sangue’, ‘di sangue leggero’, che traduce l’italiano ‘simpatico, gradevole da frequentare’ (contrario: ثَقِيلُ ٱلدَّمِ *ṯaqīlu d-dami* ‘pesante di sangue’, ovvero ‘antipatico’), viene detto إضافة لَفْظِيّة *ˀiḍāfa lafẓiyya*.

التمارين Esercizi

1 Dare oralmente i pronomi arabi corrispondenti.

voi^{m}	lei	loro^{m}	voi due	noi	tu^{m}
loro^{f}	tu^{f}	io	lui	loro due	voi^{f}

2 Tradurre le espressioni seguenti, segnalando quando siano possibili due interpretazioni.

١. أنا في مكتب العميد الجديد.
٢. هن معا في قاعة الدرس القديمة.
٣. شاشة الحاسوب الوسخة.
٤. نحن في سيارة المدرسة الجديدة.
٥. أريد ترجمة الكلمة الإيطالية.
٦. هو صديق الطالبة الجديدة القديم.
٧. شربوا كأس الماء المعدني.
٨. مفتاح درج الأستاذ في بيت محمد.
٩. ندرس في كلية اللغات القديمة.
١٠. لنا أستاذ لغة عربية خفيف الدم وماهر جدا.
١١. لوح مفاتيح الحاسوب القديم دائما معطل.

3 Tradurre in arabo.

1. L'argomento della lingua popolare nel romanzo arabo contemporaneo è molto interessante (مهم).
2. L'appuntamento dei ragazzi con il nuovo professore di letteratura è (هو) davanti alla facoltà.
3. Noi siamo in fondo al corridoio, davanti alla vecchia aula conferenze.
4. La lezione del professore di storia è noios(ممل *mumill*)issima.
5. Esse sono la figlia del preside della facoltà di lettere e la sorella di una mia vecchia amica.
6. Ci sono due studenti dell'università di Venezia nell'ufficio del preside.
7. Vuoi[m] un succo d'arancia o un caffè? – Un caffè, per favore, subito.
8. La copertina del libro di letteratura araba è sporca.
9. In fondo al corridoio c'è una grande porta: non dimentichi[m] la chiave?
10. Sei fortunato (hai[m] fortuna), vecchio mio, il cellulare sta qui.
11. Aspetta[m], dov'è il corridoio?

4 Collegare ogni aggettivo con il suo contrario.

قليل	كبير
قديم	نظيف
ثقيل	ذكي
وسخ	جديد
غبي	كثير
صغير	خفيف

5 Completare le frasi con la parola appropriata scegliendola fra le seguenti.

أين • تريدون • من • في • كلية • خذ • أنا

– أنا وسمير وجيسّيكا .... مقهى الكلية. و .... أنت، يا أندريا؟
– .... في .... اللغات. هل .... شيئا؟
– نعم، شكرا! .... قاموس جيسيكا الجديد، .... فضلك.

6 Trasformare le frasi seguenti secondo il modello.

كتاب الطالبة جديد *kitābu ṭ-ṭālibati ǧadīdun* 'il libro della studentessa è nuovo'
→ كتاب الطالبة الجديد *kitābu ṭ-ṭālibati l-ǧadīdu* 'il nuovo libro della studentessa'

١. كلية اللغات كبيرة. ....
٢. شاشة الحاسوب نظيفة. ....
٣. لوح مفاتيح الحاسوب وسخة. ....
٤. درس الأستاذة الجديدة مهم. ....
٥. كأس عصير التوت كبير. ....
٦. قاعة المحاضرات جديدة. ....

Radici...

Il sostantivo مكتب *maktab* 'ufficio' è fatto di quattro consonanti, e quindi una di esse va scartata per estrapolarne la radice. Si ricordi che i temi a prefisso مَ *ma-* sono locativi ('luogo in cui...'): rimangono quindi √*k-t-b*, radice del verbo كتب *kataba* 'scrivere', che ritroviamo ovviamente in كتاب *kitāb* 'libro'. Il مكتب *maktab* è quindi lett. un 'luogo dove si scrive'.

ندرس *nadrusu* 'studiamo' è, come vedremo più in là, la prima persona plurale del tempo مضارع *muḍāriʕ*, caratterizzata dal morfema personale prefisso نـ *n-*. La radice di questo verbo è quindi √*d-r-s*, già intravista più volte a proposito di مدرسة, مدرّسة, دَرْس, دِراسة ecc.

أكثر Di più

1 الجَمال La bellezza

Per gli arabi la luna, القمر *al-qamar*, simboleggia il massimo della bellezza. Dire a una donna che è جميلة مثل القمر è farle il più bel complimento. Mentre l'Occidente da tempo preferisce i fisici snelli e slanciati gli arabi apprezzano quelli rotondi e pienotti. Un'espressione come "ti trovo ingrassata" va quindi presa come un complimento mentre al contrario "ti trovo dimagrita" esprime preoccupazione e compassione per chi evidentemente è stato poco bene o si è lasciato andare non mangiando abbastanza.

2 أَسْماءُ أَماكِنَةٍ Toponimi italiani ed europei

Gli arabi nel Medioevo hanno occupato la Sicilia e hanno avuto rapporti commerciali e culturali intensi con il resto della Penisola. Molti toponimi italiani furono così arabizzati, ma al giorno d'oggi soltanto alcuni di essi sono ricordati. البندقية *al-Bunduqiyya* per Venezia, letteralmente 'il fucile', poiché da questa città gli arabi importarono i primi fucili, con l'etnonimo بندقاني *bunduqāniyy* 'veneziano', sono ancora usuali. Altri esempi sono صقلية *Ṣiqilliyya* 'Sicilia' (dal greco Σικελία *Sikelía*), سردينية *Sardīniya* e قلورية *Qalawriya* 'Calabria' (oggi concorrenziato da كلابريا *Kalābriyā*). Sembrano avere radici precontemporanee anche فلورنسة *Flūransa* per 'Firenze' e جنوة *Ǧanwa* per 'Genova'.
Anche la Spagna com'è noto fu occupata dagli arabi per lunghi secoli (711-1492), che la chiamarono الأندلس *al-ʔAndalus* (dal nome dei germanici *vandali*) – oggi إسبانيا *ʔIsbāniyā* –, cosicché diversi toponimi conservano oggi la propria versione araba: قرطبة *Qurṭuba* 'Cordova', غرناطة *Ġarnāṭa* 'Granada', إشبيلية *ʔIšbīliya* 'Siviglia', برشلونة *Baršalūna* 'Barcellona', مجريط *Maǧrīṭ* 'Madrid' (oggi مدريد *Madrīd*).
Gli altri paesi europei portano oggi nomi adattati. Il femminile dell'etnico relativo (generalmente preceduto da اللغة) indica la lingua:

Paese			Etnico		Lingua	
فَرَنْسَا	*Faransā*	'Francia'	فرنسي	*faransiyy*	الفرنسية	*al-faransiyya*
إِسْبَانِيَا	*ʔIsbāniyā*	'Spagna'	إسباني	*ʔisbāniyy*	الإسبانية	*al-ʔisbāniyya*
أَلْمَانِيَا	*ʔAlmāniyā*	'Germania'	ألماني	*ʔalmāniyy*	الألمانية	*al-ʔalmāniyya*
هُولَنْدَا	*Hūlandā*	'Olanda'	هولندي	*hūlandiyy*	الهولندية	*al-hūlandiyya*
بَلْجِيكَا	*Balǧīkā*	'Belgio'	بلجيكي	*balǧīkiyy*		
سُوِيسْرَا	*Suwīsrā*	'Svizzera'	سويسري	*suwīsriyy*		
السُّوَيْد	*as-Suwayd*	'Svezia'	سويدي	*suwaydiyy*	السويدية	*as-suwaydiyya*
النُّرْوِيج	*an-Nurwīǧ*	'Norvegia'	نرويجي	*nurwīǧiyy*	النرويجية	*an-nurwīǧiyya*
رُوسِيَا	*Rūsiyā*	'Russia'	روسي	*rūsiyy*	الروسية	*ar-rūsiyya*

Vanno notati بُرْتُغَال *Burtuġāl* 'Portogallo' (distinto da بُرْتُقَال *burtuqāl* 'arance') e النِّمْسَا *an-Nimsā* 'Austria' (etnico نِمْسَاوِيّ *nimsāwiyy*), dal russo *немец nemjéts* 'tedeschi' (lett. 'muti').

ذهبنا إلى الحفلة Siamo andati al concerto

النص الأول Testo 1 CD1/31

- ماذا فعلت أمس بالليل؟
- ذهبت إلى حفلة الـ "ديبيش مود".
- يا للحظ! ذهبت وحدك أو مع هند؟
- ذهبنا أنا وهند وعبد الرحيم، انبسطنا كثيرا.
- وماذا فعلت جوليا، ذهبت معكم؟
- لا، جوليا معكرة المزاج، هذه الأيام.
- صحيح... تلفنت لها عدة مرات أمس وأول أمس ولاحظت أنا أيضا أنها غريبة.
- وبعد أن حضرتم الحفلة، في أي ساعة رجعتم إلى المنزل؟
- مبكرا، في الثالثة.

الكلمات الجديدة Parole nuove

حظ	*ḥaẓẓ*	fortuna	منزل	*manzil*	abitazione, casa
يا للحظ!	*yā la-l-ḥaẓẓu!*	che fortuna!	أمس	*ˀamsi*	ieri
وحدك	*waḥda-ka*	(tu^m) da solo	أول أمس	*ˀawwala ˀamsi*	l'altro ieri
وحدك	*waḥda-ki*	(tu^f) da sola	ليل	*layl*	notte
معكم	*maˁa-kum*	con voi^m	حفلة	*ḥafla*	festa; concerto
معكر	*muˁakkar*	turbato	ديبيش مود		Depeche Mode
مزاج	*mizāǧ*	umore	ذهب	*ḏahaba*	andare
معكر المزاج	*muˁakkaru l-mizāǧi*	di cattivo umore	انبسط	*inbasaṭa*	divertirsi
تلفن	*talfana*	telefonare	كثيرا	*kaṯīran*	molto
لها	*la-hā*	a lei, le	أيام	*ˀayyām*	giorni (pl. di يوم)
لاحظ	*lāḥaẓa*	notare	مرة	*marra*	volta
أنها	*ˀanna-hā*	che lei	عدة مرات	*ˁiddatu marrātin*	diverse volte
غريب	*ġarīb*	strano	حضر	*ḥaḍara*	assistitere
إلى	*ˀilā*	verso, a	رجع	*raǧaˁa*	tornare
مبكرا	*mubakkiran*	presto	الثالثة	*at-ṯāliṯa*	la terza; le tre

النحو Grammatica

1 الفِعْل Il verbo (primi cenni)

Il verbo arabo oppone fondamentalmente due tempi (da molti arabisti considerati *aspetti* piuttosto che 'tempi'):

- اَلْمَاضِي *al-māḍī*, lett. 'passato', generalmente chiamato **perfetto**, riferito a un'azione portata a termine, esprime quindi un passato generico;
- اَلْمُضَارِع *al-muḍāriˁ*, generalmente chiamato **imperfetto**, riferito a un'azione in corso, non portata a termine, e corrisponde quindi a un presente.

▶ In italiano – come in molte altre lingue occidentali – il verbo viene citato all'infinito, ad es. "il verbo *scrivere*". In latino e greco si preferisce usare a tal fine la prima persona del presente, ad es. "il verbo *scribo*". In arabo invece il verbo viene citato alla 3ª persona singolare maschile del *māḍī*, ad es. "il verbo كَتَبَ", letteralmente 'ha^m scritto'.

2 الماضي Il perfetto

Il *māḍī* è una coniugazione a **suffissi**: ogni suffisso unito al tema del *māḍī* rappresenta un morfema relativo alla persona del soggetto. Comparando questi suffissi con i pronomi personali autonomi si noterà (alle seconde persone) qualche somiglianza. Diamo qui di seguito la coniugazione di un verbo qualsiasi, فعل *faʕala* 'fare' (lett. 'egli ha fatto').

▶**È importantissimo memorizzare saldamente tale coniugazione, perché essa vale per *tutti* i verbi arabi:**

فَعَلْتُ	*faʕaltu*	ho fatto	فَعَلْنَا	*faʕalnā*	abbiamo fatto			
فَعَلْتَ	*faʕalta*	hai^{m} fatto	فَعَلْتُمْ	*faʕaltum*	avete^{m} fatto	فَعَلْتُمَا	*faʕaltumā*	avete^{2} fatto
فَعَلْتِ	*faʕalti*	hai^{f} fatto	فَعَلْتُنَّ	*faʕaltunna*	avete^{f} fatto			
فَعَلَ	*faʕala*	ha^{m} fatto	فَعَلُوا	*faʕalū*	hanno^{m} fatto	فَعَلَا	*faʕalā*	hanno^{2m} fatto
فَعَلَتْ	*faʕalat*	ha^{f} fatto	فَعَلْنَ	*faʕalna*	hanno^{f} fatto	فَعَلَتَا	*faʕalatā*	hanno^{2f} fatto

(La flessione del verbo arabo comporta quindi tredici persone, contro le sei delle lingue europee).

- A partire da un qualsiasi verbo che esca in *-vca* (ossia vocale breve–consonante–vocale breve *a*), come فعل *faʕala*, basta quindi togliere questa *-a* finale, ottenendo così *faʕal-*, e unirvi i morfemi suffissi:

	Singolare	Plurale	Duale
1	ـتُ *-tu*	ـنَا *-nā*	
2^{m}	ـتَ *-ta*	ـتُمْ *-tum*	ـتُمَا *-tumā*
2^{f}	ـتِ *-ti*	ـتُنَّ *-tunna*	
3^{m}	ـَ *-a*	ـُوا *-ū*	ـَا *-ā*
3^{f}	ـَتْ *-at*	ـْنَ *-na*	ـَتَا *-atā*

- Da un punto di vista semantico il *māḍī* presenta un processo portato a termine (da cui il termine *perfetto* spesso usato dall'arabistica italiana), compiuto (da cui il termine francese *accompli*), e si traduce pertanto in italiano con un **passato** prossimo o remoto:

رَجَعْتُ إِلَى ٱلْبَيْتِ وَتَلْفَنْتُ لَهَا	*rağaʕtu ʔilā l-bayti wa-talfantu la-hā*	'sono tornato a casa e le ho telefonato'
أَكَلُوا بُوظَةً وَشَرِبُوا قَهْوَةً	*ʔakalū būẓatan wa-šaribū qahwatan*	'mangiarono^{m} un gelato e bevvero un caffè'

▶Il morfema تُمْ *-tum* diventa تُمُ *-tumu* se seguito da *ʔalif waṣla*:

حَضَرْتُمُ ٱلْحَفْلَةَ	*ḥaḍartum^{u} l-ḥaflata*	'avete^{m} assistito al concerto'

▶Il *māḍī* viene negato dalla particella **ما** *mā*:

مَا رَجَعْتُ إِلَى ٱلْبَيْتِ	*mā rağaʕtu ʔilā l-bayti*	'non sono tornato a casa'
مَا فَهِمْتُ	*mā fahimtu*	'non ho capito'

النص الثاني Testo 2

CD1/32

- أسمعت قصة ريكاردو أمس في مركز الإنترنت؟
- نعم... كم ضحكت!
- إنه مجنون...
- بدون شك...
- دخل المركز لابسا كالمهرج بعد أن شرب نصف زجاجة نبيذ وطلب جهازا، جلس أمام الحاسوب واتصل بموقع بذيء، ثم نعس على الكرسي، هكذا، أمام الناس...
- ... وطردوه من المركز كالصعلوك!
- يا للضحك!

الكلمات الجديدة Parole nuove

أ	*ʔa-*	(particella interrog.)	قصة	*qiṣṣa*	storia, racconto
سمع	*samiʕa*	udire, sentire	مركز	*markaz*	centro
ضحك	*ḍaḥika*	ridere	إنترنت	*ʔintarnat*	Internet (indecl.)
كم...!	*kam...!*	quanto...!	مركز إنترنت	*markazu ʔintarnat*	punto Internet
إنه	*ʔinna-hu*	egli è proprio	بدون	*bi-dūni*	senza
مجنون	*maǧnūn*	matto	شك	*šakk*	dubbio
دخل	*daḫala*	entrare	نصف	*niṣf*	mezzo, metà
لابس	*lābis*	vestito	زجاجة	*zuǧāǧa*	bottiglia
ك	*ka-*	come	نبيذ	*nabīḏ*	vino
مهرج	*muharriǧ*	pagliaccio	جهاز	*ǧihāz*	apparecchio

طلب	*ṭalaba*	(ri)chiedere	موقع	*mawqiʕ*	sito
جلس	*ğalasa*	sedersi	بذيء	*badīʔ*	volgare, osceno
نعس	*naʕasa*	addormentarsi	كرسي	*kursiyy*	sedia
الناس	*an-nās*	la gente	ثم	*ṯumma*	poi, quindi
طرد	*ṭarada*	cacciare	هكذا	*hākaḏā*	così
طردوه	*ṭaradū-hu*	lo hanno cacciato	ضحك	*ḍaḥk*	(fatto di) ridere
صعلوك	*ṣuʕlūk*	straccione	يا للضحك!	*yā la-ḍ-ḍaḥku!*	che ridere!
اتصل بـ	*ittaṣala bi-*	connettersi con			

النحو Grammatica

3 Struttura del *fiʕl*

- Un verbo dalla struttura *cacaca* (ad es. كَتَبَ *kataba* 'scrivere'), *cacica* (ad es. شَرِبَ *šariba* 'bere'), *cacuca* (ad es. كَبُرَ *kabura* 'crescere') viene detto **فِعْلٌ مُجَرَّدٌ** ***fiʕl muğarrad*** 'verbo spoglio'. Nella tradizione arabistica occidentale si suole parlare di **verbo in I forma.**
- Un verbo in cui la struttura *cacaca* sia stata modificata dall'aggiunta di alcuni morfemi esterni e/o interni, ad es.:

أَضْحَكَ	*ʔaḍḥaka*	'far ridere'	(con prefisso *ʔa-*)
لَاحَظَ	*lāḥaẓa*	'notare'	(con interfisso *-ā-*)
فَسَّرَ	*fassara*	'spiegare'	(con seconda radicale tesa *-ss-*)

viene detto **فعل مَزِيد** ***fiʕl mazīd*** 'verbo aumentato'. Tali verbi vengono classificati in nove **forme derivate**, numerate da **II** a **X**, che verranno studiate più in là.

▶La sequenza delle tre consonanti *c-c-c* viene detta **radice**, in arabo **أَصْل** ***ʔaṣl.*** La vocalizzazione interna della singola radice, *-a-a-a*, *-a-i-a*, *-a-u-a*, viene detta **schema**, in arabo **وَزْن** ***wazn.***

- Si consideri la seguente lista di parole:

دَرْس	*dars*	'lezione'
دُرُوس	*durūs*	'lezioni'
نَدْرُسُ	*nadrusu*	'studiamo'
دِراسة	*dirāsa*	'studio'
مَدْرَسة	*madrasa*	'scuola' (= luogo in cui si studia)
مُدَرِّس	*mudarris*	'insegnante[m]' (= colui che fa studiare)

Si nota che questi sei temi sono accomunati, semanticamente, dalla nozione di 'studio'. Da un punto di vista morfologico non si rivela possibile isolare un nucleo stabile (come potrebbe essere in italiano

-cant- a partire da *cantare, cantiamo, cantante, incanto, decantato* ecc.), bensì si osserva il riapparire ogni volta e nello stesso ordine della sequenza delle tre consonanti *d-r-s*. Questa, √*d-r-s*, è la **radice** del verbo دَرَسَ *darasa* 'studiare'.

▶ La maggioranza delle radici arabe, da cui vengono generati verbi, nominali e particelle, è fatta di **tre** consonanti: il triconsonantismo è una delle caratteristiche maggiori dell'arabo e delle lingue semitiche. Esiste inoltre un certo numero di radici di quattro consonanti (ad es. تَلْفَنَ *talfana* 'telefonare').

• In linea di massima i tre schemi verbali hanno specifiche valenze semantiche:

cacaca	verbi di azione	ad es.	سكب	*sakaba*	'versare'
cacica	verbi di stato temporaneo		مرض	*mariḍa*	'ammalarsi'
cacuca	verbi di stato duraturo		كبُر	*kabura*	'diventare grande, crescere'

Nb: in arabo contemporaneo lo schema *cacuca* è estremamente raro e poco usato.

▶ Per sintetizzare gli أَوْزان *ʔawzān* (plurale di وزن *wazn*), i grammatici arabi medievali si sono accordati nel rappresentare una qualsiasi radice √*c-c-c* con la radice del verbo فَعَلَ *faʕala*, quindi utilizzando *f-ʕ-l* al posto della sequenza *c-c-c*. Così i tre *ʔawzān cacaca, cacica* e *cacuca*, oggettivamente poco gradevoli e di utilizzo scomodo nella conversazione tra docente e discenti, vengono rappresentati in grammatica araba da فَعَلَ, فَعِلَ e فَعُلَ rispettivamente. Quello che in italiano viene detto 'verbo di schema *cacica*' in arabo viene detto:

فِعْلٌ عَلَى وَزْنِ فَعِلَ *fiʕlun ʕalā wazni faʕila* 'verbo sul wazn di *faʕila*'

I temi derivati dalla radice √*d-r-s* visti prima seguono quindi gli *ʔawzān* rispettivi:

دَرْس	*dars*	schema	فَعْل	*faʕl*	$c_1ac_2c_3$
دُرُوس	*durūs*		فُعُول	*fuʕūl*	$c_1uc_2\bar{u}c_3$
نَدْرُسُ	*nadrusu*		نَفْعُلُ	*nafʕulu*	$nac_1c_2uc_3u$
دِراسَة	*dirāsa*		فِعَالَة	*fiʕāla*	$c_1ic_2\bar{a}c_3a$
مَدْرَسَة	*madrasa*		مَفْعَلَة	*mafʕala*	$mac_1c_2ac_3a$
مُدَرِّس	*mudarris*		مُفَعِّل	*mufaʕʕil*	$muc_1ac_2c_2ic_3$

I verbi فَعِلَ e فَعُلَ vengono coniugati esattamente come quelli فَعَلَ: شَرِبْتُ *šaribtu*, كَبُرْتُ *kaburtu* ecc. I verbi quadriconsonantici e non *muǧarrad* si coniugano come quelli فَعَلَ: تَلْفَنْتُ *talfantu*, اِتَّصَلْتُ *ittaṣaltu* ecc.

4 Preposizioni prefisse

• La preposizione كَ *ka-* è una di quelle preposizioni che, come لِ *li-* 'a' e بِ *bi-* 'con, per mezzo di', si uniscono graficamente al nominale che precedono. Come tutte le preposizioni, esigono il *maǧrūr* (كَ è spesso unito all'articolo ال, anche se il senso è indeterminato):

كَالْمُهَرِّجِ	*ka-l-muharriǧi*	'come un pagliaccio'	<come-il-pagliaccio>
كَالصُّعْلُوكِ	*ka-ṣ-ṣuʕlūki*	'come uno straccione'	<come-lo-straccione>

▶Nell'unire ل *li-* a un nominale munito di articolo, la ا di quest'ultimo viene eliminata dalla scrittura:

ل + الْمُدَرِّسِ →	لِلْمُدَرِّسِ	*li-l-mudarrisi*	'all'insegnante^m'
ل + الطَّالِبِ	لِلطَّالِبِ	*li-ṭ-ṭālibi*	'allo studente'

Il fenomeno dell'elisione della *ʔalif*, comunque, si ha solo con la preposizione ل *li-*.

5 نصف 'metà, mezzo'

Letteralmente 'metà, mezzo', si unisce in *ʔiḍāfa* con il nominale seguente:

نِصْفُ كَأْسٍ	*niṣfu kaʔsin*	'mezzo bicchiere'
نِصْفُ سَاعَةٍ	*niṣfu sāʕatin*	'mezz'ora'
نِصْفُ زُجَاجَةِ نَبِيذٍ	*niṣfu zuǧāǧati nabīḏin*	'mezza bottiglia di vino'

التمارين Esercizi

1 Memorizzare i verbi seguenti e coniugarli oralmente a tutte le persone.

دخَل	'entrare'	خرَج	'uscire'	صعِد	'salire'	قطَع	'tagliare'
سكَن	'abitare'	عرَف	'sapere'	سمِع	'sentire'	كبر	'crescere'
شرِب	'bere'	ضحِك	'ridere'	لبِس	'indossare'	وصَل	'arrivare'
رجَع	'ritornare'	لعِب	'giocare'	فتَح	'aprire'	ذهَب	'andare'
وضَع	'mettere'	نَظَّفَ	'pulire'	سَافَرَ	'partire'	درَس	'studiare'
اِنْصَرَفَ	'andarsene'	تَكَلَّمَ	'parlare'	اِتَّصَلَ	'telefonare'	فَسَّرَ	'spiegare'

2 Dare oralmente le persone corrispondenti dei verbi

١. سكن (انا، هي، انتم، هم، نحن*)
٢. شرب (انتَ، انتن، انتما، هو)
٣. فتح (هما، هم، انتِ، هن)
٤. رجع (نحن، انا، هم، هى)
٥. قطع (نحن، انا، هم، هى)
٦. كبر (انتَ، انتن، انتما، هو)
٧. لعب (هما، هم، انتِ، هن)
٨. وصل (انا، هي، انتم، هم، نحن)
٩. لاحظ (هما، هم، انتِ، هن)
١٠. اتصل (انتَ، انتن، انتما، هو)
١١. فسر (نحن، انا، هم، هى)
١٢. سافر (نحن، انا، هم، هى)
١٣. تكلم (هما، هم، انتِ، هن)
١٤. انصرف (انتَ، انتن، انتما، هو)

*Attenzione alla scrittura di *sakannā* 'abitammo' e *sakanna* 'abitarono^f': سكنا (سَكَنَّا)، سكن (سَكَنَّ).

3 Tradurre le frasi seguenti e metterle in seguito alle persone indicate dai pronomi.

١. طلب حاسوبا وجلس على الكرسي (أنا، نحن، هم، أنتِ)

٢. أكل الفطيرة ثم شرب قهوة (أنتَ، أنتم، هي، هما)

٣. خرج من القاعة ورجع إلى البيت (أنتن، هن، أنتما)

٤. ذهب إلى الملعب ولعب كرة القدم (أنتَ، أنتم، أنتما)

٥. وصل إلى البيت ولبس قميصا جديدا (هي، نحن، أنتم، أنتِ)

4 Le frasi seguenti sono in trascrizione. Ricopiarle in caratteri arabi prestando attenzione all'*iʕrāb*, indi tradurle.

1. *Hal ḫarağta ʔamsi maʕa l-ʔaṣdiqāʔi? – Lā, mā ḫarağtu min*^{a} *l-bayti.*

2. *Māḏā šaribtum fī l-maqhā, yā šabāb? – Šaribnā ʕaṣīra burtuqālin wa-kaʔsa māʔin.*

3. *Daḫala ʔustāḏu l-ğāmiʕati wa-ḏahaba ʔilā qāʕati l-luġati l-ʕarabiyyati.*

4. *Rağaʕat Maryamu ʔilā l-bayti baʕda durūsi l-yawmi, wa-labisat*^{i} *l-bağāmā* ('pigiama').

5. *Maʕa man laʕibū kurata l-qadami? – Maʕa ṭullābi ṣaffi l-luġati l-ʔisbāniyyati.*

....

....

6. *ʔAyna sakantunna lammā waṣaltunna ʔilā Marrākuša?*

....

....

7. *Man fataḥa bāba l-qāʕati? – Kātiyā wa-Nādiyā fataḥatā l-bāba.*

....

....

8. *Man ʔaḫaḏa tīlīfūn-ī? – Naḥnu mā ʔaḫaḏnā šayʔan, yā ḥabīb-ī!*

....

....

Radici...

Una volta assimilato il § 3 di quest'Unità sarà più facile ricorrere alla terminologia araba per parlare di radici e schemi.

In محاضرة *muḥāḍara* 'lezione universitaria' (usato soprattutto, a scapito di درس, nel Mashreq, per riprodurre la dicotomia inglese *lecture ~ lesson*), è possibile sospettare una valenza servile della م *m-* iniziale ed estrarre una radice √*ḥ-ḍ-r*, che è proprio quella del verbo حضر *ḥaḍara* 'essere presente (a qc), assistere a'.

الثالثة *aṯ-ṯāliṯa* 'la terza', sottinteso 'ora', traduce l'ital. 'le tre'. ثالث *ṯāliṯ* è l'aggettivo ordinale corrispondente al cardinale ثلاثة *ṯalāṯa*, √*ṯ-l-ṯ*. A chi si ricordi del wazn فَاعُول evocato all'Unità 3 a proposito di computer e cannocchiale possiamo oggi presentare ثالوث *Ṯālūṯ* 'Trinità'.

أكثر Di più

1 الموسيقى والحفلات Musica e concerti

La musica tradizionale araba, detta طرب *ṭarab*, è onnipresente nella vita quotidiana del mondo arabo. Esistono generi diversi da un paese all'altro, sebbene sia possibile opporre fondamentalmente un genere orientale (شرقي *šarqiyy*) a un genere magrebino (a sua volta suddiviso in راي *rāy* e شعبي *šaʕbiyy* 'popolare' principalmente). Non è possibile in questa sede elencare gli artisti più importanti, ma qualsiasi venditore di CD potrà guidarvi in questo mondo intricato. È buona prassi accertarsi della qualità audio del disco prima di acquistarlo.

Tra i nomi imperituri di cantanti arabe andranno comunque ricordate la mitica egiziana أم كلثوم *ʔUmm Kalṯūm*, al cui funerale parteciparono cinque milioni di persone, nonché أسمهان *ʔAsmahān*, sempre egiziana, e la libanese فيروز *Fayrūz*.

Il 'concerto' si chiama حَفْلَة *ḥafla*, lett. 'festa', e presuppone una calorosa partecipazione del pubblico.

Le discoteche (مرقص *marqaṣ*, nel colloquiale ديسكو *dīskū*) di tipo occidentale sono disponibili nelle principali città. Numerosi sono anche i locali (in particolare quelli sulle rive del Nilo, al Cairo) dove si può ascoltare musica, ballare o bere e fumare.
Nelle occasioni conviviali un po' di musica non tarda a far ballare sia uomini sia donne, che si lanciano in danze tradizionali, come ad es. nel Mashreq la دبكة *dabka* (parente del sirtaki greco). In linea di massima i maschi arabi sono molto meno restii a ballare di quelli occidentali.

2 عبد الـ.. Abdel...

Molti maschi musulmani portano nomi come عبد الرحيم *ʕAbdu r-Raḥīmi* 'Abderrahim', lett. 'Servo del Misericordioso' (= Dio). Si tratta quindi di un'*iḍāfa*, il cui *muḍāf* andrà vocalizzato secondo il contesto grammaticale: قابلت عبد الرحيم *qābaltu ʕAbda r-Raḥīmi* 'ho incontrato Abderrahim', مع عبد الرحيم *maʕa ʕAbdi r-Raḥīmi* 'con Abderrahim'. اَلرَّحيم *ar-Raḥīm* 'il Misercordioso' è uno dei 99 nomi di Dio. Vi sono quindi novantanove nomi propri maschili composti a partire da عَبْدُ اَلْ *ʕAbdu l-...*, ad es. عَبْدُ الله *ʕAbdu Llāhi* 'Servo di Dio', عبد السلام *ʕAbdu s-Salām* 'Servo della Pace', عبد اللطيف *ʕAbdu l-Laṭīfi* 'Servo del Gentile' ecc. Come versione diminutiva di questi nomi un po' lunghi è possibile sopprimere عَبْدُ اَلْ *ʕAbdu l-*, ad es. رحيم *Raḥīm*, لطيف *Laṭīf* ecc. 'Abdoul' o 'Abdel' sono abbreviazioni non arabe bensì francesi non scevre di un certo sarcasmo. عبده infine, pronunciato *ʕAbduh*, non è un'abbreviazione bensì uno dei 99 *ʕAbd-* possibili: *ʕAbdu-Hu* è infatti 'Servo di Lui', 'Suo Servo' (هُ *-hu* è infatti il pronome suffisso, v. Unità 9 § 1, corrispondente a هو), essendo هُوَ *Huwa* 'Egli' uno dei 99 nomi!
Uno schema di diminutivo per nomi propri, denotante affetto e una certa intimità, è فَعُّول *faʕʕūl*: così ad es. خالد *Ḫālid* 'Khaled' (m.) e خديجة *Ḫadīǧa* 'Khadija' (f.) diventano خلود *Ḫallūd* e خدوج *Ḫaddūǧ* rispettivamente, e i vari عَبْدُ اَلْ *ʕAbdu l-...*, عبود *ʕAbbūd*.

7 UNITÀ

هل كنت في تونس؟ Sei stato a Tunisi?

النص الأول Testo 1 CD1/33

- لما كنت في تونس أين سكنت؟
- كنت في مبيت الطلاب، في حي المنزه.
- كانت لك غرفة فردية؟
- لا، كنا أنا وطالب آخر في غرفة واحدة.
- من الطالب الذي كان معك؟
- شاب ثقيل الدم جدا، دائما معكر المزاج!
- وكنتما في نفس الغرفة...
- نعم، بعد أسبوع غيرت غرفتي وأخذت غرفة أخرى مع شاب آخر.
- أحسنت.

الكلمات الجديدة Parole nuove

لما	*lammā*	quando (subord.)	سكن	*sakana*	abitare
تونس	*Tūnus*	Tunisi, Tunisia	مبيت	*mabīt*	studentato
غرفة	*ġurfa*	stanza, camera	حي	*ḥayy*	quartiere
غرفتي	*ġurfat-ī*	la mia stanza	منزه	*manzah*	belvedere
فردي	*fardiyy*	singolo	المنزه	*al-Manzah*	El Menzah
واحد	*wāḥid*	uno (solo)	الذي	*allaḏī*	che (pron. rel.)
ثقيل الدم	*ṯaqīlu d-dami*	antipatico	كانت لك	*kānat la-ka*	era^f a te^m, avevi
غير	*ġayyara*	cambiare	آخر	*ʔāḫar*	altro
أخذ	*ʔaḫaḏa*	prendere	أخرى	*ʔuḫrā*	altra
أحسن	*ʔaḥsana*	fare bene	نفس	*nafs*	anima (f.!)
طلاب	*ṭullāb*	studenti	نفس ال	*nafsu l-*	lo stesso...

النحو Grammatica

1 Il verbo كان *kāna* 'essere'

Anticipiamo qui la coniugazione del verbo كان 'essere', il quale rientrando nella sottocategoria dei verbi أَجْوَف *ʔağwaf* ha le sue particolarità:

كُنْتُ	*kuntu*	كُنَّا	*kunnā*		
كُنْتَ	*kunta*	كُنْتُمْ	*kuntum*	كُنْتُمَا	*kuntumā*
كُنْتِ	*kunti*	كُنْتُنَّ	*kuntunna*		
كَانَ	*kāna*	كَانُوا	*kānū*	كَانَا	*kānā*
كَانَتْ	*kānat*	كُنَّ	*kunna*	كَانَتَا	*kānatā*

▶Lo shema del verbo è ***kān***- con i morfemi inizianti per vocale, ***kun***- con quelli inizianti per consonante.

2 اَلْمَمْنُوعُ مِنَ ٱلصَّرْفِ I diptoti

Quella che è stata vista finora è la declinazione dei nominali triptòti, fatta dei **tre** casi *marfūʕ*, *manṣūb* e *mağrūr*.

- Accanto a questi nominali triptoti esiste una serie di altri nominali, tra i quali la maggioranza dei nomi propri senza articolo, che seguono una declinazione diptòta fatta di **due** soli casi e **priva di *tanwīn*:**

تُونُسُ مَدِينَةٌ مُمْتِعَةٌ	*Tūnusu madīnatun mumtiʕatun*	'Tunisi è una città piacevole'
زُرْتُ تُونُسَ	*zurtu Tūnusa*	'ho visitato Tunisi'
كُنْتُ فِي تُونُسَ	*kuntu fī Tūnusa*	'sono stato a Tunisi'
كِتَابٌ آخَرُ	*kitābun ʔāḫaru*	'un altro libro'
قَرَأْتُ كِتَابًا آخَرَ	*qaraʔtu kitāban ʔāḫara*	'ho letto un altro libro'
فِي كِتَابٍ آخَرَ	*fī kitābin ʔāḫara*	'in un altro libro'

▶Esiste inoltre una ridotta minoranza di nominali, perlopiù femminili in *ʔalif maqṣūra* e prestiti, totalmente indeclinabili:

صَدِيقَةٌ أُخْرَى	*ṣadīqatun ʔuḫrā*	'un'altra amica'
زُرْتُ صَدِيقَةً أُخْرَى	*zurtu ṣadīqatan ʔuḫrā*	'ho fatto visita a un'altra amica
مَعَ صَدِيقَةٍ أُخْرَى	*maʕa ṣadīqatin ʔuḫrā*	'con un'altra amica'
فَرَنْسَا قَرِيبَةٌ	*Faransā qarībatun*	'la Francia è vicina'
زُرْنَا فَرَنْسَا	*zurnā Faransā*	'abbiamo visitato la Francia'
شَارِعُ فَرَنْسَا	*Šāriʕu Faransā*	' rue de France, via Francia'

- Sono diptoti:
  – la maggioranza dei nomi propri:

تُونُسُ	*Tūnusu*	'Tunisi', 'Tunisia' (anche تُونِسُ *Tūnisu*, oggi più frequente)
بَيْرُوتُ	*Bayrūtu*	'Beirut'
عَمَّانُ	*ʕAmmānu*	'Amman'
مَرَّاكُشُ	*Marrākušu*	'Marrakesh'
يُوسُفُ	*Yūsufu*	'Yusuf' (= Giuseppe)
مَرْيَمُ	*Maryamu*	'Maryam' (= Maria)
فَاطِمَةُ	*Fāṭimatu*	'Fatima'

– una serie di aggettivi di schema أَفْعَلُ *ʔafʕal* indicanti colori e difetti fisici:

أَحْمَرُ	*ʔaḥmaru*	'rosso'
أَطْرَشُ	*ʔaṭrašu*	'sordo'
آخَرُ	*ʔāḫaru*	'altro'

– diversi plurali fratti (v. Unità 11 § 1).

3 نفس Stesso

Il sostantivo نَفْسٌ, lett. 'anima' (f.!), in *ʔiḍāfa* con un sostantivo determinato, indipendentemente dal suo genere e dal suo numero, rende l'idea di 'lo stesso':

نَفْسُ ٱلشَّيْءِ	*nafsu š-šayʔi*	'la stessa cosa'
أُرِيدُ نَفْسَ ٱلْغُرْفَةِ	*ʔurīdu nafsa l-ġurfati*	'voglio la stessa camera'
مَعَ نَفْسِ ٱلطُّلَّابِ	*maʕa nafsi ṭ-ṭullābi*	'con gli stessi studenti'

النص الثاني Testo 2 CD1/34

– أين كنتم مساء أمس؟
– مساء أمس كنا أنا ومريم وفاطمة في مطعم فندق «پلازا» حيث قابلنا يوسف.
– ماذا فعلتم بعد أن أكلتم؟
– تجولنا في شارع فرنسا، وبعد ذلك، عند منتصف الليل، وجدنا مرقصا جديدا حيث انتظرنا الفجر.
– هناك مطاعم ومراقص كثيرة في وسط المدينة، لماذا فضلتم حي أگدال؟
– والله... كانت معنا سيارة يوسف، وكنا نريد محلا جديدا.

الكلمات الجديدة Parole nuove

Nb: d'ora in poi i nominali verranno dati con il proprio plurale; i diptoti verranno indicati segnando la *-u*.

مطعم، مطاعم	*maṭˤam, maṭāˤimu*	ristorante	أكل	*ˀakala*	mangiare
فندق، فنادق	*funduq, fanādiqu*	albergo	وجد	*wağada*	trovare
شارع، شوارع	*šāriˤ, šawāriˤ*	via, viale	فضل	*faḍḍala*	preferire
مرقص، مراقص	*marqaṣ, marāqiṣu*	discoteca	قابل	*qābala*	incontrare
محل، محلات	*maḥall, maḥallāt*	luogo, posto	تجول	*tağawwala*	passeggiare
حي، أحياء	*ḥayy, ˀaḥyāˀ*	quartiere	انتظر	*intaẓara*	aspettare
مساء، أمساء	*masāˀ, ˀamsāˀ*	sera	ذلك	*ḏālika*	quello; ciò
مدينة، مدن	*madīna, mudun*	città	حيث	*ḥayṯu*	dove, laddove
سيارة، سيارات	*sayyāra, sayyārāt*	automobile	فرنسا	*Faransā*	Francia
آگدال	*Āgdāl*	Agdal (quart. di Rabat)	هناك	*hunāka*	lì; c'è, ci sono
پلازا		Plaza	لماذا؟	*li-māḏā?*	perché?
فجر	*fağr*	alba	كانت معنا	*kānat maˤa-nā*	era^f con noi; avevamo
والله...	*wa-Llāhi...*	per Dio; beh...	كنا نريد	*kunnā nurīdu*	volevamo
وسط، أوساط	*wasaṭ, ˀawsāṭ*	centro			

النحو Grammatica

4 الجَمْع Il plurale (primi cenni)

La formazione del plurale in arabo, soprattutto con i nominali maschili, è nel più dei casi imprevedibile e irregolare. Per questo motivo sarà bene d'ora in poi memorizzare i singoli nominali insieme al loro plurale, ad es. (l'abbreviazione ج sta per جمع, come in it. *pl.* per 'plurale'):

كَلِمَة ج كَلِمَات *kalima*, pl. *kalimāt* 'parola'

كَبِير ج كِبَار *kabīr*, pl. *kibār* 'grande'

Si distinguono due formazioni del plurale:

- الجمع السالِم *al-ğamˤ as-sālim*, plurale **sano**, o esterno;
- الجمع المُكَسَّر *al-ğamˤ al-mukassar*, plurale **fratto**, o interno.

Il primo viene ottenuto con morfemi suffissi (come *-s* in inglese o spagnolo), e riguarda una minoranza di nominali:

مُدَرِّس ج مُدَرِّسُونَ *mudarris*, pl. *mudarrisūna* 'insegnante^m'

مُدَرِّسَة ج مُدَرِّسَات *mudarrisa*, pl. *mudarrisāt* 'insegnante^f'

Il secondo è caratterizzato dalla 'frattura' del tema singolare (tecnicamente si ha **flessione interna**), perlopiù tramite modifiche vocaliche interne, generalmente imprevedibili:

كِتَاب ج كُتُب	*kitāb*, pl. *kutub*	'libro, libri'
طَالِب ج طُلَّاب	*ṭālib*, pl. *ṭullāb*	'studente, studenti'
صَدِيق ج أَصْدِقَاء	*ṣadīq*, pl. *ʔaṣdiqāʔ*	'amico, amici'

5 Espressioni temporali

- Le espressioni temporali che in italiano verrebbero introdotte da 'questo', 'di' ecc. in arabo vanno messe al *manṣūb* (e vengono dette مَفْعُول فِيهِ *mafʕūl fī-hi*)

اَلْيَوْمَ	*al-yawma*	'oggi'
هٰذَا ٱلصَّبَاحَ	*hāḏā ṣ-ṣabāḥa*	'questa mattina'
مَسَاءً	*masāʔan*	'di sera, la sera'
صَبَاحًا	*ṣabāḥan*	'di mattina, la mattina'
مَسَاءَ أَمْسِ	*masāʔa ʔamsi*	'ieri sera' (lett. 'la sera di ieri')
هٰذِهِ ٱلأَيَّامَ	*hāḏihi l-ʔayyāma*	'questi giorni'

6 هناك C'è

- In arabo non esiste del tutto un equivalente dell'espressione italiana *c'è, ci sono*. Uno dei modi per renderla è quello di ricorrere all'avverbio locativo هُنَاكَ 'lì, là, laggiù':

هُنَاكَ مُشْكِلَةٌ	*hunāka muškilatun*	'c'è un problema'
هُنَاكَ مَطَاعِمُ وَمَرَاقِصُ كَثِيرَةٌ	*hunāka maṭāʕimu wa-marāqiṣu kaṯīratun*	'ci sono molti ristoranti e discoteche'

التمارين Esercizi

1 Completare le frasi seguenti inserendo la voce verbale corretta.

١. هل ..... في المطعم، يا شباب؟ – لا، ..... إلى المرقص. — كنتِ كنتم ذهبوا ذهبنا كنا

٢. رضا وهدى ..... من كلية اللغات. — خرجوا خرج خرجا

٣. رضا وهدى ومصطفى ..... أمس في كلية اللغات. — كانوا كانا كان

٤. ماذا ..... أنت ومريم في المقهى؟ – ..... عصير ليمون. — شرب شربنا شربتم شربوا شربتما

٥. هل ..... لك غرفة فردية في المبيت؟ – لا، و..... مع صديق آخر! — كنت سكنت كانت سكن

2 Triptoti o diptoti? Vocalizzare la consonante finale di ciascuna parola contenuta nelle frasi seguenti.

١. تونس مدينة جميلة. ....

٢. أكلنا في المطعم مع صديق آخر. ....

٣. في عمان مطاعم ومراقص. ....

٤. أأنت أطرش؟ ....

٥. مساء أمس لبست بنطلونا أحمر. ....

3 Collegare i singolari (colonna destra) con i rispettivi plurali (colonna sinistra).

كبار	كلمة
مدرسون	أستاذ
أستاذات	طالب
أصدقاء	أستاذة
كلمات	درس
طلاب	مدرس
دروس	صغير
صغار	كبير
أساتذة	صديق

Radici...

فردي *fardiyy* 'individuale, singolo' è un aggettivo derivato (tramite il morfema suffisso يّ -*iyy* che verrà studiato più in là) da فرد *fard* 'singolo, solo'. La radice √*f-r-d* è quella che ritroviamo nel termine grammaticale مفرد *mufrad* 'singolare'.

أحسن *ʔaḥsana* 'fare bene qc, saper fare qc' è un verbo *mazīd* (a morfema prefisso أ *ʔa-*) da collegare all'aggettivo حسن *ḥasan* 'buono, bello', √*ḥ-s-n* (حسن *Ḥasan* è anche un nome proprio).

مرقص *marqaṣ*, neologismo per 'discoteca, balera', è un locativo ottenuto a partire dal verbo رقص *raqaṣa* 'ballare, danzare'.

أكثر Di più

1 الفندق L'albergo

Nelle capitali arabe sono disponibili alberghi di tutte le categorie, per tutti i gusti e per tutte le necessità. In linea generale i costi sono sensibilmente più contenuti rispetto all'Occidente, di modo

che il viaggiatore occidentale potrà anche offrirsi un quattro stelle se intende fermarsi per qualche giorno. Lo studente universitario dovrà ovviamente accontentarsi di sistemazioni più spartane, nelle quali far prova di una certa sportività riguardo a un'igiene generale da dover spesso completare personalmente, o all'intrusione di innocui insetti che potrebbero talora fuoriuscire dalle tubature dei sanitari. Nel caso di esercizi particolarmente economici è bene accertarsi che non si tratti di strutture di accoglienza strettamente fugace, onde non ritrovarsi successivamente in situazioni di imbarazzante ambiguità.
L'arabo فندق, derivato dal greco πάνδοχος *pándokhos*, ha dato l'italiano *fondaco*. La Tunisia ricorre a نُزُل ج أَنْزَال *nuzul*, *ˀanzāl*, che altrove starebbe piuttosto per 'locanda, bettola'
Ogni stanza (غرفة *ġurfa*, o حجرة *ḥuǧra*) contiene almeno un letto (سرير *sarīr*, o فراش *firāš*, nel Mashreq تخت *taḫt*), un armadio (خزانة *ḫizāna*), un tavolino (طاولة *ṭāwila*) e una sedia (كرسي *kursiyy*), nonché possibilmente una finestra (نافذة *nāfiḏa*). Bentrovati saranno il televisore (تلفاز *tilfāz*, o *tilvāz*) e, nei periodi estivi, il condizionatore (مكيف *mukayyif*). Nel bagno (حمام *ḥammām*) si troveranno il gabinetto (مرحاض *mirḥāḍ*, ormai quasi ovunque di tipo occidentale, e cioè non 'alla turca'), il lavandino (مغسلة *maġsala*), la doccia (دوش *dūš*) o/e la vasca da bagno (مغطس *miġṭas*, o حوض *ḥawḍ*).
La prima colazione (فطور *fuṭūr*) è generalmente prevista e offre caffè (قهوة *qahwa*), latte (حليب *ḥalīb*), tè (شاي *šāy*), pane (خبز *ḫubz*), burro (زبدة *zubda*) e cornetti (كرواصان *krwāṣān*, da qualcuno arabizzato in هلاليات *hilāliyyāt*, da هلال *hilāl* 'mezzaluna'). La marmellata ha un nome arabo, مربى *murabbā*, che tuttavia i camerieri rischieranno di non capire: il Mashreq usa piuttosto طاطلة *ṭāṭle* (dal turco *tatlı*), il Maghreb esclusivamente معجون *maˁǧūn* ('crema, pasta').
I centri universitari dispongono nel più dei casi di studentati (مبيت *mabīt*, o بيت الطلاب *bayt aṭ-ṭullāb*, o مسكن الطلبة *maskan aṭ-ṭalaba*).

2 السيارة L'automobile

Il neologismo سيارة *sayyāra* per 'automobile' – che in arabo classico indicava un tipo di carovana attrezzata per lunghi viaggi – si è ormai imposto nella conversazione quotidiana dell'intero Mashreq. Nel Maghreb resiste ancora il francesismo طوموبيل *ṭūmūbīl* o طونوبيل *ṭūnūbīl* (in Tunisia كرهبة *karhaba*). Gli arabi sono molto affezionati alle loro automobili, che tendono a usare anche per brevi spostamenti, e sono sempre molto generosi nel farne usufruire chi invece sia appiedato. È raro quindi che l'automobilista arabo sia solo al volante (مقود *miqwad*), e che non approfitti di tale occasione per conversare animatamente con il suo compagno di viaggio. Ne consegue una certa disinvoltura nel controllo visivo dei quattro angoli di osservazione, e soprattutto un'incorreggibile convinzione che la distanza tra il posto di guida e la portiera sinistra sia uguale a quella con la portiera destra, la qual cosa occasiona avvicinamenti spesso radenti nei sorpassi. Non a caso l'utilizzo del clacson (زمور *zammūr*) è molto più diffuso che non in Occidente. Qualora doveste sentirvi rivolgere la domanda, diretta e vociferata, نائم؟ *nāˀim?* (o più realisticamente in dialetto نايم؟ *nāyim?*), ossia 'dormi?', ciò significherebbe che non avete reagito con la dovuta prontezza a un semaforo verde o simili.
Diffusissimo è anche il motorino, il cui nome arabo standard sarebbe دراجة نارية *darrāǧa nāriyya* 'bicicletta di fuoco', che però nessuno usa preferendogli *motorcycle* nel Mashreq, *scooter* nel Maghreb. Anche دراجة *darrāǧa* per 'bicicletta' è inusuale nel colloquiale, dove verrà usato بيسيكليت *bīsīklēt* in Vicino Oriente, پايسكل *pāysikil* [*sic*] in Iraq, بشكليطة *bišklīṭa* in Nordafrica. Per inciso, il codice della strada giordano vieta l'utilizzo di motociclette e motorini: gli unici che si vedono per la strada sono quelli delle forze dell'ordine!

مراجعة Ripasso

1 المُذَكَّرُ والمُؤَنَّثُ Maschile e femminile

L'arabo distingue due generi, مذكر maschile e مؤنث femminile.

- Sono maschili in generale, con qualche eccezione, i nominali che escono in consonante.
- Sono femminili, con pochissime eccezioni, i nominali che escono in ة *-a*, detta تاء مربوطة *tāʾ marbūṭa*, o più raramente in ى *-ā*, ا *-ā* (indeclinabili) o اء *-āʾ* (diptoti):

سَنَة	*sana*	'anno'
ذِكْرَى	*ḏikrā*	'ricordo'
عُلْيَا	*ʿulyā*	'suprema'
حَسْنَاء	*ḥasnāʾ*	'bellissima'

NB: si noti che i nomi italiani femminili uscenti in *-a* vengono adattati in arabo con una *ʾalif* finale: إيطَالِيَا *ʾĪṭāliyā* 'Italia', رُومَا *Rūmā* 'Roma', كِيَارَا *Kiyārā* 'Chiara'

▶Le principali eccezioni, ossia *ʾasmāʾ* uscenti in consonante ma femminili sono:

بِنْت	*bint*	'figlia; ragazza'
أُخْت	*ʾuḫt*	'sorella' (NB: in questi due termini si nota però l'antico morfema semitico *-t* del femm.)
أُمّ	*ʾumm*	'madre'
عَنْز	*ʿanz*	'capra'

كَأْس	*ka'ˀs*	'bicchiere'
نَار	*nār*	'fuoco'
حَرْب	*ḥarb*	'guerra'
شَمْس	*šams*	'sole' (قَمَر *qamar* 'luna' per contro è maschile!)
سَمَاء	*samāˀ*	'cielo'
نَفْس	*nafs*	'anima'
إِصْبَع	*ˀiṣbaʕ*	'dito'

- Sono femminili i nomi delle parti doppie del corpo umano:

عَين	*ʕayn*	'occhio'
أُذُن	*ˀuḏun*	'orecchio'
كَتِف	*katif*	'spalla' (vocalizzato anche كَتْف *katf* o كِتْف *kitf*)
ذِرَاع	*ḏirāʕ*	'braccio'
يَد	*yad*	'mano'
فَخِذ	*faḫiḏ*	'coscia' (vocalizzato anche فَخْذ *faḫḏ*)
سَاق	*sāq*	'gamba'
رِجْل	*riǧl*	'gamba' (parte inferiore)
قَدَم	*qadam*	'piede'

- Sono di genere indeciso, ma generalmente trattati come femminili:

طَرِيق	*ṭarīq*	'strada, via (non di città)'
سُوق	*sūq*	'mercato'
سِكِّين	*sikkīn*	'coltello'

▶ Viceversa le principali eccezioni di maschili in *tāˀ marbūṭa* sono:

خَلِيفَة	*ḫalīfa*	'califfo'
عَلاَّمَة	*ʕallāma*	'erudito, sapiente'
نَابِغَة	*nābiġa*	'genio'

- In moltissimi casi un *ism* maschile può essere reso femminile tramite la semplice aggiunta del morfema ة:

مَلِك	*malik*	're'	→	مَلِكَة	*malika*	'regina'
وَزِير	*wazīr*	'ministro[m]'		وَزِيرَة	*wazīra*	'ministro[f]'
صَدِيق	*ṣadīq*	'amico'		صَدِيقَة	*ṣadīqa*	'amica'
سَمِين	*samīn*	'grasso'		سَمِينَة	*samīna*	'grassa'
سَهْل	*sahl*	'facile[m]'		سَهْلَة	*sahla*	'facile[f]'
مُمِلّ	*mumill*	'noioso'		مُمِلَّة	*mumilla*	'noiosa'

▶In alcuni casi precisi, che verranno studiati più avanti, intervengono invece gli altri morfemi che occasionano ugualmente modifiche vocaliche interne:

أَكْبَر	*ʔakbar*	'massimo'	→	كُبْرَى	*kubrā*	'massima'
أَفْصَح	*ʔafṣaḥ*	'chiarissimo'		فُصْحَى	*fuṣḥā*	'chiarissima'
أَعْلَى	*ʔaʕlā*	'supremo'		عُلْيَا	*ʕulyā*	'suprema'
أَحْمَرُ	*ʔaḥmar*	'rosso'		حَمْرَاءُ	*ḥamrāʔ*	'rossa'
أَصْفَرُ	*ʔaṣfar*	'giallo		صَفْرَاءُ	*ṣafrāʔ*	'gialla'

2 أداة التعريف L'articolo determinativo

L'articolo determinativo arabo – detto أداة التعريف *ʔadāt at-taʕrīf* 'strumento di determinazione' oppure لام التعريف *lām at-taʕrīf* '*lām* di determinazione' – è fondamentalmente rappresentato dalla consonante /l/; la /a/ che la precede è *waṣla*, si elide cioè a favore di una vocale precedente:

وَرَاءَ ٱلْبَيْتِ	*warāʔa l-bayti*	'dietro la casa'
فِي ٱلْمُسْتَقْبَلِ	*fī l-mustaqbali*	'in futuro'
أُرِيدُ ٱلْحُرِّيَّةَ	*ʔurīdu l-ḥurriyyata*	'voglio la libertà'

- All'interno dell'enunciato, se la parola precedente l'*alif waṣla* esce in consonante, interviene una [i] di legamento:

خُذِ ٱلْقَامُوسَ	*ḫuḏ*ⁱ *l-qāmūsa*	'prendi^m il vocalbolario'
هَلِ ٱلْقَاعَةُ هُنَا؟	*hal*ⁱ *l-qāʕatu hunā?*	'l'aula è qui?'
مَنِ ٱلْوَزِيرُ؟	*man*ⁱ *l-wazīru?*	'chi è il ministro?'
مَمْنُوعٌ ٱلْخُرُوجُ	*mamnūʕun*ⁱ *l-ḫurūǧu*	'vietato uscire'

▶Fanno eccezione la preposizione من *min* 'da', che vuole una [a], e i pronomi autonomi أنتم, هم, e quelli suffissi كم *-kum*, هم *-hum*, nonché il morfema verbale تم *-tum* di 2ª pers. pl.m. del *māḍī*, che invece vogliono una [u]:

مِنَ ٱلْعِرَاقِ	*min*ᵃ *l-ʕIrāqi*	'dall'Iraq'
أَنْتُمُ ٱلْمُدَرِّسُونَ	*ʔantum*ᵘ *l-mudarrisūna*	'siete^m gli insegnanti'
عَلَيْكُمُ ٱلسَّلَامُ	*ʕalay-kum*ᵘ *s-salāmu*	'su di voi^m sia la pace'
مَعَهُمُ ٱلْحَقُّ	*maʕa-hum*ᵘ *l-ḥaqqu*	'hanno^m ragione'
شَرِبْتُمُ ٱلْقَهْوَةَ	*šaribtum*ᵘ *l-qahwata*	'avete^m bevuto il caffè'

- La /l/ dell'articolo **si assimila** alle consonanti dentali, interdentali e alla palatale ش. Queste vengono dette 'consonanti solari', le restanti 'lunari' (semplicemente perché الشمس *aš-šams* 'il sole' e القمر *al-qamar* 'la luna').

▶Due eccezioni, in cui l'aggiunta dell'articolo modifica leggermente il tema nominale, sono:

اِمْرَأَة	*imraʔa*	'donna'	→	اَلْمَرْأَة	*al-marʔa*	'la donna'
أُنَاس	*ʔunās*	'gente'		اَلنَّاس	*an-nās*	'la gente'

Nb: la stessa contrazione a partire da إِلَه *ˀilāh* 'dio' ha dato الله *Allāh* 'Dio' (ossia *al-lāh*); è tuttavia possibile dire الإِلَه *al-ˀilāh* parlando de 'la divinità' in generale senza che si riferisca necessariamente al Dio unico delle tre religioni monoteistiche giudaismo, cristianesimo, islàm (الإسلام *al-ˀislām*).

3 Determinato, indeterminato

Un *ism* arabo può essere مُعَرَّف *muˁarraf* 'determinato' o نَكِرَة *nakira* 'indeterminato'. Per essere considerato determinato un *ism* deve:

- essere un nome proprio;
- avere l'articolo ال *al-*;
- essere *muḍāf*.

▶I **nomi propri** nella loro maggioranza sono diptoti; alcuni tuttavia sono triptoti (solo antroponimi) e ricevono il *tanwīn*, alcuni altri hanno l'articolo:

أَحْمَدُ	*ˀAḥmadu*	'Ahmad'	لُبْنَانُ	*Lubnānu*	'Libano'
فَاطِمَةُ	*Fāṭimatu*	'Fatima'	صَنْعَاءُ	*Ṣanˁāˀu*	'Sanaa'
مُحَمَّدٌ	*Muḥammadun*	'Mohammed'	طَنْجَةُ	*Ṭanǧatu*	'Tangeri'
هِنْدٌ	*Hindun*	'Hind'	مَكَّةُ	*Makkatu*	'La Mecca'
الطَّيِّبُ	*aṭ-Ṭayyibu*	'Tayeb'*	الخُرْطُومُ	*al-Ḫurṭūmu*	'Khartum'
الزَّهْرَةُ	*az-Zahratu*	'Zahra'	الإِسْكَنْدَرِيَّةُ	*al-ˀIskandariyyatu*	'Alessandria'

* La resa grafica dei nomi propri arabi in caratteri latini dipende in gran parte dalla grafia della lingua europea (inglese o francese) presente durante il periodo coloniale e dà luogo a molte oscillazioni: si incontrano, per gli stessi nomi, *Ahmed, Mohamed, Taïeb* ecc.

Nella conversazione, anche di stile forbito, è del tutto inusuale pronunciare l'*iˁrāb* dei nomi propri di persone (nonché l'articolo, in quelli che lo portano): *ˀAḥmad, Fāṭima, Muḥammad, Hind, Ṭayyib, Zahra.*

4 Triptoti e diptoti

Come già è stato visto, la declinzione diptota non ammette il *tanwīn* e conosce un unico morfema *-a* per *manṣūb* e *maǧrūr*.

'un giardino'		'dei giardini'	
بُسْتَانٌ	*bustānun*	بَسَاتِينُ	*basātīnu*
بُسْتَانًا	*bustānan*	بَسَاتِينَ	*basātīna*
بُسْتَانٍ	*bustānin*	بَسَاتِينَ	*basātīna*

▶Tuttavia: i diptoti possono essere tali soltanto se **indeterminati**; se determinati essi riprendono la declinazione triptota.

'i giardini'		'i giardini della città'		'i tuoi^m giardini'	
البَسَاتِينُ	*al-basātīnu*	بَسَاتِينُ ٱلْمَدِينَةِ	*basātīnu l-madīnati*	بَسَاتِينُكَ	*basātīnu-ka*
البَسَاتِينَ	*al-basātīna*	بَسَاتِينَ ٱلْمَدِينَةِ	*basātīna l-madīnati*	بَسَاتِينَكَ	*basātīna-ka*
البَسَاتِينِ	*al-basātīni*	بَسَاتِينِ ٱلْمَدِينَةِ	*basātīni l-madīnati*	بَسَاتِينِكَ	*basātīni-ka*

5 Leggere o non leggere l'*iʕrāb*?

Lo studente che, nel ripassare queste prime lezioni, si sia avvalso dell'aiuto di un arabofono di madrelingua avrà notato che questi, perlomeno in alcuni casi, tende a non leggere le vocali finali e i *tanwīn* dei nominali o la vocale finale dei verbi. Noterà tuttavia ugualmente che il suo consulente arabofono pratica tali omissioni senza regole precise, correggendosi talvolta, e alla domanda "perché non leggi le vocali finali?" (o più tecnicamente "perché non leggi l'*iʕrāb?*") l'amico arabo reagirà spesso con un'alzata di spalle argomentando che non è ferrato in grammatica. È quindi bene introdurre sin da qui qualche spiegazione.

- Nell'oralizzare (leggere ad alta voce) un testo letterario, in particolare il Corano, la poesia e la prosa dei grandi autori, è assolutamente indispensabile rispettare l'*iʕrāb* nella maniera più ligia.
- Nella lettura canonica della *fuṣḥā* tuttavia è prevista in determinati casi la non lettura dell'*iʕrāb*: tale pratica viene chiamata إسكان *ʔiskān* – si pensi a سكون *sukūn*, √*s-k-n* –, è consentita e raccomandata in posizione di وقف *waqf* 'pausa', ossia in **fine di enunciato**, anche parziale ('prima di un punto o di una virgola'):

اَللُّغَة.	*al-luġa.*	'la lingua'
اَللُّغَةُ ٱلْعَرَبِيَّة.	*al-luġatu l-ʕarabiyya.*	'la lingua araba'
اَللُّغَةُ ٱلْعَرَبِيَّةُ صَعْبَة.	*al-luġatu l-ʕarabiyyatu ṣaʕba.*	'la lingua araba è difficile'
اَللُّغَةُ ٱلْعَرَبِيَّةُ صَعْبَةٌ جِدًّا.	*al-luġatu l-ʕarabiyyatu ṣaʕbatun ǧiddan.*	'la lingua araba è molto difficile'

▶Tuttavia:

- Il *tanwīn -an*, comunque venga scritto, è conservato negli **avverbi**: أبداً *ʔabadan* 'mai', مثلا *maṯalan* 'per esempio', جدا *ǧiddan* 'molto', مباشرة *mubāšaratan* 'direttamente'.
- Sempre per la buona lingua, il *tanwīn -an*, e solamente se scritto ⟨اً⟩, in tal caso andrebbe letto *-ā*. In arabo contemporaneo tuttavia oralizzare قرأت كتابا *qaraʔtu kitābā*, صعبة جدا *ṣaʕbatun ǧiddā* suonerebbe estremamente pedante.
- La *-i* di أنتِ *ʔanti*, del morfema verbale di 2ª f.sg. تِ *-ti* e del pronome suffisso كِ *-ki* non può essere saltata.

- Leggere la *fuṣḥā* senza le vocali finali e i *tanwīn* è un'interferenza dell'arabo dialettale, che non pratica tali morfemi finali: rese quali *hāḏā kitāb mufīd*, *ʔanā ṭālib ǧadīd*, *al-luġa l-ʕarabiyya* ecc. sono considerati ***dialettali*** dai difensori della buona lingua.

▶Praticare un *ʔiskān* sistematico, ossia saltare tutte le vocali brevi e i *tanwīn* finali in qualsiasi posizione rappresenta una forte tentazione per lo studente di arabo (ma anche per l'arabofono di madrelingua...) giacché consente di non interrogarsi sul caso corretto da usare. Leggere o parlare con *ʔiskān* sistematico, ad es. اَللُّغَة الْعَرَبِيَّة صَعْبَة جِدًّا *al-luġa l-ʕarabiyya ṣaʕba ǧiddan*, è certamente disinvolto e riproduce il modo di parlare di molti arabi quando si esprimono in *fuṣḥā*, ma è un errore pensare che:

- leggere tutte le vocali finali e i *tanwīn* sia una prerogativa da professori retrivi e ignari della modernità;
- la lettura dell'*iʕrāb* rappresenti una pratica obsoleta ("non le legge più nessuno", "non si fa più"...).

A ogni modo lo studente è invitato a rispettare l'*iʕrāb*, soprattutto quando legga, come egli stesso inviterebbe uno straniero a evitare *a me mi* o a preferire *ora* a *mò*, *questa cosa* a *'sta cosa* ecc.

6 Accordo dell'aggettivo

L'aggettivo (الصفة *aṣ-ṣifa*), che segue obbligatoriamente il sostantivo, si accorda con il sostantivo che determina in **genere**, **numero**, **caso** e **determinazione**:

دَرْسٌ جَدِيدٌ	*darsun ǧadīdun*	'una nuova lezione'
فِي حَفْلَةٍ رَائِعَةٍ	*fī ḥaflatin rāʔiʕatin*	'a una festa fantastica'
المَوْقِفُ الأَوَّلُ	*al-mawqifu l-ʔawwalu*	'la prima fermata'
الشَّهْرَ القَادِمَ	*aš-šahra l-qādima*	'il mese prossimo'

7 الفعل Il verbo

I verbi arabi sono classificabili secondo diversi criteri. Si legga quanto segue senza cercare di capire più di tanto.
Elemento centrale della morfologia verbale araba è lo **أَصْل** *ʔaṣl*, la **radice consonantica**, costituita dalla sequenza fissa di **tre** consonanti dette **consonanti radicali**. Ognuna delle 28 consonanti arabe può intervenire come consonante radicale. Sempre basandosi sul prototipo فعل, la prima consonante radicale viene detta الفَاء *al-fāʔ* ('la *f*'), la seconda consonante radicale viene detta العَين *al-ʕayn* ('la ʕ'), la terza consonante radicale viene detta اللاَم *al-lām* (la *l*').

- Se le tre consonanti radicali fanno parte di ب ت ث ج ح خ د ذ ر ز س ش ص ض ط ظ ع غ ف ق ك ل م ن ه, ossia escludendo و e ي, il verbo viene detto **سَالِم** *sālim* '**sano**'.
- Se una (più raramente due) delle consonanti radicali è و o ي, il verbo viene detto **مُعْتَلّ** *muʕtall* '**debole**'. A seconda della posizione occupata da و/ي nella radice (1ª, 2ª o 3ª radicale) si hanno tre sottotipi di verbi deboli (مِثَال *miṯāl*, أَجْوَف *ʔaǧwaf*, نَاقِص *nāqiṣ* rispettivamente).
- Se la 2ª e la 3ª consonante radicale sono uguali e subiscono contrazione, si ha il quarto sottotipo di verbo debole (مُضَاعَف *muḍāʕaf*).

Per ora si cerchi di osservare, senza memorizzare gli esempi, i cinque tipi di verbi principali secondo la forma presentata al *māḍī*:

Verbi *sālim*						
لَ	-vca	ad es.	*muǧarrad*	كَتَبَ	*kataba*	'scrivere'
				شَرِبَ	*šariba*	'bere'
				كَبُرَ	*kabura*	'crescere'
			mazīd	فَسَّرَ	*fassara*	'spiegare'
				تَكَلَّمَ	*takallama*	'parlare'

Verbi *miṯāl*						
وـ	w-	ad es.	*muǧarrad*	وَصَلَ	*waṣala*	'arrivare'
			mazīd	وَاصَلَ	*wāṣala*	'continuare'
				أَوْصَلَ	*ʔawṣala*	'condurre'

Verbi *ˀağwaf*					
ـَال	*-āca*	*muğarrad*	قَالَ	*qāla*	'dire'
		mazīd	أَرَادَ	*ˀarāda*	'volere'
			اِحْتَاجَ	*iḥtāğa*	'avere bisogno'
			اِسْتَرَاحَ	*istarāḥa*	'riposarsi'

Verbi *nāqiṣ*					
ـَى	*-ā*	*muğarrad*	حَكَى	*ḥakā*	'raccontare'
		mazīd	غَنَّى	*ġannā*	'cantare'
			نَادَى	*nādā*	'chiamare'
			أَعْطَى	*ˀaˁṭā*	'dare'
			تَمَنَّى	*tamannā*	'augurarsi'
ـَا	*-ā*	*muğarrad*	رَجَا	*rağā*	'sperare'
ـِيَ	*-iya*	*muğarrad*	نَسِيَ	*nasiya*	'dimenticare'

Verbi *muḍāˁaf*					
ـَلَّ	*-cca*	*muğarrad*	مَرَّ	*marra*	'passare'
		mazīd	ضَادَّ	*ḍādda*	'contraddire'
			اِحْمَرَّ	*iḥmarra*	'arrossire'
			اِسْتَمَرَّ	*istamarra*	'durare'

التمارين Esercizi

1 Collegare i singolari e i plurali, prestando attenzione a che il nominale sia maschile o femminile.

قدماء	كبير	أصدقاء	جامعة
طلاب	نظيف	محلات	بيت
مراقص	غبي	محاضرات	معلم
نظفاء	قديم	جامعات	درس
أغبياء	طالب	بيوت	صديق
كبار	مدرسة	دروس	محاضرة
أساتذة	مرقص	معلمون	لغة
مدارس	أستاذ	لغات	محل

2 Completare le frasi seguenti inserendo la parola corretta fra quelle proposte.

١. أم رضا	جميل جميلة
٢. سيارة الأستاذ	حمراء أحمر
٣. إصبعي	وسخ وسخة
٤. صديقات مريم	جميلة جمال جميلات
٥. أساتذة اللغة العربية	جمال جميلات جميلة
٦. ذكرى حبيبتي	كبيرة كبير

3 Le seguenti frasi sono in trascrizione. Ricopiarle in caratteri arabi prestando attenzione alla flessione e alla morfologia; indi tradurle.

1. *Ḫaraǧa ʔAḥmadu minᵃ l-ǧāmiʕati wa-ḏahaba ʔilā l-baḥri.*

   ....

   ....

2. *Ṣadīqātu Maryama labisna l-banṭalūna wa-naḥnu labisnā l-fustāna.*

   ....

   ....

3. *As-sayyāratu l-ǧadīdatu li-ʕamīdi l-kulliyyati ḥamrāʔu.*

   ....

   ....

4. *Ḫuḏ qalaman ʔāḫara wa-miqlamatan ʔuḫrā.*

   ....

   ....

5. *Halⁱ l-mudarrisūna daḫalū fī ṣ-ṣaffi?*

   ....

   ....

6. *Masāʔa ʔamsi kunnā fī ḥaflatin mūsīqiyyatin rāʔiʕatin.*

   ....

   ....

7. *Fī ʔayyi sāʕatin raǧaʕtum min Baġdāda? – Baʕda muntaṣafi l-layli, fī t-tāliṯati.*

   ....

   ....

8. *Hā huwa darsun ǧadīdun fī kitābi l-luġati t-turkiyyati.*

   ....

   ....

9. *Li-manⁱ l-ǧawwālu? – Li-ṣadīqi Yūsufa.*

   ....

   ....

10. *Al-yawma ḍaḥika kaṯīran ka-l-muharriǧi.*

   ....

   ....

4 Utilizzo di نفس. Trasformare gli enunciati seguenti secondo il modello.

قرأنا الكتاب *qaraʔnā l-kitāba* 'abbiamo letto il libro'
→ قرأنا نفس الكتاب *qaraʔnā nafsa l-kitābi* 'abbiamo letto lo stesso libro'

١. أريد الجوال. ....
٢. دخل الطالب. ....
٣. هل شربتم البيرة؟ ....
٤. سافرنا بالسيارة. ....
٥. سافروا بسيارة رضا. ....
٦. ذهبت مع صديقتي إلى مركز الإنترنت. ....

5 Inserire il verbo tra parentesi alla persona voluta dal contesto.

١. هل (ذهب) .... إلى الحفلة، يا شباب؟ – نعم، و(رجع) .... مع يوسف.
٢. فاطمة (خرج) .... مع صديقات الجامعة.
٣. أنا ومصطفى ومحمد (ذهب) .... إلى البحر صباح أمس.
٤. من (شرب) .... عصير البرتقال؟
٥. صديقات هدى (خرج) .... من السينما و(دخل) .... في مقهى الببغاء.
٦. أين (أكل) .... البوظة، يا أندريا؟
٧. الطلاب ما (درس) .... اليوم.
٨. هل (كان) .... أستاذة التاريخ هنا؟
٩. لا، أستاذة التاريخ ما (وصل) .... إلى الصف هذا الصباح.
١٠. أين (سكن) .... ، يا شباب، لما (كان) .... في طرابلس؟
١١. لما (كان) .... في طرابلس نحن (سكن) .... في مبيت، ولويزا وأماندا (أخذ) .... غرفة في فندق.

6 Tradurre in arabo.

1. C'è un grosso (*trad.* grande) problema. ....
2. È proprio un pagliaccio! – No, è antipatico! ....
3. Cosa hai[m] fatto ieri? – Sono andato alla festa di Luisa. ....
4. Domenico ha bevuto mezzo bicchiere di vino. ....
5. Oggi non hanno[m] aperto l'università e siamo andati in discoteca. ....
6. Dove sei stata questi giorni? – Sono stata male (*trad.* malata). ....
7. Abbiamo passeggiato in Via Parigi, dove abbiamo trovato un ristorante arabo. ....

8. Avevi un cellulare vecchio? – Sì, e adesso ho cambiato il cellulare. ....
9. Non dimentichi nulla? – Sì, il mio computer! ....
10. Le amiche di Maryam hanno preferito un altro posto. ....

Radici...

Sono omoradicali (appartenenti alla stessa radice) nonché omografi رجل *riğl* 'piede' (f.!) e رجل *rağul* 'uomo'. Il wazn فَعُل, originariamente aggettivale e molto raro, esprime una connotazione: رجل *rağul* va quindi inteso come come 'peduto', ovvero 'bipede'. In arabo contemporaneo رجل è l'unico termine usato per indicare l'umano di sesso maschile. L'antico arabo invece conosceva anche il maschile di امرأة *imraʾa*, con l'articolo المرأة *al-marʾa*, 'donna', ossia امرأ *imraʾ*, con l'articolo المرء *al-marʾ*. Questo lemma sembrerebbe antichissimo, di origine presemitica, e probabilmente da mettere in relazione con il latino *mās, māris* 'maschio', anch'esso preindeuropeo.

أناس *ʾunās* invece, da cui الناس *an-nās* 'la gente', deriva da una radice √*ʾ-n-s* che genera ugualmente إنسان *ʾinsān* 'essere umano, persona'.

All'inizio di questo corso abbiamo incontrato la parola حمد *ḥamd*, nell'espressione الحمد لله. La radice √*ḥ-m-d* si ritrova in diversi nomi propri musulmani molto frequenti: أحمد *ʾAḥmad*, محمد *Muḥammad*, محمود *Maḥmūd*: tutti e tre possono tradursi come 'Lodato'.

وصلت متأخرا! Hai fatto tardi!

النص الأول Testo 1 CD1/35

- يا فاضل، أين وضعت معطفك؟
- الله أعلم...!
- إنك فوضوي مثل طفل صغير، من هذبك هكذا؟
- أنت هذبتني هكذا، يا أمي، وعلى كل حال ليس مهما أين وضعته، فالطقس جميل. بالمناسبة، أين أختي عائشة؟
- أختك عائشة خرجت منذ ساعة. تلفنت لها صديقتها سارة وقررتا الذهاب إلى السينما.
- وما انتظرتني...
- بالعكس، يا بنيّ، قد انتظرتك عائشة أكثر من ساعة ونصف، ولكنك وصلت متأخرا، كعادتك.
- البنات كلهن متشابهات... على كل، هل سألتها عن آيبودي؟ أخذته مني وما رجعته لي.

الكلمات الجديدة Parole nuove

معطف، معاطف	*miʕṭaf. maʕāṭifu*	cappotto, giaccone	وضع	*waḍaʕa*	mettere
قليل، قليلون	*qalīl, qalīlūna*	poco, scarso	خرج	*ḫarağa*	uscire
فوضى	*fawḍā*	disordine	وصل	*waṣala*	arrivare
فوضوي، ون	*fawḍawiyy, -ūna*	disordinato	أخذ	*ʔaḫaḏa*	prendere
طقس	*ṭaqs*	tempo (atmosf.)	سأل	*saʔala*	chiedere

بنت، بنات	*bint, banāt*	figlia; ragazza	رجع	*rağğaˁa*	restituire
أخت، أخوات	*ˀuḫt, ˀaḫawāt*	sorella	هذب	*haḏḏaba*	educare
مناسبة، ات	*munāsaba, -āt*	occasione	قرر	*qarrara*	decidere
بالمناسبة		a proposito	تلفن	*talfana*	telefonare
متأخر، متأخرون	*mutaˀaḫḫir, -ūna*	in ritardo^m (agg.)	إنك	*ˀinna-ka*	sei^m proprio
عادة، عادات	*ˁāda, ˁādāt*	abitudine	مثل	*miṯla*	come
كعادتك	*ka-ˁādati-ka*	come tuo^m solito	هكذا	*hākaḏā*	così
آيبود، آيبودات	*ˀāypōd, ˀāypōdāt*	iPod	ذهاب	*ḏahāb*	[l']andare
على كل حال	*ˁalā kulli ḥālin*	a ogni modo	قرَّرَ الذَّهَابَ		ha^m deciso di andare
على كل	*ˁalā kullin*	a ogni modo	مهم، مهمون	*muhimm, -ūna*	importante
الله أعلم!	*Allāhu ˀaˁlamu!*	lo sa Iddio!	ليس	*laysa*	non è^m
سينما	*sīnamā*	cinema (indecl.)	قد	*qad*	(particella rafforz.)
عكس، عكوس	*ˁaks, ˁukūs*	contrario	كثير، كثيرون	*kaṯīr, -ūna*	molto, tanto
بِالعَكْسِ		al contrario	أكثر من	*ˀakṯaru min*	più di
بني	*bunayy*	diminutivo di ابن	عن	*ˁan*	di
يا بنيّ!	*yā bunay-ya!*	figliolo!	مني	*minn-ī*	da me
كلهن	*kullu-hunna*	tutte loro	ف	*fa-*	e, quindi
متشابه	*mutašābih*	simile, uguale	منذ	*munḏu*	da (temporale)
متشابهات	*mutašābihāt*	simili^f, uguali^f	لها	*la-hā*	a lei, le
فاضل	*Fāḍil*	Fadhel (n.pr.m.)	ولكنك	*wa-lākinna-ka*	ma tu^m
عائشة	*ˁĀˀiša*	Aïcha (n.pr.f.)	سارة	*Sāra*	Sara (n.pr.f.)

النحو Grammatica

1 الضمير المُتَّصِل Il pronome suffisso

Accanto alla serie di pronomi autonomi visti all'Unità 5 § 1 esiste la serie dei pronomi suffissi. Questi vengono usati, in sostituzione di quelli autonomi, in tre funzioni:

- complemento di *ism* (nominale), in funzione di aggettivo possessivo, ad es.

  كِتَابُكَ *kitābu-ka* 'il tuo^m libro'

  كُتُبُكَ *kutubu-ka* 'i tuoi^m libri'

- complemento di *fiʕl* (forma verbale), in funzione di complemento oggetto, ad es.:

سَمِعَكَ	*samiʕa-ka*	‘ti^{m} ha^{m} sentito’
اِنْتَظَرْتُكَ	*intaẓartu-ka*	‘ti^{m} ho aspettato’

- complemento di *ḥarf* (preposizione) o di ظَرْف *ẓarf* (coordinante, subordinante), ad es.:

مَعَكَ	*maʕa-ka*	‘con te^{m}’
لٰكِنَّكَ	*lākinna-ka*	‘ma tu^{m}’
لِأَنَّكَ	*liʔanna-ka*	‘perché tu^{m}’

	Singolare	Plurale	Duale
1	ي *-ī*	نَا *-nā*	
(dopo verbo)	ني *-nī*		
2^{m}	كَ *-ka*	كُمْ *-kum*	كُما *-kumā*
2^{f}	كِ *-ki*	كُنَّ *-kunna*	
3^{m}	هُ *-hu*	هُمْ *-hum*	هُما *-humā*
3^{f}	هَا *-hā*	هُنَّ *-hunna*	

▶ Vi sono alcune regole importanti da tenere a mente:

– il tema di 1^{a} sg. si unisce alla preposizione o al nominale sopprimendone la vocale breve uscente:

مَعَ + ي	*maʕa + ī*	→	مَعِي	*maʕ-ī*	‘con me’
كِتَابُ + ي	*kitābu + ī*		كِتَابِي	*kitāb-ī*	‘il mio libro’

– il tema di 1^{a} sg. ي *-ī* diventa يَ *-ya* se la vocale uscente è *ā* o *ī* lunga o il dittongo *ay*:

عَصَا + ي	*ʕaṣā + ī*	→	عَصَايَ	*ʕaṣā-ya*	‘il mio bastone’
فِي + ي	*fī + ī*		فِيَّ	*fī-ya*	‘in me’
عَلَيْ + ي	*ʕalay + ī*		عَلَيَّ	*ʕalay-ya*	‘su di me’

– il tema di 1^{a} sg. è esclusivamente ني *-nī* dopo un verbo:

دَفَعْتَنِي	*dafaʕta-nī*	‘mi hai^{m} spinto’
اِنْتَظِرْنِي	*intaẓir-nī!*	‘aspetta^{m}mi!’

– i pronomi di 3^{a} ه *-hu*, هم *-hum*, هن *-hunna*, هما *-humā* vengono vocalizzati in *i*, diventando cioè هِ *-hi*, هِمْ *-him*, هِنَّ *-hinna*, هِما *-himā*, se precede una *i*, una *ī* o il dittongo *ay*:

فِيهِ	*fī-hi*	‘in esso’
بِهِمْ	*bi-him*	‘tramite loro’
عَلَيْهِنَّ	*ʕalay-hinna*	‘su di loro^{f}’
إِلَيْهِما	*ʔilay-himā*	‘verso loro due’

Un nominale accompagnato da un pronome suffisso viene considerato un'*iḍāfa*. Nell'enunciato:

كِتَابُكَ *kitābu-ka* 'il tuo^m libro'

kitāb è il *muḍāf* (e per tale motivo non ha né articolo né *tanwīn*), *-ka* è il *muḍāf ʔilay-hi*; occorre quindi interpretare 'il libro di te^m'.

Attenzione quindi a non usare l'articolo con i pronomi suffissi in funzione possessiva, errore tipico dell'italofono (cf. ***il** mio libro*, si pensi piuttosto all'inglese *my book*, al francese *mon livre*).

▶ Viceversa: l'italiano ritiene superfluo ricorrere all'aggettivo possessivo con le parti del corpo o le manifestazioni sensoriali: *togli la mano, alza la voce*; in arabo è invece necessario inserire il pronome suffisso:

اِرْفَعْ يَدَكَ	*irfaʕ yada-ka*	'togli^m la mano'
اِرْفَعْ صَوْتَكَ	*irfaʕ ṣawta-ka*	'alza^m la voce'

Nb: اِرْفَعِ الْيَدَ *irfaʕi l-yada* e اِرْفَعِ الصَّوْتَ *irfaʕi ṣ-ṣawta* potrebbero venire interpretati rispettivamente come 'togli il manico' e 'alza il volume'.

▶ I due morfemi verbali del *māḍī* ُوا *-ū* (٣ª pl.m.) e تُمْ *-tum* (٢ª pl.m.) subiscono una modifica se vi si unisce un pronome suffisso: il primo sopprime l'*alif al-wiqāya* (ma foneticamente non subisce alterazioni), il secondo inserisce una *-ū-*:

كَ +	سَمِعُوا	→	سَمِعُوكَ	*samiʕū-ka*	'ti^m hanno sentito'
نَا +	سَمِعْتُمْ		سَمِعْتُمُونَا	*samiʕtumū-nā*	'ci avete^m sentiti'

2 *Ism* e pronomi suffissi

Un costrutto come مِعْطَفُكَ *miʕṭafu-ka* è quindi un'*iḍāfa*. A seconda del suo ruolo sintattico, la vocale finale del *muḍāf* معطف cambierà:

مِعْطَفُكَ جَمِيلٌ	*miʕṭafu-ka ǧamīlun*	'il tuo^m giaccone è bello'
خُذْ مِعْطَفَكَ	*ḫuḏ miʕṭafa-ka*	'prendi^m il tuo giaccone'
دَاخِلَ مِعْطَفِكَ	*dāḫila miʕṭafi-ka*	'dentro il tuo^m giaccone'

Soltanto con il suffisso di 1ª persona singolare la vocale casuale viene neutralizzata da ي *-ī*:

مِعْطَفِي جَمِيلٌ	*miʕṭaf-ī ǧamīlun*	'il mio giaccone è bello'
خُذْ مِعْطَفِي	*ḫuḏ miʕṭaf-ī*	'prendi^m il mio giaccone'
دَاخِلَ مِعْطَفِي	*dāḫila miʕṭaf-ī*	'dentro il mio giaccone'

3 Negazione della frase nominale (primi cenni)

Negare la frase nominale richiede l'intervento del verbo leggermente irregolare لَيْسَ *laysa* 'non è^m', che vedremo più avanti. Per ora si noti che il *ḫabar* di ليس va al *manṣūb*:

لَيْسَ مُهِمًّا	*laysa muhimman*	'non è importante'
لَيْسَ فَاضِلٌ طِفْلاً صَغِيرًا	*laysa Fāḍilun ṭiflan ṣaġīran*	'Fadhel non è un bambino piccolo'

4 La particella قد con il verbo al *māḍī*

La particella قَدْ *qad*, che nel più dei casi non va tradotta, insiste sul valore espresso dal verbo:

قَدِ ٱنْتَظَرَتْكَ	*qad^{i} ntaẓarat-ka*	'ti^{m} ha^{f} bell'e aspettato, ti^{m} ha^{f} aspettato eccome'
قَدْ سَأَلْتُهَا!	*qad sa^{ʔ}altu-hā!*	'ma glie^{f}l'ho chiesto!'

5 نَفْي الفعل الماضي Negazione del verbo al *māḍī*

Come già illustrato all'Unità 6, il verbo al *māḍī* viene negato dalla particella ما *mā* 'non':

مَا ٱنْتَظَرَتْنِي	*mā ntaẓarat-nī*	'non mi ha^{f} aspettato'
مَا هَذَّبْتُكَ هٰكَذَا	*mā haḏḏabtu-ka hākaḏā*	'non ti^{m} ho educato così'

Nb: con un *māḍī* negato da ما *mā* **non** può intervenire قد *qad*.

Attenzione al *manṣūb* di durata temporale (مفعول فيه):

اِنْتَظَرَتْكَ أَكْثَرَ مِنْ سَاعَةٍ وَنِصْفٍ	*intaẓarat-ka ^{ʔ}akṯara min sā^{ʕ}atin wa-niṣfin*	'ti^{m} ha^{f} aspettato più di un'ora e mezza'

النص الثاني Testo 2 CD1/36

– هل حضرت درس العربية هذا الصباح، يا سعاد؟

– نعم يا طارق، لماذا؟

– درستم موضوعا جديدا هذه المرة؟

– ليس بالضبط... راجعنا دروس شهر تشرين الأول، لكن في نهاية الدرس سألنا الأستاذ عن اسم الإشارة، فغضب كثيرا لما لاحظ أننا ما كنا قد فهمنا شيئا عنه.

– والحق معه، فقد فسره لكم أكثر من مئة مرة.

– يا علامة! أفهمت جيدا، أنت، الفرق بين «هٰذَا ٱلْبَيْتُ» و «ذٰلِكَ ٱلْبَيْتُ»؟

– بالتأكيد، في الحالة الأولى البيت قريب منك وفي الحالة الأخرى هو بعيد عنك...

– يكفي، يكفي، يكفي...! إنك نابغة...

– وأنتم جماعة جهل!

الكلمات الجديدة Parole nuove

شهر، أشهر	*šahr, ˀašhur*	mese	فهم	*fahima*	capire
علامة	*ˁallāma*	erudito. dotto	كنا قد فهمنا	*kunnā qad fahimnā*	avevamo capito
يا علامة!	*yā ˁallāmatu!*	sapientone!	غضب	*ġaḍiba*	arrabbiarsi
تأكيد	*taˀkīd*	assicurazione	فسر	*fassara*	spiegare
بالتأكيد	*bi-t-taˀkīdi*	certamente	راجع	*rāǧaˁa*	ripassare (lezione)
موضوع، مواضيع	*mawḍūˁ, mawāḍīˁu*	argomento	مئة	*miˀa*	cento
نهاية، نهايات	*nihāya, nihāyāt*	fine	مئة مرة	*miˀatu marratin*	cento volte
إشارة، إشارات	*ˀišāra, ˀišārāt*	indicazione	ضبط	*ḍabṭ*	precisione
اسم الإشارة	*ismu l-ˀišārati*	dimostrativo	بالضبط	*bi-ḍ-ḍabṭi*	esattamente
فرق، فروق	*farq, furūq*	differenza	لكن	*lākin*	ma, però
حالة، حالات	*ḥāla, ḥālāt*	(qui:) caso	بين	*bayna*	tra
قريب (من)	*qarīb (min)*	vicino (a)	يكفي	*yakfī*	basta^m
بعيد (عن)	*baˁīd (ˁan)*	lontano (da)	جيد	*ǧayyid*	buono
جماعة، ات	*ǧamāˁa, -āt*	gruppo, banda	جيدا	*ǧayyidan*	bene
جاهل، جهل	*ǧāhil, ǧuhhal*	ignaro	أننا	*ˀanna-nā*	che noi
نابغة، نوابغ	*nābiġa, nawābiġu*	genio	شيء	*šayˀ*	qualcosa / niente
سعاد	*Suˁād*	Souad (n.pr.f.)	أول	*ˀawwal*	primo
طارق	*Ṭāriq*	Tarek (n.pr.m.)	أولى	*ˀūlā*	prima

النحو Grammatica

6 شيء e أحد Qualcosa, qualcuno...

شَيْء *šayˀ*, pl. أَشْيَاء *ˀašyāˀ*, è letteramente una 'cosa'. Come pronome indefinito in enunciato affermativo esso ha il valore di 'qualcosa':

خُذْ شَيْئًا *ḫuḏ šayˀan* 'prendi^m qualcosa'

Nb: il plurale أَشْيَاء *ˀašyāˀ* è diptoto!

أَخَذُوا أَشْيَاءَ *ˀaḫaḏū ˀašyāˀa* 'hanno^m preso delle cose'

- Per specificare 'qualcosa di' è sufficiente far seguire l'aggettivo desiderato:

هُنَاكَ شَيْءٌ غَرِيبٌ	*hunāka šayʾun ġarībun*	'c'è qualcosa di strano'

- In enunciato negativo شيء *šayʾ* vale invece 'niente, nulla':

مَا فَهِمْتُ شَيْئًا	*mā fahimtu šayʾan*	'non ho capito nulla'
لا شَيْءَ	*lā šayʾa*	'niente'

أَحَد è letteralmente 'uno'. Come pronome indefinito in enunciato affermativo ha il valore di 'qualcuno':

هُنَاكَ أَحَدٌ	*hunāka ʾaḥadun*	'c'è qualcuno'
قَابَلْتُ أَحَدًا	*qābaltu ʾaḥadan*	'ho incontrato qualcuno'

- In enunciato negativo:

لَيْسَ هُنَاكَ أَحَدٌ	*laysa hunāka ʾaḥadun*	'non c'è nessuno'
مَا خَرَجْتُ مَعَ أَحَدٍ	*mā ḫarağtu maʿa ʾaḥadin*	'non sono uscito con nessuno'
لاَ أَحَدَ	*lā ʾaḥada*	'nessuno'

7 إِنَّ

Il *ḥarf* إِنَّ *ʾinna*, che compare molto spesso, nel più dei casi non va tradotto in italiano. Il suo valore è genericamente quello di un rafforzativo, che in alcuni casi può tradursi 'proprio', 'certamente', 'infatti'. Nelle frasi nominali il cui *mubtadaʾ* sia un pronome personale, spesso compare إِنَّ unito a un pronome suffisso:

إِنَّكَ جَاهِلٌ!	*ʾinna-ka ğāhilun!*	'sei^{m} proprio ignorante!'
إِنَّهُ رَائِعٌ!	*ʾinna-hu rāʾiʿun!*	'è fantastico!'

8 Preposizioni e pronomi suffissi

Le preposizioni ricevono i pronomi suffissi senza irregolarità:

مِثْلَ	*miṯla*	'come'	مِثْلِي	*miṯl-ī*	'come me'	مِثْلَنَا	*miṯla-nā*		
			مِثْلَكَ	*miṯla-ka*	'come te^{m}'	مِثْلَكُمْ	*miṯla-kum*	مِثْلَكُمَا	*miṯla-kumā*
			مِثْلَكِ	*miṯla-ki*	ecc.	مِثْلَكُنَّ	*miṯla-kunna*		
			مِثْلَهُ	*miṯla-hu*		مِثْلَهُمْ	*miṯla-hum*	مِثْلَهُمَا	*miṯla-humā*
			مِثْلَهَا	*miṯla-hā*		مِثْلَهُنَّ	*miṯla-hunna*		

▶Tuttavia مِنْ 'di, da' (provenienza) e عَنْ 'da; a proposito di' vedono raddoppiarsi la /n/ con il tema di 1ª sing.:

مِنِّي	*minn-ī*	'di me'	عَنِّي	*ʿann-ī*	'da me'
مِنْكَ	*min-ka*	'di te^{m}'	عَنْكَ	*ʿan-ka*	'da te^{m}'
		ecc.			ecc.

▶ ل *li-* 'a, per' diventa invece *la-* con i suffissi (eccetto quello di 1^a singolare perché *la-* + *-ī* → *l-ī*):

لي	*l-ī*	'a me'	لَنَا	*la-nā*		
لَكَ	*la-ka*	'a te^m'	لَكُمْ	*la-kum*	لَكُما	*la-kumā*
لَكِ	*la-ki*	ecc.	لَكُنَّ	*la-kunna*		
لَهُ	*la-hu*		لَهُمْ	*la-hum*	لَهُما	*la-humā*
لَهَا	*la-hā*		لَهُنَّ	*la-hunna*		

▶ Attenzione a في 'in':

فِيَّ	***fī-ya***	'in me'	فِينَا	*fī-nā*		
فِيكَ	*fī-ka*	'in te^m'	فِيكُمْ	*fī-kum*	فِيكُما	*fī-kumā*
فِيكِ	*fī-ki*	ecc.	فِيكُنَّ	*fī-kunna*		
فِيهِ	***fī-hi***		فِيهِمْ	***fī-him***	فِيهِما	***fī-himā***
فِيهَا	*fī-hā*		فِيهِنَّ	***fī-hinna***		

▶ على 'su, sopra' e إلى 'verso' vedono la *ʔalif maqṣūra* aprirsi in dittongo:

عَلَيَّ	*ʕalay-**ya***	'su di me'	عَلَيْنَا	*ʕalay-nā*		
عَلَيْكَ	*ʕalay-ka*	'su di te^m'	عَلَيْكُمْ	*ʕalay-kum*	عَلَيْكُما	*ʕalay-kumā*
عَلَيْكِ	*ʕalay-ki*	ecc.	عَلَيْكُنَّ	*ʕalay-kunna*		
عَلَيْهِ	*ʕalay-**hi***		عَلَيْهِمْ	*ʕalay-**him***	عَلَيْهِما	*ʕalay-**himā***
عَلَيْهَا	*ʕalay-hā*		عَلَيْهِنَّ	*ʕalay-**hinna***		

إِلَيَّ	*ʔilay-**ya***	'verso di me'	إِلَيْنَا	*ʔilay-nā*		
إِلَيْكَ	*ʔilay-ka*	'verso di te^m'	إِلَيْكُمْ	*ʔilay-kum*	إِلَيْكُما	*ʔilay-kumā*
أَلَيْكِ	*ʔilay-ki*	ecc.	إِلَيْكُنَّ	*ʔilay-kunna*		
إِلَيْهِ	*ʔilay-**hi***		إِلَيْهِمْ	*ʔilay-**him***	إِلَيْهِما	*ʔilay-**himā***
إِلَيْهَا	*ʔilay-hā*		إِلَيْهِنَّ	*ʔilay-**hinna***		

Le tre preposizioni عند *ʕinda* 'presso', ل *li-* 'a, per', مع *maʕa* 'con' unite ai suffissi rendono l'equivalente del verbo 'avere'; عند *ʕinda* esprime un possesso materiale, ل *li-* piuttosto un possesso generale, astratto o inerente, مع *maʕa* invece l'idea di 'avere con sé':

عِنْدِي سَيَّارَةٌ	*ʕind-ī sayyāratun*	'ho un'automobile'
لَكَ حَظٌّ	*la-ka ḥaẓẓun*	'hai^f fortuna'
لَهَا يَدَانِ	*la-hā yadāni*	'ha^f due mani'
مَعَهَا ٱلْكِتَابُ	*maʕa-hā l-kitābu*	'ha^f [con sé] il libro'

Se indecisi sulla preposizione da usare per rendere 'avere', si opti per عند.

التمارين Esercizi

1 Leggere, vocalizzare oralmente e tradurre la conversazione seguente.

- ما اسمك؟ ....
- اسمي ناديا. ....
- من أين أنت؟ ....
- أنا إيطالية. ....
- أنت متزوجة؟ ....
- نعم، انظر... ....
(على إصبها الوسطى خاتم زواج) ....
- أين زوجك؟ لماذا ليس معك؟ ....
- إنه واصل غدا إن شاءَ الله. كان ....
عنده بطولة الملاكمة، فهو ملاكم محترف. ....
- إن شاء الله فاز؟ ....
- لا، خسر، إنه غضبان جدا... ....
- ما اسم زوجك؟ ....
- اسمه فرانكو، ولقبه «مجنون». ....
- حسنا، مع السلامة، يا ناديا... ....

زوج، أزواج	*zawǧ, ʔazwāǧ*	marito
زواج	*zawāǧ*	matrimonio
متزوج	*mutazawwiǧ*	sposato
خاتم، خواتم	*ḫātam, ḫawātimu*	anello
خَاتَمُ زَوَاجٍ		fede (anello)
بطولة، بطولات	*buṭūla, buṭūlāt*	campionato
ملاكم	*mulākim*	pugile
ملاكمة	*mulākama*	pugilato
محترف	*muḥtarif*	professionista
غضبان	*ġaḍbān*	arrabbiato
فاز	*fāza*	vincere
خسر	*ḫasira*	perdere
انظر!	*unẓur!*	guarda[m]!
واصلٌ	*wāṣil*	arriva[m]
إصبع، أصابع	*ʔiṣbaʕ, ʔaṣābiʕu*	dito (f.!)
أوسط	*ʔawsaṭ*	medio, di mezzo
وسطى	*wusṭā*	media, di mezzo
غدا	*ġadan*	domani
إن شاء الله	*ʔin šāʔa Llāh*	se Dio vuole
لقب، ألقاب	*laqab, ʔalqāb*	soprannome
مع السلامة	*maʕa s-salāma*	arrivederci

2 Tradurre in italiano.

١. هل سمعتـني، يا صديقي؟ ....
٢. زوجك غبي. ....
٣. زوجتك جميلة جدا. ....

٤. جواله قديم وأيبوده جديد. ....
٥. الهاتف فيه مشكلة. ....
٦. أمي سمعتنا لما تلفنت لك. ....
٧. هل انتظركم أستاذنا؟ ....
٨. صديقتكن متزوجة. ....
٩. ها هي قهوتهم. ....
١٠. مرقصهن قريب. ....
١١. ابنكما ما اسمه؟ ....
١٢. ابنتهما اسمها عائشة. ....

3 Tradurre in arabo.

1. Mi hanno^{m} sentito? ....
2. Sono uscita con tuo marito. ....
3. Abbiamo ballato con sua moglie. ....
4. Dentro il suo^{f} cappotto c'è il tuo^{m} iPod. ....
5. Il nostro pugile ha perso. ....
6. Guarda^{m} la loro^{f} amica! ....
7. Abbiamo deciso di andare al loro^{2} ristorante. ....
8. Come sta vostro figlio? ....
9. Marco e Rashida sono usciti con voi^{m}? ....
10. Quando ero con lui mi ha telefonato il loro fratello. ....
11. Siamo andati verso di loro^{m}. ....

4 Utilizzo di ليس. Tradurre in italiano.

١. هل محمد هنا؟ – لا، ليس هنا. ....
٢. سمير غبي جدا وليس جميلا. ....
٣. ليس جواز السفر في الدرج. ....
٤. هذا ليس مهما جدا. ....
٥. هذا ليس أستاذنا. ....
٦. أليس هذا مطعما جديدا؟ ....
٧. لا، ليس المطعم جديدا، المرقص هو جديد! ....
٨. أرشيبالدو ليس من مصر، إنه من إيطاليا. ....
٩. أليس صديقكم لبنانيا؟ ....
١٠. ليس أستاذ الجغرافيا خفيف الدم. ....

5 Riordinare gli enunciati.

١. السفر / قد / هذه / جواز / غيرت / الأيام. ....
٢. مع / لعبنا / الأطفال / ما / البستان / في. ....
٣. الملاكم / قد / إلى / زوجة / البطولة / ذهبت. ....
٤. أ / رجعتم / مدينتكم / ما / أمس / من؟ ....
٥. الذهاب / أ / اليوم / قررنا / السينما / إلى / ما؟ ....

6 Inserire أحد o شيء (badando all'*iʕrāb*) secondo il contesto.

١. قد خرج .... من غرفتك.
٢. ليس في الدرج ....
٣. يا أستاذ، من فضلك، ما فهمنا .... من الدرس.
٤. هل هناك .... فهم .... عن الكتاب؟
٥. هذا ليس .... مهما، يا حبيبي.
٦. إيمانويلا دخلت في المقهى مع ....
٧. ليس في الجامعة .... من اليمن.
٨. قد كتبنا .... في الامتحان الكتابي، ولكن لا .... فسره لنا.
٩. هل تريدون .... آخر بعد أن أكلتم؟ - لا، شكرا، لا ....

7 Trasformare gli enunciati secondo il modello.

أنت جاهل جدا، يا بني! *ʔanta ǧāhilun ǧiddan, yā bunay-ya!* 'sei molto ignorante, figliolo!'
→ إنك جاهل جدا، يا بني! *ʔinna-ka ǧāhilun ǧiddan, yā bunay-ya!* 'sei proprio molto ignorante, figliolo!'

١. هذا جميل جدا! ....
٢. أين أنتم، يا شباب؟ - نحن أمام كلية اللغات. ....
٣. أين وضعت رخصة القيادة؟ - هي في معطفي. ....
٤. ابنكم كبير الآن. ....
٥. كيف حال الطالبات؟ - هن بخير، والحمد لله. ....

8 Tradurre in italiano.

١. لي مشكلة كبيرة مع أختي. ....
٢. مل معك قلم؟ ....
٣. الطلاب عندهم أستاذ ماهر جدا. ....
٤. هل عندك سيجارة؟ ....
٥. ليس له صديق. ....
٦. ما عندكم؟ - عندنا عصير وقهوة وشاي وبيرة. ....
٧. ليس معي كتاب العربية اليوم. ....
٨. هل أنت متزوجة؟ - لا، ليس لي زوج ولا أحد! ....
٩. أصدقائي عندهم حفلة رائعة الليلة. ....
١٠. معها خاتم فضة. ....

9 Comprensione del Testo 1. Segnare صحيح *ṣaḥīḥ* ‘vero’ o خطأ *ḫaṭa*ʾ ‘falso’.

		صحيح	خطأ
١.	المعطف هو القميص.	■	■
٢.	في النص يتكلم فاضل مع أمه.	■	■
٣.	اسم أخت فاضل سارة.	■	■
٤.	أخته أحذت من فاضل آيپوده.	■	■

10 Comprensione del Testo 2. Segnare صحيح *ṣaḥīḥ* ‘vero’ o خطأ *ḫaṭa*ʾ ‘falso’.

		صحيح	خطأ
١.	حضرت سعاد اليوم درس الجغرافيا.	■	■
٢.	قد راجعوا من جديد موضوع اسم الإشارة.	■	■
٣.	ما غضب الأستاذ لأنه لاحظ أن الطلاب فهموه جيدا.	■	■
٤.	سعاد ما فهمت هذا الموصوع جيدا.	■	■

Radici...

Osservato il rapporto tra il verbo فهم *fahima* ‘capire’ e l’aggettivo مفهوم *mafhūm* ‘capito’, √*f-h-m*, appare ovvio che موضوع *mawḍū*ʿ ‘argomento’ sia collegato al verbo وضع *waḍa*ʿ*a* ‘mettere’, √*w-ḍ-*ʿ. Si vedrà più avanti che il wazn مَفْعُول esprime un participio passivo dei verbi *mazīd* transitivi, ovvero ‘colui o quello che subisce l’azione espressa dal verbo’. Così da درس *darasa* ‘studiare’ e سمع *sami*ʿ*a* ‘udire’ si ottengono facilmente مدروس *madrūs* ‘studiato’ e مسموع *masmū*ʿ ‘udito’. Il موضوع *mawḍū*ʿ infatti è ‘[la cosa] messa [in discussione]’.

Il significato primario di زوج *zawǧ* è quello di ‘coppia, paio’, ma anche quello di ‘una delle due unità del paio’, da cui la valenza di ‘marito’, e al femminile زوجة *zawǧa* ‘moglie’. Dalla radice √*z-w-ǧ* si ottiene quindi زواج *zawāǧ* ‘matrimonio’ e متزوج *mutazawwiǧ* ‘sposato’.

Si noti infine l’identità di wazn tra متزوج *mutazawwiǧ* e متأخر *muta*ʾ*aḫḫir* ‘in ritardo[m]’, ossia مُتَفَعِّل.

أكثر Di più

1 السينما Il cinema

In tutte le città arabe è possibile andare al cinema secondo orari simili a quelli italiani. Il cinema arabo ha ormai una lunga storia (si pensi che il primo film nella storia cinematografica fu tunisino e proiettato a Tunisi nel 1896), all’interno della quale è possibile individuare due filoni generali, uno

tradizionale, fatto di lunghe storie d'amore e d'onore, poco fruibile per un gusto occidentale (il film non di rado supera le quattro ore di visione), e uno più moderno e più ricco di tematiche. La quasi totalità dei film (فيلم، أفلام *fīlm, ʔaflām*), riflettendo scene di vita quotidiana, è recitata in dialetto. Alcuni film storici ambientati in contesti premoderni sono tuttavia in arabo classico, come ad es. il bellissimo الرسالة *ar-Risāla* 'Il Messaggio', di Mohamed Akkad (محمد عقاد *Muḥammad ʕAqqād*), sulla vita del Profeta Muḥammad.
Alla televisione sono quotidianamente presenti telenovelas (مسلسل، ات *musalsal, -āt*), soprattutto egiziane, sempre in dialetto. Vengono ugualmente trasmesse telenovelas e alcuni film occidentali doppiati in arabo standard, che si rivelano un ausilio prezioso per lo studente di arabo. In un buon negozio di DVD dovreste trovare sceneggiati dedicati a personaggi storici del mondo arabo recitati in classico-standard.

2 الأَشْهُر I mesi

I mesi del calendario solare hanno diversi nomi. Vi è in primo luogo una versione 'araba' – in realtà aramaica –, adoperata soprattutto nel Mashreq ma che pochi usano. Più frequenti sono due versioni occidentali (una mashreqina, a base latina, e una magrebina, basata sul francese e foneticamente dialettale). Nell'uso parlato infine è sempre più diffuso nel Mashreq l'uso dei numerali corrispondenti (ad es. فِي بِدَايَةِ شَهْرِ عَشَرَةٍ *fī bidāyati šahri ʕašaratin* 'all'inizio del mese di dieci', ossia 'ottobre'):

	Nomi aramaici		Mashreq e Libia		Tunisia e Algeria		Marocco	
gennaio	كَانُونُ ٱلثَّانِي	*kānūnu t-ṯānī*	يَنَايِرُ	*yanāyir*	جانفي	*ǧānfī*	ينّاير	*yinnāyir*
febbraio	شُبَاطُ	*šubāṭ*	فَبْرَايِرُ	*fabrāyir*	فيفري	*fivrī*	إيبراير	*ʔībrāyir*
marzo	آذَارُ	*ʔāḏār*	مَارِسُ	*māris*	مارس	*mārs*	مارص	*māriṣ*
aprile	نِيسَانُ	*nīsān*	أَبْرِيلُ	*ʔabrīl*	أبريل	*ʔabrīl*	إيبريل	*ʔībrīl*
maggio	أَيَّارُ	*ʔayyār*	مَايُو	*māyū*	مايو	*māyū*	مايو	*māyū*
giugno	حَزِيرَانُ	*ḥazīrān*	يُونِيُو	*yūniyū*	جوان	*ǧwān*	يونيو	*yūnyū*
luglio	تَمُّوزُ	*tammūz*	يُولِيُو	*yūliyū*	جويلية	*ǧwīlya*	يوليو	*yūlyū*
agosto	آبُ	*ʔāb*	أَغُسْطُسُ	*ʔaġusṭus*	أوت	*ʔūt*	غوشت	*ġūšt*
settembre	أَيْلُولُ	*ʔaylūl*	سَبْتَمْبَرُ	*sabtambar*	سبتمبر	*sabtambr*	شوتامبير	*šūtāmbīr*
ottobre	تِشْرِينُ ٱلْأَوَّلُ	*tišrīnu l-ʔawwal*	أُكْتُوبَرُ	*ʔuktūbar*	أكتوبر	*ʔuktūbr*	كتوبر	*ktūbir*
novembre	تِشْرِينُ ٱلثَّانِي	*tišrīnu t-ṯānī*	نُوفَمْبَرُ	*nūfambar*	نومبر	*nuwambr*	نوامبير	*nūwāmbīr*
dicembre	كَانُونُ ٱلْأَوَّلُ	*kānūnu l-ʔawwal*	دِيسَمْبَرُ	*dīsambar*	ديسمبر	*dīsambr*	دوجامبير	*dūǧāmbīr*

Parallelamente al calendario solare rimane in uso il calendario lunare seguito dall'islàm:

مُحَرَّمٌ	*muḥarram*
صَفَرٌ	*ṣafar*
رَبِيعُ ٱلْأَوَّلِ	*rabīʕu l-ʔawwal*
رَبِيعُ ٱلثَّانِي	*rabīʕu ṯ-ṯānī*
جُمَادَى ٱلْأُولى	*ǧumādā l-ʔūlā*
جُمَادَى ٱلْآخِرَةُ	*ǧumādā l-ʔāḫira*
رَجَبٌ	*raǧab*
شَعْبَانُ	*šaʕbān*
رَمَضَانُ	*ramaḍān*
شَوَّالُ	*šawwāl*
ذُو ٱلْقَعْدَةِ	*ḏū l-qaʕda*
ذُو ٱلْحِجَّةِ	*ḏū l-ḥiǧǧa*

L'anno lunare dura circa undici giorni meno di quello solare. Per tale motivo le festività islamiche quali il mese di digiuno di Ramaḍān o il Pellegrinaggio (الحج *al-Ḥaǧǧ*) alla Mecca (ذو الحجة) 'indietreggiano' ogni anno (rispetto al calendario solare) di una decina di giorni.

Le due grandi festività religiose dell'islàm sono العيد الكبير *al-ʕĪd al-Kabīr* 'Grande Festa', detta anche عيد الأضحى *ʕĪd al-ʔAḍḥā* 'Festa del Sacrificio', alla fine del mese di ḏū l-ḥiǧǧa, e العيد الصغير *al-ʕĪd aṣ-Ṣaġīr* 'Piccola Festa', alla fine del mese di ramaḍān. Entrambe vengono spesso rese in grafia latina come *Aïd*.

Il calendario islamico prende avvio nel 622 d.C., anno in cui il Profeta Muḥammad compì la هجرة *Hiǧra* 'migrazione' – da cui l'italiano *ègira* – dalla città della Mecca (مكة *Makka*) a quella di Medina (المدينة *al-Madīna*). Tale calendario inizia pertanto circa sei secoli dopo quello cristiano.

بسيط جدا! Semplicissimo!

النص الأول Testo 1 CD1/37

فخر الدين في شارع الحرية.
عنده موعد مهم مع كاتيا في مقهى اسمه «الببغاء». إنه متأخر قليلا، لأنه نسي عنوان المقهى في البيت.
يسأل فخر الدين أحد المارة.
- بسيط جدا! على طول حتى الضوء الأحمر، ثم إلى يمينك، هناك مقعدان صغيران، مفهوم؟
- نعم، يا سيدي.
- ثم بعد المقعدين على يسارك (على شمالك)، هناك حديقة البلدية، وبجانبها لافتة وكالة سياحية.
- نعم، فهمت.
- مقهى الببغاء هو وراء اللافتة.
- شكرا جزيلا يا أخي، إلى اللقاء.

أما كاتيا، فهي في انتظاره منذ ربع ساعة، لأنها وصلت قبله إلى الموعد. لقد شربت قهوتين وهي الآن موترة الأعصاب وغاضبة عليه، فبسببه فقدت ساعتيْ محاضرة في الجامعة.

الكلمات الجديدة Parole nuove

مقهى	*maqhan*	bar	حرية	*ḥurriyya*	libertà
ببغاء	*babbaġāʾ*	pappagallo	يسأل	*yasʾalu*	chiede[m]
مَقْهًى ٱسْمُهُ		un bar che si chiama	مار، مارة	*mārr, -a*	passante
قليلا	*qalīlan*	un po’	بسيط، بسطاء	*basīṭ, busaṭāʾu*	semplice
نسي	*nasiya*	dimenticare	طول	*ṭūl*	lunghezza
عنوان، عناوين	*ʿunwān, ʿanāwīnu*	indirizzo; titolo	على طول	*ʿalā ṭūlin*	sempre dritto
بيت، بيوت	*bayt, buyūt*	casa	حتى	*ḥattā*	fino a
ثم	*ṯumma*	poi	ضوء، أضواء	*ḍawʾ*	luce
يمين	*yamīn*	destra	أحمر	*ʾaḥmar*	rosso
يسار	*yasār*	sinistra	ضَوْءٌ أَحْمَرُ		semaforo
شمال	*šimāl*	sinistra; nord	مقعد، مقاعد	*maqʿad, maqāʿidu*	panchina
حديقة، حدائق	*ḥadīqa, ḥadāʾiqu*	giardino pubblico	وكالة، وكالات	*wikāla, wikālāt*	agenzia
بلدية	*baladiyya*	comune (sost.)	سياحي	*siyāḥiyy*	turistico
جانب	*ǧānib*	lato	أما ... فـ...	*ʾammā... fa-...*	quanto a... (ebbene)...
بجانب	*bi-ǧānibi*	accanto a	انتظار	*intiẓār*	attesa
لافتة، لوافت	*lāfita, lawāfitu*	cartellone	في انتظار	*fī ntiẓāri*	in attesa di
شكرا جزيلا	*šukran ǧazīlan*	tante grazie	ربع، أرباع	*rubʿ, ʾarbāʿ*	quarto
إلى اللقاء	*ʾilā l-liqāʾi*	arrivederci	قبل	*qabla*	prima di
فقد	*faqada*	perdere	الآن	*al-ʾāna*	ora, adesso
سبب، أسباب	*sabab, ʾasbāb*	motivo, causa	عصب، أعصاب	*ʿaṣab, ʾaʿṣāb*	nervo
بسبب	*bi-sababi*	a causa di	مُوَتَّرُ ٱلْأَعْصَابِ		innervosito
فَخْرُ ٱلدِّينِ		Fakhreddine (n.pr.m.)	غاضب، غضاب	*ġāḍib, ġiḍāb*	arrabbiato
كاتيا		Katia	على	*ʿalā*	(qui:) contro

النحو Grammatica

1 المثنى Il duale

Oltre a singolare e plurale l'arabo conosce il numero duale, usato per indicare due unità. Il morfema del duale, sempre suffisso, è **ان** *-āni* al *marfūʕ*, che segue una declinazione diptota: diventa **ين** *-ayni* al *manṣūb* e al *mağrūr* (la declinazione del duale è quindi diptota). Con i nominali femminili il morfema ان *-āni*/ين *-ayni* si unisce alla *tāʔ marbūṭa* che graficamente viene riscritta con una *tāʔ maftūḥa* ⟨ت⟩:

'due professori'		'due automobili'	
أُسْتَاذَانِ	*ʔustāḏāni*	سَيَّارَتَانِ	*sayyāratāni*
أُسْتَاذَيْنِ	*ʔustāḏayni*	سَيَّارَتَيْنِ	*sayyāratayni*
أُسْتَاذَيْنِ	*ʔustāḏayni*	سَيَّارَتَيْنِ	*sayyāratayni*

▶Se *muḍāf*, il morfema ان *-āni*/ين *-ayni* perde la *nūn* finale:

'i due professori di Mohammed'		'le due automobili di Hind'	
أُسْتَاذَا مُحَمَّدٍ	*ʔustāḏā Muḥammadin*	سَيَّارَتَا هِنْدٍ	*sayyāratā Hindin*
أُسْتَاذَيْ مُحَمَّدٍ	*ʔustāḏay Muḥammadin*	سَيَّارَتَيْ هِنْدٍ	*sayyāratay Hindin*
أُسْتَاذَيْ مُحَمَّدٍ	*ʔustāḏay Muḥammadin*	سَيَّارَتَيْ هِنْدٍ	*sayyāratay Hindin*

▶Attenzione con i pronomi suffissi (يد *yad* 'mano', f.):

	مرفوع		منصوب\مجرور	
'le mie mani'	يَدَايَ	*yadā-ya*	يَدَيَّ	*yaday-ya*
'le tue^m mani'	يَدَاكَ	*yadā-ka*	يَدَيْكَ	*yaday-ka*
'le sue^m mani'	يَدَاهُ	*yadā-hu*	يَدَيْهِ	*yaday-hi*

- L'aggettivo deve accordarsi al duale, maschile o femminile:

طَالِبَانِ جَدِيدَانِ	*ṭālibāni ğadīdāni*	'due nuovi studenti'
الطَّالِبَانِ ٱلْجَدِيدَانِ	*aṭ-ṭālibāni l-ğadīdāni*	'i due nuovi studenti'
مَعَ ٱلطَّالِبَيْنِ ٱلْجَدِيدَيْنِ	*maʕa ṭ-ṭālibayni l-ğadīdayni*	'con i due nuovi studenti'
طَالِبَتَانِ جَدِيدَتَانِ	*ṭālibatāni ğadīdatāni*	'due nuove studentesse'
الطَّالِبَتَانِ ٱلْجَدِيدَتَانِ	*aṭ-ṭālibatāni l-ğadīdatāni*	'le due nuove studentesse'
مَعَ ٱلطَّالِبَتَيْنِ ٱلْجَدِيدَتَيْنِ	*maʕa ṭ-ṭālibatayni l-ğadīdatayni*	'con le due nuove studentesse'

النص الثاني Testo 2 CD1/38

- لو سمحت يا سيدي، هل تعرف أين المطعم الصيني «السنونو»؟
- نعم، ليس بعيدا جدا عن هنا. ترى هذا المتجر الكبير في آخر هذا الشارع؟
- هذه البناية الضخمة بين المصرف ودكان السجائر؟
- بالضبط. على نفس الرصيف، على مسافة عشرة أمتار تقريبا، ترى أيضا ذلك المصباح الطويل؟
- بجانب تلك اللافتة الإعلانية؟
- بالضبط، بجانب لافتة الڤودافون تلك يوجد مقهى الببغاء وبعده السينما گالكسي.
- أراهما.
- قبالة هذين المحلين ستجد مطعم السنونو.
- شكرا جزيلا.
- انتظر لحظة... هل تريد نصيحة؟
- تفضل...
- الأكل في مقهى الببغاء أحسن وأرخص بكثير!

الكلمات الجديدة Parole nuove

ڤودافون		Vodafone	لو سمحت	*law samaḥta*	mi perdoni^{m}
گالكسي		Galaxy	سيد، سادة	*sayyid, sāda*	signore
سنونو	*sunūnū*	rondini	سيدة، سيدات	*sayyida, sayyidāt*	signora
الصين	*aṣ-Ṣīn*	la Cina	تعرف	*taˁrifu*	sai^{m}
صيني، صينيون	*ṣīniyy, ṣīniyyūna*	cinese	بعيد، بعداء	*baˁīd, buˁadāˀu*	lontano
متجر، متاجر	*matǧar, matāǧiru*	negozio	ترى	*tarā*	vedi^{m}
مَتْجَرٌ كَبِيرٌ		supermercato*	أرى	*ˀarā*	vedo
بناية، بنايات	*bināya, bināyāt*	edificio	أراهما	*ˀarā-humā*	li^{2} vedo
ضخم، ضخام	*ḍaḫm, ḍiḫām*	grande, enorme	رصيف، أرصفة	*raṣīf, ˀarṣifa*	marciapiede
مصرف، مصارف	*maṣrif, maṣārifu*	banca	مسافة، مسافات	*masāfa, masāfāt*	distanza
بنك، بنوك	*bank, bunūk*	banca	تقريبا	*taqrīban*	circa, più o meno
دكان، دكاكين	*dukkān, dakākīnu*	negozio	متر، أمتار	*mitr, ˀamtār*	metro
سيجارة، سجائر	*sīgāra, sagāˀiru*	sigaretta	عَشَرَةُ أَمْتَارٍ		dieci metri
دُكَّانُ سَجَائِرَ		tabaccaio	إعلان، إعلانات	*ˀiˁlān, ˀiˁlānāt*	pubblicità
مصباح، مصابيح	*miṣbāḥ, maṣābīḥu*	lampione, fanale	إعلاني	*ˀiˁlāniyy*	pubblicitario
طويل، طوال	*ṭawīl, ṭiwāl*	lungo; alto	لحظة، لحظات	*laḥẓa, laḥaẓāt*	momento, attimo
قبالة	*qubālata*	di fronte a	أكل	*ˀakl*	cibo
تجد	*taǧidu*	trovi^{m}	بِكَثِيرٍ		di molto
ستجد	*sa-taǧidu*	troverai^{m}	رخيص	*raḫīṣ*	economico
أحسن	*ˀaḥsanu*	migliore	أرخص	*ˀarḫaṣu*	più economico
نصيحة، نصائح	*naṣīḥa, naṣāˀiḥu*	consiglio			

* Nella conversazione corrente domina سوبرماركت *sūbarmārkit* nel Mashreq; la Tunisia usa مونوپري *mūnūprī* (fr. *Monoprix*), mentre l'Algeria e il Marocco ricorrono direttamente al fr. *supermarché* o *grande surface*.

النحو Grammatica

2 اسم الإشارة I dimostrativi

L'arabo distingue due gradi di deissi, vicinanza ≠ lontananza:

vicino a me	lontano da me
هذا *hāḏā* 'questo'	ذلك *ḏālika* 'quello'

I due temi dimostrativi si accordano in genere, numero e (solamente al duale) caso:

	Singolare	Plurale	Duale	
			مرفوع	منصوب\مجرور
m.	هٰذَا *hāḏā*	هٰؤُلَاءِ *hā*ʔ*ulā*ʔ*i*	هٰذَانِ *hāḏāni*	هٰذَيْنِ *hāḏayni*
f.	هٰذِهِ* *hāḏihi*		هَاتَانِ *hātāni*	هَاتَيْنِ *hātayni*

* Varianti rare (e inusitate in arabo contemporaneo) sono هاذي *hāḏī*, هاتي *hātī* e هاته *hātihi*.

	Singolare	Plurale	Duale	
			مرفوع	منصوب\مجرور
m.	ذٰلِكَ* *ḏālika*	أُولٰئِكَ ʔ*ūlā*ʔ*ika*	ذَانِكَ *ḏānika*	ذَيْنِكَ *ḏaynika*
f.	تِلْكَ** *tilka*		تَانِكَ *tānika*	تَيْنِكَ *taynika*

* Variante rara ma non del tutto ripudiata è ذاك *ḏāka*.
** Varianti (rarissime) sono تاك *tāka* e تيك *tīka*.

Nb: spesso molti testi vocalizzati segnano هَذَا, هَذِهِ, هَؤُلَاءِ, ذَلِكَ, per semplificare, ma la pronuncia è comunque *hāḏā, hāḏihi, hā*ʔ*ulā*ʔ*i, ḏālika* (la vocalizzazione هٰذَا ecc. è quindi quella corretta).

▶In funzione **aggettivale** il dimostrativo deve essere unito all'articolo:

هٰذَا ٱلْقَمِيصُ	*hāḏā l-qamīṣu*	'questa camicia'
هٰذِهِ ٱلتَّنُّورَةُ	*hāḏihi t-tannūratu*	'questa gonna'
هٰؤُلَاءِ ٱلرِّجَالُ	*hā*ʔ*ulā*ʔ*i r-riǧālu*	'questi uomini'
هٰذَانِ ٱلْكَفَّانِ	*hāḏāni l-kaffāni*	'questi due guanti'
هَاتَانِ ٱلْأُذُنَانِ	*hātāni l-*ʔ*uḏunāni*	'queste due orecchie
ذٰلِكَ ٱلْعُصْفُورُ	*ḏālika l-*ʕ*uṣfūru*	'quell'uccello'
تِلْكَ ٱلْبَقَرَةُ	*tilka l-baqaratu*	'quella mucca'
أُولٰئِكَ ٱلْأَطْفَالُ	ʔ*ulā*ʔ*ika l-*ʔ*aṭfālu*	'quei bimbi'
ذَانِكَ ٱلْمِصْبَاحَانِ	*ḏānika l-miṣbāḥāni*	'quei due lampioni'
تَانِكَ ٱللَّافِتَتَانِ	*tānika l-lāfitatāni*	'quei due cartelloni'

Altrimenti risulta una frase nominale:

هٰذَا قَمِيصٌ	*hāḏā qamīṣun*	'questa *è* una camicia'
تِلْكَ مَدْرَسَةٌ	*tilka madrasatun*	'quella *è* una scuola'
هٰؤُلَاءِ أَصْدِقَائِي	*hāʔulāʔi ʔaṣdqāʔ-ī*	'questi *sono* i miei amici'
أُولٰئِكَ أَسَاتِذَةٌ	*ʔūlāʔika ʔasātiḏatu*	'quelli *sono* professori'
هٰذَانِ كَفَّانِ	*hāḏāni kaffāni*	'questi *sono* due guanti'
هَاتَانِ صَدِيقَتَانِ	*hātāni ṣadīqatāni*	'queste *sono* due amiche'

Per la grammatica araba, nell'enunciato هذا قميص, *qamīṣun* è *ḫabar* di *hāḏā*, mentre in هذا القميص, *al-qamīṣu* è بدل *badal* 'apposizione' di *hāḏā*.

▶ In un'*iḍāfa*, *muḍāf* e *muḍāf ʔilay-hi* possono essere disgiunti unicamente da un dimostrativo, il quale sia riferito al *muḍāf ʔilay-hi*:

مِفْتَاحُ هٰذَا ٱلْبَابِ	*miftāḥu hāḏā l-bābi*	'la chiave di questa porta'
تَنُّورَةُ تِلْكَ ٱلْفَتَاةِ	*tannūratu tilka l-fatāti*	'la gonna di quella ragazza'
كُتُبُ هٰؤُلَاءِ ٱلشَّبَابِ	*kutubu hāʔulāʔi š-šabābi*	'i libri di questi ragazzi'

- Se il dimostrativo è riferito al *muḍāf*, esso va rimandato **dopo** l'*iḍāfa*:

كِتَابُ ٱلتَّارِيخِ هٰذَا	*kitābu t-tārīḫi hāḏā*	'questo libro di storia'
صَفْحَةُ ٱلْكِتَابِ تِلْكَ	*ṣafḥatu l-kitābi tilka*	'quella pagina del libro'
أَصْدِقَاءُ ٱلطَّالِبِ أُولٰئِكَ	*ʔaṣdiqāʔu ṭ-ṭālibi ʔūlāʔika*	'quegli amici dello studente'
أُسْتَاذَا ٱلْكُلِّيَّةِ هٰذَانِ	*ʔustāḏā l-kulliyyati hāḏāni*	'quei due professori della facoltà'

- Lo stesso vale quindi se il *muḍāf ʔilay-hi* è un pronome suffisso:

صَدِيقِي هٰذَا	*ṣadīq-ī hāḏā*	'questo mio amico'
قِصَّتُكُمْ هٰذِهِ	*qiṣṣatu-kum hāḏihi*	'questa vostra storia'
أُسْتَاذُكِ ذٰلِكَ	*ʔustāḏu-ki ḏālika*	'quel tuo^f professore'

Attenzione a non confondere questi tre ultimi enunciati con i tre seguenti:

هذا صديقي	'questo è il mio amico'
هذه قصتكم	'questa è la vostra storia'
ذلك أستاذك	'quello è il tuo professore'

3 يوجد e توجد C'è, si trova

Un altro modo di rendere l'italiano 'c'è' consiste nell'usare il verbo وُجِدَ *wuǧida* 'trovarsi' (passivo di وَجَدَ *waǧada* 'trovare') al *muḍāriʕ*; secondo il genere maschile o femminile di quel che 'c'è' verrà usato la 3ª maschile يُوجَدُ *yūǧadu* 'si^m trova' o quella femminile تُوجَدُ *tūǧadu* 'si^f trova':

يُوجَدُ مَطْعَمٌ صِينِيٌّ رَخِيصٌ	*yūğadu maṭʕamun ṣīniyyun raḫīṣun*	'c'è un ristorante cinese economico'
تُوجَدُ مَدْرَسَةٌ عَرَبِيَّةٌ فِي رُومَا	*tūğadu madrasatun ʕarabiyyatun fī Rūmā*	'c'è una scuola araba a Roma'

التمارين Esercizi

1 Mettere i seguenti nominali al duale.

١.شاب .... ٢. الأستاذ .... ٣. يوم .... ٤. الجامعة .... ٥. هاتف .... ٦. المطعم .... ٧. أستاذة .... ٨. الكتاب ....

٩. قهوة .... ١٠. حديقة .... ١١. الزوجة .... ١٢. ملاكم .... ١٣. الشهر .... ١٤. مرة .... ١٥. المار .... ١٦. سيد ....

2 Completare la tabella con singolare, duale e plurale di ciascun nominale.

Plurale	Duale	Singolare
....	طالبان	....
....	....	بنت
عناوين	....	....
....	....	بستان
....	شيئان	....
إشارات	....	....
مدرسون	....	....
....	....	جميل
....	كبيران	....
....	....	صديق

3 Completare gli enunciati secondo il modello badando all'*iʕrāb*.

..... خرجا من الصف (الأستاذ) *ḫarağā minᵃ ṣ-ṣaffi (al-ʔustāḏ)* 'sono usciti dalla classe' (il professore)
→ الأستاذان خرجا من الصف *al-ʔustāḏāni ḫarağā minᵃ ṣ-ṣaffi* 'i due professori sono usciti dalla classe'

١. إنكما .... جدا! (جاهل)

٢. قد كنت في المقهى وشربت .... (عصير)

٣. .... أحمد خرجا معه. (صديق)

٤. رجعنا من السفر إلى ميلانو بعد .... (يوم)

٥. هناك .... بجانب الباب. (طاولة) (كبيرة)

٦. لماذا ما أخذتم .... في المطبخ؟ (كأس)
٧. أمام المكتب .... في انتظار الأستاذ. (طالبة)
٨. لكاتيا موعد مهم بعد .... (ساعة)
٩. ....ك وسختان جدا. (يد)
١٠. ذهبت مريم إلى السينيما مع ....ها من الجامعة. (صديقة)

4 Inserire il dimostrativo di vicinanza (هذا ecc.) richiesto.

١. .... الحاسوب جديد جدا.
٢. قد كنت في مطعم وأكلت .... الفطيرة.
٣. هل تعرف .... المرقص بجانب مقهى الببغاء؟
٤. هل فتحت الدرج بـ............ المفتاح؟
٥. أين .... الطالبتان ساكنتان؟ - في .... البناية.
٦. .... الدراجة لي.
٧. أمس لبست .... التنورة وخرجت مع صديقاتي.
٨. من .... الطلاب الجدد؟
٩. ما اسم .... الشارع وراء البنك؟
١٠. .... الشابان هما طالبان في كلية اللغات.
١١. ماذا فعلت خلال .... الساعتين؟
١٢. امتحان اللغة التُرْكِيّة مع .... الأستاذين في .... القاعة.
١٣. .... الشباب سافروا إلى لبنان.
١٤. لمن .... الجوال؟
١٥. من هو .... السيد؟
١٦. .... النافذة بجانب الباب مفتوحة.
١٧. إلى أين ذهبت أختي مع .... الصديقتين؟
١٨. على .... الطاولة الصغيرة سجائري.
١٩. هل .... الفتاتان درستا مع .... الأساتذة؟

5 Riscrivere gli enunciati dell'esercizio precedente con i dimostrativi di lontananza (ذلك ecc.) richiesti.

١. ....
٢. ....
٣. ....
٤. ....
٥. ....
٦. ....

٧. ....

٨. ....

٩. ....

١٠. ....

١١. ....

١٢. ....

١٣. ....

١٤. ....

١٥. ....

١٦. ....

١٧. ....

١٨. ....

١٩. ....

6 Tradurre in arabo.

1. Questo è nuovo e quello è vecchio. ....
2. Quelli sono i miei nuovi amici. ....
3. Chi è questa ragazza? ....
4. Queste sono le due nuove studentesse algerine. ....
5. È questo il nuovo cellulare di Marco? ....
6. Sono uscito con quei due professori e siamo andati in quel ristorante. ....
7. Quello è un buon vocabolario ma è molto caro. ....
8. Dove sei stato questi due mesi? – Sono stato al Cairo. ....
9. Quella è matta! ....
10. Quella matta è entrata in casa mia. ....

7 Tradurre in italiano.

١. صديقي هذا خفيف الدم جدا. ....

٢. هل درست أنت أيضا على كتب ذلك الأستاذ؟ ....

٣. تلك صديقة يابانية لي وأولائك طلاب جدد وصلوا أمس من كينيا. ....

٤. هذا أبي وذلك الشاب هو أخي. ....

٥. من هؤلاء؟ - هؤلاء هم صديقاتي وأصدقائي من المغرب. ....

٦. أستاذا الكلية ذانك شاطران لطيفان. ....

٧. لمن فنجان القهوة هذا؟ - فنجان القهوة ذلك له. ....

٨. أتلك السيدة على يمين إشارة المرور أمكما؟ - نعم، تلك السيدة أمنا. ....
....

٩. من وضع هذا هنا؟ - أنا وضعته هناك! ....

١٠. إن جواز السفر هذا أردني، ليس يمنيا. ....

8 Comprensione del Testo 1. Segnare صحيح *ṣaḥīḥ* 'vero' o خطأ *ḫaṭaˀ* 'falso'.

	صحيح	خطأ
١. فخر الدين عنده موعد مع صديقته كاتيا.	■	■
٢. خرج فخر الدين ومعه عنوان مقهى الببغاء.	■	■
٣. مقهى الببغاء قريب من الوكالة السياحية.	■	■
٤. ما غضبت كاتيا، صديقها ما تأخر كثيرا.	■	■

9 Comprensione del Testo 2. Segnare صحيح *ṣaḥīḥ* 'vero' o خطأ *ḫaṭaˀ* 'falso'.

	صحيح	خطأ
١. مطعم "السنونو" هو مطعم ياباني.	■	■
٢. المتجر في آخر الشارع.	■	■
٣. السينما گالكسي قبل مقهى الببغاء.	■	■
٤. أكل مطعم السنونو الصيني أرخص وأحسن.	■	■

Radici...

Dalla radice √*ṯ-l-ṯ* di ثلاثة *ṯalāṯa* e ثالث *ṯāliṯ* 'terzo' (ordinale) si ha in quest'Unità ثلث *ṯulṯ* 'terzo' (frazione). Allo stesso modo dalla radice √*r-b-ˁ* di أربعة *ˀarbaˁa* 'quattro' possiamo ottenere رابع *rābiˁ* 'quarto' (ordinale) e ربع *rubˁ* 'quarto' (frazione).

Si osservi la parentela tra انتظر *intaẓara* 'aspettare' e انتظار *intiẓār* 'attesa', √*n-ẓ-r*, tra أكل *ˀakala* 'mangiare' e أكل *ˀakl* 'cibo' (omografi!), √*ˀ-k-l*, tra قبالة *qubālata* 'di fronte a' e قبل *qabla* 'prima (di)', √*q-b-l*, tra بعيد *baˁīd* 'lontano' e بعد *baˁda* 'dopo', √*b-ˁ-d*, tra مصباح *miṣbāḥ* 'lampadario, lampione' e صباح *ṣabāḥ* 'mattina', √*ṣ-b-ḥ*, tra طويل *ṭawīl* 'lungo' e طول *ṭūl* 'lunghezza', √*ṭ-w-l*.

La ricerca radicale si complica leggermente quando una delle consonanti radicali sia و o ي. Le due semiconsonanti arabe infatti hanno la fastidiosa abitudine di giocare a rimpiattino (in realtà secondo regole ben precise ma inutili da esporre ora), prendendo volta per volta l'una il posto dell'altra o vedendosi sostituite da ا, ى o ء. Si consideri ad es. مقهى *maqhā* 'bar, caffè', ovvero 'luogo dove si serve/beve قهوة', √*q-h-w*.

أكثر Di più

1 الإشارات Segnaletica

Il semaforo viene chiamato الضوء الأحمر, lett. 'la luce rossa' (sul modello francese *feu rouge*), in Libano e nel Maghreb. Ma vi sono altre denominazioni: إِشَارَةُ المُرُورِ *ʔišāratu l-murūri* 'segnale della circolazione', o الأَضْوَاء *al-ʔaḍwāʔ* 'le luci'. Diversamente dall'Occidente nei paesi arabi l'arancione scatta anche tra il rosso e il verde. Il vigile (شرطي *šurṭiyy*) arabo è severo e inflessibile, ma ragionevole. Se fermati per un'infrazione l'atteggiamento più consigliabile è quello di riconoscere la propria colpa, mentre mettersi a discutere non può che peggiorare le cose. Se oltre a ciò scopre che parlate arabo, anche se poco, tutto andrà per il meglio.

2 اليمين والشمال Destra e sinistra

Nel dare indicazioni è più frequente dire على يمينك *ʕalā yamīni-ka*, lett. 'alla tua destra' ecc. che على اليمين *ʕalā l-yamīn* ecc., comunque possibile. Si noti che شمال *šimāl* è 'sinistra' ma anche 'nord', e che la radice di يمين *yamīn* 'destra' è la stessa di اليمن *al-Yaman* 'lo Yemen': gli arabi sembrano quindi guardare verso oriente.
Approfittiamone per rispondere a una FAQ: i mancini nel mondo arabo non sono più frequenti che da noi. Sembra anzi che siano relativamente più rari (ma essendo quello arabo un mondo più tradizionale, ciò si spiega verosimilmente per il fatto che deve esistervi un numero maggiore di mancini corretti).

3 أسماء الشَوارِع Toponomastica cittadina

Nel denominare vie e piazze la terminologia può variare sensibilmente da un paese all'altro. Comune all'insieme del mondo arabo è شارع *šāriʕ* 'via, viale' (la Tunisia e il Marocco preferiscono tuttavia نهج *nahǧ* e زنقة *zanqa* rispettivamente, riservando شارع a una via più importante, fr. *boulevard*). La 'piazza' è generalmente ساحة *sāḥa*, o ميدان *maydān* ad es. in Egitto. طريق *ṭarīq* è la 'via, strada' non cittadina (o anche in senso figurato), e può quindi riferirsi a strade extraurbane. Le città sono suddivise in quartieri, حي *ḥayy* in Oriente, حارة *ḥāra* in Nordafrica, non di rado su base etnica o/e religiosa, così ad es. la vecchia Gerusalemme ha i suoi quattro quartieri: musulmano, ebraico, cristiano e armeno.
Generalmente le strade delle città arabe hanno nomi precisi, come nelle città occidentali ('via Milano', 'via Garibaldi'...), quindi شارع بغداد *šāriʕ Baġdād* 'via Baghdad', شارع صلاح الدين *šāriʕ Ṣalāḥ ad-Dīn* 'via Saladino' ecc. (شارع essendo sostituito da نهج in Tunisia, da زنقة in Marocco). In alcune località, come cittadine rurali o anche quartieri di recente costruzione (ad es. Amman), vi sono intere zone dove le strade sono prive di denominazione ufficiale, e al tassista occorrerà dare indicazioni quali "dalla terza casa dopo la moschea in fondo alla strada". È per tale ragione che tuttora in alcuni paesi arabi la posta viene recapitata a una casella postale (*P.O. Box*) presso l'ufficio postale e non a un indirizzo fisico.
Il centro storico (وسط المدينة *wasaṭ al-madīna*) delle città magrebine viene indicato all'attenzione della gente di passaggio come 'la *médina*', da pronunciare alla francese con l'accento sulla *a* finale. La *medina* dell'epoca classica veniva costruita secondo uno schema fisso: al centro la moschea e intorno a essa in cerchi concentrici i diversi mercati (سوق *sūq*) indi le abitazioni, il tutto cinto da mura.

Ancora oggi questi mercati portano i nomi dei mestieri esercitati, ad es. سوق العطارين *Sūq al-ʿAṭṭārīn* 'Mercato dei Profumieri', سوق النجارين *Sūq an-Naǧǧārīn* 'Mercato dei Falegnami' ecc., designati nella versione francese come *Attarine*, *Nejjarine* ecc.
Chiedere indicazioni per la strada è naturalmente possibile, ma si ricordi di anteporre sempre un saluto e una formula di scusa. لو سمحت *law samaḥta/-i* qui introdotto è lett. 'se tu permettessi', quindi 'col Suo permesso'; sono possibili anche gli imperativi اسمح لي *ismaḥ l-ī* (a una donna اسمحي لي *ismaḥī l-ī*) e سامحني *sāmiḥ-nī* (f. سامحيني *sāmiḥī-nī*) 'perdonami'. Per buona creanza un uomo deve rivolgersi a un uomo, una donna a una donna. Sebbene gli usi vadano cambiando, una donna apostrofata da uno sconosciuto potrebbe sentirsi imbarazzata e fingere di non aver sentito. In Arabia Saudita, negli Stati del Golfo e nelle zone rurali quando una coppia si rivolge a un passante o a un poliziotto, quest'ultimo guarderà negli occhi soltanto l'uomo, non per maschilismo ma perché guardare in faccia una donna che non sia una parente – o, peggio ancora, sorriderle! – è considerato molto insultante (per lei quanto per il suo accompagnatore, s'intende).

Bravo! أحسنت!

Testo 1 النص الأول CD1/39

- صباح الخير يا فيصل، كيف حالك، بخير إن شاء الله؟
- صباح النور يا إيمان، أهلا وسهلا، تفضلي. قهوة وخبزا ومربى، كالعادة؟
- أحسنت يا فيصل. لكني مع أصدقاء وصديقات في الخارج عند المائدة الطويلة، وهم يريدون أشياء مختلفة. فهناك أيضا أساتذة وأستاذات جالسون بجانبنا.
- على مهل، على مهل، يا بنتي، فعندنا زبائن كثيرون واليوم كلهم مستعجلون عصبيون!
- العجلة من الشيطان...
- نحن في يد الله...
- الله كريم... أين حمام النساء، لو سمحت، فيداي وسختان وأشبه غولةً.
- بعد الركن على شمالك، وراء الثلاجات.

وعندئذ ها هم موظفو المصرف الوطني جالسون عند مائدة من موائد المقهى، وهم جياع عطاش.

- يا معلم! إننا هنا منذ ثلث ساعة! إن طالبتك لظريفة ولكننا زبائنك كذلك، والله العظيم...!
- إن الله مع الصابرين...

الكلمات الجديدة Parole nuove

خارج	*ḫāriǧ*	esterno	خبز	*ḫubz*	pane
في الخارج	*fī l-ḫāriǧi*	fuori; all'estero	مربى	*murabban*	marmellata
مائدة، موائد	*māʔida, mawāʔidu*	tavolo	يريدون	*yurīdūna*	vogliono^m
مهل	*mahl*	lentezza	شيء، أشياء	*šayʔ, ʔašyāʔ*	cosa, qualcosa
على مهل	*ʕalā mahlin*	piano	مختلف، ون	*muḫtalif, -ūna*	diverso
زبون، زبائن	*zabūn, zabāʔinu*	cliente	أستاذ، أساتذة	*ʔustāḏ, ʔasātiḏatu*	professore
مستعجل، ون	*mustaʕǧil, -ūna*	affrettato	جالس، ون	*ǧālis, -ūna*	seduto
عصبي، ون	*ʕaṣabiyy, -ūna*	nervoso	عجلة	*ʕaǧala*	fretta
ركن، أركان	*rukn, ʔarkān*	angolo	شيطان، شياطين	*šayṭān, šayāṭīnu*	diavolo
برادة، ات	*barrāda, -āt*	frigorifero	كريم، كرام	*karīm, kirām*	generoso
ثلاجة، ات	*ṯallāǧa, -āt*	congelatore	حمام، ات	*ḥammām, -āt*	bagno
عندئذ	*ʕinda-ʔiḏin*	in quel momento	أشبه	*ʔušbihu*	sembro
جوعان، جياع	*ǧawʕān, ǧiyāʕ*	che ha^m fame	غول، أغوال	*ġūl, ʔaġwāl*	mostro, orco
عطشان، عطاش	*ʕaṭšān, ʕiṭāš*	che ha^m sete	غولة، ات	*ġūla, -āt*	strega
ثلث، أثلاث	*ṯulṯ, ʔaṯlāṯ*	terzo (1/3)	موظف، ون	*muwaẓẓaf, -ūna*	impiegato
ثُلْثُ ساعةٍ		venti minuti	وطن، أوطان	*waṭan, ʔawṭān*	patria
كذلك	*ka-ḏālika*	così, ugualmente	وطني، ون	*waṭaniyy, -ūna*	nazionale
صابر، ون	*ṣābir, -ūna*	paziente	ظريف، ظرفاء	*ẓarīf, ẓurafāʔ*	grazioso, carino
فيصل	*Fayṣal*	Faysal (n.pr.m.)	عظيم، عظماء	*ʕaẓīm, ʕuẓamāʔ*	grandioso
إيمان	*ʔĪmān*	Iman (n.pr.f.)	امرأة، نساء	*imraʔa, nisāʔ*	donna

النحو Grammatica

1 الجمع Il plurale (seguito)

Come è stato visto all'Unità 7 § 3, il plurale di un dato *ism* (sostantivo o aggettivo) non è mai del tutto prevedibile a partire dal singolare. Esiste certamente una serie di regole, però molto generiche e mai prive di numerose eccezioni, che tuttavia in questa fase di apprendimento complicherebbero le cose anziché semplificarle. Man mano che lo studio procede ci si rende conto di alcune tendenze generali. Così il lettore di questo libro avrà probabilmente già notato che gli aggettivi di schema فَعِيل *faʕīl* (ovvero $c_1ac_2\bar{\imath}c_3$) hanno nel più dei casi un plurale fratto فِعَال *fiʕāl* (ovvero $c_1ic_2\bar{a}c_3$):

كَبِير	*kabīr*	'grande'	pl.	كِبَار	*kibār*
صَغِير	*ṣaġīr*	'piccolo'		صِغَار	*ṣiġār*
طَوِيل	*ṭawīl*	'lungo'		طِوَال	*ṭiwāl*

Ovviamente con eccezioni:

جَدِيد	*ǧadīd*	'nuovo'	pl.	جُدُد	*ǧudud*
كَثِير	*kaṯīr*	'tanto'		كَثِيرُونَ	*kaṯīrūna* (anche كِثَار *kiṯār*, raro)

Qualche volta un *ism* può avere due o più plurali intercambiabili, ad es.:

لَطِيف	*laṭīf*	'gentile'	pl.	لُطَفَاءُ	*luṭafāʔ*	
			o	لِطَاف	*liṭāf*	
طَالِب	*ṭālib*	'studente'	pl.	طُلَّاب	*ṭullāb*	(più usato nel Mashreq)
			o	طَلَبَة	*ṭalaba*	(più usato nel Maghreb)

La cosa più ragionevole è quindi memorizzare ogni parola nuova con il proprio plurale, ad es. رَجُل، رِجَال *raǧul, riǧāl* 'uomo', più o meno come in inglese occorre memorizzare passato e participio dei verbi irregolari (*to sing, I sang, sung* 'cantare') o in latino il nominativo con il genitivo (*homo, hominis* 'uomo').

Come già detto il plurale degli *ʔasmāʔ* può essere:

- **سَالِم** *sālim* sano (o esterno), o
- **مُكَسَّر** *mukassar* fratto (o interno).

▶Il plurale fratto, produttivo soprattutto al maschile, non è in linea di massima prevedibile. È fatto di modifiche vocaliche interne, di prefissi, suffissi, tensione consonantica:

رَجُل	*raǧul*	'uomo'	pl.	رِجَال	*riǧāl*
كِتَاب	*kitāb*	'libro'		كُتُب	*kutub*
فِعْل	*fiʕl*	'verbo'		أَفْعَال	*ʔafʕāl*
صَدِيق	*ṣadīq*	'amico'		أَصْدِقَاءُ	*ʔaṣdiqāʔ*
طَالِب	*ṭālib*	'studente'		طُلَّاب	*ṭullāb*
حِزَام	*ḥizām*	'cinta'		أَحْزِمَة	*ʔaḥzima*

2 الجمع السالم Il plurale sano

Occorre distinguere il plurale sano maschile dal plurale sano femminile.

▶ **الجمع السالم المذكر viene formato dal morfema suffisso ون *-ūna*, che segue una declinazione diptota.**

- Al *manṣūb/maǧrūr* diviene **ين** *-īna*.
- Se *muḍāf*, la sillaba ن *-na* cade (come la ن *-ni* del duale).

'insegnanti'		'gli insegnanti'		'gli insegnanti della facoltà'	
مُدَرِّسُونَ	*mudarrisūna*	اَلْمُدَرِّسُونَ	*al-mudarrisūna*	مُدَرِّسُو ٱلْكُلِّيَّةِ	*mudarrisū l-kulliyyati*
مُدَرِّسِينَ	*mudarrisīna*	اَلْمُدَرِّسِينَ	*al-mudarrisīna*	مُدَرِّسِي ٱلْكُلِّيَّةِ	*mudarrisī l-kulliyyati*
مُدَرِّسِينَ	*mudarrisīna*	اَلْمُدَرِّسِينَ	*al-mudarrisīna*	مُدَرِّسِي ٱلْكُلِّيَّةِ	*mudarrisī l-kulliyyati*

Nb: con il pronome suffisso di 1ª pers. singolare si avrà in tutti e tre i casi مُدَرِّسِيَّ *mudarrisī-ya* (la fonetica araba non tollera la sequenza **-ūy-*); a livello grafico i tipografi hanno generalmente la clemenza di introdurre la *šadda* onde distinguere ⟨مدرسيّ⟩ *mudarrisī-ya* 'i miei docenti' da ⟨مدرسي⟩ *mudarris-ī* 'il mio insegnante' (e si noti che ⟨مع مدرسيّ⟩ può leggersi altresì *maʕa mudarrisay-ya* 'con i miei due insegnanti'). In scrittura vocalizzata:

مُدَرِّسِي *mudarris-ī*
مَعَ مُدَرِّسِيَّ *maʕa mudarrisī-ya*
مَعَ مُدَرِّسَيَّ *maʕa mudarrisay-ya*

▶ **الجمع السالم المؤنث viene formato dal morfema suffisso ات -*āt*, che sostituisce la ة *tāʔ marbūṭa* e segue una declinazione diptota da osservare con attenzione.**

'insegnanti^f'		'le insegnanti'		'le insegnanti della facoltà'	
مُدَرِّسَاتٌ	*mudarrisātun*	اَلْمُدَرِّسَاتُ	*al-mudarrisātu*	مُدَرِّسَاتُ ٱلْكُلِّيَّةِ	*mudarrisātu l-kulliyyati*
مُدَرِّسَاتٍ	*mudarrisātin*	اَلْمُدَرِّسَاتِ	*al-mudarrisāti*	مُدَرِّسَاتِ ٱلْكُلِّيَّةِ	*mudarrisāti l-kulliyyati*
مُدَرِّسَاتٍ	*mudarrisātin*	اَلْمُدَرِّسَاتِ	*al-mudarrisāti*	مُدَرِّسَاتِ ٱلْكُلِّيَّةِ	*mudarrisāti l-kulliyyati*

Il plurale sano in ات -*āt* funge con alcuni sostantivi da plurale maschile:

اِمْتِحَان	*imtiḥān*	'esame'	pl.	اِمْتِحَانَات	*imtiḥānāt*
جَوَازُ سَفَرٍ	*ǧawāzu safarin*	'passaporto'		جَوَازَاتُ سَفَرٍ	*ǧawāzātu safarin*
غَاز	*ġāz*	'gas'		غَازَات	*ġāzāt*

3 Accordo dell'*ism* irrazionale (اسمُ غيرِ عاقلٍ)

- L'accordo al plurale maschile o femminile degli aggettivi – come كثيرون *kaṯīrūna* 'tanti', كثيرات *kaṯīrāt* 'tante' – viene usato solamente se questi siano riferiti a **esseri umani**:

طُلَّابٌ كَثِيرُونَ *ṭullābun kaṯīrūna* 'tanti studenti'
طَالِبَاتٌ كَثِيرَاتٌ *ṭālibātun kaṯīrātun* 'tante studentesse'

▶ Se invece sono riferiti a **esseri irrazionali** (اسم غير عاقل *ism ġayr ʕāqil*), ossia oggetti, nozioni astratte o animali, l'aggettivo si accorda obbligatoriamente e sempre al **femminile singolare**:

كُتُبٌ كَثِيرَةٌ *kutubun kaṯīratun* 'tanti libri'
أَشْيَاءُ مُخْتَلِفَةٌ *ʔašyāʔu muḫtalifatun* 'cose diverse'
كَلِمَاتٌ إِيطَالِيَّةٌ *kalimātun ʔīṭāliyyatun* 'parole italiane'

سَيَّارَاتٌ جَدِيدَةٌ	*sayyārātun ǧadīdatun*	'nuove automobili'
مُحَاضَرَاتٌ مُفِيدَةٌ	*muḥāḍarātun mufīdatun*	'conferenze interessanti'
عَصَافِيرُ صَغِيرَةٌ	*ʕaṣāfīru ṣaġīratun*	'piccoli uccelli'

Tale accordo al femminile singolare si estende ugualmente al pronome e al verbo: parlando di عصافير *ʕaṣāfīr* 'uccelli' (sg. عُصْفُور *ʕuṣfūr*), si osservi come viene reso l'enunciato seguente:

تِلْكَ ٱلْعَصَافِيرُ ٱلصَّغِيرَةُ هَرَبَتْ مِنْ أَعْشَاشِهَا وَهِيَ تُغَرِّدُ
tilka l-ʕaṣāfīru ṣ-ṣaġīratu harabat min ʔaʕšāši-hā wa-hiya tuġarridu
'quei piccoli uccelli sono scappati dai loro nidi cinguettando'
<quella gli-uccelli i-piccola è-scappata da nidi-di-lei e-essa cinguetta[f]>

Attenzione: l'aggettivo che determina un *ism* duale, *ʕāqil* o *ġayr ʕāqil*, va invece obbligatoriamente al **duale:**

كِتَابَانِ جَدِيدَانِ	*kitābāni ǧadīdāni*	'due nuovi libri'
فِي سَيَّارَتَيْنِ جَدِيدَتَيْنِ	*fī sayyāratayni ǧadīdatayni*	'in due nuove automobili'
أُسْتَاذَانِ مَاهِرَانِ	*ʔustāḏāni māhirāni*	'due bravi professori'

4 Nominali indeclinabili: uscenti in ىً *-an*

Alcuni sostantivi uscenti in ى *ʔalif maqṣūra* facente parte della radice *nāqiṣa* sono indeclinabili ma prendono il *tanwīn* se indeterminati:

مَقْهًى	*maqhan*	'bar'	اَلْمَقْهَى	*al-maqhā*	'il bar'	(rad. قهو *q-h-w*)
فَتًى	*fatan*	'ragazzo'	الفَتَى	*al-fatā*	'il ragazzo'	(rad. فتي *f-t-y*)
مُرَبًى	*murabban*	'marmellata'	المُرَبى	*al-murabbā*	'la marmellata'	(rad. ربو *r-b-w*)
مُسْتَشْفًى	*mustašfan*	'ospedale'	المُسْتَشْفَى	*al-mustašfā*	'l'ospedale'	(rad. شفي *š-f-y*)

Il femminile di questi temi è sempre in ـاة *-āt* e non comporta irregolarità:

فَتًى	*fatan*	'ragazzo'	→	فَتَاةٌ	*fatātun*	'ragazza'
مُغَطًّى	*muġaṭṭan*	'coperto'		مُغَطَّاةٌ	*muġaṭṭātun*	'coperta'

Nb: in *ʔiskān* è possibile leggere ـاة *-āt* (più frequente) o *-ā(h)*.

5 كل Tutto, ogni

- Il quantificatore indefinito كُلّ *kull*, in *iḍāfa* con il nominale seguente, esprime:
  - 'tutto' se il *muḍāf ʔilay-hi* è determinato;
  - 'ogni' se il *muḍāf ʔilay-hi* è indeterminato:

كُلُّ ٱلْكِتَابِ	*kullu l-kitābi*	'tutto il libro'
كُلُّ ٱلْكُتُبِ	*kullu l-kutubi*	'tutti i libri'
كُلُّ بَيْرُوتَ	*kullu Bayrūta*	'tutta Beirut'

كُلُّ طُلَّابِ ٱلصَّفِّ	*kullu ṭullābi ṣ-ṣaffi*	‘tutti gli studenti della classe’
كُلُّنَا	*kullu-nā*	‘tutti noi’
كُلُّ كِتَابٍ	*kullu kitābin*	‘ogni libro’
كُلَّ مَرَّةٍ	*kulla marratin*	‘ogni volta’ (مفعول فيه!)

- Con significato ‘tutto/a/i/e’ è possibile far seguire كل al nominale ma facendo intervenire un pronome suffisso adeguatamente accordato in genere e numero:

ٱلْكِتَابُ كُلُّهُ	*al-kitābu kullu-hu*	<il-libro tutto-lui>
ٱلْكُتُبُ كُلُّهَا	*al-kutubu kullu-hā*	<i-libri tutto-lei>
بَيْرُوتُ كُلُّهَا	*Bayrūtu kullu-hā*	<Beirut tutto-lei>
طُلَّابُ ٱلصَّفِّ كُلُّهُمْ	*ṭullābu ṣ-ṣaffi kullu-hum*	<studenti-di la-classe tutto-loro>

In tal caso non è più possibile parlare di *ˀiḍāfa* tra كل e il nominale.

- كل può inoltre essere usato indipendentemente nei modi seguenti:

كُلٌّ مِنَّا	*kullun min-nā*	‘ognuno di noi’
كُلٌّ مِنَ الطُّلَّابِ	*kullun min*^{a} *ṭ-ṭullābi*	‘ognuno degli studenti’
الكُلُّ هُنَا	*al-kullu hunā*	‘tutti sono qua’

6 إِنَّ وَأَخَوَاتُهَا *ˀinna* e le sue sorelle

La particella إن *ˀinna* è stata intravista all’Unità 9 § 7.3. Altre particelle quali لكن *lākinna* ‘ma’, لأن *liˀanna* ‘perché’ (*because, parce que*), nonché altre ancora che vedremo più avanti, sono dette ‘sorelle di *ˀinna*’; esse precedono necessariamente un *ism*, il quale, se sostantivo o aggettivo, va al ***manṣūb***, anche qualora esso rivesta il ruolo di soggetto della frase.

إِنَّ مُحَمَّدًا لَطِيفٌ	*ˀinna Muḥammadan laṭīfun*	‘Mohammed è davvero gentile’
إِنَّ ٱلدَّرْسَ مُمِلٌّ...	*ˀinna d-darsa mumillun...*	‘certo che la lezione è noiosa...’
لٰكِنَّ ٱلطَّقْسَ جَمِيلٌ	*lākinna ṭ-ṭaqsa ǧamīlun*	‘ma il tempo è bello’
لِأَنَّ ٱلشَّمْسَ قَوِيَّةٌ	*liˀanna š-šamsa qawiyyatun*	‘perché il sole picchia’ (‘è forte’)

Il nominale che segue إن è detto اسم إنّ *ism ˀinna* ‘nome di *ˀinna*’, e va al *manṣūb*. Il خبر إنّ *ḫabar ˀinna* ‘predicato di *ˀinna*’ invece rimane al *marfūʕ*; esso può essere talora introdotto dalla particella ل *la-*:

إِنَّ طَالِبَتَكَ لَظَرِيفَةٌ	*ˀinna ṭālibata-ka **la**-ẓarīfatun*	‘la tua^{m} studentessa è proprio carina’

Attenzione: l’*ism ˀinna*, se indeterminato, va dislocato **dopo** il *ḫabar*:

إِنَّ فِي ٱلشَّارِعِ دُكَّانًا	*ˀinna fī š-šāriʕi dukkānan*	‘nella strada c’è un negozio’
لٰكِنَّ لَهَا مَشَاكِلَ	*lākinna la-hā mašākila*	‘ma ha^{f} dei problemi’
لِأَنَّ فِي ٱلْمَقْهَى زَبَائِنَ جُدُدًا	*liˀanna fī l-maqhā zabāˀina ǧududan*	‘perché al bar ci sono nuovi clienti’

النص الثاني Testo 2 CD1/40

كان ماركو وفابيو وكاتيا يبحثون عن سيارة أجرة لما وصلت واحدة. سأل السائق ماركو:

- إلى أين ذاهبون، يا إخوة؟
- إلى شارع الحرية، يا معلم، تعرفه؟
- لا، والله.
- الشارع الكبير بين ساحة الاستقلال والمحطة المركزية.
- نعم مفهوم، هيا بنا.

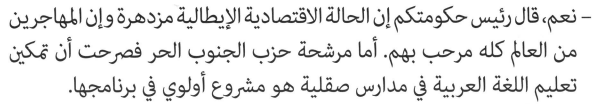

- هل سمعت الأخبار في المذياع؟
- لا، لكني رأيت التلفاز قبل ساعتين.
- هل قالوا شيئا عن السياسة الإيطالية؟
- نعم، قال رئيس حكومتكم إن الحالة الاقتصادية الإيطالية مزدهرة وإن المهاجرين من العالم كله مرحب بهم. أما مرشحة حزب الجنوب الحر فصرحت أن تمكين تعليم اللغة العربية في مدارس صقلية هو مشروع أولوي في برنامجها.
- ليتني أصبحت معلما في مدرسة صقلية... وهل قال البابا شيئا؟
- نعم. قال إن الإنسان الغربي فقد قيمه وإن شباب اليوم لا يريدون إلا الجنس والمخدرات.

الكلمات الجديدة Parole nuove

واحد	*wāḥid*	uno	بحث عن ه	*baḥaṯa ʿan*	cercare qc
سائق، ون	*sāʾiq, -ūna*	conducente	كانوا يبحثون	*kānū yabḥaṯūna*	cercavano
أَخ، إخوة	*ʾaḫ, ʾiḫwa*	fratello*	أجرة، أجر	*ʾuǧra, ʾuǧar*	noleggio
أخت، أخوات	*ʾuḫt, ʾaḫawāt*	sorella*	سَيّارةُ أُجْرَةٍ		tassì (= تاكسي)
خبر، أخبار	*ḫabar, ʾaḫbār*	notizia	ساحة، ات	*sāḥa, -āt*	piazza

مذياع، مذاييع	*midyāʿ, madāyīʿu*	radio (= راديو)	استقلال	*istiqlāl*	indipendenza
تلفاز، تلافيز	*tilfāz, talāfīzu*	televisore	محطة، ات	*maḥaṭṭa, -āt*	stazione
رأى	*raʾā*	vedere	هيا!	*hayyā!*	su, dai!
رأيت	*raʾayta*	hai^{m} visto	هيا بنا!	*hayyā bi-nā*	andiamo!
صقلية	*Ṣiqilliyyatu*	la Sicilia	قال	*qāla*	dire
صقلي، ون	*ṣiqilliyy, -ūna*	siciliano	قال إن	*qāla ʾinna*	ha^{m} detto che
مشروع، مشاريع	*mašrūʿ, mašārīʿu*	progetto	رئيس، رؤساء	*raʾīs, ruʾasāʾ*	capo
أولوي	*ʾawlawiyy*	prioritario	حكومة	*ḥukūma*	governo
برنامج، برامج	*barnāmaǧ, barāmiǧu*	programma	مدرسة، مدارس	*madrasa, madārisu*	scuola
مرشح، ون	*muraššaḥ, -ūna*	candidato	جنوب	*ǧanūb*	sud
حزب، أحزاب	*ḥizb, ʾaḥzāb*	partito	مزدهر، ون	*muzdahir, -ūna*	fiorente
حالة	*ḥāla*	situazione	مهاجر، ون	*muhāǧir, -ūna*	immigrato
اقتصاد	*iqtiṣād*	economia	عالم، ون	*ʿālam, -ūna*	mondo
اقتصادي، ون	*iqtiṣādiyy, -ūna*	economico	مرحب به	*muraḥḥabun bi-hi*	è benvenuto
طبعا!	*ṭabʿan!*	certo!	حر، أحرار	*ḥurr, ʾaḥrār*	libero
قيمة، قيم	*qīma, qiyam*	valore	صرح	*ṣarraḥa*	dichiarare
جنس	*ǧins*	sesso	تمكين	*tamkīn*	potenziamento
مخدرات	*muḫaddirāt*	droga (pl.)	تعليم	*taʿlīm*	insegnamento
لا ... إلا	*lā... ʾillā*	non ... se non/che	أصبح	*ʾaṣbaḥa*	diventare
بابا، بابوات	*bābā, bābawāt*	papa	غرب	*ġarb*	occidente
إنسان	*ʾinsān*	essere umano	غربي، ون	*ġarbiyy, -ūna*	occidentale
ليتني	*layta-nī*	magari io			

* يا أخي *yā ʾaḫ-ī* e يا أختي *yā ʾuḫt-ī* vengono comunemente usati per rivolgersi a un/a coetaneo/a. الأخ *al-ʾaḫ*, الأخت *al-ʾuḫt*, الإخوة *al-ʾiḫwa* rivolgendosi a sconosciuti possono usarsi con il valore de 'il signore, la signora, i signori'.

النحو Grammatica

7 الجملة الفعلية La frase verbale

L'arabo è tecnicamente una lingua VSO, nella quale cioè l'ordine abituale dei costituenti vede il Verbo in inizio di enunciato, seguito dal Soggetto, indi dall'Oggetto (mentre l'italiano è maggiormente SVO, il turco rigidamente SOV ecc.).

- La *ǧumla fiʕliyya* araba inizia quindi con il verbo:

  كَتَبَ ٱلْأُسْتَاذُ ٱلْجُمْلَةَ عَلَى ٱلسَّبُّورَةِ *kataba l-ʔustāḏu l-ǧumlata ʕalā s-sabbūrati*
  ‘il professore ha scritto la frase alla lavagna’
  <ha^{m}-scritto il-professore la-frase su la-lavagna>

  La costruzione seguente:

  اَلْأُسْتَاذُ كَتَبَ ٱلْجُمْلَةَ عَلَى ٱلسَّبُّورَةِ *al-ʔustāḏu kataba l-ǧumlata ʕalā s-sabbūrati*
  <il-professore ha^{m}-scritto la-frase su la-lavagna>

  è ugualmente possibile, sebbene con sfumatura semantica (‘il professore, [invece,] ha scritto...’, si ha tecnicamente antelocazione), ma **viene considerato dalla grammatica araba *ǧumla ismiyya***, in cui الأستاذ è il *mubtadaʔ*, كتب الجملة على السبورة il *ḫabar*.

- Il soggetto della frase verbale viene detto **الفاعل *al-fāʕil*** ‘il facente, colui che fa’:

  enunciato: كَتَبَ الأُسْتَاذُ الجُمْلَةَ على السَّبُّورَةِ
  analisi: الفِعْل الفاعِل المَفْعُول بِهِ المَفْعُول فِيهِ

  È possibile, teoricamente, invertire l’ordine del soggetto e del complemento, essendo i ruoli sintattici salvaguardati dall’*iʕrāb*, ma ciò accade quasi esclusivamente in poesia:

  كَتَبَ ٱلنَّصَّ ٱلْأُسْتَاذُ *kataba n-naṣṣa l-ʔustāḏu* ‘il professore ha scritto il testo’

▶ Quando il verbo in 3ª persona è in posizione iniziale, esso si accorda con il *fāʕil* – se عاقل razionale – in **genere** ma **non in numero**:

شَحَنَ ٱلطَّالِبُ جَوَّالَهُ	*šaḥana ṭ-ṭālibu ǧawwāla-hu*	‘lo studente ha caricato il suo cellulare’
شَحَنَ ٱلطُّلَّابُ جَوَّالَاتِهِمْ	*šaḥana ṭ-ṭullābu ǧawwālāti-him*	‘gli studenti hanno caricato i loro cellulari’
شَحَنَ ٱلطَّالِبَانِ جَوَّالَيْهِما	*šaḥana ṭ-ṭālibāni ǧawwālay-himā*	‘i due studenti hanno caricato i loro cellulari’
شَحَنَتِ ٱلطَّالِبَةُ جَوَّالَهَا	*šaḥanat^{i} ṭ-ṭālibatu ǧawwāla-hā*	‘la studentessa ha caricato il suo cellulare’
شَحَنَتِ ٱلطَّالِبَاتُ جَوَّالَاتِهِنَّ	*šaḥanat^{i} ṭ-ṭālibātu ǧawwālāti-hinna*	‘le studentesse hanno caricato i loro cellulari’
شَحَنَتِ ٱلطَّالِبَتَانِ جَوَّالَيْهِما	*šaḥanat^{i} ṭ-ṭālibatāni ǧawwālay-himā*	‘le due studentesse hanno caricato i loro cellulari’

Se il verbo viene dopo il *fāʕil* allora l’accordo deve essere integrale:

اَلطَّالِبُ شَحَنَ جَوَّالَهُ	*aṭ-ṭālibu šaḥana ǧawwāla-hu*
اَلطُّلَّابُ شَحَنُوا جَوَّالَاتِهِمْ	*aṭ-ṭullābu šaḥan**ū** ǧawwālāti-him*
اَلطَّالِبَانِ شَحَنَا جَوَّالَيْهِما	*aṭ-ṭālibāni šaḥan**ā** ǧawwālay-himā*
اَلطَّالِبَةُ شَحَنَتْ جَوَّالَهَا	*aṭ-ṭālibatu šaḥan**at** ǧawwāla-hā*
اَلطَّالِبَاتُ شَحَنَّ جَوَّالَاتِهِنَّ	*aṭ-ṭālibātu šaḥan**na** ǧawwālāti-hinna*
اَلطَّالِبَتَانِ شَحَنَتَا جَوَّالَيْهِما	*aṭ-ṭālibatāni šaḥan**atā** ǧawwālay-himā*

Se il *fāʕil* è *ġayr ʕāqil*, l'accordo è al femminile singolare (v. § 3) in qualsiasi posizione:

هَرَبَتِ ٱلْعَصَافِيرُ مِنْ عِشَاشِهَا	*harabatⁱ l-ʕaṣāfīru min ʕišāši-hā*	'gli uccelli sono scappati dalle loro gabbie'
اَلْعَصَافِيرُ هَرَبَتْ مِنْ عِشَاشِهَا	*al-ʕaṣāfīru harabat min ʕišāši-hā*	

8 النِسبة La *nisba*

È chiamato *nisba* 'relazione, rapporto' l'aggettivo derivato a partire da un sostantivo tramite l'aggiunta del morfema suffisso يّ *-iyy*; se tale morfema è unito a un sostantivo femminile terminante in *tāʔ marbūṭa* quest'ultima viene soppressa:

تُونُس	*Tūnus*	'Tunisia'	→	تُونُسِيّ	*tūnusiyy*	'tunisino'
اَلْعِرَاقُ	*al-ʕIrāq*	'Iraq'		عِرَاقِيّ	*ʕirāqiyy*	'iracheno'
صِقِلِّيَّةُ	*Ṣiqilliyya*	'Sicilia'		صِقِلِّيّ	*ṣiqilliyy*	'siciliano'
مَرْكَز	*markaz*	'centro'		مَرْكَزِيّ	*markaziyy*	'centrale'
إِرْهَاب	*ʔirhāb*	'terrorismo'		إِرْهَابِيّ	*ʔirhābiyy*	'terroristico'
عَصَب	*ʕaṣab*	'nervo'		عَصَبِيّ	*ʕaṣabiyy*	'nervoso'
عَرَب	*ʕarab*	'arabi'		عَرَبِيّ	*ʕarabiyy*	'arabo'
جَامِعَة	*ǧāmiʕa*	'università'		جَامِعِيّ	*ǧāmiʕiyy*	'universitario'

I termini seguenti subiscono una modifica interna:

مَدِينَة	*madīna*	'città'	→	مَدَنِيّ	*madaniyy*	'cittadino'
مَلِك	*malik*	're'		مَلَكِيّ	*malakiyy*	'regale, reale'
اليَمَن	*al-Yaman*	'lo Yemen'		يَمَنِيّ	*yamaniyy*	'yemenita'
			(opp.)	يَمَانِيّ	*yamāniyy*	
البَحْرَيْن	*al-Baḥrayn*	'Bahrein'		بَحْرَانِيّ	*baḥrāniyy*	'bahreinita'

Attenzione:

كِتَاب	*kitāb*	'libro	→	كِتَابِيّ	*kitābiyy*	'scritto' (agg.)
			→	كُتُبِيّ	*kutubiyy*	'libraio'

9 أسماء المكان والآلة Locativi e strumentali

I sostantivi a prefisso مَ *ma-* sono **locativi,** اسم المكان *ism al-makān* 'nome di luogo', indicano generalmente il luogo in cui viene svolta un'attività espressa dalla radice cui è unito o dove si trova un oggetto espresso dalla radice:

مَدْرَسَة	*madrasa*	'scuola'	↔	دَرَس	*darasa*	'studiare'
مَكْتَب	*maktab*	'ufficio; scrivania'		كَتَب	*kataba*	'scrivere'

مَكْتَبَة	*maktaba*	‘libreria; biblioteca’		كِتَاب	*kitāb*	‘libro’
مَقْعَد	*maqʕad*	‘sedile’		قَعَد	*qaʕada*	‘sedersi’
مَقْهًى	*maqhan*	‘bar, caffè’		قَهْوَة	*qahwa*	‘caffè’
مَرْقَص	*marqaṣ*	‘discoteca’		رَقَص	*raqaṣa*	‘ballare’
مَسْجِد	*masǧid*	‘moschea’		سَجَد	*saǧada*	‘prosternarsi’

I sostantivi a prefisso مِ *mi-* sono invece **strumentali**, اسم الآلة *ism al-ʔāla* ‘nome di strumento’, indicano cioè strumenti con cui viene fatta l’azione espressa dalla radice:

مِفْتَاح	*miftāḥ*	‘chiave’	↔	فَتَح	*fataḥa*	‘aprire’
مِكْنَسَة	*miknasa*	‘scopa’		كَنَس	*kanasa*	‘spazzare’
مِنْفَضَة	*minfaḍa*	‘posacenere’		نَفَض	*nafaḍa*	‘scrollare’
مِذْيَاع	*miḏyāʕ*	‘radio’		أَذَاع	*ʔaḏāʕa*	‘trasmettere’
مِصْبَاح	*miṣbāḥ*	‘lampione’		أَصْبَح	*ʔaṣbaḥa*	‘schiarirsi’

Vedremo più avanti che i sostantivi a prefisso مُ *mu-*, detti participi attivi, indicano colui che compie l’azione con i verbi *mazīd*:

مُدَرِّس	*mudarris*	‘insegnante^{m}’	↔	دَرَّس	*darrasa*	‘insegnare’
مُسْلِم	*muslim*	‘musulmano’		أَسْلَم	*ʔaslama*	‘affidarsi a Dio’
مُغَنِّيَة	*muġanniya*	‘cantante^{f}’		غَنَّى	*ġannā*	‘cantare’
مُلَاكِم	*mulākim*	‘pugile’		لَاكَم	*lākama*	‘fare a pugni’

التمارين Esercizi

1 Indicare per i nominali seguenti a quale tipo appartiene il plurale rispettivo, ovvero fratto (1), sano maschile (2), sano femminile (3).

			1	2	3
مدرسة، مدرسات	*mudarrisa, mudarrisāt*	‘insegnante^{f}’	■	■	■
ولد، أولاد	*walad, ʔawlād*	‘bambino’	■	■	■
كلب، كلاب	*kalb, kilāb*	‘cane’	■	■	■
ثلاجة، ثلاجات	*ṯallāǧa, ṯallāǧāt*	‘congelatore’	■	■	■
فرق، فروق	*farq, furūq*	‘differenza’	■	■	■
طفل، أطفال	*ṭifl, ʔaṭfāl*	‘bimbo’	■	■	■
معلم، معلمون	*muʕallim, muʕallimūna*	‘maestro’	■	■	■

			1	2	3
موظف، موظفون	*muwaẓẓaf, muwaẓẓafūna*	‘impiegato’	■	■	■
بنك، بنوك	*bank, bunūk*	‘banca’	■	■	■
مدرسة، مدارس	*madrasa, madāris*	‘scuola’	■	■	■
مفتاح، مفاتيح	*miftāḥ, mafātīḥ*	‘chiave’	■	■	■
سيارة، سيارات	*sayyāra, sayyārāt*	‘automobile’	■	■	■
شارع، شوارع	*šāriʿ, šawāriʿ*	‘via’	■	■	■
غرفة، غرف	*ġurfa, ġuraf*	‘stanza’	■	■	■
ملاكم، ملاكمون	*mulākim, mulākimūna*	‘pugile’	■	■	■

2 Tradurre in arabo.

1. I nuovi insegnanti della facoltà sono in questa stanza. ....
2. Dove sono i passaporti? – Li ho messi qui. ....
3. Queste studentesse della nostra facoltà hanno studiato l’arabo, ma sono partite per la Cina. ....
4. Ieri sera siamo usciti e abbiamo mangiato una pizza (بيتسا) con i nostri insegnanti. ....
5. Qui ci sono tanti studenti ma pochi professori. ....
6. Questi sono i miei figli e le mie due figliole. ....
7. Gli impiegati di quest’ufficio sono molto bravi. ....

3 Inserire negli spazi vuoti la parola adatta.

١. في هذا الصف طلاب	كثيرة	كثيرون	
٢. طالبات كلية اللغات هذه	كثيرات	كثيرون	
٣. قد درسنا لهذا الامتحان أشياء	جديدات	جديدة	
٤. تلك السيارات .... خرجت كلها من هذا الگاراج	الكبيرات	الكبار	الكبيرة
٥. أهذه فروق .... ؟	صغير	صغيرة	صغار

4 Tradurre in arabo.

1. Sono nuove queste camicie? ....
2. I bagni di questo ristorante sono sporchissimi. ....

3. Perché i clienti di questo bar sono tutti nervosi? ....
4. Ho chiesto pane e marmellata al bar, ma queste sono cose diverse! ....
5. In questa strada hanno[m] aperto molti negozi nuovi. ....
6. Sono aperte le banche oggi? – Certo! ....
7. Ho cambiato due congelatori in questi ultimi anni. ....

5 Individuare gli enunciati VSO e SVO, indi riformularli con l'ordine inverso (badando all'accordo del verbo!).

١. دخل فاضل وفاطمة في مطعم ياباني جديد. ....
٢. أصدقائي سألوني أين سكنت عندما كنت في الإمارات. ....
٣. كانت الكلاب كثيرة تلك الأيام. ....
٤. ضحك هؤلاء الشباب كثيرا لهذا الفيلم. ....
٥. سميرة وصديقاتها شربن عصير برتقال في مقهى بجانب الكلية. ....
٦. اتجه الطلاب إلى قاعة المحاضرات الجديدة لدرس التاريخ. ....
٧. أنا وصديقتي بحثنا عن مطعم مفتوح وما وجدناه. ....

6 Comprensione del Testo 1. Segnare صحيح *ṣaḥīḥ* 'vero' o خطأ *ḫaṭaʔ* 'falso'.

	صحيح	خطأ
١. قد ذهبت إيمان مع أصدقائها إلى مقهى.	■	■
٢. إن المقهى فيه زبائن قليلون والانتظار قصير.	■	■
٣. حمام المقهى قبالة الدخول.	■	■
٤. إن موظفي المصرف الوطني غضبوا لأنهم انتظروا كثيرا.	■	■

7 Comprensione del Testo 2 .Segnare صحيح *ṣaḥīḥ* 'vero' o خطأ *ḫaṭaʔ* 'falso'.

	صحيح	خطأ
١. "سيارة أجرة" هي الكلمة العربية لـ "تاكسي".	■	■
٢. يريد أصدقاؤنا الذهاب إلى مقهى الحرية.	■	■
٣. سأل أصدقاؤنا السائق عن أخبار اليوم.	■	■
٤. لقد صرح رئيس الحكومة أن الحالة الاقتصادية الوطنية مزدهرة	■	■

Radici...

Le due preposizioni داخل *dāḫila* 'dentro, all'interno di' e خارج *ḫāriğa* vanno ovviamente accostate ai due verbi rispettivi دخل *daḫala* 'entrare' e خرج *ḫarağa* 'uscire'.

I due neologismi برادة *barrāda* e ثلاجة *tallāğa* vengono normalmente dati per sinonimi, 'frigorifero, ghiacciaia'. Attualmente tuttavia essi sembrano essersi specializzati, 'frigorifero' il primo, 'congelatore, freezer' il secondo. Ottenuti a partire da برد *bard* 'freddo' e ثلج *talğ* 'neve, ghiaccio', si noti il wazn a valore intensivo فَعَّال, che fornisce nomi di mestieri (سمك *samak* 'pesci' → سماك *sammāk* 'pescivendolo', طبخ *ṭabaḫa* 'cucinare' → طباخ *ṭabbāḫ* 'cuoco') e, al femminile, di strumenti atti a sostituire il lavoro umano: نظارة *naẓẓāra* 'occhiali' (sg.! < نظر *naẓara* 'guardare'), غسالة *ġassāla* (< غسل *ġasala* 'lavare'), una volta la 'lavandaia' che veniva a lavare i panni a casa delle famiglie agiate, oggi la 'lavatrice'.

L'aggettivo مستعجل *mustaʕğil* 'affrettato, che ha fretta' condivide la radice √ʕ-ğ-l di عجلة *ʕağala* 'fretta'. العجلة من الشيطان 'la fretta è di Satana' è il proverbio arabo corrispondente al nostro 'chi va piano va sano...'.

Da كل si ottengono l'aggettivo (raro) كلي *kulliyy* 'totale, completo' e il sostantivo كلية *kulliyya* 'totalità', che rende anche il concetto di 'facoltà universitaria'.

Il سائق *sāʔiq* 'autista, conducente, guidatore' deve possedere una رخصة سياقة, √s-w-q: la radicale debole و in questi due temi viene sostituita da ء nel primo caso, da ي nel secondo.

Il رئيس *raʔīs* 'capo, leader, presidente' applica il wazn فَعِيل alla radice √r-ʔ-s di رأس *raʔs* 'testa'.

أكثر Di più

1 اللهُ في الحَياة اليَوْمِيّة Dio nella vita di tutti i giorni

Il nome di Dio, الله *Allāh*, compare come già si è potuto notare in una lunga serie di espressioni quotidiane: da الحمد لله 'grazie a Dio' (risposta automatica a 'come stai?' che quindi corrisponde a 'bene grazie') a إن شاء الله *ʔin šāʔa Llāh* 'se Dio vuole' (reso *(i)nšālla* nel parlato rapido) che accompagna obbligatoriamene qualsiasi enunciato riferito a un futuro anche immediato.

In والله *wa-Llāhi* la particella و non ha il valore del coordinante 'e' bensì quello della preposizione 'per' nei giuramenti, quindi 'perdio'. والله può esprimere nervosismo, specie nell'espressione والله العظيم 'per Dio grandissimo', ma molto spesso rende una una certificazione, 'davvero, sul serio' (se interrogativo 'davvero? ma va'?'), oppure esprime un'esitazione o un'incertezza, 'ebbene, non saprei, sai...'.

L'espressione إِنَّ ٱللهَ مَعَ ٱلصَّابِرِينَ 'Iddio è dalla parte dei pazienti', comunemente usata laddove un italiano direbbe 'santa pazienza', è una citazione coranica (Corano II, 153 e VIII, 46), e quindi spesso l'interlocutore musulmano aggiungerà صَدَقَ ٱللهُ ٱلْعَظِيمُ *ṣadaqa Llāhu l-ʕaẓīmu* 'Dio grandissimo dice il vero'.

La parola الله viene pronunciata con una [ɫ] fortemente enfatica, *Aḷḷāh* (si pensi all'inglese *wall*), a meno che la preceda una vocale [i]:

وَٱللهِ	*wa-Ḷḷāhi*	'perdio'	[wa'ɫːaːhi]
عِبَادُ ٱللهِ	*ʕibādu Ḷḷāhi*	'i servi di Dio'	[ʕi'bæːdu 'ɫːaːhi]
بِسْمِ ٱللهِ	*b-ismi Llāhi*	'in nome di Dio'	[bismi'lːæːhi]

Quest'ultima espressione, بسم الله (o باسم الله), dovrebbe essere pronunciata dal musulmano credente ogni volta che si accinge a fare qualche cosa. A tavola, al momento di fare le porzioni, uno dei conviviali viene incaricato di questo compito e pronuncia بسم الله prima di servire gli altri.

2 سيارة الأجرة Il tassì

سيارة أجرة, lett. 'vettura di affitto' (o più tecnicamente ancora سيارة أجرة بعداد *sayyāratu ʔuǧratin bi-ʕaddādin* 'vettura di affitto con contatore') sarebbe la dicitura ufficiale per 'tassì'. Oggi tuttavia gli stessi tassì recano la scritta تاكسي *tāksī* (pl. تاكسيات *tāksīyāt*, il Marocco preferisce طاكسي *ṭāksī*, l'Egitto تاكس *tāks*).
In alcuni paesi, ad es. in Marocco, l'uso di un tassì non è riservato a un unico passeggero: chi sia in cerca di un tassì e ne veda passare uno con uno o più posti liberi chiederà all'autista da quale parte sia diretto e, se la direzione gli conviene, salirà a bordo.
Se il passeggero è un uomo, è normale che egli si sieda accanto all'autista, e non dietro come si usa in Occidente. Una donna può sedersi dietro. I tassisti sono spesso gran chiacchieroni e costituiscono un'ottima palestra quotidiana – il costo è perlopiù irrisorio per gli occidentali – per la pratica dell'arabo (naturalmente molto più in dialetto che non in standard).
Per spostamenti un po' complicati (in gruppo, o per raggiungere destinazioni non facili, fuori città ecc.), è possibile mettersi d'accordo con l'autista perché torni a prendervi a una certa ora. È consigliabile in tal caso pattuire preliminarmente la tariffa finale.
Per spostarsi da una città all'altra diversi paesi arabi dispongono di reti molto efficaci di tassì collettivi, le cui tariffe sono fisse, e che partono quando la vettura è completa (normalmente da 6 a 8 passeggeri). In Siria sono chiamati سرفيس *sarvīs*, in Giordania باص *bāṣ*, in Israele שרות *šērūt*, in Tunisia لواج *luwāǧ* ovvero *louage* 'noleggio' in francese, e partono da apposite stazioni.

3 المذياع والتلفزة Radio e televisione

مذياع per 'radio' è un neologismo conosciuto da tutti ma inusitato nella conversazione, che gli preferisce راديو *rādyū*. Maggiormente acclimatati, anche nel dialettale, sono تلفزة *talfaza* 'televisione' e تلفاز *tilfāz* 'televisore' (entrambi pronunciabili con *-v-*), anche se تيليفيزيون *tīlīvīzyūn* resiste.
Da un punto di vista glottodidattico si ricordi che il televisore rappresenta un mezzo di apprendimento insostituibile. Come ovunque le reti nazionali offrono notiziari, telenovelas (sempre in dialetto, a meno che siano occidentali nel qual caso sono doppiate in arabo standard), dibattitti televisivi, documentari, cartoni animati ecc. Chi, per motivi di studio, risieda per un periodo lungo in un paese arabo dovrebbe fare in modo di disporre di un televisore e guardarlo regolarmente.

لم لا؟ Perché no?

النص الأول Testo 1 CD1/41

يخرج أمين وفاطمة من الكلية ويتجهان إلى مقهى الببغاء. يظهر أن فاطمة عابسة بعض الشيء، فيسألها أمين هل هي متضايقة لسبب ما.

- لماذا نذهب دائما إلى نفس المقهى؟
- ولم لا؟
- لماذا لا نغير، من حين إلى آخر؟
- ما هي المشكلة الآن مع مقهى الببغاء، ألا يعجبك؟
- بلى، يعجبني، ولكن ليست هذه هي المشكلة. ألا يمكن أن نذهب إلى مكان مختلف، مرة في الشهر؟
- بكل صراحة لا أفهمك، يا حبيبتي. إلى أين تريدين أن نذهب إذن؟
- قالوا لي إن هناك مقهى يابانيا، ليس بعيدا جدا، يبيع الـ «سوشي»...
- أرجوك، يا فطوم، إنك تعرفين جيدا أني أكره الأكل الياباني!
- لأنك لست مغامرا! إن الأكل الياباني خفيف ونافع للصحة.
- مثل السمك النيء بالطحالب الجافة؟ شكرا جزيلا، لست قطا...

الكلمات الجديدة Parole nuove

Nb: d'ora in avanti i vocaboli verranno presentati in due riquadri diversi: *a*) أسماء nominali e حروف particelle, *b*) أفعال verbi.

متضايق، ون	*mutaḍāyiq, -ūna*	infastidito	عابس	*ʿābis*	imbronciato
سبب ما	*sababun mā*	un qualche motivo	بَعْضَ الشَّيْءِ		un po'
حين، أحيان	*ḥīn, ʾaḥyān*	momento	صراحة	*ṣarāḥa*	sincerità
مِنْ حِينٍ إلى آخَرَ		di tanto in tanto	بِكُلِّ صَراحةٍ		in tutta sincerità
أن نذهب	*ʾan naḏhaba*	che andiamo	قالوا	*qālū*	hanno^{m} detto
مكان، أمكنة	*makān, ʾamkina*	luogo, posto	ياباني، ون	*yābāniyy, -ūna*	giapponese
أرجو	*ʾarǧū*	prego	يبيع	*yabīʿu*	vende^{m}
مغامر، ون	*muġāmir, -ūna*	curioso (di sapere)	سوشي		sushi
خفيف، خفاف	*ḫafīf, ḫifāf*	leggero	سمك	*samak*	pesce
نافع	*nāfiʿ*	utile, proficuo	مختلف، ون	*muḫtalif, -ūna*	diverso
صحة	*ṣiḥḥa*	salute	مغامر، ون	*muġāmir, -ūna*	avventuroso
قط، قطط	*qiṭṭ, qiṭaṭ*	gatto	أمين	*ʾAmīn*	Amin (n.pr.m.)
طحلب، طحالب	*ṭuḥlub, ṭaḥālibu*	alga	فاطمة	*Fāṭima*	Fatima (n.pr.f.)
جاف	*ǧāff*	secco*	فطوم	*Faṭṭūm*	(dimin. di) Fatima
نيء	*nayʾ*	crudo*	أَنْ	*ʾan*	che (+ verbo)
لِمَ؟	*li-ma?* (= لماذا)	perché?	أَنَّ	*ʾanna*	che (+ nominale)
بلى	*balā*	(invece) sì	إذن	*ʾiḏan*	allora

* Di questi due aggettivi non esistono plurali, non potendosi mai riferire ad esseri umani.

خرج، يخرج	*ḫaraǧa, yaḫruǧu*	uscire
ظهر، يظهر أن	*ẓahara, yaẓharu*	sembrare che
فهم، يفهم	*fahima, yafhamu*	capire
عرف، يعرف	*ʿarafa, yaʿrifu*	sapere, conoscere
كره، يكره	*kariha, yakrahu*	odiare
أعجب، يعجب	*ʾaʿǧaba, yuʿǧibu*	piacere
أمكن، يمكن	*ʾamkana, yumkinu*	essere possibile
اتجه، يتجه	*ittaǧaha, yattaǧihu*	dirigersi

النحو Grammatica

1 المضارع L'imperfetto

Mentre il *māḍī* – perfetto, o passato –, visto all'Unità 6 § 4, è una coniugazione a suffissi, il *muḍāriʕ* – imperfetto, o non-passato – è fondamentalmente una coniugazione a morfemi **prefissi**; ad alcune persone oltre ai morfemi prefissi intervengono tuttavia anche morfemi suffissi complementari. Diamo qui di seguito la coniugazione del verbo فعل *faʕala* 'fare' (lett. 'egli ha fatto'). È, di nuovo, **importantissimo memorizzare saldamente tale coniugazione, perché essa vale per *tutti* i verbi arabi:**

أَفْعَلُ	*ʔafʕalu*	faccio	نَفْعَلُ	*nafʕalu*	facciamo			
تَفْعَلُ	*tafʕalu*	fai^{m}	تَفْعَلُونَ	*tafʕalūna*	fate^{m}	تَفْعَلَانِ	*tafʕalāni*	fate$^{2m/f}$
تَفْعَلِينَ	*tafʕalīna*	fai^{f}	تَفْعَلْنَ	*tafʕalna*	fate^{f}			
يَفْعَلُ	*yafʕalu*	fa^{m}	يَفْعَلُونَ	*yafʕalūna*	fanno^{m}	يَفْعَلَانِ	*yafʕalāni*	fanno^{2m}
تَفْعَلُ	*tafʕalu*	fa^{f}	يَفْعَلْنَ	*yafʕalna*	fanno^{f}	تَفْعَلَانِ	*tafʕalāni*	fanno^{2f}

• I prefissi e circonfissi sono quindi:

	Singolare	Plurale	Duale
1	أ *ʔ-*	ن *n-*	
2^{m}	ت *t-*	تـون *t—ūna*	تـان *t—āni*
2^{f}	تـين *t—īna*	تـن *t—na*	
3^{m}	يـ *y-*	يـون *y—ūna*	يـان *y—āni*
3^{f}	ت *t-*	يـن *y—na*	تـان *t—āni*

• I prefissi sono vocalizzati in ***a*** nella maggior parte dei casi. Alcuni verbi *mazīd* tuttavia preferiscono la vocalizzazione in ***u***:

أُفَسِّرُ	*ʔufassiru*	نُفَسِّرُ	*nufassiru*		
تُفَسِّرُ	*tufassiru*	تُفَسِّرُونَ	*tufassirūna*	تُفَسِّرَانِ	*tufassirāni*
تُفَسِّرِينَ	*tufassirīna*	تُفَسِّرْنَ	*tufassirna*		
يُفَسِّرُ	*yufassiru*	يُفَسِّرُونَ	*yufassirūna*	يُفَسِّرَانِ	*yufassirāni*
تُفَسِّرُ	*tufassiru*	يُفَسِّرْنَ	*yufassirna*	تُفَسِّرَانِ	*tufassirāni*

• Mentre il *māḍī* esprime un processo portato a termine, compiuto, situato genericamente nel passato, il *muḍāriʕ* presenta il processo come non portato a termine, incompiuto, rendendo quindi un presente generico.

▶Le persone prive di suffisso complementare (*-īna*, *-ūna*, *-na*, *-āni*) ricevono una *-u* finale. Il *muḍāriʕ* distingue infatti tre modi (صيغة *ṣīġa*, pl. صِيَغ *ṣiyaġ*):

- مرفوع *marfūʕ*, o indicativo, caratterizzato da *-u* finale: يَفْعَلُ *yafʕalu* 'fa^{m}'
- منصوب *manṣūb*, o congiuntivo, caratterizzato da *-a* finale: أَنْ يَفْعَلَ *ʔan yafʕala* 'che faccia^{m}'
- مجزوم *maǧzūm*, o iussivo, caratterizzato da *sukūn* finale: لِيَفْعَلْ! *li-yafʕal!* 'faccia^{m}!'

Manṣūb e *mağzūm* verranno studiati più avanti. Si noti che le desinenze *-u* e *-a* ricordano quelle del sostantivo (e per tale motivo i due modi sono stati denominati allo stesso modo, mentre مجزوم significa 'troncato, apocopato'). Il nome dell'imperfetto, مضارع, significa 'somigliante' all'*ism*.

▶Per passare dal *māḍī* al *muḍāriʕ* non è sufficiente sostituire i suffissi del primo con i prefissi e circonfissi del secondo. Il tema verbale in sé subisce modifiche nella vocalizzazione:

'scrivere'	كَتَبَ	***katab**-a*	↔	يَكْتُبُ	*ya-**ktub**-u*
'bere'	شَرِبَ	***šarib**-a*		يَشْرَبُ	*ya-**šrab**-u*
'spiegare'	فَسَّرَ	***fassar**-a*		يُفَسِّرُ	*yu-**fassir**-u*

Per ora sarà sufficiente memorizzare ogni verbo nuovo insieme al tema del *muḍāriʕ*, ad es. ذَهَبَ، يَذْهَبُ *ḏahaba, yaḏhabu* 'andare'.

▶Il *muḍāriʕ* viene negato da **لا** *lā*:

لا نَذْهَبُ دائمًا إلى نَفْسِ المَقْهَى	*lā naḏhabu dāʔiman ʔilā nafsi l-maqhā*	'non andiamo sempre allo stesso bar'

2 لَيْسَ Non essere

ليس *laysa* è uno pseudoverbo di origine nominale. Esso si coniuga sul modello del *māḍī* (con qualche irregolarità fonetica) ma con il significato presente di 'non essere':

لَسْتُ	*lastu*	non sono	لَسْنا	*lasnā*	non siamo			
لَسْتَ	*lasta*	non sei^m	لَسْتُمْ	*lastum*	non siete^m	لَسْتُما	*lastumā*	non siete^2
لَسْتِ	*lasti*	non sei^f	لَسْتُنَّ	*lastunna*	non siete^f			
لَيْسَ	*laysa*	non è^m	لَيْسُوا	*laysū*	non sono^m	لَيْسا	*laysā*	non sono^2m
لَيْسَتْ	*laysat*	non è^f	لَسْنَ	*lasna*	non sono^f	لَيْسَتا	*laysatā*	non sono^2f

Una frase contenente ليس è considerata *ismiyya*. Il soggetto, اسم ليس *ism laysa*, va al *marfūʕ*; il suo predicato, il خبر ليس *ḫabar laysa*, va invece obbligatoriamente al ***manṣūb***:

لَيْسَ الدَّرْسُ طَوِيلاً	*laysa d-darsu ṭawīlan*	'la lezione non è lunga'
لَسْنا طُلاّبًا	*lasnā ṭullāban*	'non siamo studenti'
لَيْسَتْ هذه هي المُشْكِلَةَ	*laysat hāḏihi hiya l-muškilata*	'non è questo il problema'

Il خبر ليس può ugualmente essere introdotto dalla preposizione بِ *bi-* (modalità ormai desueta in standard contemporaneo), nel qual caso va ovviamente al *mağrūr*:

ليس الدرسُ بِطويلٍ	*laysa d-darsu bi-ṭawīlin*	'la lezione non è lunga'
لسنا بِطلابٍ	*lasnā bi-ṭullābin*	'non siamo studenti'

3 كان وأخواتها *Kāna* e le sue sorelle

I verbi come كانَ، يَكُونُ *kāna, yakūnu*, أَصْبَحَ، يُصْبِحُ *ʔaṣbaḥa, yuṣbiḥu* 'diventare', che esprimono un essere o un divenire, esigono – come ليس – il *ḫabar* al ***manṣūb***:

كان الدرسُ طويلاً	*kāna d-darsu ṭawīlan*	'la lezione fu lunga'
كُنّا طُلاّبًا	*kunnā ṭullāban*	'eravamo studenti'
أَصْبَحْنا كَثيرِينَ	*ʔaṣbaḥnā kaṯīrīna*	'siamo diventati tanti'

Nb: il verbo ظَهَرَ، يَظْهَرُ *ẓahara, yaẓharu* 'sembrare, apparire' tuttavia non fa parte di questi verbi e richiede l'intervento del subordinante أنّ *ʔanna* 'che':

يَظْهَرُ أَنَّها عابِسَةٌ *yaẓharu ʔanna-hā ʕābisatun* 'sembra (che lei [sia]) infastidita'

4 آخَرُ Altro

Si badi alla flessione di quest'aggettivo:

	المفرد	الجمع	المثنى
المذكر	آخَرُ *ʔāḫar*	آخَرُونَ *ʔāḫarūna*	آخَرَانِ *ʔāḫarāni*
المؤنث	أُخْرَى *ʔuḫrā*	أُخْرَيَات *ʔuḫrayāt*	أُخْرَيَانِ *ʔuḫrayāni*

النص الثاني Testo 2 CD1/42

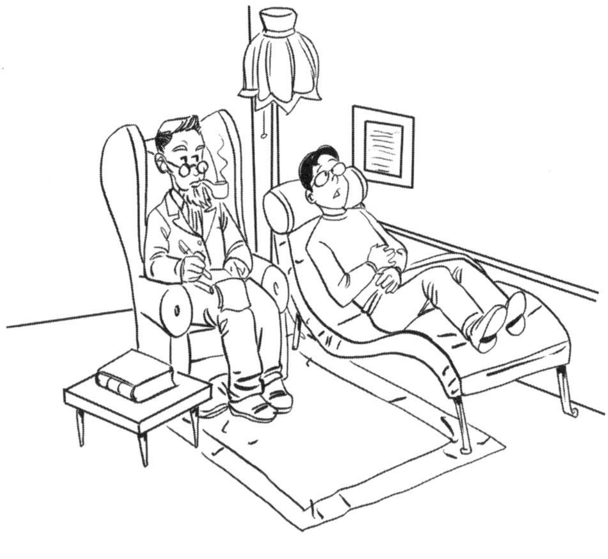

إن عمر مشغول البال. فمنذ شهرين تقريبا لا ينام جيدا، لا يدرس بسهولة، لا يركز فكره في الدراسة، لدرجة أنه فقد اهتمامه بالفتيات! فيظهر أن الأمر جدي... هكذا قرر صديقنا أن يذهب إلى محلل نفساني.

الطبيب رجل سمين يناهز الخمسين، ذو لحية قصيرة، جالس على كرسي مريح، وفي فمه غليون مطفأ.

الآن يرقد عمر على سرير المحلل ويحكي له حياته.

- عندما كنت صغيرا كان أبي يضربني باستمرار. وكان أخي الكبير يشتمني ويضربني هو الآخر. وكان كل أصدقائي في المدرسة يضحكون عليّ. أما معلميّ فكانوا يعاقبونني بدون سبب... كنت تعيسا جدا...

- ماذا كان أبوك يعمل؟
- إنه أستاذ جامعي مشهور، مؤلف كتب عديدة، ذو شهرة عالمية.
- وكم مرة رأيت أباك يقرأ ويكتب في مكتبه؟
- كل أيام طفولتي، يا دكتور!
- ها هو تفسير كل شيء: عندك مركب نقص تجاه أبيك.

الكلمات الجديدة Parole nuove

سهولة	suhūla	facilità	مشغول، ون	mašġūl, -ūna	occupato
بِسُهُولةٍ		con facilità	بال	bāl	spirito
لِدَرَجَةِ أَنَّ	li-daraǧati ʾanna	a tal punto che	مشغولُ البالِ		preoccupato
اهتمام	ihtimām	interesse	مكتب، مكاتب	maktab, makātibu	ufficio, studio
فتى، فتيان	fatan, fityān	ragazzo	أن يذهب	ʾan yaḏhaba	(qui:) di andare
فتاة، فتيات	fatāt, fatayāt	ragazza	فكر	fikr	pensiero
أمر، أمور	ʾamr, ʾumūr	faccenda, cosa	استمرار	istimrār	continuazione
جدي، ون	ǧiddiyy, -ūna	serio	بِٱسْتِمْرارٍ		in continuazione
خمسون	ḫamsūna	cinquanta	تعيس، تعساء	taʿīs, tuʿasāʾ	infelice
لحية، لحى	liḥya, luḥan	barba	مشهور، ون	mašhūr, -ūna	noto
قصير، قصار	qaṣīr, qiṣār	corto	مؤلف، ون	muʾallif, -ūna	autore
سرير، أسرة	sarīr, ʾasirra	letto	عديد، ون	ʿadīd, -ūna	numeroso
حياة، حيوات	ḥayāt, ḥayawāt	vita	طفولة	ṭufūla	infanzia
شهرة	šuhra	notorietà	محلل، ون	muḥallil, -ūna	analista
عالم	ʿālam	mondo	نفساني	nafsāniyy	psicologico
عالمي، ون	ʿālamiyy, -ūna	mondiale	مُحَلِّلٌ نَفْسانِيٌّ		psicanalista
مركب، ات	murakkab, -āt	complesso (psic.)	طبيب، أطباء	ṭabīb, ʾaṭibbāʾu	medico
نقص	naqṣ	inferiorità	سمين، سمان	samīn, simān	corpulento
تفسير، تفاسير	tafsīr, tafāsīru	spiegazione	غليون، غلايين	ġalyūn, ġalāyīnu	pipa
تجاه	tuǧāha	nei confronti di	مطفأ، مطفؤون	muṭfaʾ, -ūna	spento
كرسي، كراسي	kursiyy, karāsiyyu	poltrona	مريح، ون	murīḥ, -ūna	confortevole

فعل	فقد، يفقد	*faqada, yafqidu*	perdere
	رقد، يرقد	*raqada, yarqudu*	sdraiarsi
	شتم، يشتم	*šatama, yaštumu*	insultare
	ضحك، يضحك	*ḍaḥika, yaḍḥaku*	ridere
	ضحك على	*ḍaḥika ʿalā*	prendere in giro
	كتب، يكتب	*kataba, yaktubu*	scrivere
	قرأ، يقرأ	*qaraʾa, yaqraʾu*	leggere
	ضرب، يضرب	*ḍaraba, yaḍribu*	picchiare
	درس، يدرس	*darasa, yadrusu*	studiare
	عمل، يعمل	*ʿamila, yaʿmalu*	fare; lavorare
	نام، ينام	*nāma, yanāmu*	dormire
	حكى، يحكي	*ḥakā, yaḥkī*	raccontare
فَعَّلَ	قرر، يقرر	*qarrara, yuqarriru*	decidere
	ركز، يركز	*rakkaza, yurakkizu*	concentrare
فَاعَلَ	عاقب، يعاقب	*ʿāqaba, yuʿāqibu*	punire
	ناهز، يناهز	*nāhaza, yunāhizu*	avvicinarsi a (età)

النحو Grammatica

5 الأسماء الخمسة I cinque nomi

Gli الأسماء الخمسة sono i seguenti:

أَب، آباء	*ʾab, ʾābāʾ*	'padre'
أَخ، إِخْوة	*ʾaḫ, ʾiḫwa*	'fratello'
حَم، أَحْماء	*ḥam, ʾaḥmāʾ*	'suocero'
فَم، أَفْواه	*fam, ʾafwāh*	'bocca'
ذُو، أُولُو	*ḏū, ʾūlū*	(indicatore di connotazione)

- I primi tre temi al singolare, أب, أخ, حم, vengono trattati come se derivanti da radici triconsonantiche, ossia √ʾ-b-w, √ʾ-ḫ-w, √ḥ-m-w rispettivamente. I restanti due sono storicamente monoconsonantici molto antichi √f, √ḏ, 'ispessiti' tramite una semivocale *w*.
- I primi quattro, أب, أخ, حم, فم, possono comparire indeterminati o determinati dall'articolo, nel qual caso si comportano come altri *ʾasmāʾ* triptoti; se appaiono come *muḍāf* riprende corpo la terza radicale occulta *w* sotto forma di vocale lunga, obbligatoriamente per i primi tre, facoltativamente per il quarto:

Indeterminati	Con l'articolo	*muḍāf*
أَبٌ *ʔabun*	الأَبُ *al-ʔabu*	أَبُو *ʔabū*
أَبًا *ʔaban*	الأَبَ *al-ʔaba*	أَبَا *ʔabā*
أَبٍ *ʔabin*	الأَبِ *al-ʔabi*	أَبِي *ʔabī*
أَخٌ *ʔaḫun*	الأَخُ *al-ʔaḫu*	أَخُو *ʔaḫū*
أَخًا *ʔaḫan*	الأَخَ *al-ʔaḫa*	أَخَا *ʔaḫā*
أَخٍ *ʔaḫin*	الأَخِ *al-ʔaḫi*	أَخِي *ʔaḫī*
حَمٌ *ḥamun*	الحَمُ *al-ḥamu*	حَمُو *ḥamū*
حَمًا *ḥaman*	الحَمَ *al-ḥama*	حَمَا *ḥamā*
حَمٍ *ḥamin*	الحَمِ *al-ḥami*	حَمِي *ḥamī*

NB: أخ ha anche come plurale إِخْوَان *ʔiḫwān*, nel qual caso ha piuttosto il valore di 'confratello': الإخوان المُسْلِمُونَ *al-ʔIḫwān al-Muslimūna* 'i Fratelli Musulmani' (movimento fondamentalista).

أَبُو عُمَرَ أُسْتَاذٌ جَامِعِيٌّ	*ʔabū ʕUmara ʔustāḏun ǧāmiʕiyyun*	'il padre di Omar è un professore universitario'
إِنَّ أَخَا هِنْدٍ مُمِلٌّ!	*ʔinna ʔaḫā Hindin mumillun!*	'il fratello di Hind è proprio noioso!'
تَكَلَّمْتُ مَعَ أَخِيكَ	*takallamtu maʕa ʔaḫī-ka*	'ho parlato con tuo^m fratello'
طَبْعًا أَعْرِفُهَا، فَإِنِّي حَمُوهَا	*ṭabʕan ʔaʕrifu-hā, fa-ʔinn-ī ḥamū-hā*	'certo che la conosco, sono suo suocero'

- Per فم si ha, in posizione *muḍāf*, l'alternativa (la seconda opzione è ben rara in arabo contemporaneo):

Indeterminati	Con l'articolo	*muḍāf*	
فَمٌ *famun*	الفَمُ *al-famu*	فَمُ *famu*	فُو *fū*
فَمًا *faman*	الفَمَ *al-fama*	فَمَ *fama*	فَا *fā*
فَمٍ *famin*	الفَمِ *al-fami*	فَمِ *fami*	فِي *fī*

▶ Attenzione con i pronomi suffissi:

أَبِي *ʔab-ī*	أَبُونَا *ʔabū-nā*	
أَبُوكَ *ʔabū-ka*	أَبُوكُمْ *ʔabū-kum*	أَبُوكُمَا *ʔabū-kumā*
أَبُوكِ *ʔabū-ki*	أَبُوكُنَّ *ʔabū-kunna*	
أَبُوهُ *ʔabū-hu*	أَبُوهُمْ *ʔabū-hum*	أَبُوهُمَا *ʔabū-humā*
أَبُوهَا *ʔabū-hā*	أَبُوهُنَّ *ʔabū-hunna*	

- Il quinto tema appare unicamente in posizione *muḍāf* (al plurale maschile vi sono due temi):

Singolare		Plurale		
m.	f.	m.		f.
ذُو *ḏū*	ذاتُ *ḏātu*	ذَوُو *ḏawū*	أُولُو *ʔūlū*	ذَوَاتُ *ḏawātu*
ذَا *ḏā*	ذاتَ *ḏāta*	ذَوِي *ḏawī*	أُولِي *ʔūlī*	ذَوَاتِ *ḏawāti*
ذِي *ḏī*	ذاتِ *ḏāti*			

▶ Il tema ذو, necessariamente in *ʔiḍāfa* con il sostantivo seguente, può tradursi genericamente come ‘dotato di, connotato da, avente *x*, -uto’:

ذُو لِحْيَةٍ	*ḏū liḥyatin*	‘barbuto’
ذاتُ مالٍ	*ḏātu mālin*	‘danarosa’ (‘dotata di denaro’)
غُرْفَةٌ ذاتُ بابَيْنِ	*ġurfatun ḏātu bābayni*	‘una stanza con due porte’
ذَوُو العِلْمِ	*ḏawū l-ʕilmi*	‘gli scienziati’
ذُو الحِجَّةِ	*ḏū l-ḥiǧǧati*	‘[mese] del pellegrinaggio’
ذُو القَرْنَيْنِ	*Ḏū l-Qarnayni*	‘Alessandro Magno’ (lett. ‘il Cornuto’)

▶ Nel Mashreq è comune chiamare le persone non con il loro nome ma con quello del figlio (maschio) preceduto da أبو *ʔabū* (il padre), أم *ʔumm* (la madre), ad es. أَبُو عُمَر *ʔAbū ʕUmar* ‘padre di Omar’, أُمّ حَسَن *ʔUmm Ḥasan* ‘madre di Hasan’; tale soprannome viene detto كنية *kunya.*

6 Tempi composti con كان

Il *māḍī* esprime un passato generico che in italiano verrà reso, secondo il contesto, con un passato prossimo o remoto, mentre il *muḍāriʕ* rende un processo nel suo svolgimento e verrà tradotto con un presente generale o puntuale:

دَرَسَ	*darasa*	‘ha^{m} studiato’, ‘studiò^{m}’
يَدْرُسُ	*yadrusu*	‘studia^{m}’, ‘sta^{m} studiando’

- كان ‘essere’ (quindi ‘era^{m}, è stato, fu’) premesso a un *māḍī* o a un *muḍāriʕ* può operare uno sfalsamento nel tempo (nel primo caso interviene solitamente anche قد *qad*):

كانَ قَدْ دَرَسَ	*kāna qad darasa*	‘aveva^{m} studiato’
كانَ يَدْرُسُ	*kāna yadrusu*	‘studiava^{m}, stava^{m} studiando’

- In tal caso, se il *fāʕil* viene espresso, esso si inserisce tra كان e la forma verbale seguente:

كانَ الطَبِيبُ قَدْ خَرَجَ	*kāna ṭ-ṭabību qad ḫarağa*	‘il dottore era uscito’
كانَتِ الفَتاةُ تَقْرَأُ	*kānat^{i} l-fatātu taqraʔu*	‘la ragazza stava leggendo’

- Con l'intervento della negazione ما:

  مَا كانَ الطَبِيبُ قَدْ خَرَجَ *mā kāna ṭ-ṭabību qad ḫarağa* 'il dottore non era uscito'

Nb: molti manuali danno per possibili anche كان درس, كان الطبيب خرج (senza cioè قد), costrutti non inaccettabili ma di fatto inesistenti nello standard novecentesco.

7 كَمْ Quanto?

Il quantificatore interrogativo كم؟ *kam?* 'quanto?' è invariabile in genere e numero. Se completato dall'oggetto quantificato, questo va al **singolare *manṣūb***:

كَمْ كِتابًا؟ *kam kitāban?* 'quanti libri?'

كَمْ مَرّةً؟ *kam marratan?* 'quante volte?'

Se il quantificato è *ḫabar* di كم؟, esso rimane allora al *marfūʿ*:

كَمْ عُمْرُكَ؟ *kam ʿumru-ka?* 'quanti anni hai^{m}' <quanto [è] età-tua^{m}?>

التمارين Esercizi

1 Coniugare oralmente a tutte le persone del *muḍāriʿ* i verbi seguenti.

دخَل، يدخُل 'entrare'	خرَج، يخرُج 'uscire'	صعِد، يصعَد 'salire'	قطَع، يقطَع 'tagliare'
سكَن، يسكُن 'abitare'	عرَف، يعرِف 'sapere'	سمِع، يسمَع 'udire'	كبُر، يكبر 'crescere'
شرِب، يشرَب 'bere'	ضحِك، يضحَك 'ridere'	لبِس، يلبَس 'indossare'	وصَل، يَصِل 'arrivare'
رجَع، يرجِع 'ritornare'	لعِب، يلعَب 'giocare'	فتَح، يفتَح 'aprire'	ذهَب، يذهَب 'andare'
وضَع، يَضَع 'mettere'	نَظَّفَ، يُنَظِّفُ 'pulire'	سَافَرَ، يُسَافِرُ 'partire'	درَس، يدرُس 'studiare'
اِنْصَرَفَ، يَنْصَرِفُ 'andarsene'	تَكَلَّمَ، يَتَكَلَّمُ 'parlare'	اِتَّصَلَ، يَتَّصِلُ 'telefonare'	فَسَّرَ، يُفَسِّرُ 'spiegare'

2 Dare le persone corrispondenti dei verbi.

١. سكن (انا، هي، انتم، هم، نحن)

٢. شرب (انتَ، انتن، انتما، هو)

٣. فتح (هما، هم، انتِ، هن)

٤. رجع (نحن، انا، هم، هى)

٥. قطع (نحن، انا، هم، هى)

٦. كبر (انتَ، انتن، انتما، هو)

٧. لعب (هما، هم، انتِ، هن)

٨. وصل (انا، هي، انتم، هم، نحن)

٩. لاحظ (هما، هم، انتِ، هن)

١٠. اتصل (انتَ، انتن، انتما، هو)

١١. فسر (نحن، انا، هم، هى)

١٢. سافر (نحن، انا، هم، هى)

١٣. تكلم (هما، هم، انتِ، هن)

١٤. انصرف (انتَ، انتن، انتما، هو)

3 Tradurre in arabo.

1. Non so quando (مَتَى) è tornato Marco dalla discoteca. ....
2. Perché non esci[m] con i tuoi amici e andate al cinema? ....
3. Sappiamo che odi[f] il cibo giapponese ma che studi la lingua giapponese. ....
4. Sai[f] dov'è la chiave, per favore? – No, non lo so, mi dispiace. ....
5. Quel professore entra sempre con una camicia nuova. ....
6. Perché ridete? – Perché hai[m] mangiato il sushi e sappiamo che lo odi. ....
7. Beviamo qualcosa? – Un tè dopo la lezione, grazie. ....
8. Parla[f] arabo? – Si, Tiziana parla l'arabo e l'ebraico (العبرية *al-ʕibriyya*). ....
9. Possiamo andare in facoltà? – No, non è aperta oggi. ....
10. Abitiamo in una nuova casa dopo il semaforo in fondo alla strada. ....

4 Tradurre in italiano.

١. هل تسافر غدا إلى باريس؟ - لا، أسافر إلى برشلونة. ....

٢. لماذا لا تتكلمين معي، يا حبيبتي؟ - لأنك لا تريد أن نذهب إلى السينما فهناك فيلم رومانسي جديد! ....

٣. هناك طالبان من قسم اللغة العربية يلبسان الكوفية والبابوش. ....

٤. تتكلم تلك الأستاذة بسرعة فطلابها لا يفهمون من درسها شيئا. ....

٥. هل تشربين شيئا، يا عزيزة؟ - لا، شكرا، إني لا أشرب شيئا معك! ....

٦. يخرج أمين مع أصدقائه إلى المرقص ولهذا السبب يظهر أن فاطمة متضايقة وعابسة جدا. ....

٧. ألا يعجبك الأكل الياباني؟ - لا، يا صديقي العزيز، لا يعجبني، إني أكرهه كثيرا جدا. ....

٨. عندما أرجع اليوم إلى بيتي، أدخل في غرفتي وأنظفها كلها! ....

٩. هل انصرفتم؟ - لا، قد وصلنا الآن ونتصل بصديقنا الآخر. ....

١٠. أعرف أنك صديق لأستاذ الجغرافيا. - لا، أنا آسف، إني لا أعرفه! ....

5 Tradurre in arabo.

1. Questo non è un gran problema. ....
2. Questo cellulare non è nuovo, ma era di mio fratello. ....
3. Sei[f] a casa oggi? – No, non sono a casa perché vado al mare. ....
4. Quando eravamo studenti noi, la facoltà di lingue non era qui. ....
5. Quella non è mia sorella, non capisci[f]? ....
6. Mi (لي) sembri imbronciato, con chi sei stato al bar? ....
7. Andrea era in Italia, ma ora è in Giappone. ....
8. Fatima non è offesa ma è matta, e per questo motivo quando parla non la capiamo. ....
9. Non è un'alga secca quella? – Certamente! ....
10. Non vi[m] piace il pesce crudo? – No, non siamo gatti! ....

6 Inserire il verbo كان alla persona corretta e tradurre.

١. .... الأساتذة قد خرجوا من الباب اليميني للكلية. ....

٢. ماذا .... تفعل، يا دومينيكو، عندما دخلنا في غرفتك؟ ....

٣. لقد .... أتكلم مع أخي صديقي بالهاتف. ....

٤. كم يورو .... أبوك قد فقد؟ - ليس كثيرا ولله الحمد. ....

٥. أين .... قد ذهبتن أمس لما اتصلنا بكن؟ ....

٦. ما .... قد ذهبنا إلى مكان، يا شباب. ....

٧. هل .... تريد شيئا، يا حبيبي؟ - لا، ما كنت أريد شيئا. ....

٨. أما .... المطعم مفتوحا صباح اليوم؟ - بلى! ....

٩. كم طالبا رأيت في الصف؟ - .... قد رأيت طلابا كثيرين. ....

١٠. لقد .... الطالبات قد شحنّ جوالاتهن في ذلك الدكان الصغير. ....

7 Comprensione del Testo 1. Segnare صحيح ṣaḥīḥ 'vero' o خطأ ḫaṭa' 'falso'.

	خطأ	صحيح
١. عند الخروج من الجامعة، يذهب أمين وفاطمة إلى مقهى ياباني.	■	■
٢. فاطمة متضايقة لأن أمين لا يريد الذهاب إلى مقهى الببغاء.	■	■
٣. إن فاطمة لا تكره الأكل الياباني.	■	■
٤. مقهى الببغاء يبيع السوشي بالسمك والطحالب.	■	■

8 Comprensione del Testo 2. Segnare صحيح ṣaḥīḥ 'vero' o خطأ ḫaṭa' 'falso'.

	خطأ	صحيح
١. إن عمر لا ينام بسهولة منذ شهرين ولا يدرس جيدا.	■	■
٢. إن صديقنا لا يريد أن يذهب إلى محلل نفساني.	■	■
٣. عمر مؤلف كتب وهو مشهور جدا.	■	■
٤. أبو عمر له مركب نقص تجاه ابنه.	■	■

Radici...

مكان *makān* 'luogo, posto' è un locativo collegato al verbo كان 'essere, stare', √*k-w-n*.

Il محلل *muḥallil* 'analista' è colui che deve trovare un حل *ḥall* 'soluzione', √*ḥ-l-l*, quindi anche un 'solutore'. نفس *nafs* è 'anima, psiche' (f.!, e attenzione agli omografi: نفس *nafas* 'respiro, alito'), di cui il derivato نفساني *nafsāniyy* traduce oggi il concetto di 'psico-, psicologico'.

Il wazn فُعُولَة indica una disposizione o una condizione: così da سهل *sahl* 'facile', صعب *ṣaʿb* 'difficile', طفل *ṭifl* 'bambino' si hanno سهولة *suhūla* 'facilità', صعوبة *ṣuʿūba* 'difficoltà', طفولة *ṭufūla* 'infanzia'.

ركّز *rakkaza* 'concentrare' è formato dalla stessa radice √*r-k-z* di مركز *markaz* 'centro'.

صحيح *ṣaḥīḥ* 'vero, giusto, esatto', ma anche 'sano, in salute' è l'aggettivo di schema فَعِيل relativo al sostantivo صحة *ṣiḥḥa* 'salute', √*ṣ-ḥ-ḥ*. تجاه *tuǧāha* 'verso, nei confronti di' va infine ricollegato al verbo اتجه *ittağaha* 'dirigersi', la cui radice è √*w-ǧ-h* (radicale debole!).

أكثر Di più

1 Punti di ristoro

Le metropoli arabe brulicano di bar, locali, ristorantini ecc. dove è possibile ottenere prima colazione, pranzo e cena, per spese normalmente contenutissime. A seconda del luogo il tipo di cucina offerto può variare dalla cucina locale a quella di tipo occidentale, oggi anche a quelle 'etniche' (cinese,

giapponese ecc.). In tale varietà di scelta si consiglia di optare per i locali strettamente locali e popolari, a prima vista poco invitanti, anche se la pulizia può apparire spesso dubbia, dove il cibo è sempre di qualità garantita e saporita, nonché di un costo alla portata di tasche studentesche. I ristoranti occidentali sono molto spesso cari e deludenti.
I medici sconsigliano di bere acqua di rubinetto e quindi di consumare verdure crude lavate con la suddetta. Il consiglio andrebbe tenuto presente in tutti i casi – anche se è difficile lavarsi i denti con acqua minerale –, specie da parte di chi sappia di avere un apparato digerente emotivo o scorbutico. Munirsi di bottiglie di acqua minerale per la notte è dunque una buona prassi. Quanto alla verdura cruda e alla frutta, la quantità minima di acqua residua che possa rimanere in un'insalata o sulla buccia di una ciliegia ha scarse probabilità di rivelarsi letale. L'esperienza invita invece a diffidare delle uova, specie nei mesi estivi, nonché a scartare tassativamente ogni tipo di pesce o frutto di mare scongelati.
La cucina araba fa un certo uso di carne di montone (adulto), cui gli occidentali non sono abituati. La carne di montone deve essere consumata calda, nel qual caso viene digerita senza problemi. Se viene mangiata tiepida o fredda (perché si compra un panino e si decide di andarlo a degustare seduti in giardino in fondo alla strada), essa si ferma sullo stomaco e può costringere nel giro di poco tempo a fughe precipitose nonché al terrore di aver ingerito carne avariata o di aver contratto qualche temibile dissenteria. È per tale motivo che la شاورما *šāwarmā* – questo il nome, anche se di origine turca, usato nei paesi arabi per il 'kebab' italiano – in Italia viene fatto esclusivamente con carne di vitella o di pollo. Succulenta la شاورما dentro mezza baguette arricchita (soprattutto nel Maghreb) di insalata, pomodori, olive, cipolla, حمص *ḥummuṣ* (purè di ceci), patatine fritte e (a richiesta) una generosa spalmata di salsa piccante (nel Mashreq شيلي *šīlī*) e/o di maionese.
La cucina araba infine è nota per essere 'piccante'. La cosa è vera solamente in alcune zone, e limitatamente ai piatti in salsa e negli ortaggi ripassati (un po' ovunque viene offerto un piatto di melanzane arrostite e ripassate con olio, cipolla, limone, generalmente piccante, ad es. la مشوية *mašwiyya* magrebina), ma nel più dei casi la salsina piccante (come la deliziosa هريسة *harīsa* tunisina) viene servita in un piattino a parte. La salsa piccante, in caso di abuso, può rivelare gli stessi inconvenienti evocati a proposito del montone freddo, nonché conservare tutta la sua abrasività fino a entrambe le vie di uscita del corpo umano. Chi involontariamente abbia ingerito una quantità eccessiva di salsa piccante e si senta la bocca in fuoco istintivamente cerca di placare l'ustione bevendo acqua: questa in realtà non fa che aumentarla, e l'unico valido calmante è la mollica di pane.

2 I termini di parentela

أب 'padre' e أخ 'fratello' fanno parte dei 'cinque nomi' visti al § 5. Non pongono problemi morfologici أم *ʔumm* 'madre' (pl. أمهات *ʔummahāt*), أخت *ʔuḫt* 'sorella' (pl. أخوات *ʔaḫawāt*), ابن *ibn* 'figlio (pl. أبناء *ʔabnāʔ*), بنت *bint* 'figlia' (pl. بنات *banāt*, usato anche per 'bambina' o 'ragazza'). Di ابن si ricordi che l'*alif* è *waṣla*, e che quindi occorre dire ad es. مع ابنك *maʕa bni-ka* 'con tuo[m] figlio' (*maʕa ʔibni-ka* è una resa possibile ma fortemente dialettale). ابن infine ha un secondo plurale, بنون *banūna*, che però viene usato esclusivamente in *ʔiḍāfa* con nomi propri per indicare tribù, ad es. بنو عدنان *Banū ʕAdnān* 'adnaniti', ossia 'figli di ʕAdnān' (il Maghreb in tal caso usa più sistematicamente la forma dialettale ولاد *wlād*, = أَوْلَاد).

Nell'uso quotidiano يا أبي *yā ʔab-ī* e يا أمي *yā ʔumm-ī* possono essere usati come forma di rispetto, ma da tempo si sono imposti gli europeismi بابا *bābā* e ماما *māmā*. I genitori risponderanno con يا ابني *yā bn-ī* o يا ولدي *yā walad-ī* e يا بنتي *yā bint-ī*.
Il nonno e la nonna sono جد *ǧadd* e جدة *ǧadda* rispettivamente (si noti la stessa radice di جد *ǧidd* 'serietà'!), ma nel linguaggio di tutti i giorni essi vengono spesso interpellati dai nipoti con i termini dialettali سيدي *sīd-ī* 'mio signore' (= سَيِّدِي) e ستي *sitt-ī* (= سَيِّدَتِي).
Gli zii hanno nomi diversi a seconda che siano fratelli o sorelle del padre o della madre: عم *ʕamm* e عمة *ʕamma* sono zio e zia paterni, mentre خال *ḫāl* e خالة *ḫāla* sono zio e zia materni. Non esiste per contro un termine per 'nipote', che verrà chiamato secondo il caso ابن عم, بنت عم, ابن خال o بنت خال.
Attenzione: il nipote di nonno è حفيد *ḥafīd*!
Nelle lingue occidentali usiamo i termini di parentela per rivolgerci a genitori, nonni e spesso zii, mentre ci rivolgiamo a fratelli e sorelle, cugini e cugine e figli ricorrendo direttamente ai loro nomi. Gli arabi incece molto spesso ricorrono al termine di parentela, ad es. يا أختي *yā ʔuḫt-ī*, يا ابن عمي *yā bna ʕamm-ī* ecc.
أخ 'fratello' e أخت 'sorella' hanno oggi assunto anche il valore di 'signore -a', anche in contesti formali, ad es. إلى أين، يا أخ؟ 'dove andiamo, signore?' (può chiedere il tassista al passeggero), والأخت؟ 'e la signora?' (chiederà il cameriere alla cliente che non ha ancora ordinato).

سنعمل عجة Faremo una frittata

النص الأول Testo 1 CD1/43

شادية مسرورة جدا لأنها وجدت مسكنا جديدا. وقبل ذلك كانت تسكن في قبو بمنطقة فقيرة من ضواحي المدينة. أما الآن فقد انتقلت إلى شارع الحرية، حيث استأجرت حجرة في شقة واسعة مشتركة مع ثلاث فتيات أخريات في الطابق الخامس - والمصعد موجود ولله الحمد!

ليست حجرة شادية الجديدة كبيرة ولكنها شرحة، وذات نافذتين. تطل الشقة على الشارع وأشجاره، وفي طابق البناية الأرضي توجد دكاكين ومقهى ومطعم صيني وحتى سوشي بار! فإن شادية تحب الأكل الياباني كثيرا.

الشقة قريبة من الكلية التي تدرس فيها شادية: وداعا، يا حافلة!

تنادي سوسن من الحجرة المجاورة:

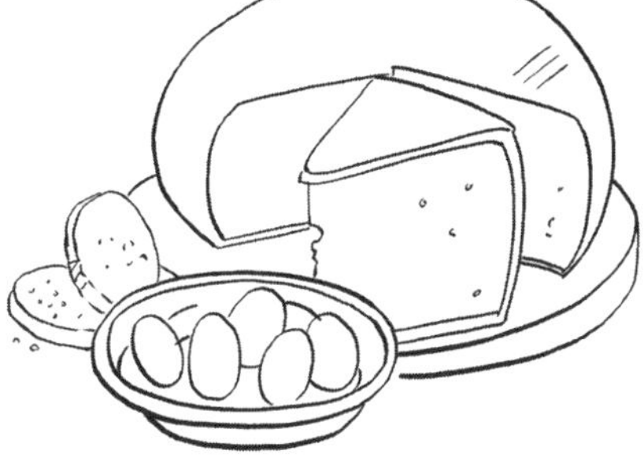

- يا شادية، هل اشتريت الخبز والبيض والجبنة؟
- اسمعي، مررت بالبقال، الذي كان على وشك أن يغلق دكانه، وأعطاني خبزة وخمس بيضات وقطعة جبنة، هذا كل ما بقي.
- حسنا، سنعمل عجة!

الكلمات الجديدة Parole nuove

طابق، طوابق	*ṭābiq, ṭawābiqu*	piano	قريب، أقرباء	*qarīb, ʾaqribāʾu*	vicino
طابق أرضي	*ṭābiq ʾarḍiyy*	pianterreno	وداعا	*widāʿan*	addio
قبو، أقبية	*qabw, ʾaqbiya*	seminterrato	حافلة، ات	*ḥāfila, -āt*	autobus*
منطقة، مناطق	*minṭaqa, manāṭiqu*	regione, zona	مجاور، ون	*muǧāwir, -ūna*	adiacente

ضاحية، ضواح	*ḍāḥiya, ḍawāḥin*	sobborgo	بقال، ون	*baqqāl, -ūna*	droghiere
مشترك، ون	*muštarak, -ūna*	condiviso	كل ما	*kullu mā*	tutto quello che
مصعد، مصاعد	*miṣʕad, maṣāʕidu*	ascensore	قطعة، قطع	*qiṭʕa, qiṭaʕ*	pezzo
شرح	*šariḥ*	luminoso	عجة، عجج	*ʕuǧǧa, ʕuǧaǧ*	frittata
نافذة، نوافذ	*nāfiḏa, nawāfiḏu*	finestra	مسرور، ون	*masrūr, -ūna*	contento
شجر	*šaǧar*	alberi	مسكن، مساكن	*maskan, masākinu*	abitazione
شجرة، أشجار	*šaǧara, ʔašǧār*	albero	فقير، فقراء	*faqīr, fuqarāʔ*	povero
ثلاثة	*ṯalāṯa*	tre	حجرة، حجرات	*ḥuǧra, ḥuǧurāt*	stanza (= غرفة)
ثَلاثُ فَتَياتٍ		tre ragazze [sic]	شقة، شقق	*šiqqa, šiqaq***	appartamento
خمسة	*ḫamsa*	cinque	واسع	*wāsiʕ*	ampio, vasto
بيض	*bayḍ*	uova	خامس	*ḫāmis*	quinto
بيضة، ات	*bayḍa*	uovo	على وَشْكِ أن		sul punto di
خَمْسُ بَيْضاتٍ		cinque uova	شادية	*Šādiya*	Shadia (n.pr.f.)
جبنة	*ǧubna*	formaggio	سوسن	*Sawsan*	Sawsan (n.pr.f.)

* Il temine حافلة è oggi conosciuto da tutti, ma nella conversazione vengono ancora usati gli europeismi باص *bāṣ* (ingl. *bus*) e أتوبيس *ʔotōbīs* (fr. *autobus*) nel Mashreq, توبيس *tūbīs* nel Maghreb.

** Questa è la vocalizzazione corretta; si sentono anche *šaqqa* (che però sarebbe 'fessura, crepa') e *šuqqa* ('fatica').

فعل	وجد، يجد	*waǧada, yaǧidu*	trovare
	سكن، يسكن	*sakana, yaskunu*	abitare
	سنعمل	*sa-naʕmalu*	faremo
	سمع، يسمع	*samiʕa, yasmaʕu*	udire
	اسمع!	*ismaʕ!*	ascolta[m]!
	اسمعي!	*ismaʕī!*	ascolta[f]!
	بقي، يبقى	*baqiya, yabqā*	rimanere
	مر، يمر بـ	*marra, yamurru bi-*	passare da
	مررت	*marartu*	sono passato
فاعَلَ	نادى، ينادي	*nādā, yunādī*	chiamare
أَفْعَلَ	أغلق، يغلق	*ʔaġlaqa, yuġliqu*	chiudere
	أن يغلق	*ʔan yuġliqa*	(qui:) di chiudere
	أحب، يحب	*ʔaḥabba, yuḥibbu*	amare

	أعطى، يعطي	ʔaʕṭā, yuʕṭī	dare
	أطل، يطل على	ʔaṭalla, yuṭillu ʕalā	affacciarsi su
اِفْتَعَلَ	انتقل، ينتقل	intaqala, yantaqilu	traslocare
	اشترى، يشتري	ištarā, yaštarī	comprare
اِسْتَفْعَلَ	استأجر، يستأجر	istaʔǧara, yastaʔǧiru	prendere in affitto

Attenzione alla corretta vocalizzazione dell'enunciato:

لَيْسَتْ حُجْرَةُ شَادِيَةَ الجَدِيدَةُ كَبِيرَةً *laysat ḥuǧratu Šādiyata l-ǧadīdatu kabīratan*

النحو Grammatica

1 الفعل الناقص Il verbo di 3ª debole (*māḍī*)

Sono *nāqiṣ* i verbi la cui ultima radicale sia una *y* o una *w*. Essi si dividono in tre categorie:

- uscenti in ى *-ā*: حَكَى *ḥakā* 'raccontare'
- uscenti in ا *-ā*: رَجَا *raǧā* 'sperare'
- uscenti in ي *-iya*: نَسِيَ *nasiya* 'dimenticare'

- La grammatica araba postula che un verbo come حَكَى *ḥakā* provenga da una forma più antica حَكَيَ **ḥakaya*, per cui nella coniugazione del *māḍī* la forma حَكَيْـ *ḥakay-* è quella che viene usata con i morfemi inizianti per consonante (e con *-ā* della 3ª duale maschile):

'raccontare'	'chiamare'	'dare'	'comprare'
حَكَيْتُ *ḥakaytu*	نادَيْتُ *nādaytu*	أَعْطَيْتُ *ʔaʕṭaytu*	اِشْتَرَيْتُ *ištaraytu*
حَكَيْتَ *ḥakayta*	نادَيْتَ *nādayta*	أَعْطَيْتَ *ʔaʕṭayta*	اِشْتَرَيْتَ *ištarayta*
حَكَيْتِ *ḥakayti*	نادَيْتِ *nādayti*	أَعْطَيْتِ *ʔaʕṭayti*	اِشْتَرَيْتِ *ištarayti*
حَكَى *ḥakā*	نادَى *nādā*	أَعْطَى *ʔaʕṭā*	اِشْتَرَى *ištarā*
حَكَتْ *ḥakat*	نادَتْ *nādat*	أَعْطَتْ *ʔaʕṭat*	اِشْتَرَتْ *ištarat*
حَكَيْنا *ḥakaynā*	نادَيْنا *nādaynā*	أَعْطَيْنا *ʔaʕṭaynā*	اِشْتَرَيْنا *ištaraynā*
حَكَيْتُمْ *ḥakaytum*	نادَيْتُمْ *nādaytum*	أَعْطَيْتُمْ *ʔaʕṭaytum*	اِشْتَرَيْتُمْ *ištaraytum*
حَكَيْتُنَّ *ḥakaytunna*	نادَيْتُنَّ *nādaytunna*	أَعْطَيْتُنَّ *ʔaʕṭaytunna*	اِشْتَرَيْتُنَّ *ištaraytunna*
حَكَوْا *ḥakaw*	نادَوْا *nādaw*	أَعْطَوْا *ʔaʕṭaw*	اِشْتَرَوْا *ištaraw*
حَكَيْنَ *ḥakayna*	نادَيْنَ *nādayna*	أَعْطَيْنَ *ʔaʕṭayna*	اِشْتَرَيْنَ *ištarayna*
حَكَيْتُما *ḥakaytumā*	نادَيْتُما *nādaytumā*	أَعْطَيْتُما *ʔaʕṭaytumā*	اِشْتَرَيْتُما *ištaraytumā*
حَكَيا *ḥakayā*	نادَيا *nādayā*	أَعْطَيا *ʔaʕṭayā*	اِشْتَرَيا *ištarayā*
حَكَتا *ḥakatā*	نادَتا *nādatā*	أَعْطَتا *ʔaʕṭatā*	اِشْتَرَتا *ištaratā*

Attenzione: se alla 3ª pers. m. sg. di tali verbi viene unito un suffisso, la ى *-ā* viene riscritta ا (la *ʾalif maqṣūra* può apparire solamente in posizione finale):

حَكَاهُ	*ḥakā-hu*	'lo haᵐ raccontato'
نَادَانَا	*nādā-nā*	'ci haᵐ chiamati'
أَعْطَانِي	*ʾaʿṭā-nī*	'mi haᵐ dato'

- Anche per i verbi come رَجَا *rağā* – rarissimi in arabo contemporaneo, e rappresentati solamente da temi *muğarrad* – si pone una forma più antica رَجَوَ **rağawa*, da cui un tema رَجَوْ *rağaw-* alle persone con consonante iniziale:

'sperare'					
رَجَوْتُ	*rağawtu*	رَجَوْنَا	*rağawnā*		
رَجَوْتَ	*rağawta*	رَجَوْتُمْ	*rağawtum*	رَجَوْتُمَا	*rağawtumā*
رَجَوْتِ	*rağawti*	رَجَوْتُنَّ	*rağawtunna*		
رَجَا	*rağā*	رَجَوْا	*rağaw*	رَجَوَا	*rağawā*
رَجَتْ	*rağat*	رَجَوْنَ	*rağawna*	رَجَتَا	*rağatā*

- I verbi come نَسِيَ *nasiya* – rappresentati solamente da temi *muğarrad* – hanno una coniugazione molto più semplice. Con i morfemi inizianti per consonante la sequenza *-iy-* viene contratta in *-ī-* e alla 3ª maschile plurale essa si elide (onde evitare la sequenza *-iyū-* non tollerata dalla fonetica araba):

'dimenticare'					
نَسِيتُ	*nasītu*	نَسِينَا	*nasīnā*		
نَسِيتَ	*nasīta*	نَسِيتُمْ	*nasītum*	نَسِيتُمَا	*nasītumā*
نَسِيتِ	*nasīti*	نَسِيتُنَّ	*nasītunna*		
نَسِيَ	*nasiya*	نَسُوا	**nasū**	نَسِيَا	*nasiyā*
نَسِيَتْ	*nasiyat*	نَسِينَ	*nasīna*	نَسِيَتَا	*nasiyatā*

2 اسم الجَمْع Il collettivo

Alcuni sostantivi, morfologicamente quasi sempre maschili singolari, indicano una specie nel suo insieme (come in it. *flora*, *fauna*, *elettorato*), e vanno quindi tradotti con il plurale italiano:

شَجَر	*šağar*	'alberi'
بَيْض	*bayḍ*	'uova'
سَمَك	*samak*	'pesci'
تُفَّاح	*tuffāḥ*	'mele'
خُبْز	*ḫubz*	'pane'
سُنُونُو	*sunūnū*	'rondini'

- A partire da questi collettivi è possibile ottenere un **singolativo**, aggiungendovi il morfema ة, che li trasforma in femminili:

شَجَرة	*šağara*	'*un* albero'
بَيْضة	*bayḍa*	'*un* uovo'
سَمَكة	*samaka*	'*un* pesce'
تُفّاحة	*tuffāḥa*	'*una* mela'
خُبْزة	*ḫubza*	'*una* pagnotta'
سُنُونُوة	*sunūnuwa*	'*una* rondine'

- Quando è necessario contare tali unità, esse prendono il morfema ات del plurale sano femminile:

ثَلاثُ شَجَراتٍ	*ṯalāṯu šağarātin*	'tre alberi'
أَرْبَعُ بَيْضاتٍ	*ʔarbaʕu bayḍātin*	'quattro uova'
خَمْسُ سَمَكاتٍ	*ḫamsu samakātin*	'cinque pesci'
سِتُّ تُفّاحاتٍ	*sittu tuffāḥātin*	'sei mele'
سَبْعُ سُنُونُواتٍ	*sabʕu sunūnuwātin*	'sette rondini'
(خُبْزَتانِ	*ḫubzatāni*	'due pagnotte')

- Alcuni temi posseggono ugualmente un plurale fratto, solitamente adoperato in *ʔiḍāfa*:

أَشْجارُ الغابَةِ	*ʔašğāru l-ġābati*	'gli alberi della foresta'
شِرْكَةُ الأَسْماكِ نَجْمَة	*širkatu l-ʔasmāki Nağma*	'la ditta ittica Nejma'

▶Diversi nomi di popoli sono collettivi; il singolativo in tal caso si ottiene con la nisba (Unità 11 § 8):

عَرَب	*ʕarab*	'arabi'	→	عَرَبِيّ	*ʕarabiyy*	'arabo'
يَهُود	*yahūd*	'ebrei'		يَهُودِيّ	*yahūdiyy*	'ebreo'
أَرْمَن	*ʔarman*	'armeni'		أَرْمَنِيّ	*ʔarmaniyy*	'armeno'
أَلْمان	*ʔalmān*	'tedeschi'		أَلْمانِيّ	*ʔalmāniyy*	'tedesco'
رُوس	*rūs*	'russi'		رُوسِيّ	*rūsiyy*	'russo'
أَمْرِيكان	*ʔamrīkān*	'americani'		أَمْرِيكانِيّ	*ʔamrīkāniyy*	'americano'
بُشْناق	*bušnāq*	'bosniaci'		بُشْناقِيّ	*bušnāqiyy*	'bosniaco'

3 I verbi a doppio accusativo

Alcuni verbi come سأل 'chiedere' e أعطى 'dare' possono avere due complementi, ossia diretto e indiretto, che entrambi vanno al *manṣūb*:

سَأَلْتُ سُؤالاً	*saʔaltu suʔālan*	'ho fatto una domanda' ('ho chiesto una domanda')
سَأَلْتُ مارًّا	*saʔaltu mārran*	'ho chiesto **a** un passante'
أَعْطَتِ التُفّاحة	*ʔaʕṭatⁱ t-tuffāḥata*	'ha^{f} dato la mela'
أَعْطَتِ الوَلَدَ	*ʔaʕṭatⁱ l-walada*	'ha^{f} dato al bambino'

- Se entrambi i complementi debbono essere espressi, la precedenza viene data al beneficiario dell'azione:

سَأَلْتُ مارًّا سُؤالاً	*saʔaltu mārran suʔālan*	'ho fatto una domanda a un passante'
أَعْطَتِ الوَلَدَ التُفّاحةَ	*ʔaʕṭati l-walada t-tuffāḥata*	'ha[f] dato la mela al bambino'

- Con un pronome suffisso di 3ª persona il senso può essere ambiguo:

سَأَلْتُهُ	*saʔaltu-hu*	'l'ho chiesto' o 'gli ho chiesto'
أَعْطَيْناهُ	*ʔaʕṭaynā-hu*	'l'abbiamo dato' o 'gli abbiamo dato'

▶Due pronomi suffissi non possono cumularsi (in realtà potrebbero in alcuni casi ma in arabo standard contemporaneo ciò viene evitato); il secondo viene pertanto sostenuto dalla particella 'portapronome' إِيّا *ʔiyyā*, priva di significato proprio:

سَأَلْتُهُ إِيّاهُ	*saʔaltu-hu ʔiyyā-hu*	'glie[m]l'ho chiesto'
أَعْطانِي إِيّاهُما	*ʔaʕṭā-nī ʔiyyā-humā*	'me li[2] ha[m] dati'

النص الثاني Testo 2 CD1/44

ما زال صديقنا عمر مشغولَ البال... بعد أن فسر له المحلل النفساني أنه يعاني مركب نقص شديدا وأعطاه علاجا بحبوب ضد الانهيار العصبي، رجع إلى منزله حيث كانت تنتظره مفاجأة غير بسيطة. فقد أرسل إليه أبوه رسالة إلكترونية يقول فيها:

«يا ولدي العزيز، تحية وبعد،

إنني وأمك نلاحظ منذ وقت غير قصير أنك لا تكاتبنا ولا تقص علينا شيئا عن دراساتك، فنحن حزينان جدا لذلك. ليست هذه أول مرة نشكو فيها من صمتك هذا، ولكنك لا تغير تصرفاتك. وبالإضافة إلى ذلك، ألاحظ أنا أن علاماتك دون المقبول. إنك ابن أستاذ مشهور في العالم كله...! فلهذا السبب قررت أن أقطع عنك النقود من الآن فصاعدا.

أبوك الذي يحبك.»

قال عمر لنفسه: «والآن كيف سأدفع إيجار البيت؟»

الكلمات الجديدة Parole nuove

انهيار، ات	*inhiyār, -āt*	depressione	وقت، أوقات	*waqt, ʾawqāt*	tempo
مفاجأة، مفاجآت	*mufāǧaʾa, -āt*	sorpresa	شديد، أشداء	*šadīd, ʾašiddāʾu*	forte, intenso
رسالة، رسائل	*risāla, rasāʾilu*	lettera	علاج	*ʿilāǧ*	cura, terapia
إلكتروني	*ʾiliktrūniyy*	elettronico	حبة، حبوب	*ḥabba, ḥubūb*	pillola
رسالة إلكترونية		e-mail	تحية، ات	*taḥiyya, -āt*	saluto
ابن، أبناء	*ibn, ʾabnāʾ*	figlio	تحية وبعد	*taḥiyya wa-baʿdu*	tanti saluti
عزيز، أعزاء	*ʿazīz, ʾaʿizzāʾu*	caro	نفس، أنفس	*nafs, ʾanfus*	anima, spirito
صمت	*ṣamt*	silenzio	لِنَفْسِه		a se stesso
تصرف، ات	*taṣarruf*	comportamento	حزين، حزناء	*ḥazīn, ḥuzanāʾu*	triste, dispiaciuto
إضافة، ات	*ʾiḍāfa*	aggiunta	أَوَّلُ مَرَّةٍ		la prima volta
بالإضافةِ إلى ذلك		oltre a ciò	نقود	*nuqūd*	denaro (pl.)
علامة، ات	*ʿalāma, -āt*	voto (scolast.)	إيجار، ات	*ʾīǧār, -āt*	affitto
مقبول، ون	*maqbūl*	sufficiente	قصير، قصار	*qaṣīr, qiṣār*	corto
دُونَ المَقْبُولِ		insufficiente	من الآن فصاعدا	*min^{a} l-ʾāni fa-ṣāʿidan*	d'ora in avanti

فعل	رجع، يرجع	*raǧaʿa, yarǧiʿu*	ritornare
	دفع، يدفع	*dafaʿa, yadfaʿu*	pagare; spingere
	سأدفع	*sa-ʾadfaʿu*	pagherò
	قطع، يقطع	*qaṭaʿa, yaqṭaʿu*	tagliare, interrompere
	أن أقطع	*ʾan ʾaqṭaʿa*	(qui:) di interrompere
	شكا، يشكو	*šakā, yaškū*	lamentarsi
	قص، يقص على	*qaṣṣa, yaquṣṣu ʿalā*	raccontare a
	يقول فيها	*yaqūlu fī-hā*	in cui dice^{m}
	ما زال	*mā zāla*	è^{m} ancora
فاعل	كاتب، يكاتب	*kātaba, yukātibu*	scrivere a qn
	لاحظ، يلاحظ	*lāḥaẓa, yulāḥiẓu*	notare, osservare
	عانى، يعاني ه	*ʿānā, yuʿānī*	soffrire di
أفعل	أرسل، يرسل	*ʾarsala, yursilu*	spedire, mandare
اِفْتَعَلَ	انتظر، ينتظر	*intaẓara, yantaẓiru*	aspettare

النحو Grammatica

4 مَوْجُود C'è

Participio passivo di un verbo وَجَدَ *waǧada* 'trovare', موجود significa letteralmente 'trovato, trovabile, trovantesi, che si trova', quindi 'presente, disponibile', o di nuovo può tradursi con un 'c'è' se il soggetto è determinato:

المُدِيرُ مَوْجُودٌ	*al-mudīru mawǧūdun*	'il direttore c'è'
لَيْسَ العَمِيدُ مَوْجُودًا	*laysa l-ʕamīdu mawǧūdan*	'il preside non c'è'
سَمِير مَوْجُودٌ؟	*Samīr mawǧūdun?*	'c'è Samir?' (al telefono)
الله مَوْجُودٌ	*Allāhu mawǧūdun*	'Dio c'è'

Per riassumere:

indeterminato	non localizzato	'c'è un problema'	هُناكَ مُشْكِلَةٌ	*hunāka muškilatun*
	localizzato	'c'è un lampione'	يُوجَدُ مِصْباحٌ	*yūǧadu miṣbāḥun*
		'c'è un edificio'	تُوجَدُ بِنايَةٌ	*tūǧadu bināyatun*
determinato		'il bagno c'è'	الحَمّامُ مَوْجُودٌ	*al-ḥammāmu mawǧūdun*
		'il problema c'è'	المُشْكِلَةُ مَوْجُودَةٌ	*al muškilatu mawǧūdatun*

5 الاسم المَوْصُول Il pronome relativo (primi cenni)

Prima di affrontare il pronome relativo arabo è bene riassumere alcune tematiche. Nei due enunciati italiani seguenti:

il libro che ho letto
la ragazza con cui sono uscito

– i segmenti *che ho letto* e *con cui sono uscito* sono le **proposizioni relative** (صِلة *ṣila*);
– *che* e *cui* sono i **pronomi relativi**;
– *il libro* e *la ragazza* sono gli **antecedenti** dei pronomi relativi.

• Il pronome relativo arabo si accorda in genere, numero e (solamente al duale) caso dell'antecedente. Finora sono stati intravisti i temi maschile e femminile singolari:

الرَّجُلُ ٱلَّذي تَكَلَّمَ	*ar-raǧulu* ***llaḏī*** *takallama*	'l'uomo che ha parlato'
المَرْأَةُ ٱلَّتي غَنَّتْ	*al-marʔatu* ***llatī*** *ġannat*	'la donna che ha cantato'

▶ L'*ism al-mawṣūl* viene utilizzato unicamente quando l'antecendente è **determinato**, altrimenti non viene inserito:

رَأَيْتُ الفِيلْمَ الَّذي فازَ في مَهْرَجانِ البُنْدُقيّةِ *raʔaytu l-filma* ***llaḏī*** *fāza fī mahraǧāni l-Bunduqiyyati*
'ho visto **il** film che ha vinto al festival di Venezia'

رَأَيْتُ فِيلْمًا فازَ في مَهْرَجانِ البُنْدُقيّةِ *raʔaytu filman fāza fī mahraǧāni l-Bundiqiyyati*
'ho visto **un** film che ha vinto al festival di Venezia'

▶ Se l'antecedente funge da oggetto dell'azione espressa dal verbo, quest'ultimo sarà seguito da un pronome suffisso detto 'ritornante'; il pronome ritornante si accorda in genere e numero con l'antecedente:

الفِيلْمُ الَّذِي رَأَيْتُهُ	*al-fīlmu llaḏī ra'aytu-**hu***	'il film che ho visto' <il-film che ho-visto-esso>
البِيرَةُ الَّتِي شَرِبْنَاهَا	*al-bīratu llatī šaribnā-**hā***	'la birra che abbiamo bevuto' <la-birra che abbiamo-bevuto-essa>

▶ È bene inserire il pronome ritornante anche se l'*ism al-mawṣūl* non è inserito perché l'antecedente è indeterminato:

فِي التِّلْفَازِ فِيلْمٌ رَأَيْتُهُ	*fī t-tilfāzi fīlmun ra'aytu-**hu***	'alla televisione c'è un film che ho visto' <in la-televisione [è] film [che] ho-visto-esso>

6 صيغة المنصوب Il congiuntivo (primi cenni)

Negli enunciati seguenti:

أُرِيدُ أَنْ أَذْهَبَ إِلَى السِينَما	*'urīdu 'an 'aḏhaba 'ilā s-sīnamā*	'voglio andare al cinema'
قَرَّرَ أَنْ يُفَسِّرَ لَهُ المُشْكِلَةَ	*qarrara 'an yufassira la-hu l-muškilata*	'decise^{m} di spiegargli il problema'

i due verbi al *muḍāri'* أذهب e يفسر sono vocalizzati in *-a* (anziché *-u* del مرفوع *marfū'* 'indicativo', *'aḏhabu* e *yufassiru*) perché al ***manṣūb*** 'congiuntivo'.

- Il *manṣūb* è obbligatorio dopo il subordinante أَنْ *'an* 'che'. La traduzione letterale dei due enunciati è quindi 'voglio che io vada' e 'decise che spiegasse'. Un altro modo consisterebbe nel ricorrere al مَصْدَر *maṣdar*, 'nome d'azione' o 'infinito' del verbo, ad es. أُرِيدُ الذَّهابَ *'urīdu ḏ-ḏahāba*, lett. 'voglio l'andare', che però verrà studiato più avanti. Il costrutto أريد أن أذهب viene detto in arabo المصدر المُؤَوَّل *al-maṣdar al-mu'awwal* 'infinito interpretato'.

7 أن Il subordinante dichiarativo *'an(na)*

أن va letto *'an* se seguito da un verbo (il quale se al *muḍāri'* va al *manṣūb*), *'anna* se seguito da un nominale, anch'esso al *manṣūb* (أن fa parte delle أخوات إن 'sorelle di *'inna*):

أريد أَنْ تَفْهَمَ جَيِّدًا	*'urīdu **'an** tafhama ǧayyidan*	'voglio che tu^{m} capisca bene'
مِنَ المُمْكِنِ أَنَّ الحاسُوبَ مُعَطَّلٌ	*min^{a} l-mumkini **'anna** l-ḥāsūba mu'aṭṭalun*	'è possibile che il computer sia guasto'

▶ Dopo il verbo قال، يقول *qāla, yaqūlu* 'dire' interviene tuttavia **sempre إن *'inna***:

أَقُولُ لَكَ إِنَّكَ حِمارٌ	*'aqūlu la-ka **'inna**-ka ḥimārun*	'ti^{m} dico che sei un somaro'

- Se non si ha a disposizione un nominale (da unire a أَنَّ *'anna* o إِنَّ *'inna*), si inserisce allora un pronome suffisso:

مِنَ المُمْكِنِ أَنَّكَ مَرِيضٌ	*min^{a} l-mumkini 'anna-ka marīḍun*	'è possibile che tu sia malato'
قَالَتْ لِي إِنَّهَا تُحِبُّكَ	*qālat l-ī 'inna-hā tuḥibbu-ka*	'mi ha^{f} detto che ti^{m} ama'

8 غَير Non...

Il nominale غير *ġayr*, 'altro che, diverso da', si unisce in *ʔiḍāfa* con l'*ism* che intende modificare. Esso corrisponde spesso all'italiano 'non, in-, a-':

غَيْرُ عَرَبِيٍّ	*ġayru ʕarabiyyin*	'non arabo'
غَيْرُ مُنْتَظَرٍ	*ġayru muntaẓarin*	'inaspettato, inatteso'
غَيْرُ مُتَشَابِهٍ	*ġayru mutašābihin*	'dissimile'
غَيْرُ نَحْوِيٍّ	*ġayru naḥwiyyin*	'agrammaticale'

التمارين Esercizi

1 Memorizzare e coniugare al *māḍī* i verbi seguenti a tutte le persone.

رمى	'buttare'	دعا	'invitare'	مشى	'camminare'	عانى	'soffrire di'
بقي	'rimanere'	قضى	'trascorrere'	غنّى	'cantare'	بكى	'piangere'

2 Tradurre in arabo.

1. Sono uscito di casa perché ho buttato la spazzatura (الزُبالة).
2. Quanti giorni sei stato (hai trascorso) a Baghdad? – (Ci) sono stato un mese.
3. La ragazza di Yusuf ha pianto molto perché ha sofferto di un complesso d'inferiorità.
4. È rimasto qualcuno in classe? – No, non è rimasto nessuno.
5. Shadia ha cantato perché è felicissima del sushi-bar sotto casa sua.
6. Mi hanno^{m} invitato al ristorante giapponese, ma non mi è piaciuto.
7. Dopo la cena abbiamo camminato per la strada fino a casa loro^{m}.
8. Siete stati^{2} due mesi a Damasco e non avete studiato l'arabo?
9. Sono entrate nel bar, si sono sedute e hanno cantato tutta la notte.
10. Ho sofferto a lungo di un complesso di inferiorità rispetto a mio fratello grande.

3 Tradurre in italiano.

١. ماذا سألكم الأستاذ في الامتحان؟ – لقد سألنا أسئلة صعبة جدا!

٢. هل أعطوك الكتاب في المكتبة؟ – لا، مع الأسف، ما كان عندهم ذلك الكتاب.

٣. من سألك إياه؟ – عبد الرحيم سألني إياه.

٤. لقد نسيت كم قلما أعطيتك؟ – صحيح، أعطيتني أقلاما عديدة وفقدتها كلها.

٥. سألت سوسن شادية أين اشترت الخبز وعرفت أن البقال أعطاها إياه.

٦. لما كنا في القاهرة اشترينا أشياء كثيرة، ولكننا نسيناها كلها في الفندق!

٧. من أعطاك خاتم الفضة هذا الجميل، إنه رائع!

٨. الرجل الذي يتكلم بالعربية مع أبيك هو أستاذ مشهور في العالم كله.

٩. رأينا في الممر طالبة لا نعرفها.

١٠. هذه الكلمة غير عربية.

4 Inserire – se necessario! – i pronomi relativi الذي o التي.

١. الصف .... درسنا فيه اليوم هو في آخر الممر.

٢. حكوا لي عن قط .... يدخل دائما في الصف خلال درس اللغة العربية!

٣. السؤال .... سألتمونا إياه غبي جدا.

٤. هل وجدت جوالا .... كان هنا على هذه الطاولة؟

٥. ذلك هو المطعم .... ذهبنا إليه مساء أمس.

٦. هل أكلت البطاطا المقلية .... أعطتك أمي إياها؟

٧. هناك مشكلة كبيرة .... لا نفهمها!

٨. ما هو الحاسوب الجديد .... تكلمت عنه معي؟

٩. ليس هناك أحد .... يفسر لنا ما هي المعالجة لتلك المشكلة.

١٠. هل تذهبون إلى نفس المرقص .... ذهبنا إليه يوم السبت نحن أيضا؟

5 Tradurre in arabo.

1. Voglio andare in quel ristorante.
2. Dove vuoi^{m} andare?

3. Voglio che tu^{m} esca subito! ....
4. Mi hai^{f} detto che sei uscita. ....
5. Ho capito che il professore oggi non c'è. ....
6. Abbiamo deciso di andare in Egitto quest'estate. ....
7. È possibile che non ci sia^{f}. ....
8. Mi ha^{m} detto che è un somaro. ....
9. Ti^{m} piace abitare in questo palazzo? ....
10. Non è possibile che io ve^{m} lo spieghi. ....

6 Comprensione del Testo 1. Segnare صحيح *ṣaḥīḥ* 'vero' o خطأ *ḫaṭa'* 'falso'.

	صحيح	خطأ
١. قبل أن تجد مسكنا جديدا، كانت شادية تسكن في قبو.	■	■
٢. استأجرت شادية هذه الشقة بدون أصدقاء أو صديقات.	■	■
٣. تطل شقتها على ساحة كبيرة فيها أشجار ودكاكين.	■	■
٤. إن مسكن شادية الجديد قريب من الكلية.	■	■
٥. إن العجة هي أكل خفيف فيه البيض.	■	■

7 Comprensione del Testo 2. Segnare صحيح *ṣaḥīḥ* 'vero' o خطأ *ḫaṭa'* 'falso'.

	صحيح	خطأ
١. ما زال عمر يذهب إلى المحلل النفساني	■	■
٢. أعطاه الطبيب حبوبا كعلاج.	■	■
٣. لقد أرسل عمر رسالة إلكترونية إلى أبيه.	■	■
٤. إن عمر يكاتب والديه تقريبا كل يوم.	■	■
٥. غضب أبوه كثيرا ولا يريد الآن أن يدفع دراساته.	■	■

Radici...

مسكن *maskan* 'abitazione' e ممر *mamarr* 'corridoio' sono locativi da collegare ai verbi سكن *sakana* 'abitare', √*s-k-n*, e مر *marra* 'passare', √*m-r-r*, rispettivamente.

Le uova arabe, البيض *al-bayḍ*, sono più spesso bianche che in Europa, a tal punto da meritarsi la radice √*b-y-ḍ* del colore أبيض *'abyaḍ* 'bianco'.

Il حبيب *ḥabīb* 'amico, amato' proviene naturalmente dalla radice √*ḥ-b-b* del verbo أحب *'aḥabba* 'amare'. Ora siete in grado di fare una vostra dichiarazione d'amore: !أحبك *'uḥibbu-ka/i!*

أرسل *ʔarsala* 'spedire, mandare' deve ricordare رسالة *risāla* 'lettera, messaggio', √*r-s-l*, lo stesso per مشترك *muštarak* 'condiviso, comune' e شركة *širka* 'ditta, azienda', √*š-r-k*.
إضافة *ʔiḍāfa* 'aggiunta' è parente del termine grammaticale (إليه) مضاف *muḍāf* (*ʔilay-hi*), dalla medesima radice √*ḍ-y-f* del sostantivo ضيف *ḍayf* 'ospite' (quindi 'abitante o commensale aggiuntivo').
استأجر *istaʔǧara* è 'prendere in affitto', أجرة *ʔuǧra* o إيجار *ʔīǧār*, √*ʔ-ǧ-r*.
Ora che conosciamo غير *ġayr*, capiamo meglio il verbo غير *ġayyara* 'cambiare'.

أكثر Di più

1 البيت والدار والمنزل... Case, abitazioni, dimore...

Questi tre sinonimi convivono oggi in arabo standard. È già stato detto che il Mashreq preferisce بيت, ma senza ignorare دار, che in alcuni casi sembra voler indicare una 'villa', una 'casa tradizionale', di pietra ecc. Il Maghreb a livello dialettale attribuisce a بيت (realizzato *bīt*, o *bēt*) il significato di 'stanza'. منزل, che può tradursi anche come 'abitazione, dimora', è morfologicamente un locativo (prefisso *ma-*) derivato dal verbo نزل 'scendere', quindi 'luogo dove si scende': il termine risale all'antica civiltà beduina, in cui il pernottamento comportava in primo luogo eleggere un luogo in cui *scendere* dal dromedario per montare le tende.
Gli affitti nelle città arabe sono infinitamente più abordabili che nelle grandi città italiane, per cui chi si trattenga per un periodo di tre o più mesi potrebbe preferire questa soluzione alla casa dello studente. In linea di massima gli appartamenti non ammobiliati sono molto più economici.
Si invita per prima cosa a rispettare un saggio proverbio arabo: إخْتَرِ الجارَ قَبْلَ الدار *iḫtar*[i] *l-ǧār qabla d-dār* (saltando l'*iʕrāb* la rima è migliore) 'scegli il vicino prima della casa'.
Un appartamento come si deve è composto da varie stanze (حجرة, o il sinonimo غرفة ج غرف *ġurfa, ġuraf*), una cucina (مطبخ *maṭbaḫ*) e un bagno (حمام *ḥammām*). Quest'ultimo viene ugualmente denominato مرحاض *mirḥāḍ* (pl. مراحيض *marāḥīḍu*), che precisamente indicherebbe la latrina e da alcuni viene recepito come volgare, oppure indica i bagni pubblici per la strada.
Ogni casa ha, sopra l'ultimo piano, una terrazza (سطح *saṭḥ*) comune, la cui destinazione principale è quella di ospitare i panni stesi nonché foreste di antenne televisive. In Egitto invece essa viene usata come deposito, nel senso che vi finisce tutto quello che non serve più in casa (mobili rotti, materassi, utensili vari ecc.), il che contribuisce al pittoresco del Cairo visto dall'alto. In Siria durante la stagione calda è d'uso traslocare i materassi sulla terrazza onde passarvi nottate più fresche. Il سطح infine è luogo di incontri segreti e proibiti, ad es. tra la ragazza salita a stendervi i panni e il giovane vicino intento a riparare l'antenna, e naturalmente punto di ritrovo per pettegolezzi tra casalinghe.
Un visitatore quotidiano delle case arabe è il صرصور *ṣarṣūr* 'scarafaggio' (pl. صراصير *ṣarāṣīru*), che costringe a un'igiene più sostenuta. Sono innumerevoli i prodotti offerti dai supermercati per combatterli. Una buona prassi è quella di tenere sempre tappati lavelli, lavandini e vasche da bagno.

2 الدكاكين والحوانيت Negozi e altro

دكان per ‘negozio’ è soprattutto orientale: il Maghreb preferisce حانوت *ḥānūt* (pl. حوانيت *ḥawānītu*), generalmente trattato come femminile. Similmente il ‘cliente’ è زبون *zabūn* (pl. زبائن *zabāʔinu*) nel Mashreq, حريف *ḥarīf* (pl. حرفاء *ḥurafāʔu*) nel Maghreb. I principali negozi e negozianti necessari per la spesa sono المخبزة *al-maḫbaza* la ‘panetteria’, البقال *al-baqqāl* il ‘venditore di generi alimentari’ (che spesso ha il pane, oltre a bevande imbottigliate, cibi inscatolati, frutta secca, olive in salamoia ecc.), اللحام *al-laḥḥām* o الجزار *al-ǧazzār* ‘il macellaio’; nei paesi arabi sono utilissimi الخياط *al-ḫayyāṭ* ‘il sarto’ e الإسكافي *al-ʔiskāfiyy* ‘il calzolaio’. Si noti il *wazn* فَعَّال *faʕʕāl*, che spesso esprime diversi nomi di mestiere.

Il vino e altre bevande alcoliche sono in vendita nei supermercati, in un reparto sempre un po’ celato, che però chiude prima dell’orario di chiusura dell’esercizio e non è aperto il venerdì e la domenica: è bene fare scorte.

Al سوق *sūq* ‘mercato’ occorre recarsi muniti di borse per la spesa (nel sūq dei cestai si troveranno comodissme ceste di vimini colorate): il sacchetto di plastica non è d’uso, o perlomeno non presso tutti i banchi. È concesso tastare la frutta e anche annusarla da vicino, cosa che in Occidente viene oramai evitata.

Il pane viene fatto almeno tre volte al giorno. In Marocco ad es. al momento di passare a tavola uno dei commensali scende sotto casa a prendere il pane, che trova spesso appena fatto e ancora caldo. Nel Mashreq si utilizza soprattutto il cosiddetto خبز عربي *ḫubz ʕarabiyy* ‘pane arabo’, rotondo, piatto, sottile e vuoto all’interno, mediamente consumato in quantità industriali tanto dai singoli quanto da intere famiglie, con il quale si prendono pezzetti di cibo da portarsi alla bocca.

لا أصدقك! Non ti credo!

النص الأول Testo 1 CD1/45

تصل كريمة إلى شارع الحرية وتحاول أن تصف سيارتها بجانب الرصيف، فقد وجدت مكانا صغيرا فاضيا غير متوقع بين شاحنتين في السير المزدحم. بينما تشد على مقودها وهي تسير إلى الوراء، يظهر شرطي ويصفر لها.

– يا آنستي، هل بنيتك أن تصفي سيارتك تحت إشارة «ممنوع الوقوف» دون أن أنبس بكلمة؟

– يا سيدي الشرطي، أرجوك، فإني في حاجة إلى خمس دقائق فقط، أنا مضطرة إلى أن أذهب إلى الصيدلية وآخذ فيها دواء لأمي العجوز المريضة وإلا ستموت!

– يا لَلْوضع الفاجع... لماذا لا أصدقك؟

– اسمع، لعلني أبالغ قليلا. ليس الوضع تعيسا على هذا القدر، ولكن لا بد أن ألحق خطيبي بعد عشر دقائق وإلا سيقتلني وسأموت أنا...

– حقا؟ ولكنني أعرفك: ألست من الفتيات الأربع الساكنات في بناية مقهى الببغاء؟ ومن سيدفع مخالفتك إن تركت سيارتك هنا؟ أبوك المسكين؟ لعله لن يقتلك ولكن لا شك أنه سيغضب غضبا شديدا.

الكلمات الجديدة Parole nuove

فاضٍ	*fāḍin*	libero, vuoto	بينما	*bayna-mā*	mentre
غَيْرُ مُتَوَقَّعٍ	*ġayr mutawaqqaʕ*	insperato	مقود، مقاود	*miqwad, maqāwidu*	volante
شاحنة، ات	*šāḥina, -āt*	camion, furgone	إشارة، ات	*ʔišāra, -āt*	segnale
سَير	*sayr*	traffico	ممنوع	*mamnūʕ*	vietato
مزدحم، ون	*muzdaḥim*	affollato	وقوف	*wuqūf*	[il] fermarsi
شرطي، ون	*šurṭiyy, -ūna*	poliziotto	مَمْنُوعُ الوُقُوف		sosta vietata
آنسة، ات	*ʔānisa, -āt*	signorina	مضطر (إلى)	*muḍṭarr (ʔilā)*	costretto (a)
نية، ات	*niyya, -āt*	intenzione	صيدلية، ات	*ṣaydaliyya, -āt*	farmacia
بِنِيَّتِي		è mia intenzione	يا لـ	*yā la-l-...!*	che ...! (esclam.)
دون / بدون	*dūna / bi-dūni*	senza	وضع، أوضاع	*waḍʕ, ʔawḍāʕ*	situazione
أَنْ أَنْبِسَ		che io dica	مسكين، مساكين	*miskīn, masākīnu*	pover(in)o
دقيقة، دقائق	*daqīqa, daqāʔiqu*	minuto	خطيب، خطباء	*ḫaṭīb, ḫuṭabāʔu*	fidanzato
خَمْسُ دَقائق		cinque minuti	حقا	*ḥaqqan*	veramente
عَشْرُ دَقائق		dieci minuti	ساكنٌ	*sākin*	che abita^{m}
فقط	*faqaṭ*	soltanto	شك، شكوك	*šakk, šukūk*	dubbio
دواء، أدوية	*dawāʔ, ʔadwiya*	medicinale	مخالفة، ات	*muḫālafa, -āt*	multa
عجوز	*ʕağūz*	vecchia, anziana	فاجع	*fāğiʕ*	tragico, penoso
قدر، أقدار	*qadr, ʔaqdār*	misura	لا بد أن	*lā budda ʔan*	assolutamente
على هذا القَدْرِ		a tal punto	لعل	*laʕalla*	forse
حاجة، ات	*ḥāğa, -āt*	necessità	لعلني	*laʕalla-nī*	forse io
أنا في حاجةٍ إلى		ho bisogno di	وإلا	*wa-ʔillā*	sennò, altrimenti

فعل	ترك، يترك	*taraka, yatruku*	lasciare
	إن تركت	*ʔin tarakti*	se lasci^{f}
	نبس، ينبس بـ	*nabasa, yanbisu bi-*	dire, proferire
	قتل، يقتل	*qatala, yaqtulu*	uccidere*
	لحق، يلحق	*laḥiqa, yalḥaqu*	raggiungere

	أخذ، يأخذ	*ʔaḫaḏa, yaʔḫuḏu*	prendere
	آخذ	*ʔāḫuḏu*	prendo
	مات، يموت	*māta, yamūtu*	morire
	غضب، يغضب	*ġaḍiba, yaġḍabu*	arrabbiarsi
	غضب غضبا	*ġaḍiba ġaḍaban*	si è arrabbiato molto
	وصل، يصل إلى	*waṣala, yaṣilu ʔilā*	arrivare a
	صف، يصف	*ṣaffa, yaṣuffu*	parcheggiare
	سار، يسير	*sāra, yasīru*	camminare
	سارَ إلى الوراءِ		fare retromarcia
	شد، يشد على	*šadda, yašiddu ʕalā*	stringere
فعّل	صفر، يصفر	*ṣaffara, yuṣaffiru*	fischiare
	صدق، يصدق	*ṣaddaqa, yuṣaddiqu*	credere
فاعل	بالغ، يبالغ	*bālaġa, yubāliġu*	esagerare
	حاول، يحاول	*ḥāwala, yuḥāwilu*	provare

* Nel linguaggio quotidiano قتل viene comunemente impiegato con il senso di 'darle, sculacciare, conciare per le feste' (cf. *ammazzare, uccidere* nel Meridione italiano).

النحو Grammatica

1 صيغة المنصوب Il congiuntivo (seguito)

Il *manṣūb* verbale consiste, a livello morfologico, nel
- sostituire con *-a* la *-u* finale del *marfūʕ*,
- eliminare la ن delle persone in *-v̄nv* (ossia *-īna, -ūna, -āni*);
- le due persone in *-Cna* (ossia 2ª e 3ª plurale femminile) non subiscono modifiche.

أَنْ أَفْعَلَ	*ʔan ʔafʕala*	أن نَفْعَلَ	*ʔan nafʕala*		
أن تَفْعَلَ	*ʔan tafʕala*	أن تَفْعَلُوا	*ʔan tafʕalū*	أن تَفْعَلا	*ʔan tafʕalā*
أن تَفْعَلي	*ʔan tafʕalī*	أن تَفْعَلْنَ	*ʔan tafʕalna*		
أن يَفْعَلَ	*ʔan yafʕala*	أن يَفْعَلُوا	*ʔan yafʕalū*	أن يَفْعَلا	*ʔan yafʕalā*
أن تَفْعَلَ	*ʔan tafʕala*	أن يَفْعَلْنَ	*ʔan yafʕalna*	أن تَفْعَلا	*ʔan tafʕalā*

- A livello sintattico il *manṣūb* è obbligatorio dopo alcune particelle:

أَنْ	*ʔan*	'che'	أَنْ تَفْهَمَ	*ʔan tafhama*	'che tu[m] capisca'
لِ	*li-*	'affinché, per'	لِتَفْهَمَ	*li-tafhama*	'perché tu[m] capisca'

كَيْ	*kay*	'id.'	كَيْ تَفْهَمَ	*kay tafhama*	'id.'
لِكَيْ	*li-kay*	'id.'	لِكَيْ تَفْهَمَ	*li-kay tafhama*	'id.'
حَتَّى	*ḥattā*	'id.'	حَتَّى تَفْهَمَ	*ḥattā tafhama*	'id.'
فَ	*fa-*	'id.'	فَتَفْهَمَ	*fa-tafhama*	'id.'

▶Particolare è il caso della negazione **لن** *lan*, che dà un senso negativo **futuro** alla forma verbale:

لَنْ	*lan*	'non (futuro)'	لَنْ يَفْهَمَ	*lan yafhama*	'non capirà[m]'

2 المُسْتَقْبَل Il futuro

- Il futuro affermativo viene ottenuto molto semplicemente unendo al *muḍāriʕ marfūʕ* il prefisso **سـ** *sa-* o la particella **سوف** *sawfa* (che esprime un futuro più remoto e di cui la prima è una contrazione):

سَأَدْفَعُ المُخالَفة	*sa-ʔadfaʕu l-muḫālafata*	'pagherò la multa'
سَوْفَ أَدْفَعُ المُخالَفة	*sawfa ʔadfaʕu l-muḫālafata*	'pagherò la multa'

▶Il futuro negativo viene invece espresso dalla negazione **لن** *lan* seguito dal *muḍāriʕ manṣūb*:

لَنْ أَدْفَعَ المُخالَفةَ	*lan ʔadfaʕa l-muḫālafata*	'non pagherò la multa'

النص الثاني Testo 2 CD1/46

لا تحتاج نبيلة إلى أن تربط منبهها لأنها تستيقظ كل صباح عند الفجر عندما تسمع صوت فرامل شاحنة مصنع البيرة التي تحضر الصناديق الجديدة إلى مقهى الببغاء. فالشاحنة قديمة وكلما تكبح لتقف أمام المقهى تصفر وتبكي فراملها البالية كقط دهسه مدحى. ثم ينزل سائقه عن مقصورة القيادة وهو ينادي فيصل بصوت جهير.

أول انعكاسها هو أن تفتح النافذة وترميَ بحذائها إلى رأس السائق، ولكنها تهدأ فورا وتتجه إلى المطبخ لتعد الفطور لنفسها ولصديقاتها. تغلي الماء والحليب، وتخرج

المربى والزبدة من البرادة، ثم تنزل بسرعة إلى المخبز لتحضر خبزا طازجا. لن تذهب إلى الجامعة اليوم، لأن هناك إضراب المواصلات، وستبقى طول النهار في حجرتها راقدة على سريرها تقرأ وتراجع دروسها وتستمع إلى الموسيقى. في الظهر ستأكل سلطة خيار باللبن. وفي المساء سيكون في التلفزة برنامج جديد عنوانه "سهران معك الليلة" مع مغنيتها المفضلة روبي!

الكلمات الجديدة Parole nuove

منبه، ات	*munabbih, -āt*	sveglia	مقصورة، ات	*maqṣūra, -āt*	cabina
فجر	*faǧr*	alba	انعكاس، ات	*inʿikās, -āt*	riflesso
فرملة، فرامل	*farmala, farāmilu*	freno	أَوَّلُ اَنْعِكاسٍ		il primo riflesso
بالٍ	*bālin*	vecchio, usato	برادة، ات	*barrāda*	frigorifero
مصنع، مصانع	*maṣnaʿ, maṣāniʿu*	fabbrica	نحو	*naḥwa*	verso
صندوق، صناديق	*ṣandūq, ṣanādīqu*	cassa	راقد	*rāqid*	sdraiato
مدحى، مداح	*midḥan, madāḥin*	rullo compressore	موسيقى	*mūsīqā*	musica
جهير	*ǧahīr*	stentoreo	سلطة، ات	*salaṭa, -āt*	insalata
حذاء، أحذية	*ḥiḏāʾ, ʾaḥḏiya*	scarpa	خيار	*ḫiyār*	cetrioli
مطبخ، مطابخ	*maṭbaḫ, maṭābiḫu*	cucina	لبن	*laban*	yogurt
فطور	*fuṭūr*	colazione	مغن، مغنون	*muġannin, -nnūna*	cantante^m
حليب	*ḥalīb*	latte	مغنية، ات	*muġanniya, -āt*	cantante^f
زبدة	*zubda*	burro	نهار، أنهر	*nahār, ʾanhur*	giornata
سرعة	*surʿa*	velocità	تلفزة	*talfaza*	televisione
بِسُرْعةٍ		di corsa, presto	سهران	*sahrān*	sveglio (di notte)
مخبز، مخابز	*maḫbaz, maḫābizu*	panetteria	ليلة، ليال	*layla, layālin*	notte
طازج	*ṭāziǧ*	fresco	اللَّيْلَةَ		questa notte
إضراب، ات	*ʾiḍrāb, -āt*	sciopero	نبيلة	*Nabīla*	Nabila (n.pr.f.)

المواصلات	*al-muwāṣalāt*	i trasporti	روبي	*Rūbī*	Rouby
طول	*ṭūla*	(per) tutto il	مفضل	*mufaḍḍal*	preferito

فعل	ربط، يربط	*rabaṭa, yarbuṭu*	(qui:) regolare
	كبح، يكبح	*kabaḥa, yakbaḥu*	frenare
	دهس، يدهس	*dahasa, yadhasu*	schiacciare, investire
	فتح، يفتح	*fataḥa, yaftaḥu*	aprire
	صفر، يصفر	*ṣafara, yaṣfiru*	cigolare
	هدأ، يهدأ	*hadaʾa, yahdaʾu*	calmarsi
	نزل، ينزل	*nazala, yanzilu*	scendere
	أكل، يأكل	*ʾakala, yaʾkulu*	mangiare
	رمى، يرمي بـ	*ramā, yarmī bi-*	lanciare, buttare (qc)
	بكى، يبكي	*bakā, yabkī*	piangere
فاعل	راجع، يراجع	*rāǧaʿa, yurāǧiʿu*	ripassare
أفعل	أخرج، يخرج	*ʾaḫraǧa, yuḫriǧu*	tirare fuori
	أحضر، يحضر	*ʾaḥḍara, yuḥḍiru*	portare (qc)
	أغلى، يغلي	*ʾaġlā, yuġlī*	far bollire
	أعد، يعد	*ʾaʿadda, yuʿiddu*	preparare
افتعل	استمع، يستمع إلى	*istamaʿa, yastamiʿu ʾilā*	ascoltare (qc)
	احتاج، يحتاج إلى	*iḥtāǧa, yaḥtāǧu ʾilā*	aver bisogno di
استفعل	استيقظ، يستيقظ	*istayqaẓa, yastayqiẓu*	svegliarsi

النحو Grammatica

3 I nominali di radice *nāqiṣa*

È ناقصة *nāqiṣa* una radice la cui terza consonante radicale sia una ي o una و; esse forniscono i verbi come حَكَى *ḥakā* 'raccontare' (√ḥ-k-y), نَسِيَ *nasiya* (√n-s-y) e رَجَا *raǧā* 'sperare, pregare' (√r-ǧ-w). Le formazioni nominali come فَاضٍ *fāḍin* 'libero, vuoto' seguono la declinazione seguente:

Indeterminato	Determinato		
فاضٍ *fāḍin*	الفاضي *al-fāḍī*	فاضِي الفُرُوضِ *fāḍī l-furūḍi*	'libero d'impegni'
فاضِيًا *fāḍiyan*	الفاضِيَ *al-fāḍiya*	فاضِيَ الفُرُوضِ *fāḍiya l-furūḍi*	
فاضٍ *fāḍin*	الفاضي *al-fāḍī*	فاضِي الفُرُوضِ *fāḍī l-furūḍi*	

▶ Il femminile di tali nominali è فَاضِيَة *fāḍiya* e non presenta irregolarità; il plurale maschile è فَاضُونَ *fāḍūna*, il plurale femminile فَاضِيَات *fāḍiyāt*.

4 الحال Il *ḥāl*, o complemento di stato

▶ Un inciso iniziante per و *wa-* 'e' direttamente seguito da un pronome autonomo e da un verbo al *muḍāriʕ marfūʕ* viene detto **حال** *ḥāl* 'stato'; esso esprime la concomitanza rispetto al verbo della proposizione principale; si traduce molto spesso con un gerundio italiano o con 'mentre':

دَخَلَ وَهُوَ يُدَخِّنُ	*daḫala wa-huwa yudaḫḫinu*	'entrò^{m} fumando'
أَكَلْتُ وَأَنَا أُفَكِّرُ فِي ذٰلِكَ	*ʔakaltu wa-ʔanā ʔufakkiru fī ḏālika*	'mangiai pensandoci', 'ci ho pensato mentre mangiavo'
تَشِدُّ على مِقْوَدِها وَهِيَ تَسِيرُ إلى الوَراءِ	*tašiddu ʕalā miqwadi-hā wa-hiya tasīru ʔilā l-warāʔ*	'stringe^{f} il volante facendo retromarcia'

5 الفعل الناقص Il verbo *nāqiṣ* (seguito)

Al *muḍāriʕ* il verbo *nāqiṣ* può uscire in tre modi:

– ـي	*-ī*	ad es.	يَرْمِي	*yarmī*	'lancia^{m}'
– ـى	*-ā*		يَنْسى	*yansā*	'dimentica^{m}'
– ـو	*-ū*		يَشْكُو	*yaškū*	'si^{m} lamenta'

- Al *marfūʕ*, o indicativo, manca quindi la vocale *-u* caratteristica: la fonotattica araba non tollera le sequenze teoriche *-iyu-*, *-iyi-*, *-uyi-*, *-uyu-*, *-uwi-*, *-uwu-*, ossia contenenti *i/u* contemporaneamente presenti intorno a una semivocale و *w* o ي *y*, e quindi le forme teoriche **yarmiyu*, **yansayu*, **yaškuwu*. Con i suffissi ين *-īna*, ون *-ūna*, ن *-na* e ان *-āni* hanno luogo contrazioni o aperture di dittongo:

أَرْمِي	*ʔarmī*		نَرْمِي	*narmī*				
تَرْمِي	*tarmī*		تَرْمُونَ	*tarmūna*	*(tarmī+ūna)*	تَرْمِيانِ	*tarmiyāni*	*(tarmī+āni)*
تَرْمِينَ	*tarmīna*	*(tarmī+īna)*	تَرْمِينَ	*tarmīna*	*(tarmī+na)*			
يَرْمِي	*yarmī*		يَرْمُونَ	*yarmūna*	*(yarmī+ūna)*	يَرْمِيانِ	*yarmiyāni*	*(yarmī+āni)*
تَرْمِي	*tarmī*		يَرْمِينَ	*yarmīna*	*(yarmī+na)*	تَرْمِيانِ	*tarmiyāni*	*(tarmī+āni)*

tarmī+īna darebbe **tarmiyīna* per cui *-iy-* si elide, → *tarmīna*;

tarmī-ūna darebbe **tarmiyūna* per cui *-iy-* si elide, → *tarmūna*.

أَنْسى	*ʔansā*		نَنْسى	*nansā*				
تَنْسى	*tansā*		تَنْسَوْنَ	*tansawna*	*(tansā+ūna)*	تَنْسَيانِ	*tansayāni*	*(tansā+āni)*
تَنْسَيْنَ	*tansayna*	*(tansā+īna)*	تَنْسَيْنَ	*tansayna*	*(tansā+na)*			
يَنْسى	*yansā*		يَنْسَوْنَ	*yansawna*	*(yansā+ūna)*	يَنْسَيانِ	*yansayāni*	*(yansā+āni)*
تَنْسى	*tansā*		يَنْسَيْنَ	*yansayna*	*(yansā+na)*	تَنْسَيانِ	*tansayāni*	*(tansā+āni)*

tansā+īna > **tansāyna* (ma una vocale lunga non può stare in sillaba chiusa) → *tansayna*;
tansā+ūna > **tansāwna* (ma una vocale lunga non può stare in sillaba chiusa) → *tansawna*;
in *tansā+na* e *tansā+āni* la ى si scioglie in dittongo.

أَشْكُو	*ʔaškū*		نَشْكُو	*naškū*				
تَشْكُو	*taškū*		تَشْكُونَ	*taškūna*	*(taškū+ūna)*	تَشْكُوانِ	*taškuwāni*	*(taškū+āni)*
تَشْكِينَ	*taškīna*	*(taškū+īna)*	تَشْكُونَ	*taškūna*	*(taškū+na)*			
يَشْكُو	*yaškū*		يَشْكُونَ	*yaškūna*	*(yaškū+ūna)*	يَشْكُوانِ	*yaškuwāni*	*(yaškū+āni)*
تَشْكُو	*taškū*		يَشْكُونَ	*yaškūna*	*(yaškū+na)*	تَشْكُوانِ	*taškuwāni*	*(yaškū+āni)*

taškū+īna darebbe **taškuwīna* per cui -*uw*- si elide, → *taškīna*;
taškū+ūna darebbe **taškuwūna* per cui -*uw*- si elide, → *taškūna*.

Le corrispondenze *māḍī* ↔ *muḍāriʕ* sono genericamente le seguenti:

- verbi *muğarrad*:

māḍī		*muḍāriʕ*
ـى -*ā*	↔	ـي -*ī*
ـيَ -*iya*	↔	ـى -*ā*
ـا -*ā*	↔	ـو -*ū*

- verbi *mazīd*, a seconda del *wazn*:

māḍī		*muḍāriʕ*
ـى -*ā*	↔	ـي -*ī*
	↔	ـى -*ā*

Ad es.:

muğarrad			sul modello di:		
حَكَى، يَحْكِي	*ḥakā, yaḥkī*	'raccontare'	جَلَسَ، يَجْلِسُ	*ğalasa, yağlisu*	'sedere'
بَقِيَ، يَبْقَى	*baqiya, yabqā*	'rimanere'	سَمِعَ، يَسْمَعُ	*samiʕa, yasmaʕu*	'udire'
دَعَا، يَدْعُو	*daʕā, yadʕū*	'invitare'	دَرَسَ، يَدْرُسُ	*darasa, yadrusu*	'studiare'
mazīd					
غَنَّى، يُغَنِّي	*ġannā, yuġannī*	'cantare'	دَخَّنَ، يُدَخِّنُ	*daḫḫana, yudaḫḫinu*	'fumare'
نَادَى، يُنَادِي	*nādā, yunādī*	'chiamare'	عَاقَبَ، يُعَاقِبُ	*ʕāqaba, yuʕāqibu*	'punire'
تَمَنَّى، يَتَمَنَّى	*tamannā, yatamannā*	'sperare'	تَكَلَّمَ، يَتَكَلَّمُ	*takallama, yatakallamu*	'parlare'

6 Verbi preposizionali

- Diversi verbi sono detti transitivi indiretti, nel senso che i loro complementi diretti debbono essere introdotti da una preposizione. Ad es. رَغِبَ، يَرْغَبُ فِي *raġiba, yarġabu fī* 'desiderare', اِحْتَاجَ، يَحْتَاجُ إِلَى *iḥtāğa, yaḥtāğu ʔilā* 'necessitare, avere bisogno di':

أَرْغَبُ في فِنْجانٍ شايٍ *ʔarġabu* ***fī*** *finǧāni šāyin* ‘desidero una tazza di tè’

أَحْتاجُ إلى مُنَبِّهٍ جَديدٍ *ʔaḥtāǧu* ***ʔilā*** *munabbihin ǧadīdin* ‘ho bisogno di una sveglia nuova’

▶ Se tali verbi vengono usati in funzione servile (‘desidero fare’, ‘ho bisogno di fare’), la preposizione deve precedere il subordinante أن *ʔan*:

أَرْغَبُ في أَنْ أُفَسِّرَ لَكَ *ʔarġabu* ***fī ʔan*** *ʔufassira la-ka* ‘desidero spiegarti[m]’

أَحْتاجُ إلى أَنْ أَذْهَبَ إلى الحَمّامِ *ʔaḥtāǧu* ***ʔilā ʔan*** *ʔaḏhaba ʔilā l-ḥammāmi* ‘ho bisogno di andare in bagno’

7 لا نافِيَة لِلجِنْس *Lā* negazione assoluta

لا seguito da un nominale al *manṣūb* e privo di *tanwīn* esprime una negazione assoluta:

لا طالِبَ في القاعةِ ***lā*** *ṭāliba fī l-qāʕati* ‘non c’è alcuno studente nell’aula’

لا شَيْءَ ***lā*** *šayʔa* ‘niente’

لا أَحَدَ ***lā*** *ʔaḥada* ‘nessuno’

السَيّارةُ لا مُشْكِلةَ فِيها *as-sayyāratu* ***lā*** *muškilata fī-hā* ‘la macchina non ha alcun problema’

إلا *ʔillā* può aggiungere un’eccezione:

لا طالِبَ في القاعةِ إلاّ أَحْمَدُ *lā ṭāliba fī l-qāʕati* ***ʔillā*** *ʔAḥmadu* ‘non c’è altro studente nell’aula che Ahmad’

لا إلهَ إلاّ اللهُ *lā ʔilāha* ***ʔillā*** *Llāhu* ‘non v’è altro dio che Dio’

التمارين Esercizi

1 Tradurre in italiano.

١. أريد أن أذهب إلى السينما الذي رأيت فيه أنت الفيلم الجديد. ....

٢. تكلمنا مع المدير لنحل المسألة التي فسرها لنا الآخرون (حَلَّ يُحَلِّلُ ‘risolvere’). ....

٣. هل صحيح أنك تذهبين إلى المطار لكي تسافري إلى الخارج؟ ....

٤. هل من الممكن أن يلحق أصدقائي مقهى الببغاء من هذه الطريق؟ ....

٥. قد تكلم والدا سمير مع الأستاذ حتى يفهما شيئا عن علامات ابنهما الغريبة. ....

٦. أعطيتك جوالي لتشحنه قبل أن أخرج، فأين وضعته؟ هل فقدته؟ ....

٧. هل تريدين أن تشربي شايا؟ - لا، أفضل أن أشرب فنجان قهوة بلا سكر. ....

٨. لا بد أن تصدقيني، يا حبيبتي، فإني ما خرجت مع أصدقائي لنذهب إلى المرقص بدونك! ....

٩. هل قضيت نهارك في مكتبة الكلية لتدرس؟ - كلا، لأتكلم مع صديقيَّ فقط. ....

١٠. قد حاول الأستاذ التعيس أن يفسر المضارع المنصوب لطلابه الأغبياء ولكنهم ما فهموا شيئا! ....

2 Tradurre in arabo prima al futuro affermativo, poi al futuro negativo.

1. Domani andremo all'università. Domani non andremo all'università.
....
2. Chi pagherà la multa che ci ha dato il poliziotto? Chi non pagherà...
....
3. Farete una frittata con le cose che ho comprato. Non farete...
....
4. Le ho dato un cellulare con cui chiamerà qualcuno. ... non chiamerà nessuno.
....
5. Questa settimana faremo l'esame di arabo in quell'aula. ... non faremo ...
....

3 Coniugare al *muḍāriʿ* i verbi seguenti a tutte le persone.

رمى 'buttare'	دعا 'invitare'	مشى 'camminare'	بدا 'apparire'
بقي 'rimanere'	قضى 'trascorrere'	غنّى 'cantare'	بكى 'piangere'

4 Declinare la parola مُغَنٍّ 'cantante' come فاضٍ 'libero, vuoto', indi tradurre in arabo.

1. Ho sentito un cantante nuovo alla televisione. ....
2. Il cantante ha cantato fino al mattino. ....
3. Per la festa di Maryam hanno^{m} invitato un cantante egiziano. ....

4. Conosci[m] quel cantante libanese che era ieri in discoteca? ....

5. Amr Diab (عمرو دياب) e Georges Wassouf (جورج وسوف) sono i miei cantanti preferiti (⚠). ....

5 Tradurre in italiano individuando le proposizioni *ḥāl*.

١. نزل في الشارع وهو يصفر كطفل صغير. ....

٢. رميت بحذائي إلى رأسه وأنا أنادي الشرطي. ....

٣. قبل الامتحان قضينا الليل ونحن نراجع مدوناتنا (مُدَوَّنة 'appunto'). ....

٤. تكلما عن المسألة وهما يشربان ليموناضة في مقهى اسمه "دار الأصدقاء". ....

٥. تجلس الطالبات وهن ينظرن إلى الأستاذ الجديد الذي سيتكلم اليوم عن تاريخ السينما التونسي (نظَر، ينظُر إلى 'guardare'). ....

6 Tradurre in arabo.

1. Sono usciti dal cinema ridendo come matti (مَجْنُون ج مَجانِينُ). ....
2. Parleremo della lezione di ieri mangiando qualcosa al ristorante giapponese. ....
3. Detesto l'uomo che legge il giornale mentre mangia. ....
4. Najat (نجاة) posteggia la macchina guardando il vigile che cammina sul marciapiede. ....
5. Ha[f] preso il tuo[m] giaccone uscendo dall'aula e te lo darà al bar quando scenderai. ....

7 Tradurre in italiano.

١. من فضلك، يا أختي، إني أرغب في كأس ماء بارد وكرسي مريح. ....

٢. ألا تفكر أنك تحتاج إلى معطف جديد؟ فمعطفك هذا قديم وسخ وتبدو صعلوكا! ....

٣. لا يعرف فاضل أن كل البنات يعرفن جيدا جدا أنه ينظر إليهن خلال الدروس. ....

٤. قد فهمت جيدا أنك ترغب في أن تسافر إلى المغرب مع صديقك عبد اللطيف. ....

٥. تحتاج إلى أن تذهب إلى الحمام؟ ها هو أمامك في آخر الممر. ....

٦. ماذا اشتريت في مراكش، أشياء جميلة؟ – لا شيء، للأسف. ....

٧. إن عمر مشغول البال وحزين جدا، فلا يفهمه أحد، حقا! ....

٨. الكلية الجديدة لا مكتبة فيها، أتصدق ذلك؟ ....

٩. لا شابة على الأرض إلا أنت، يا حبيبتي! ....

١٠. الغرفة لا تلفاز ولا حاسوب فيها؟ لا أريدها، شكرا جزيلا... ....

8 Comprensione del Testo 1. Segnare صحيح *ṣaḥīḥ* ‘vero’ o خطأ *ḫaṭa’* ‘falso’.

	صحيح	خطأ
١. إن كريمة بنيتها أن تصف سيارتها بين شاحنتين.	■	■
٢. تحت إشارة "ممنوع الوقوف" لا يمكنك أن تصف سيارتك.	■	■
٣. ليست كريمة في حاجة إلى الكثير من الدقائق.	■	■
٤. الشرطي مضطر إلى أن يصفر لها للوقوف في مكان ممنوع.	■	■
٥. تريد كريمة أن تشتري بعض الأدوية في الصيدلية.	■	■

9 Comprensione del Testo 2. Segnare صحيح *ṣaḥīḥ* ‘vero’ o خطأ *ḫaṭa’* ‘falso’.

	صحيح	خطأ
١. تحتاج نبيلة إلى منبه لكي تستيقظ في الصباح.	■	■
٢. الشاحنة التي تقف تحت منزل نبيلة تحضر صناديق البيرة إلى مقهى الببغاء.	■	■
٣. إن نبيلة مسرورة جدا عندما تسمع صوت سائق الشاحنة.	■	■
٤. بعد أن استيقظت، تنزل نبيلة إلى المخبز لتحضر الخبز.	■	■
٥. في أيام الإضراب ليست هناك مواصلات.	■	■

Radici...

D'ora in poi le parole imparentate radicalmente verranno semplicemente giustapposte, e spetterà allo studente estrapolarne la radice.

							√
سيارة	*sayyāra*	'automobile'	سير	*sayr*	'traffico'	→	....
سكن	*sakana*	'abitare'	ساكن	*sākin*	'abitante'		....
غضب	*ġaḍab*	'rabbia'	غضب	*ġaḍiba*	'arrabbiarsi'		....
صديق	*ṣadīq*	'amico'	صدق	*ṣaddaqa*	'credere'		....
خبز	*ḫubz*	'pane'	مخبز	*maḫbaz*	'panetteria'		....
وصل	*waṣala*	'arrivare'	مواصلات	*muwāṣalāt*	'trasporti'		....
قصير	*qaṣīr*	'corto'	مقصورة	*maqṣūra*	'cabina'		....
فتح	*fataḥa*	'aprire'	مفتاح	*miftāḥ*	'chiave'		....
راجع	*rāǧaʕa*	'ripassare'	رجع	*raǧaʕa*	'ritornare'		....
خرج	*ḫaraǧa*	'uscire'	أخرج	*ʔaḫraǧa*	'estrarre'		....
سمع	*samiʕa*	'udire'	أسمع	*ʔasmaʕa*	'far udire'		....

أكثر Di più

1 التلفزة La televisione

A rigor di precisione i due neologismi تلفزة *talfaza* e تلفاز *tilfāz* (entrambi realizzabili anche con *-v-*) indicano la 'televisione' il primo, il 'televisore' il secondo. Gli arabi sono grandi fruitori di televisione in generale e la più modesta abitazione possiede la sua antenna parabolica montata su una finestra o sul tetto. Oltre alle reti locali, il teleutente arabo si collega spesso ai satellitari الجزيرة *al-Ǧazīra*, العربية *al-ʕArabiyya*, nonché alle occidentali BBC, CNN, Arte. I magrebini sono molto legati alle reti francesi, in particolare France2, e i tunisini spesso apprendono l'italiano direttamente dalla RAI o da Mediaset.
Per lo studente di arabo (così come di qualsiasi altra lingua) la televisione si rivela un ausilio fondamentale, e chi si trattenga per un certo periodo in un paese arabo dovrebbe fare in modo di disporre di un televisore e dedicargli almeno un'ora al giorno. In arabo standard sono i telegiornali e i documentari. I dibattiti televisivi sono molto più difficili da seguire, non soltanto perché i partecipanti parlano spesso a velocità sostenuta, ma anche perché essi si esprimono non propriamente in arabo standard ma in una sorta di compromesso tra standard e dialetto nazionale che prende il nome di **arabo mediano**, di cui è bene che lo studente di secondo o terzo anno incominci ad assimilare le basi.

Per il dialetto infine sono utilissimi gli spot pubblicitari, scenette di pochi secondi, continuamente ritrasmesse, di cui è facile intuire le tematiche, e che contengono sempre le espressioni e i modi di dire più diffusi nella vita quotidiana.

2 الممنوع Divieti

I divieti sono nel più dei casi espressi da una *ǧumla ismiyya* a *ḫabar* anticipato: ممنوع التدخين ad es., che corrisponde al nostro *vietato fumare*, va letto *mamnūʿunⁱ t-tadḫīnu* e interpretato come 'vietato è il fumare' (sarebbe quindi scorretta la frequente lettura *mamnūʿu t-tadḫīni* 'vietato del fumare'). Altri divieti frequenti sono:

ممنوع الوقوف	*mamnūʿunⁱ l-wuqūfu*	'sosta vietata'
ممنوع الدخول	*mamnūʿunⁱ d-duḫūlu*	'vietato entrare'
ممنوع لصق الإعلانات	*mamnūʿun laṣqu l-ʾiʿlānāti*	'divieto d'affissione'
ممنوع البول	*mamnūʿunⁱ l-bawlu*	'vietato urinare'

In altri compare l'imperativo negativo (v. Unità 20 § 2):

لا تفتح الباب	*lā taftaḥⁱ l-bāba*	'non aprire la porta'

نسيت مشمعي وشمسيتي!
Ho dimenticato l'impermeabile e l'ombrello!

النص الأول Testo 1 CD1/47

– ما بك، إنك تسعل منذ أمس، هل عندك نزلة صدرية؟

– وما هذه، «نزلة صدرية»؟

– نزلة صدرية هي الكلمة العربية لـ «انفلونزا»، يا جاهل. فأراك تعبان مزكما، انظر إلى نفسك في المرآة.

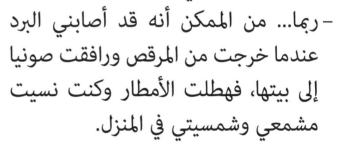

– ربما... من الممكن أنه قد أصابني البرد عندما خرجت من المرقص ورافقت صونيا إلى بيتها، فهطلت الأمطار وكنت نسيت مشمعي وشمسيتي في المنزل.

– أراهن أنك شربت كأسي بيرة أو ثلاثا مخلوطة بڤودكا ودخنت بعض السجائر كي تسخن جسمك، أليس كذلك؟ فها هي النتيجة: عندك سعال ديكي، ومن المستحسن الآن أن تلقي بنفسك تحت البطانية وتبقى في السرير. وإن أردت نصيحة حسنة، خذ على الفور حبتيْ أسبيرين وضع مقياس الحرارة تحت إبطك. إن شاء الله ستشفي غدا.

– لا، لا، لا ،أبدا، أنا بخير تماما. لعلني دخنت أكثر من اللازم، أقر بذلك، سآخذ شرابا.

– كما تريد، يا عنيد، وغدا لن تشكو إن كنت مريضا من جديد!

الكلمات الجديدة Parole nuove

نزلة، نزلات	*nazla, nazalāt*	raffreddore	تعبان، تعابى	*taʕbānu, taʕābā*	stanco
صدر، صدور	*ṣadr, ṣudūr*	petto	مزكم، ون	*muzakkam, -ūna*	raffreddato
نَزْلَةٌ صَدْرِيَّةٌ		influenza	ممكن	*mumkin*	possibile
إنفلونزة	*ʔinfilwanza*	influenza	مِنَ المُمْكِنِ أَنْ		è possibile che
جاهل، جهل	*ǧāhil, ǧuhhal*	ignorante	مستحسن	*mustaḥsan*	raccomandato
مرآة، مرايا	*mirʔāt, marāyā*	specchio	مِنَ المُسْتَحْسَنِ		la migliore cosa è
ربما	*rubba-mā*	forse	مخلوط	*maḫlūṭ*	mescolato
عندما	*ʕinda-mā*	quando (= لما)	ڤودكا		vodka
مطر، أمطار	*maṭar, ʔamṭār*	pioggia	سعال	*suʕāl*	tosse
مشمع، ات	*mušammaʕ, -āt*	impermeabile	ديك، ديوك	*dīk, duyūk*	gallo
شمسية، شماسي	*šamsiyya, šamāsiyyu*	ombrello	ديكي	*dīkiyy*	da gallo
بعض ال	*baʕḍu l-*	alcuni	سُعالٌ دِيكِيٌّ		tosse asinina
جسم، أجسام	*ǧism, ʔaǧsām*	corpo	مقياس، مقاييس	*miqyās, maqāyīsu*	misuratore
نتيجة، نتائج	*natīǧa, natāʔiǧu*	risultato	حرارة، ات	*ḥarāra, -āt*	temperatura
بطانية، ات	*baṭṭāniyya, -āt*	coperta	مِقْياسُ حَرارةٍ		termometro
على الفَوْرِ		subito (= فورا)	إبط، آباط	*ʔibṭ, ʔābāṭ*	ascella
أسبيرين	*ʔasbīrīn*	aspirina	مريض، مرضى	*marīḍ, marḍā*	ammalato
أبدا	*ʔabadan*	mai; per niente	مِنْ جَدِيدٍ		di nuovo
تماما	*tamāman*	del tutto	لازم	*lāzim*	necessario
كما	*ka-mā*	come	أَكْثَرُ مِنَ اللازِمِ		troppo
شراب، أشربة	*šarāb, ʔašriba*	sciroppo	ضع!	*ḍaʕ!*	metti^{m}!
ما بك؟	*mā bi-ka?*	cos'hai^{m}			

فعل	سعل، يسعل	*saʕala, yasʕulu*	tossire
	نظر، ينظر إلى	*naẓara, yanẓuru ʔilā*	guardare
	هطل، يهطل	*haṭala, yahṭulu*	piovere a dirotto
	شفى، يشفي	*šafā, yašfī*	guarire
فعّل	دخن، يدخن	*daḫḫana, yudaḫḫinu*	fumare

	سخن، يسخن	*saḫḫana, yusaḫḫinu*	riscaldare
فاعل	رافق، يرافق	*rāfaqa, yurāfiqu*	accompagnare
	راهن، يراهن	*rāhana, yurāhinu*	scommettere
أفعل	أقر، يقر بـ	*ʔaqarra, yuqirru bi-*	confessare
	أراد، يريد	*ʔarāda, yurīdu*	volere
	أصاب، يصيب	*ʔaṣāba, yuṣību*	colpire (malattia)
	ألقى، يلقي بـ	*ʔalqā, yulqī bi-*	buttare

النحو Grammatica

1 Il *manṣūb* verbale (seguito)

- I verbi *nāqiṣ* al *muḍāriʕ marfūʕ* come già visto escono in ـي -*ī*, ـى -*ā* o ـو -*ū*. Per passare al *manṣūb*, caratterizzato dalla vocale morfematica -*a*, soltanto quelli in ـِي -*ī* e ـُو -*ū* possono consonantizzare la vocale lunga uscente in ـِيَ -*iya* e ـُوَ -*uwa*; quelli in ـى -*ā* rimangono invariati:

أَنْ أَرْمِيَ	*ʔān ʔarmiya*	أن نَرْمِيَ	*ʔan narmiya*		
أن تَرْمِيَ	*ʔan tarmiya*	أن تَرْمُوا	*ʔan tarmū*	أن تَرْمِيا	*ʔan tarmiyā*
أن تَرْمِي	*ʔan tarmī*	أن تَرْمِينَ	*ʔan tarmīna*		
أن يَرْمِيَ	*ʔan yarmiya*	أن يَرْمُوا	*ʔan yarmū*	أن يَرْمِيا	*ʔan yarmiyā*
أن تَرْمِيَ	*ʔan tarmiya*	أن يَرْمِينَ	*ʔan yarmīna*	أن تَرْمِيا	*ʔan tarmiyā*

أن أَنْسى	*ʔān ʔansā*	أن نَنْسى	*ʔan nansā*		
أن تَنْسى	*ʔan tansā*	أن تَنْسَوْا	*ʔan tansaw*	أن تَنْسَيا	*ʔan tansayā*
أن تَنْسَيْ	*ʔan tansay*	أن تَنْسَيْنَ	*ʔan tansayna*		
أن يَنْسى	*ʔan yansā*	أن يَنْسَوْا	*ʔan yansaw*	أن يَنْسَيا	*ʔan yansayā*
أن تَنْسى	*ʔan tansā*	أن يَنْسَيْنَ	*ʔan yansayna*	أن تَنْسَيا	*ʔan tansayā*

أن أَشْكُوَ	*ʔān ʔaškuwa*	أن نَشْكُوَ	*ʔan naškuwa*		
أن تَشْكُوَ	*ʔan taškuwa*	أن تَشْكُوا	*ʔan taškū*	أن تَشْكُوَا	*ʔan taškuwā*
أن تَشْكِي	*ʔan taškī*	أن تَشْكِينَ	*ʔan taškīna*		
أن يَشْكُوَ	*ʔan yaškuwa*	أن يَشْكُوا	*ʔan yaškū*	أن يَشْكُوَا	*ʔan yaškuwā*
أن تَشْكُوَ	*ʔan taškuwa*	أن يَشْكِينَ	*ʔan yaškīna*	أن تَشْكُوَا	*ʔan taškuwā*

2 Il verbo رأى، يرى 'vedere'

رأى è un verbo *nāqiṣ* leggermente irregolare nella misura in cui perde la *hamza* centrale al *muḍāriʕ*:

māḍī	رَأَيْتُ	*raʔaytu*	رَأَيْنا	*raʔaynā*		
	رَأَيْتَ	*raʔayta*	رَأَيْتُم	*raʔaytum*	رَأَيْتُما	*raʔaytumā*
	رَأَيْتِ	*raʔayti*	رَأَيْتُنَّ	*raʔaytunna*		
	رَأَى	*raʔā*	رَأَوْا	*raʔaw*	رَأَيا	*raʔayā*
	رَأَتْ	*raʔat*	رَأَيْنَ	*raʔayna*	رَأَتا	*raʔatā*
muḍāriʕ	أَرَى	*ʔarā*	نَرَى	*narā*		
	تَرَى	*tarā*	تَرَوْنَ	*tarawna*	تَرَيانِ	*tarayāni*
	تَرَيْنَ	*tarayna*	تَرَيْنَ	*tarayna*		
	يَرَى	*yarā*	يَرَوْنَ	*yarawna*	يَرَيانِ	*yarayāni*
	تَرَى	*tarā*	يَرَيْنَ	*yarayna*	تَرَيانِ	*tarayāni*

▶ Si ricordi che ى *ʔalif maqṣūra* finale si riscrive con ا *ʔalif mamdūda* se viene unito un suffisso, e che /ʔā/ si scrive con آ:

ـهُ + أَرَى *ʔarā* + *-hu* → أَراهُ *ʔarā-hu* 'lo vedo'

ـكَ + رَأَى *raʔā* + *-ka* → رَآكَ *raʔā-ka* 'ti^m ha^m visto

3 إن Se

Vedremo più avanti che esistono tre particelle ipotetiche in arabo tutte e tre traducibili come 'se' ma con sfumature diverse: إن *ʔin*, إذا *ʔiḏā*, لو *law*. Tutte e tre sono obbligatoriamente seguite dal ***māḍī*** (o, molto più raramente, dal *muḍāriʕ mağzūm*, non ancora studiato).

- إن *ʔin* esprime un'ipotesi **realizzabile** (ovvero ritenuta tale da chi la sta formulando); il verbo seguente verrà tradotto, a seconda del contesto, con un presente o un futuro:

إِنْ شَرِبْتِ شَرابًا *ʔin šaribti šarāban* 'se bevi^f (berrai^f) dello sciroppo'

إِنْ كانَتْ في البَيْتِ *ʔin kānat fī l-bayti* 'se è^f (sarà^f) a casa'

إِنْ أَرَدْتَ نَصِيحةً *ʔin ʔaradta naṣīḥatan* 'se vuoi^m (vorrai^m) un consiglio'

النص الثاني Testo 2 CD1/48

دعت سهيلة بعض أصدقائها إلى العشاء عندها هذا المساء. وهي تتسوق الآن في الدكاكين الموجودة في شارع الحرية. يجب عليها أن تشتري أشياء

عديدة للعشاء. فقد فكرت في أن تطبخ الـ "سوشي" الياباني، لأنها تذكر أن صديقها أمين يحبه كثيرا.
تذهب أولا إلى بقالة شرقية، حيث تشتري الرز والطحالب الجافة والـ "توفو" وبعض الصلصات اليابانية الحريفة جدا. وثانيا تذهب إلى السماك، الذي يعطيها قطعة مورة جميلة. ففعلا ليست سهيلة متأكدة أن المورة هي السمك المناسب للـ "سوشي"، ولكنها أرخص من السلمون أو حتى من السيف.
عندما يصل الضيوف إلى منزل سهيلة، يجدون صحونهم مليئة بالكرات الصغيرة البيضاء والخضراء. فتقول لهم سهيلة:
- يا شباب! يجب عليكم أن تضعوا على هذه الكرات قطرة صلصة يابانية أو ليمون معصور. وطبعا لا بد أن تأكلوها بالعصي! هنيئا مريئا!
يذوق أمين كرة، لأنه شاب لطيف مؤدب لا يريد أن يهين صديقته سهيلة، ولكنه يفكر في نفسه: ليتني آكل كسكسي كما تطبخه ماما...!

الكلمات الجديدة Parole nuove

عديد، ون	*ʕadīd, -ūna*	numeroso	سماك، ون	*sammāk, -ūna*	pescivendolo
فطور	*fuṭūr*	colazione	فعل، أفعال	*fiʕl, ʔafʕāl*	azione; effetto
غداء	*ġadāʔ*	pranzo	فعلا	*fiʕlan*	in effetti
عشاء	*ʕašāʔ*	cena	متأكد، ون	*mutaʔakkid, -ūna*	sicuro

أول	*ʔawwal*	primo	مناسب، ون	*munāsib, -ūna*	adatto
أولا	*ʔawwalan*	in primo luogo	ضيف، ضيوف	*ḍayf, ḍuyūf*	ospite
ثان	*ṯānin*	secondo	صحن، صحون	*ṣaḥn, ṣuḥūn*	piatto
ثانيا	*ṯāniyan*	in secondo luogo	مليء بـ	*malīʔ bi-*	pieno di
رز	*ruzz*	riso	كرة، ات	*kura, -āt*	palla; polpetta
توفو		tofu	قطرة، قطرات	*qaṭra, qaṭarāt*	goccia
صلصة، ات	*ṣalṣa, -āt*	salsa	ليمون	*laymūn*	limoni
حريف	*ḥirrīf*	piccante	معصور	*maʕṣūr*	spremuto
متأكد، ون	*mutaʔakkid, -ūna*	sicuro, certo	لطيف، لطفاء	*laṭīf, luṭafāʔu*	gentile
مورة	*mūra*	baccalà	مؤدب، ون	*muʔaddab, -ūna*	educato
سلمون	*salmūn*	salmone	سهيلة	*Suhayla*	Suhayla (n.pr.f.)
سيف، سيوف	*sayf, suyūf*	spada; pescespada	هنيئا مريئا!	*hanīʔan marīʔan*	buon appetito!
أبيض	*ʔabyaḍ*	bianco	ليت	*layta*	magari
أخضر	*ʔaḫḍar*	verde	كسكسي	*kuskusī*	cuscus (indecl.)
عصا، عصي	*ʕaṣan, ʕuṣiyy*	bacchetta	ماما	*māmā*	mamma

فعل	ذكر، يذكر	*ḏakara, yaḏkuru*	ricordare
	طبخ، يطبخ	*ṭabaḫa, yaṭbuḫu*	cucinare
	وضع، يضع	*waḍaʕa, yaḍaʕu*	mettere
	ذاق، يذوق	*ḏāqa, yaḏūqu*	assaggiare
	دعا، يدعو	*daʕā, yadʕū*	invitare
أفعل	أهان، يهين	*ʔahāna, yuhīnu*	offendere
تَفَعَّلَ	تسوق، يتسوق	*tasawwaqa, yatasawwaqu*	fare la spesa

النحو Grammatica

4 I due verbi أخذ 'prendere' e أكل 'mangiare'

Ognuno di questi due verbi è un فعل مهموز *fiʕl mahmūz* 'verbo hamzato', in quanto la prima consonante radicale è una ء *hamza.*

- La loro coniugazione non presenta alcuna irregolarità al *māḍī*.
- ▶ Al *muḍāriʕ* l'unica particolarità si osserva alla 1ª persona singolare, ove la sequenza teorica أَأْ **ʔaʔ-* si semplifica in آ *ʔā-*:

آخُذُ	*ʔāḫuḏu*	آكُلُ	*ʔākulu*
تَأْخُذُ	*taʔḫuḏu*	تَأْكُلُ	*taʔkulu*
ecc.		ecc.	

5 يَجِبُ عَلَيْهِ Dovere

Dal verbo وَجَبَ، يَجِبُ *wağaba, yağibu* 'essere necessario, incombere', l'espressione يجب عليه, lett. 'incombe su di lui', rende l'italiano 'dovere'. Uno dei due costituenti, عليه o يجب, può essere sottinteso:

يَجِبُ عَلَيَّ أَنْ أَدْرُسَ	*yağibu ʕalay-ya ʔan ʔadrusa*	'devo studiare'
يَجِبُ أَنْ نُفَكِّرَ فِيهِ	*yağibu ʔan nufakkira fī-hi*	'dobbiamo pensarci'
عَلَيْكَ أَنْ تُرافِقَها	*ʕalay-ka ʔan turāfiqa-hā*	'devi^m accompagnarla'

6 الفعل المِثال Il verbo di 1ª radicale debole

- Sono detti *miṯāl* i verbi la cui prima consonante radicale sia una و, come وَجَدَ 'trovare', وَصَلَ 'arrivare', وَضَعَ 'mettere'. I verbi *miṯāl* perdono tale و al *muḍāriʕ* (soltanto se *muğarrad*):

أَجِدُ	*ʔağidu*	نَجِدُ	*nağidu*		
تَجِدُ	*tağidu*	تَجِدُونَ	*tağidūna*	تَجِدانِ	*tağidāni*
تَجِدِينَ	*tağidīna*	تَجِدْنَ	*tağidna*		
يَجِدُ	*yağidu*	يَجِدُونَ	*yağidūna*	يَجِدانِ	*yağidāni*
تَجِدُ	*tağidu*	يَجِدْنَ	*yağidna*	تَجِدانِ	*tağidāni*

7 اسم التَّفْضيل L'elativo (primi cenni)

- A partire dagli aggettivi di schema فَعِيل (ad es. كبير 'grande'), فَعِل (ad es. غضب 'arrabbiato') e فَاعِل (ad es. واسع 'largo, ampio') è possibile ottenere un اسم التفضيل, 'elativo', corrispondente grosso modo al comparativo di maggioranza italiano, tramite lo schema أَفْعَل (diptoto):

كَبِير	*kabīr*	'grande'	→	أَكْبَر	*ʔakbar*	'più grande'
رَخِيص	*raḫīṣ*	'economico'		أَرْخَص	*ʔarḫaṣ*	'più economico'
غَضِب	*ġaḍib*	'arrabbiato'		أَغْضَب	*ʔaġḍab*	'più arrabbiato'
واسِع	*wāsiʕ*	'largo'		أَوْسَع	*ʔawsaʕ*	'più largo'

- Per ora si ricordi che l'elativo è nel più dei casi invariabile in genere e numero, e che il termine di paragone viene introdotto da مِن:

سُهَيْلَةُ أَكْبَرُ مِنْكِ	*Suhaylatu ʔakbaru min-ki*	'Suhayla è più grande di te^f'
إِنَّنا أَغْضَبُ مِنْهُمْ	*ʔinna-nā ʔaġḍabu min-hum*	'siamo più arrabbiati di loro^m'
غُرْفَتِي أَوْسَعُ مِنْ غُرْفَتِكَ	*ġurfat-ī ʔawsaʕu min ġurfati-ka*	'la mia stanza è più spaziosa della tua^m'

Nb: come si può osservare da quest'ultimo esempio l'arabo non possiede l'equivalente del pronome possessivo ('il mio, la tua, i suoi') e deve quindi ripetere l'*ism* con il pronome suffisso in funzione di aggettivo possessivo.

8 الاسم الموصول Il relativo (seguito)

▶ Si ricordi che il pronome relativo viene espresso soltanto quando l'antencedente sia deteminato; altrimenti non viene espresso (o 'è sottinteso'):

أَمِينُ شَابٌّ لَطِيفٌ لا يُرِيدُ أَنْ يُهِينَ صَدِيقَتَهُ *ʔAmīnu šābbun laṭīfun lā yurīdu ʔan yuhīna ṣadīqata-hu*

'Amin è un ragazzo gentile *che* non vuole offendere la sua amica'

التمارين Esercizi

1 Inserire negli spazi vuoti la forma verbale corretta.

١. من يريد أن .... زبالة المنزل اليوم؟	ترمين	ترموا	يرمي
٢. ألن .... كل الشهر في بيروت لعطلتكم؟	قضيتم	تقصوا	تقصون
٣. سأخرج الآن إلى الحديقة مع كلبي حتى .... قليلا.	يمشي	تمشي	يمشوا
٤. لا نرغب في أن .... دقيقة أخرى في هذا المكان الوسخ!	نبقي	نبقى	بقينا
٥. أريد أن ..... في حفلة عيد ميلادي، يا بنات!	تغنين	تغني	تغنوا
٦. هل رغبت في الذهاب إلى مركز الشرطة لـ......... لتلك المجنونة التي ترمي زبالتها في دارنا؟	شكوت	تشكوا	تشكو
٧. لن .... مرة أخرى لهذه النتائج التعيسة جدا في الامتحانات الجامعية.	أبكي	أبكى	تبكوا
٨. أراهن أنك لن .... الذي درسته لما ستسافر إلى بلد عربي	ينسى	تنسى	تنسي
٩. لما .... أخي فسر لي أنه يريد أن يعمل عجة بالخِيار.	رآني	أراني	رأيَّ
١٠. أ......... ماذا فعلتن بسيارتكن عند إشارة المرور؟	ترون	ترين	ترن

2 Tradurre in arabo.

1. Chi l'ha^{m} visto? – Lo ha visto lui in televisione. ....
2. Amin e Katia hanno visto se (هل) stesse^{m} in casa, ma non lo hanno trovato. ....
3. Non vedi^{f} che il bambino piange? ....
4. Non vedi che sei sporco? ....

5. Quando cammino davanti all'ambasciata, la vedo parlare (تتكلم) con il poliziotto. ....
6. Ti[f] abbiamo dato questo libro perché tu lo studi tutto! ....
7. Per favore[m], vedi cosa stanno facendo i bambini? ....
8. Quando mi vede[m], mi chiede sempre di te[m]. ....
9. Voglio proprio (ricorrere a إنَّ) vedere a che ora mi telefoneranno i miei amici stasera. ....
10. Avete[m] visto che l'esame di arabo era difficilissimo? ....

3 Formare l'elativo degli aggettivi seguenti.

لطيف 'gentile' → ....
وسخ 'sporco' ....
نظيف 'pulito' ....
صغير 'piccolo' ....
سميك 'spesso' ....
ثقيل 'pesante' ....
جميل 'bello' ....
حسن 'buono, bello' ....
صَعْب 'difficile' ....
سَهْل 'facile' ....
سخيف 'stupido' ....
وَقِح 'sfacciato' ....
طويل 'lungo' ....

4 Tradurre in italiano.

١. إن أردت أن تذهب إلى الحفلة معي، فعليك أن تأخذ سيارتك الجديدة. ....
٢. ليس من الممكن أن نفهم لماذا العربية أصعب من الإيطالية. ....

٣. هل رأيت أنت رجلا أوقح منه؟ - لا، حقا، ما وجدت قط مثل ذلك الوقح. ....

٤. ما هو الأحسن، أن نمشي أم أن نركب السيارة؟ ....

٥. في أي ساعة يجب أن تسافري إلى مدريد؟ - بعد الظهر. ....

٦. ليس هناك أحد أسخف منك، يا غبي! ....

٧. أليست حَقِيبتك ('valigia') أثقل من براد مطبخنا، يا حبيبي؟ فماذا وضعت فيها؟ ....

٨. لا يريد الطلاب امتحانا أطول، ولكنهم يريدونه أسهل! ....

٩. لقد وضع أبي وأمي جوالي على كتبي لكي أذكره، ولكني نسيته في المنزل لما خرجت. ....

١٠. هل تريدين أن آكل السوشي مرة أخرى؟ إني أفضل بيتسا بالفُطْر ('funghi'). ....

5 Comprensione del Testo 1. Segnare صحيح *ṣaḥīḥ* 'vero' o خطأ *ḫaṭa'* 'falso'.

	صحيح	خطأ
١. عندما يصيبك البرد، من الممكن أن تأخذ نزلة صدرية.	■	■
٢. صونيا تسعل كثيرا منذ يومين.	■	■
٣. عندما تصيبك نزلة صدرية إنه من المستحسن أن تبقى في السرير.	■	■
٤. إن صديقنا يريد أن يأخذ فورا الأدوية.	■	■

6 Comprensione del Testo 2. Segnare صحيح *ṣaḥīḥ* 'vero' o خطأ *ḫaṭa'* 'falso'.

	صحيح	خطأ
١. أرادت سهيلة أن تدعو أصدقاءها إلى عشاء ياباني.	■	■
٢. لا تحتاج سهيلة إلى أن تشتري أشياء كثيرة لتطبخ السوشي.	■	■
٣. السلمون والسيف أرخص من المورة التي اشترتها صديقتنا.	■	■
٤. لا يحب أمين الكسكسي كثيرا ويفضل أن يأكل السوشي.	■	■

Radici...

Estrapolare la radice comune ai due temi e sintetizzare con فعل il wazn del tema della seconda colonna.

	1			2			الأصل	الوزن
سخن	*suḫn*	'caldo'	سخن	*saḫḫana*	'riscaldare'	→	....	....
عصير	*ʕaṣīr*	'succo'	معصور	*maʕṣūr*	'spremuto'		....	....
سوق	*sūq*	'mercato'	تسوق	*tasawwaqa*	'fare la spesa'		....	....
شرب	*šariba*	'bere'	شراب	*šarāb*	'sciroppo'		....	....
سمك	*samak*	'pesci'	سماك	*sammāk*	'pescivendolo'		....	....
أدب	*ʔadab*	'educazione'	مؤدب	*muʔaddab*	'educato'		....	....
رأى	*raʔā*	'vedere'	مرآة	*mirʔāt*	'specchio'		....	مِفْعَالٌ

Attenzione: أدب *ʔadab*, singolare, esprime il concetto di 'buona creanza, educazione, cultura intellettuale e artistica, istruzione', mentre آداب *ʔādāb*, plurale, sta per 'letteratura'.

أكثر Di più

1 لَوازِم المائدة Coperto, posate e altro

Ormai ovunque nei ristoranti arabi il cliente troverà la tavola (مائدة، موائد *māʔida, mawāʔidu*) apparecchiata secondo l'uso occidentale: tovaglia (شرشف *šaršaf*), tovagliolo (فوطة *fūṭa*), piatto (صحن، صحون *ṣaḥn, ṣuḥūn*), forchetta (شوكة، شوك *šawka, šuwak*), coltello (سكين، سكاكين *sikkīn, sakākīnu*, f.!), cucchiaio (ملعقة، ملاعق *milʕaqa, malāʕiqu*) e bicchiere (كأس). Nelle case, anche presso famiglie 'moderne', è tuttavia ancora d'uso consumare alcuni piatti tradizionali (a base perlopiù di riso nel Mashreq o di cuscus nel Maghreb) con le mani: la pietanza viene portata a tavola sotto forma conica in un grande vassoio che viene poggiato al centro tavola, e ogni conviviale si scava progressivamente la propria galleria con la mano, arrotolandosi sul palmo una polpetta (لقمة *luqma*) di riso/grano intriso di carne e sugo da portarsi poi direttamente alla bocca. Tale operazione va fatta inderogabilmente con la mano destra (anche per i mancini): mangiare con la mano sinistra verrebbe considerato molto sconvenevole. Prima di incominciare a mangiare, il padrone di casa inviterà il suo ospite a lavarsi le mani in un vassoio versandogli dell'acqua da un'apposita sorta di teiera. Gli arabi reagiscono sempre con divertita simpatia nel vedere l'occidentale impacciato o a disagio con tale galateo, e per questo hanno sempre pronti un piatto fondo e un cucchiaio per colui che confessi di non saper mangiare altrimenti. Farete felici i vostri ospiti ingozzandovi senza ritegno e dichiarando di non aver mai mangiato un pasto così succulento in vita vostra.

2 الكلمات الدَخِيلة Prestiti

Viene detta دخيلة (si pensi al verbo دخل) una parola non araba entrata nell'uso, quindi un prestito lessicale. Già nella lingua araba antica sono ravvisabili prestiti, come قصر *qaṣr* 'castello' (lat. *castrum*) o كرز 'ciliegie' (gr. κέρασιον *kérasion*). Come già è stato visto a più riprese, la lingua araba standard scritta esita ancora in molti casi tra il neologismo inusitato nel colloquiale e il prestito perfettamente acclimatato nella vita di tutti i giorni.

Per 'ombrello, paracqua' è stato optato qui per il termine dialettale شمسية *šamsiyya*, che in realtà starebbe per 'parasole, ombrellone' (← شمس *šams* 'sole'). Il termine standard, che però nessuno adopera nello scritto, sarebbe مطرية *maṭariyya* (← مطر *maṭar* 'pioggia'). Usasi anche مِظَلَّة *miẓalla*, che indica ugualmente, oltre all'ombrello e all'ombrellone (← ظل *ẓill* 'ombra'), il 'paracadute'.

Anche مشمع *mušammaʿ* per 'impermeabile, incerata' (← شمع *šamʿ* 'cera'), ammesso dalle accademie di lingua araba a scapito di un ممطرية *mimṭariyya* che nessuno usa, è di origine dialettale. Il termine corrente è بالطو *bālṭū* (← franc. *paletot*). Hanno puttosto il valore di 'cappotto' كبود *kabbūd*, o كبوط *kabbūṭ*, e بردوسي *bardūsī* (← franc. *pardessus*).

3 الكسكسي Il cuscus

Quel che viene chiamato cuscus è un piatto tipico del solo Maghreb (anche se in Italia lo si trova regolarmente nei ristoranti arabi gestiti da mashreqini), dalla Libia al Marocco. Per كسكسي si intende propriamente la semola di grano in chicchi cotta al vapore, sulla quale viene versato il brodo con verdure e carne. Di origine berbera, base dell'alimentazione povera magrebina per secoli, il cuscus (come la 'pasta' in Italia) esiste sotto forma di innumerevoli ricette: dal semplice cuscus con brodo di verdura a quello con montone, manzo, pollo o pesce. Le verdure usate sono pincipalmente patate (بطاطا *baṭāṭā*), carote (جزر *ǧazar*), verza (ملفوف *malfūf*) e ceci (حمص *ḥummuṣ*), ma a secondo dei luoghi si troveranno anche melanzane (باذنجان *bāḏinǧān*), zucchine (كوسى *kūsā*), spinaci (سبانخ *sabāniḫ*), rape (لفت *laft*) e uova sode (بيض مسلوق *bayḍ maslūq*). Il brodo viene insaporito da un condimento detto رأس الحانوت *raʾs al-ḥānūt* 'testa del negozio', fatto di – così affermano i conoscitori – quarantaquattro spezie. Tra queste dominano la scena il cumino (كمون *kammūn*) e il coriandolo (noto come قزبور *quzbūr* nel Maghreb, come كزبرة *kuzbara* nel Mashreq). Esiste anche un cuscus dolce, fatto con zucchero e cannella (قرفة *qirfa*).

مراجعة Ripasso

1 Verbi sani e verbi deboli

- Le radici verbali arabe si dividono in radici **sane** e radici **deboli**. Sono detti verbi deboli, **أفعال معتلة** ***ʔafʕāl muʕtalla*** (o أفعال العلة *ʔafʕāl al-ʕilla*), i verbi le cui radici contengano una semivocale و o ي (che spesso si nasconde dietro una ا/ى), o le cui 2ª e 3ª radicale siano uguali, o geminate. Si possono avere così fondamentalmente quattro tipi di verbi deboli:

	Termine arabo		Esempi			Radice
1ª و	مِثال	*miṯāl*	وَصَلَ، يَصِلُ	*waṣala, yaṣilu*	'arrivare'	√*w-ṣ-l*
2ª و/ي	أَجْوَف	*ʔağwaf*	قَالَ، يَقُولُ	*qāla, yaqūlu*	'dire'	√*q-w-l*
			قَاسَ، يَقِيسُ	*qāsa, yaqīsu*	'misurare'	√*q-y-s*
			نَامَ، يَنَامُ	*nāma, yanāmu*	'dormire'	√*n-w-m*
3ª و/ي	ناقِص	*nāqiṣ*	حَكَى، يَحْكِي	*ḥakā, yaḥkī*	'raccontare'	√*ḥ-k-y*
			نَسِيَ، يَنْسى	*nasiya, yansā*	'dimenticare'	√*n-s-y*
			شَكَا، يَشْكُو	*šakā, yaškū*	'lamentarsi'	√*š-k-w*
3ª gem.	مُضاعَف	*muḍāʕaf*	مَرَّ، يَمُرُّ	*marra, yamurru*	'passare	√*m-r-r*

Una categoria marginale è rappresentata dal verbo una delle cui radicali sia ء (الفعل المهموز *al-fiʕl al-mahmūz* 'il verbo hamzato'), che occasiona qualche leggera irregolarità.

▶È bene sapere sin da ora che i verbi deboli arabi non vanno assolutamente equiparati ai ***verbi irregolari*** italiani o indeuropei: essi rappresentano piuttosto dei sottocasi del verbo sano, obbedienti ognuno a precise regole valide per la totalità dei verbi rientranti nel sottogruppo. Una volta appresa la coniugazione del verbo قال, ad es., si saprà coniugare qualsiasi verbo come قاد، يقود *qāda, yaqūdu* 'condurre', باس، يبوس *bāsa, yabūsu* 'baciare', زار، يزور *zāra, yazūru* 'visitare' ecc.

Finora sono stati visti nei dettagli – e limitatamente alla coniugazione del *māḍī* e del *muḍāriʕ marfūʕ* e *manṣūb* – i verbi *nāqiṣ* e *miṯāl*.

2 Verbi *muǧarrad* e verbi *mazīd*

- Il verbo **مجرد** ***muǧarrad*** 'spoglio', detto dall'arabistica occidentale **verbo in I forma**, consta delle sole tre consonanti radicali, sane o deboli, e può quindi comparire unicamente sotto una delle forme:

sālim	*miṯāl*	*ʔaǧwaf*	*nāqiṣ*	*muḍāʕaf*
فَعَل *faʕala*	وَعَل *waʕala*		فَعَى *faʕā*	
فَعِل *faʕila*	وَعِل *waʕila*	فَال *fāla*	فَعِيَ *faʕiya*	فَعَّ *faʕʕa*
فَعُل *faʕula*	وَعُل *waʕula*		فَعَا *faʕā*	

- Il verbo **مزيد** *mazīd* 'aumentato, accresciuto', detto dall'arabistica occidentale **verbo derivato**, rappresenta nel più dei casi una derivazione semantica a partire da un verbo *muǧarrad* o da un tema nominale:

سَخَّنَ	*saḫḫana*	'riscaldare'	↔	سَخُنَ	*saḫuna*	'essere caldo'
بَسَّطَ	*bassaṭa*	'semplificare'		بَسِيط	*basīṭ*	'semplice'
دَخَّنَ	*daḫḫana*	'fumare'		دُخَّان	*duḫḫān*	'fumo'

Le forme derivate in arabo contemporaneo sono una decina e vengono ottenute attraverso i procedimenti morfologici seguenti:

– ispessimento vocalico o consonantico interno:

فَاعَلَ	رَافَقَ	*rāfaqa*	'accompagnare'	↔	رَفِيق	*rafīq*	'compagno'
فَعَّلَ	كَسَّرَ	*kassara*	'spezzettare'		كَسَرَ	*kasara*	'rompere'
اِفْعَلَّ	اِحْمَرَّ	*iḥmarra*	'arrossire'		أَحْمَر	*ʔaḥmar*	'rosso'

– prefissi أ *ʔa-*, ت *ta-*, ان *in-*, است *ista-*:

أَفْعَلَ	أَفْهَمَ	*ʔafhama*	'far capire'	↔	فَهِمَ	*fahima*	'capire'
تَفَعَّلَ	تَكَلَّمَ	*takallama*	'parlare'		كَلِمَة	*kalima*	'parola'
تَفَاعَلَ	تَحَارَبَ	*taḥāraba*	'combattersi'		حَرْب	*ḥarb*	'guerra'
اِنفَعَلَ	اِنْفَتَحَ	*infataḥa*	'aprirsi'		فَتَحَ	*fataḥa*	'aprire'
اِسْتَفْعَلَ	اِسْتَأْجَرَ	*istaʔǧara*	'prendere in affitto'		أُجْرَة	*ʔuǧra*	'pigione'

– interfisso ت *-ta-*:

اِفْتَعَلَ اِنْتَظَرَ	*intaẓara*	'aspettare'	↔	نَظَرَ	*naẓara*	'guardare'
اِفْتَتَحَ	*iftataḥa*	'inaugurare'		فَتَحَ	*fataḥa*	'aprire'

Le modalità di formazione di questi temi derivati – suddivisi dall'arabistica occidentale in nove temi numerati da II a X –, verranno studiati più avanti.

3 Aggettivi di colore e di difetti fisici

Tali aggettivi seguono uno schema particolare, diptoto al singolare maschile e femminile:

	Singolare	Plurale	Duale
m.	أَحْمَرُ *ʔaḥmaru*	حُمْر *ḥumr*	أَحْمَرَانِ *ʔaḥmarāni*
f.	حَمْرَاءُ *ḥamrāʔu*	حَمْرَاوَات *ḥamrāwāt*	حَمْرَاوَانِ *ḥamrāwāni*

- I colori di base sono:

أَبْيَض	*ʔabyaḍ*	'bianco'
أَسْوَدُ	*ʔaswad*	'nero'
أَحْمَرُ	*ʔaḥmar*	'rosso'
أَصْفَرُ	*ʔaṣfar*	'giallo'
أَخْضَرُ	*ʔaḫḍar*	'verde'
أَزْرَق	*ʔazraq*	'azzurro'

Attenzione al plurale di أبيض e أسود: بِيض *bīḍ* (< *buyḍ), سُود *sūd* (< *suwd).

- Molti altri aggettivi di colore sono invece nisbe derivate da sostantivi:

بُنِّيّ	*bunniyy*	'marrone'	<	بُنّ	*bunn*	'caffè (in chicchi)'
رَمَادِيّ	*ramādiyy*	'grigio'		رَماد	*ramād*	'cenere'
سَمَائِيّ	*samāʔiyy*	'celeste'		سَماء	*samāʔ*	'cielo'
بُرْتُقَالِيّ	*burtuqāliyy*	'arancione'		بُرْتُقال	*burtuqāl*	'arance'
بَنَفْسَجِيّ	*banafsağiyy*	'viola'		بَنَفْسَج	*banafsağ*	'violette'

- Si comportano come gli aggettivi di colore quelli relativi a handicap fisici:

أَطْرَش	*ʔaṭraš*	'sordo'
أَبْكَمُ	*ʔabkam*	'muto'
أَعْمَى	*ʔaʕmā*	'cieco' (f. عَمْيَاءُ *ʕamyāʔ*, pl.m. عُمْي *ʕumy*)
أَحْوَل	*ʔaḥwal*	'strabico' (f. حَوْلَاءُ *ḥawlāʔ*, pl.m. حُول *ḥūl*)
أَعْرَجُ	*ʔaʕrağ*	'sciancato, zoppo'

4 صِيَغ المضارع I modi dell'imperfetto

Mentre il *māḍī* conosce un'unica flessione, si è visto che il *muḍāriʕ* distingue tre modi, caratterizzati da una delle tre desinenze vocaliche -*u*, -*a*, -ْ:

– مرفوع *marfūʕ*, o indicativo, caratterizzato da -*u* finale: يَذْهَبُ *yaḏhabu* 'se^m ne va'

– منصوب *manṣūb*, o congiuntivo, caratterizzato da -*a* finale: أَنْ يَذْهَبَ *ʔan yaḏhaba* 'che se^m ne vada'

– مجزوم *maǧzūm*, o iussivo, caratterizzato da *sukūn* finale: فَلْيَذْهَبْ! *fa-l-yaḏhab!* 'se^m ne vada!'

- Le persone del *muḍāriʕ*, da un punto di visto morfologico, possono dividersi nel modo seguente:

α. a soli prefissi e vocale modale suffissa	1ª sg.	أَذْهَبُ	*ʔaḏhabu*	أنا
	2ª sg.m.	تَذْهَبُ	*taḏhabu*	أنتَ
	3ª sg.m.	يَذْهَبُ	*yaḏhabu*	هو
	3ª sg.f.	تَذْهَبُ	*taḏhabu*	هي
	1ª pl.	نَذْهَبُ	*naḏhabu*	نحن
β. a prefissi e suffissi -*v̄nv*	2ª sg.f.	تَذْهَبِينَ	*taḏhabīna*	أنتِ
	2ª pl.m.	تَذْهَبُونَ	*taḏhabūna*	أنتم
	3ª pl.m.	يَذْهَبُونَ	*yaḏhabūna*	هم
	2ª du.m./f.	تَذْهَبَانِ	*taḏhabāni*	أنتما
	3ª du.m.	يَذْهَبَانِ	*yaḏhabāni*	هما
	3ª du.f.	تَذْهَبَانِ	*taḏhabāni*	هما
γ. a prefissi e suffisso -*na*	2ª pl.f.	تَذْهَبْنَ	*taḏhabna*	أنتن
	3ª pl.f.	يَذْهَبْنَ	*yaḏhabna*	هن

- Rispetto al *marfūʕ* il *manṣūb* e il *maǧzūm* subiscono quindi le modifiche seguenti:

	مرفوع		منصوب		مجزوم
α.	-*u*	→	-*a*	→	-*0*
β.	-*v̄nv*	→	-*v̄*	→	-*v̄*
γ.	-*na*	→	-*na*	→	-*na*

▶Un futuro positivo viene ottenuto unendo al *muḍāriʕ marfūʕ* il prefisso سـ *sa-* o la particella سوف *sawfa* (quest'ultima con valore più remoto):

سَنَعْمَلُ عُجَّةً *sa-naʕmalu ʕuǧǧatan* 'faremo una frittata'

سَوْفَ نَرْجِعُ بَعْدَ شَهْرَيْنِ *sawfa narǧiʕu baʕda šahrayni* 'torneremo tra due mesi'

▶E si ricordi che il futuro negativo si ottiene unicamente con la negazione لن *lan* seguita dal *muḍāriʿ manṣūb*:

لَنْ أَتَكَلَّمَ مَعَكَ	*lan ʾatakallama maʿa-ka*	'non parlerò con te^{m}'
لَنْ نَعْمَلَ عُجَّةً	*lan naʿmala ʿuǧǧatan*	'non faremo una frittata'
لَنْ نَرْجِعَ بَعْدَ شَهْرَيْنِ	*lan narǧiʿa baʿda šahrayni*	'non torneremo tra due mesi'

Un futuro negato del tipo ~~لا سوف نرجع~~ ~~*lā sawfa narǧiʿu*~~ è quindi un ERRORE!

5 إِنَّ وأخواتها *ʾinna* e le sue sorelle (seguito)

▶Fanno parte delle sorelle di إِنَّ i due *ḥarf* avverbiali لعل *laʿalla* 'forse' e ليت *layta* 'magari'; il soggetto di entrambi va quindi al *manṣūb*:

لَعَلَّكِ تَعْرِفِينَ أَنَّ أَحْمَدَ تَخَرَّجَ	*laʿalla-**ki** taʿrifīna ʾanna ʾAḥmada taḫarraǧa*	'forse sai^{f} che Ahmad si è laureato'
لَعَلَّ فِي آخِرِ المَمَرِّ حَمَّامًا	*laʿalla fī ʾāḫiri l-mamarri **ḥammāman***	'forse in fondo al corridoio c'è un bagno'
لَيْتَنِي أَحْسَنْتُ العَرَبِيَّةَ!	*layta-**nī** ʾaḥsantu l-ʿarabiyyata!*	'magari sapessi bene l'arabo!'
لَيْتَهُ كَذَلِكَ...	*layta-**hu** kaḏālika...*	'magari fosse così...'

• لعل quindi deve necessariamente essere completato da un nominale. Per un 'forse' isolato, ad es. in una risposta, si ricorrerà a رُبَّمَا:

هَلْ هو هُنا؟ - رُبَّمَا...	*hal huwa hunā? - rubbamā...*	'è^{m} qui? – forse...'

التمارين Esercizi

1 Indicare per ciascun verbo se è: 1 sano, 2 debole (e in tal caso indicare se è مثال, أجوف, ناقص o مضاعف), 3 مجرد o مزيد con una croce (ci vogliono quindi due croci per ogni verbo).

		1	2				3	
		sano سالم	debole مثال	أجوف	ناقص	مضاعف	مجرد	مزيد
اِسْتَقْبَلَ	'accogliere'	■	■	■	■	■	■	■
أَغْلَقَ	'chiudere'	■	■	■	■	■	■	■
مَسَّ	'toccare'	■	■	■	■	■	■	■
رَبَطَ	'legare'	■	■	■	■	■	■	■
تَنَفَّسَ	'respirare'	■	■	■	■	■	■	■
ذَكَرَ	'ricordare'	■	■	■	■	■	■	■

بَقِيَ	‘rimanere’	■	■	■	■	■	■	■
كَافَحَ	‘combattere’	■	■	■	■	■	■	■
وَجَدَ	‘trovare’	■	■	■	■	■	■	■
أَدْرَكَ	‘afferrare’	■	■	■	■	■	■	■
ضَغَطَ	‘cliccare’	■	■	■	■	■	■	■
سَارَ	‘camminare’	■	■	■	■	■	■	■
أَكَلَ	‘mangiare’	■	■	■	■	■	■	■
تَنَاقَشَ	‘discutere’	■	■	■	■	■	■	■
قَاسى	‘soffrire’	■	■	■	■	■	■	■
أَدَارَ	‘dirigere’	■	■	■	■	■	■	■
اِسْتَغْنَى	‘fare a meno’	■	■	■	■	■	■	■
اِرْتَاحَ	‘riposarsi’	■	■	■	■	■	■	■
اِصْفَرَّ	‘impallidire’	■	■	■	■	■	■	■
صَوَّرَ	‘fotografare’	■	■	■	■	■	■	■
ضَايَقَ	‘infastidire’	■	■	■	■	■	■	■
اِنْتَفَضَ	‘avere i tremiti’	■	■	■	■	■	■	■

2 Inserire la negazione verbale ما, لا o لَنْ nelle frasi seguenti.

١. .... اتجهنا إلى المطبخ لأن الثلاجة ليس فيها شيء.
٢. .... يريد صاحب المنزل أن ينتظر أكثر إيجار الشقة.
٣. لقد عرفنا أنك .... تنتقلي إلى بيت جديد إلا بعد شهرين.
٤. لماذا .... درستم جيدا، يا شباب، قبل هذا الامتحان الصعب؟
٥. لقد خرج المدير قبل قليل و........ يرجع إلا بعد ثلث ساعة.
٦. إن ماما .... تذكر أين وضعت الليمون في المطبخ.
٧. .... كان لي وقت كثير ولذلك .... تلفنت لكم.
٨. سأفكر فيك دائما، يا حبيبتي، و........ أنساك أبدا!
٩. هناك شاب أمام مكتبك .... أراد أن يقول لي اسمه.
١٠. سوف تصل كريمة بسيارتها ولكنها .... تصفها أبدا لأنه .... يوجد مكان.

3 Inserire أَنْ, أَنَّ o إِنَّ nelle frasi seguenti.

١. هل تعرف .... صديقينا استأجرا منزلا جديدا؟
٢. لقد قال لي أستاذي .... امتحان اللغة العربية الكتابي ليس سهلا.

٣. إننا نحتاج إلى .... نعرف متى ستحضرنا ماما الكسكسي.
٤. هل قالوا لكم ....ه سوف يجب .... ندرس كثيرا منذ الآن؟
٥. رأيت .... أخاك يريد .... يسافر إلى بغداد.
٦. هل تريد .... تراهن .... يوسف لن يرافقنا إلى البيت؟
٧. هل فهم أستاذنا ....نا غضبنا لأن الامتحان كان صعبا؟
٨. أما سمعتم أنتم أيضا .... الشباب الذين يعيشون وراءنا يغنون دائما؟
٩. لماذا لا تريدين .... تقري بـ.................. أباك لا يصدقني؟
١٠. لاحظت منذ وقت غير قصير ....ك لا تفسر لي من يتصل بك.

4 Tradurre in arabo le frasi seguenti, prestando attenzione all'uso di لَيْتَ, رُبَّمَا, لَعَلَّ, لٰكِنَّ, لٰكِنْ.

1. Forse Maryam vuole cucinarci qualcosa per la sua festa. ....
2. Affitteremo la casa di tuo fratello, ma non voglio problemi. ....
3. Partirò con tutti gli altri, ma non subito. ....
4. Ma non vieni alla cena di Souad? – Forse! ....
5. Magari cucinassi bene, cari miei! ....

17 UNITÀ

أأنت مجنونة؟ Sei matta?

النص الأول Testo 1 CD1/49

حول مائدة مستديرة في آخر مقهى الببغاء تجلس مريم وفاطمة وقمر وزينب، يتحدثن ويدخنَّ الشيشة بين قناني العصير وفناجين القهوة والشاي والمنافض وأطباق السلطة. تقول زينب:

- يا بنات، فلنتكلم بجد، هل حقا تردن أن تتزوجن من رجل إيطالي؟
- أأنت مجنونة يا زينب؟ فالرجل الإيطالي أكذب من الرجل العربي. أنا مثلا، السنة الماضية، لما كنت في ميلانو، تعرفت إلى فتى إيطالي. قال إنه أصبح مغرما بي من أول نظرة وإنه يريد الزواج مني، وبعد أسبوعين اكتشفت أنه متزوج وأب لثلاثة أولاد! تستطعن أن تتصورن كيف أحسست نفسي...

وتجيب قمر وتقول:

- ما أسذجكن! لا تحتجن إلى أن تسافرن إلى إيطاليا لتجدن مثل هذا اللئيم. فكل الفتيات الأجنبيات اللواتي أقمن في بلادنا واللواتي عرفتهن أنا يقلن نفس الكلام عن الفتيان العرب.

تقول مريم:

- المجنونات هن أنتن الثلاث، اللواتي تفكرن في الزواج من عربي أو إيطالي. وأنا لن أتزوج إلا من أمريكي غني جدا، غير غيور، لا يريد أكثر من ولدين أم ثلاثة، يطبخ ويجلي ويكوي.
- لعلنا مجنونات، ولكنك أكثر جنونا من كل واحدة منا، فالرجل الذي تحلمين به قد يسكن على كوكب المريخ!

الكلمات الجديدة Parole nuove

حول	*ḥawla*	intorno a	بِجِدٍّ (= جديا)		seriamente
مستدير	*mustadīr*	rotondo	زواج	*zawāğ*	matrimonio
قنينة، قناني	*qinnīna, qanāniyyu*	bottiglia	مغرم، ون ب	*muġram, -ūna bi-*	innamorato di
شيشة، شيش	*šīša, šiyaš*	narghilè	مِنْ / لِأَوَّلِ نَظْرَةٍ		a prima vista
منفضة، منافض	*minfaḍa, manāfiḍu*	posacenere	كُلُّ واحِدٍ		ognuno
طبق، أطباق	*ṭabaq, ʾaṭbāq*	piatto	كوكب، كواكب	*kawkab, kawākibu*	pianeta
كاذب، ون	*kāḏib, -ūna*	bugiardo	المريخ	*al-Mirrīḫ*	Marte
مثل، أمثال	*maṯal, ʾamṯāl*	esempio	بلاد، بلدان	*bilād, buldān*	paese (f.!)
مثلا	*maṯalan*	per esempio	أمريكا	*ʾAmrīkā*	America
سنة، سنوات	*sana, sanawāt*	anno	أمريكي، ون	*ʾamrīkiyy, -ūna*	americano
ماض	*māḍin*	passato	غني، أغنياءُ	*ġaniyy, ʾaġniyāʾu*	ricco
ثَلاثَةُ أَوْلادٍ		tre bambini	غيور، ون	*ġayūr, -ūna*	geloso
ساذج، سذج	*sāḏiğ, suḏḏağ*	ingenuo	أم	*ʾam*	oppure
مثل	*miṯla*	(qui:) un simile	قمر	*Qamar*	Kamar (n.pr.f.)
لئيم، لئام	*laʾīm, liʾām*	disgraziato	زينب	*Zaynab*	Zaynab (n.pr.f.)
أجنبي، أجانب	*ʾağnabiyy, ʾağānibu*	straniero			

فعل	جلس، يجلس	*ğalasa, yağlisu*	sedere
	حلم، يحلم ب	*ḥalama, yaḥlumu*	sognare
	جلى، يجلي	*ğalā, yağlī*	lavare i piatti
	كوى، يكوي	*kawā, yakwī*	stirare
فاعل	سافر، يسافر	*sāfara, yusāfiru*	partire, viaggiare
أفعل	أصبح، يصبح	*ʾaṣbaḥa, yuṣbiḥu*	diventare
	أجاب، يجيب	*ʾağāba, yuğību*	rispondere
	أقام، يقيم ب	*ʾaqāma, yuqīmu bi-*	risiedere
	أحس، يحس	*ʾaḥassa, yuḥissu*	sentire

	أحسست	*ʔaḥsastu*	ho sentito
تفعل	تكلم، يتكلم	*takallama, yatakallamu*	parlare
	تحدث، يتحدث	*taḥaddaṯa, yataḥaddaṯu*	chiacchierare
	تزوج، يتزوج من	*tazawwağa, yatazawwağu min*	sposarsi con
	تعرف، يتعرف إلى	*taʕarrafa, yataʕarrafu ʔilā*	far conoscenza di
	تصور، يتصور	*taṣawwara, yataṣawwaru*	immaginarsi
افتعل	اكتشف، يكتشف	*iktašafa, yaktašifu*	scoprire
استفعل	استطاع، يستطيع	*istaṭāʕa, yastaṭīʕu*	potere

النحو Grammatica

1 الفعل الأجوف Il verbo di 2ª debole

È *ʔağwaf* un verbo la cui seconda consonante radicale sia una و o una ي. In molti temi tale radicale debole viene sostituita e mascherata da una ا. La regola generale per seguire la flessione di questi verbi è la seguente.

▶ L'arabo **non ammette una vocale lunga in sillaba chiusa** (*-*cv̄c*-); o, secondo la formulazione dei grammatici arabi, una vocale lunga non può essere seguita da una consonante con *sukūn*; in tal caso, e cioè prima dei morfemi suffissi inizianti per consonante, la vocale lunga si **abbrevia**.
Esempio: il verbo أَجَابَ *ʔağāba* 'rispondere' in 1ª persona singolare del *māḍī* darebbe teoricamente أَجَابْتُ* *ʔağābtu*, dove *ā* si troverebbe in sillaba chiusa *-ğāb-*; si ha quindi أَجَبْتُ *ʔağabtu*.

Nell'affrontare i verbi *ʔağwaf* occorre distinguere quelli *muğarrad* da quelli *mazīd*.

- الفعل الأجوف المجرد
  - Questi verbi hanno sempre, in 3ª pers. sg. m. del *māḍī*, la struttura *cāca*. La ا centrale maschera una و/ي, che riappare, sotto forma di vocale lunga *ū*, *ī* o *ā*, al *muḍāriʕ*:

قَالَ، يَقُولُ	*qāla, yaqūlu*	'dire'	√*q-w-l*
قَاسَ، يَقِيسُ	*qāsa, yaqīsu*	'misurare'	√*q-y-s*
نَامَ، يَنَامُ	*nāma, yanāmu*	'dormire'	√*n-w-m*

  - Al *māḍī* la *ā* lunga di *cāc-* si abbrevia in presenza dei morfemi suffissi consonantici ma assumendo il timbro *-u-* nel primo caso, *-i-* negli altri due:

قُلْتُ	*qultu*	قُلْنَا	*qulnā*		
قُلْتَ	*qulta*	قُلْتُمْ	*qultum*	قُلْتُمَا	*qultumā*
قُلْتِ	*qulti*	قُلْتُنَّ	*qultunna*		
قَالَ	*qāla*	قَالُوا	*qālū*	قَالَا	*qālā*
قَالَتْ	*qālat*	قُلْنَ	*qulna*	قَالَتَا	*qālatā*

قِسْتُ	*qistu*	قِسْنَا	*qisnā*		
قِسْتَ	*qista*	قِسْتُمْ	*qistum*	قِسْتُما	*qistumā*
قِسْتِ	*qisti*	قِسْتُنَّ	*qistunna*		
قَاسَ	*qāsa*	قَاسُوا	*qāsū*	قَاسَا	*qāsā*
قَاسَتْ	*qāsat*	قِسْنَ	*qisna*	قَاسَتَا	*qāsatā*

نِمْتُ	*nimtu*	نِمْنَا	*nimnā*		
نِمْتَ	*nimta*	نِمْتُمْ	*nimtum*	نِمْتُما	*nimtumā*
نِمْتِ	*nimti*	نِمْتُنَّ	*nimtunna*		
نَامَ	*nāma*	نَامُوا	*nāmū*	نَامَا	*nāmā*
نَامَتْ	*nāmat*	نِمْنَ	*nimna*	نَامَتَا	*nāmatā*

Occorre quindi ricordare:
se قَالَ يَقُولُ → قُلْتُ ecc.;
se فَالَ يَفِيلُ → فِلْتُ ecc.;
se فَالَ يَفَالُ → فِلْتُ ecc.

– Al *muḍāriʿ* si ha semplicemente l'abbreviamento della vocale lunga *ū*, *ī*, *ā* (e cioè solamente alle 2ª e 3ª pers. plur. femm.):

أَقُولُ	*ʾaqūlu*	نَقُولُ	*naqūlu*		
تَقُولُ	*taqūlu*	تَقُولُونَ	*taqūlūna*	تَقُولاَنِ	*taqūlāni*
تَقُولِينَ	*taqūlīna*	تَقُلْنَ	*taqulna*		
يَقُولُ	*yaqūlu*	يَقُولُونَ	*yaqūlūna*	يَقُولاَنِ	*yaqūlāni*
تَقُولُ	*taqūlu*	يَقُلْنَ	*yaqulna*	تَقُولاَنِ	*taqūlāni*

أَقِيسُ	*ʾaqīsu*	نَقِيسُ	*naqīsu*		
تَقِيسُ	*taqīsu*	تَقِيسُونَ	*taqīsūna*	تَقِيسَانِ	*taqīsāni*
تَقِيسِينَ	*taqīsīna*	تَقِسْنَ	*taqisna*		
يَقِيسُ	*yaqīsu*	يَقِيسُونَ	*yaqīsūna*	يَقِيسَانِ	*yaqīsāni*
تَقِيسُ	*taqīsu*	يَقِسْنَ	*yaqisna*	تَقِيسَانِ	*taqīsāni*

أَنَامُ	*ʾanāmu*	نَنَامُ	*nanāmu*		
تَنَامُ	*tanāmu*	تَنَامُونَ	*tanāmūna*	تَنَامَانِ	*tanāmāni*
تَنَامِينَ	*tanāmīna*	تَنَمْنَ	*tanamna*		
يَنَامُ	*yanāmu*	يَنَامُونَ	*yanāmūna*	يَنَامَانِ	*yanāmāni*
تَنَامُ	*tanāmu*	يَنَمْنَ	*yanamna*	تَنَامَانِ	*tanāmāni*

• الفعل الأجوف المزيد

– In questi verbi, tanto al *māḍī* quanto al *muḍāriʕ*, si ha semplicemente l'abbreviamento della vocale lunga in sillaba chiusa:

أَجَبْتُ	*ʔaǧabtu*	أَجَبْنَا	*ʔaǧabnā*		
أَجَبْتَ	*ʔaǧabta*	أَجَبْتُمْ	*ʔaǧabtum*	أَجَبْتُما	*ʔaǧabtumā*
أَجَبْتِ	*ʔaǧabti*	أَجَبْتُنَّ	*ʔaǧabtunna*		
أَجَابَ	*ʔaǧāba*	أَجَابُوا	*ʔaǧābū*	أَجَابَا	*ʔaǧābā*
أَجَابَتْ	*ʔaǧābat*	أَجَبْنَ	*ʔaǧabna*	أَجَابَتَا	*ʔaǧābatā*

أُجِيبُ	*ʔuǧību*	نُجِيبُ	*nuǧību*		
تُجِيبُ	*tuǧību*	تُجِيبُونَ	*tuǧībūna*	تُجِيبَانِ	*tuǧībāni*
تُجِيبِينَ	*tuǧībīna*	تُجِبْنَ	*tuǧibna*		
يُجِيبُ	*yuǧību*	يُجِيبُونَ	*yuǧībūna*	يُجِيبَانِ	*yuǧībāni*
تُجِيبُ	*tuǧību*	يُجِبْنَ	*yuǧibna*	تُجِيبَانِ	*tuǧībāni*

2 اسم التفضيل L'elativo (seguito)

• L'elativo, di schema أَفْعَلُ, diptoto, ha due funzioni principali:
– comparativo (il termine di paragone viene introdotto da من):

مُحَمَّدٌ أَكْبَرُ مِنْ أَحْمَدَ *Muḥammadun* ***ʔakbaru*** *min ʔAḥmada* 'Mohammed è più grande di Ahmad'

– comparativo assoluto

مُحَمَّدٌ هُوَ الأَكْبَرُ *Muḥammadun huwa l-****ʔakbaru*** 'Mohammed è il più grande'

▶Nel primo caso l'elativo è **invariabile** in genere e numero (ma si accorda in caso).

• Lo schema è quindi أَفْعَلُ:

كَبِير	*kabīr*	'grande'	→	أَكْبَرُ	*ʔakbar*	'più grande'
كاذِب	*kāḏib*	'bugiardo'		أَكْذَبُ	*ʔakḏab*	'più bugiardo'
كَثِير	*kaṯīr*	'molto'		أَكْثَرُ	*ʔakṯar*	'(di) più'

▶Con gli aggettivi di radice *nāqiṣa* lo schema è أَفْعَى *ʔafʕā* (indeclinabile):

غَنِيّ	*ġaniyy*	'ricco'	√*ġ-n-y*	→	أَغْنَى	*ʔaġnā*	'più ricco'
حُلْو	*ḥulw*	'dolce'	√*ḥ-l-w*		أَحْلَى	*ʔaḥlā*	'più dolce'
غالٍ	*ġālin*	'caro'	√*ġ-l-w*		أَغْلَى	*ʔaġlā*	'più caro'

▶Con gli aggettivi di radice *muḍāʕafa*, in cui cioè 2ª e 3ª consonante siano uguali, lo schema è أَفَعُّ:

خَفِيف	*ḫafīf*	'leggero'	√*ḫ-f-f*	→	أَخَفُّ	*ʔaḫaff*	'più leggero'
جَدِيد	*ǧadīd*	'nuovo'	√*ǧ-d-d*		أَجَدُّ	*ʔaǧadd*	'più nuovo'

قليل	*qalīl*	'poco'	√*q-l-l*	أَقَلّ	*ʔaqall*	'(di) meno'
مُرّ	*murr*	'amaro'	√*m-r-r*	أَمَرّ	*ʔamarr*	'più amaro'

▶ Per 'migliore' e 'peggiore' vengono usati خير *ḫayr* (oggi relativamente raro rispetto a أَحْسَن *ʔaḥsan*) e شَرّ *šarr* (o أسوأ *ʔaswaʔ*) rispettivamente:

الكَرَزُ خَيْرٌ مِنَ المِشْمِشِ	*al-karazu ḫayrun min^a l-mišmiši*	'le ciliegie sono migliori delle albicocche'
فِكْرَتُكَ شَرٌّ مِنْ فِكْرَتِي	*fikratu-ka šarrun min fikrat-ī*	'la tua^m idea è peggiore della mia'

▶ Lo schema أَفْعَل è produttivo unicamente con gli aggettivi di schema فَعِيل, فَعِل, فَاعِل, فَعْل e فُعْل. Con aggettivi di altri schemi è necessario procedere a perifrasi tramite أكثر seguito dal sostantivo relativo all'aggettivo al *manṣūb* (tecnicamente in تمييز *tamyīz*, come vedremo più avanti):

مَرْيَمُ مَجْنُونَةٌ	*Maryamu maǧnūnatun*	'Maryam è pazza'
مَرْيَمُ أَكْثَرُ جُنُونًا مِنْ صَدِيقَاتِهَا	*Maryamu* ***ʔakṯaru ǧunūnan*** *min ṣadīqāti-hā*	'Maryam è più pazza delle sue amiche' (lett. 'maggiore in follia')

Una funzione importante dell'*ism at-tafḍīl* è quella di esprimere esclamazione nel costrutto مَا أَفْعَلَ !... *mā ʔafʕala ...!* 'quanto è ...!', in cui tanto l'elativo quanto il determinato vanno al *manṣūb*:

ما أَكْبَرَ البَيْتَ!	*mā ʔakbara l-bayta!*	'quant'è grande la casa!'
ما أَجْمَلَكِ!	*mā ʔaǧmala-ki!*	'quanto sei bella!'

3 الاسم الموصول Il pronome relativo (seguito)

L'*ism al-mawṣūl* – introdotto all'unità 13 § 6.1 – si accorda in genere e numero (e, al duale, in caso). Il paradigma completo è il seguente (attenzione al numero di ⟨ل⟩ da inserire!):

	Singolare	Plurale	Duale	
			marfūʕ	*manṣūb/maǧrūr*
m.	اَلَّذي *allaḏī*	اَلَّذينَ *allaḏīna*	اَللَّذانِ *allaḏāni*	اَللَّذَيْنِ *allaḏayni*
f.	اَلَّتي *allatī*	*اَللَّواتي *allawātī*	اَللَّتانِ *allatāni*	اَللَّتَيْنِ *allatayni*

* Forme oggi desuete sono اَللاَّتي *allātī* e اَللاَّئي *allāʔī*.

Si ricordi che:

▶ Il pronome relativo viene usato unicamente con un antecedente **determinato**:

طالِبٌ يَطْلُبُ مِنْحةً	*ṭālibun yaṭlubu minḥatan*	'uno studente che chiede una borsa di studio'
اَلطّالِبُ اَلَّذي يَطْلُبُ مِنْحةً	*aṭ-ṭālibu* ***llaḏī*** *yaṭlubu minḥatan*	'lo studente che chiede una borsa di studio'

▶ Se l'antecedente è complemento, diretto o indiretto (preposizionale), è necessario l'intervento di un pronome ritornante (ضمير عائد *ḍamīr ʕāʔid*, tecnicamente 'prolettico'):

– complemento diretto:

كِتابٌ قَرَأْتُهُ	*kitābun qaraʔtu-**hu***	'un libro che ho letto'
الكِتابُ الَّذِي قَرَأْتُهُ	*al-kitābu llaḏī qaraʔtu-**hu***	'il libro che ho letto'

– complemento indiretto:

شِقَّةٌ أَسْكُنُ فِيها	*šiqqatun ʔaskunu fī-**hā***	'un appartamento in cui abito'
الشِقَّةُ الَّتِي أَسْكُنُ فيها	*aš-šiqqatu llatī ʔaskunu fī-**hā***	'l'appartamento in cui abito'
أُسْتاذانِ دَرَسْتُ مَعَهُما	*ʔustāḏāni darastu maʕa-**humā***	'due professori con cui ho studiato'
الأُسْتاذانِ اللَّذانِ دَرَسْتُ مَعَهُما	*al-ʔustāḏāni llaḏāni darastu maʕa-**humā***	'i due professori con cui ho studiato'

▶Non esiste in arabo l'equivalente dell'italiano *cui*; se il pronome relativo è complemento, è necessario ricorrere a perifrasi:

الفَتاةُ الَّتِي خَرَجْتُ مَعَها	*al-fatātu llatī ḫarağtu maʕa-hā*	'la ragazza con cui sono uscito' <la-ragazza che sono-uscito con-lei>
اَلبَيْتُ الَّذِي أَسْكُنُ فِيهِ	*al-baytu llaḏī ʔaskunu fī-hi*	'la casa in cui abito' <la-casa che abito in-essa>
الفِيلْمُ الَّذِي نَتَكَلَّمُ عَنْهُ	*al-fīlmu llaḏī natakallamu ʕan-hu*	'il film di cui stiamo parlando' <il-film che parliamo di-lui>
هُناكَ فَتاةٌ خَرَجْتُ مَعَها	*hunāka fatātun ḫarağtu maʕa-hā*	'c'è una ragazza con cui sono uscito' <lì [è] ragazza [che] sono-uscito con-lei>
هذه أَوَّلُ مَرَّةٍ نَشْكُو فيها	*hāḏihi ʔawwalu marratin naškū fī-hā*	'è la prima volta che ci lamentiamo' <questa primo volta ci-lamentiamo in-essa>

4 La particella قَدْ con il verbo al *muḍāriʕ*

La particella قد è già stata vista a proposito del *māḍī*. Con il *muḍāriʕ* essa esprime un'idea di **possibilità** o **eventualità**:

قَدْ يَحْتاجُ إلى مِنْفَضةٍ	*qad yaḥtāğu ʔilā minfaḍatin*	'forse ha^{m} bisogno di un posacenere'
قَدْ يَكُونُ!	*qad yakūnu!*	'può darsi!'

النص الثاني Testo 2 CD1/50

إن الطقس اليوم جميل جدا، وبارد، وتهب ريح ثلجية من الشمال وترتجف مليكة رغم الفروة التي تلبسها ووشاحها الصوفي. فهذا الصباح لما لبست ملابسها لم تلبس جواربها الكثيفة وتحس الآن بأن أطراف أصابع قدميها

تتثلج داخل حذاءيها.
يرن جوالها. فقد جاءت لها رسالة هاتفية من صديقها ماسيمو الذي يقول لها إنه وصل الساعة من روما. فتجيبه تقول:

Sa 2akun 3indaka al sa3a al wa7ida b3d al 6'hr. Bwsa.

(يعني: سأكون عندك الساعة الواحدة بعد الظهر. بوسة). ثم يرن الجوال ثانية. تقول الرسالة:
«ڤودافون: إن رصيدك الهاتفي دون الدينار».
تغلق مليكة جوالها وتأخذ من جيبها بطاقة الشحن التي اشترتها في دكان التبغ الموجود قبالة الكلية. وفجأة تشم رائحة فلافل تجيء من وراء ركن الشارع. يا إلهي، ما ألذ هذه الرائحة!

الكلمات الجديدة Parole nuove

بارد	*bārid*	freddo	وَصَلَ الساعةَ		è appena arrivato
ريح، رياح	*rīḥ, riyāḥ*	vento (f.!)	ثلج، ثلوج	*ṯalǧ, ṯulūǧ*	neve; ghiaccio
شمال	*šimāl*	nord	ثلجي، ون	*ṯalǧiyy*	glaciale
رغم	*raġma*	malgrado	ملابس	*malābisu*	vestiti
فروة، فراء	*farwa, firāʾ*	pelliccia	بوسة، ات	*bawsa, -āt*	bacio
وشاح، وشح	*wišāḥ, wušuḥ*	sciarpa	جيب، جيوب	*ǧayb, ǧuyūb*	tasca
صوف	*ṣūf*	lana	بطاقة، ات	*biṭāqa, -āt*	biglietto, carta
صوفي	*ṣūfiyy*	di lana	شحن	*šaḥn*	ricarica (cell.)
جورب، جوارب	*ǧawrab, ǧawāribu*	calzino	فجأة	*faǧʾatan*	all'improvviso
كثيف، كثاف	*kaṯīf, kiṯāf*	spesso (agg.)	فلافل	*falāfilu*	falafel*
طرف، أطراف	*ṭaraf, ʾaṭrāf*	punta	دون	*dūna*	senza; sotto

إصبع، أصابع	*ʔiṣbaʕ, ʔaṣābiʕu*	dito (f.!)	دينار، دنانير	*dīnār, danānīru*	dinaro
قدم، أقدام	*qadam, ʔaqdām*	piede (f.!)	موجود	*mawǧūd*	(qui:) situato
داخل	*dāḫila*	dentro	مليكة	*Malīka*	Malika (n.pr.f.)
رسالة، رسائل	*risāla, rasāʔilu*	messaggio**	يا إلهي!	*yā ʔilāh-ī!*	dio mio!
السّاعةُ الواحِدةُ		l'una	رائحة، روائح	*rāʔiḥa, rawāʔiḥu*	odore
ثانية	*ṯāniyatan*	di nuovo	رصيد، أرصدة	*raṣīd, ʔarṣida*	disponibilità
تبغ	*tibġ*	tabacco	هاتف، هواتف	*hātif, hawātifu*	telefono
دُكّانُ تِبْغٍ		tabaccheria	هاتفي	*hātifiyy*	telefonico
لذيذ، ون	*laḏīḏ, -ūna*	saporito			

* Polpette di pasta di ceci condita con طحينة *ṭaḥīna* 'salsa di sesamo', كمون *kammūn* 'cumino' e كزبرة *kuzbara* 'coriandolo', fritte in olio bollente.

** Nell'uso comune un 'messaggino' viene chiamato in diversi modi: آس آم آس riproduce la sigla SMS, mentre مسج *misaǧ* e تيكستو *tēkstō* sono rispettivamente l'inglese *message* e il francese *texto*.

فعل	لبس، يلبس	*labisa, yalbasu*	indossare
	لم تلبس	*lam talbas*	non ha[f] indossato
	باس، يبوس	*bāsa, yabūsu*	baciare
	جاء لي	*ǧāʔa l-ī*	mi è arrivato
	رن، يرن	*ranna, yarinnu*	suonare
	هب، يهب	*habba, yahubbu*	soffiare
	شم، يشم	*šamma, yašummu*	fiutare, sentire
تفعل	تثلج، يتثلج	*taṯallaǧa, yataṯallaǧu*	congelarsi
افتعل	ارتجف، يرتجف	*irtaǧafa, yartaǧifu*	tremare

النحو Grammatica

5 الفعل المضاعف Il verbo di 2ª geminata

Sono detti *muḍāʕaf* i verbi come شَمَّ، يَشُمُّ *šamma, yašummu* 'odorare, fiutare', la cui 2ª e 3ª radicali siano uguali (√*š-m-m*). La grammatica araba pone che tali verbi rappresentino la contrazione di un più antico شَمَمَ **šamama.*

Nella flessione del *māḍī* e del *muḍāriʕ* il problema fonetico sta nel fatto che una sillaba araba non può essere chiusa da due consonanti (*-cvcc-*), cosa che avverrebbe con i suffissi consonantici: شَمّْتُ**šammtu*. Di fronte a tali suffissi il tema verbale:

- al *māḍī* ripristina la forma *šamam-*;
- al *muḍāriʕ* opera una metatesi, ossia trasforma *-šumm-* in *-šmum-*.

شَمَمْتُ	*šamamtu*	شَمَمْنَا	*šamamnā*		
شَمَمْتَ	*šamamta*	شَمَمْتُمْ	*šamamtum*	شَمَمْتُمَا	*šamamtumā*
شَمَمْتِ	*šamamti*	شَمَمْتُنَّ	*šamamtunna*		
شَمَّ	*šamma*	شَمُّوا	*šammū*	شَمَّا	*šammā*
شَمَّتْ	*šammat*	شَمَمْنَ	*šamamna*	شَمَّتَا	*šammatā*

أَشُمُّ	*ʔašummu*	نَشُمُّ	*našummu*		
تَشُمُّ	*tašummu*	تَشُمُّونَ	*tašummūna*	تَشُمَّانِ	*tašummāni*
تَشُمِّينَ	*tašummīna*	تَشْمُمْنَ	*tašmumna*		
يَشُمُّ	*yašummu*	يَشُمُّونَ	*yašummūna*	يَشُمَّانِ	*yašummāni*
تَشُمُّ	*tašummu*	يَشْمُمْنَ	*yašmumna*	تَشُمَّانِ	*tašummāni*

6 Il verbo جاء 'venire'

جَاءَ، يَجِيءُ *ǧāʔa, yaǧīʔu* è solo apparentemente complicato: si tratta di un semplice verbo *ʔaǧwaf* dalla radice √*ǧ-y-ʔ*, da coniugare esattamente come قاس، يقيس. A livello grafico si osservino le diverse modalità di 'sostegno' della *hamza*:

جِئْتُ	*ǧiʔtu*	جِئْنَا	*ǧiʔnā*		
جِئْتَ	*ǧiʔta*	جِئْتُمْ	*ǧiʔtum*	جِئْتُمَا	*ǧiʔtumā*
جِئْتِ	*ǧiʔti*	جِئْتُنَّ	*ǧiʔtunna*		
جَاءَ	*ǧāʔa*	جَاؤُوا	*ǧāʔū*	جَاءَا	*ǧāʔā*
جَاءَتْ	*ǧāʔat*	جِئْنَ	*ǧiʔna*	جَاءَتَا	*ǧāʔatā*

أَجِيءُ	*ʔaǧīʔu*	نَجِيءُ	*naǧīʔu*		
تَجِيءُ	*taǧīʔu*	تَجِيئُونَ	*taǧīʔūna*	تَجِيئَانِ	*taǧīʔāni*
تَجِيئِينَ	*taǧīʔīna*	تَجِئْنَ	*taǧiʔna*		
يَجِيءُ	*yaǧīʔu*	يَجِيئُونَ	*yaǧīʔūna*	يَجِيئَانِ	*yaǧīʔāni*
تَجِيءُ	*taǧīʔu*	يَجِئْنَ	*yaǧiʔna*	تَجِيئَانِ	*taǧīʔāni*

التمارين Esercizi

1 Memorizzare e coniugare al ماضي e al مضارع مرفوع i verbi seguenti in tutte le persone.

قام،يقوم	'alzarsi'	باس،يبوس	'baciare'	زاد، يزيد	'aggiungere'	زار، يزور	'visitare'
خاف،يخاف	'temere'	سار،يسير	'camminare'	لام، يلوم	'rimproverare'	طار، يطير	'volare'
أقام،يقيم	'risiedere'	أراد، يريد	'volere'	أدار، يدير	'girare (qc)'	أحاط،يحيط	'circondare'

2 Tradurre in italiano.

١. من فيكم يريد أن يتزوج من امرأة أجنبية؟ ....

٢. لقد زدتِ الكثير من الملح على صلصة الطماطم للمعكرونة، يا عزيزتي. ....

٣. هل زرتم عائلتكم في مصر السنة الماضية؟ - لا، مع الأسف، ما زرناها ولكننا نريد الذهاب إليها هذه السنة. ....

٤. إن هناك ثلجا: فهل ستطير طائرتنا من ميلانو إلى روما بعد غد؟ ....

٥. لامنا الأستاذ لأننا تأخرنا كثيرا جدا إلى محاضرته. ....

٦. هل تخافين أن هذه التنورة التي قستها ليست جميلة؟ ....

٧. قد قام خطيبها الغيور المجنون من مائدته وضربني ضربا! ....

٨. الفتى الإسباني الذي تعرفت إليه صديقاتنا يقيم في المبيت الجامعي. ....

٩. إن الأطباق والكؤوس الوسخة تحيطنا منذ أسابيع: عليكم أن تجلوها فورا! ....

١٠. لماذا لا تجيبينني عندما أسألك سؤالا؟ - لأني متوترة جدا. ....

3 Tradurre in italiano.

١. إنكم أكثر جنونا مني، يا شباب! ....

٢. هل رأيت ما أجمل بنطلوني الجديد؟ ....

٣. قد تأخر الأستاذ اليوم أكثر منا في محاضرته فلمناه جيدا. ....

٤. لن أشرب أبدا قهوة أمر من قهوتك هذه! ....

٥. إن هذه الآيبودات أرخص من تلك الآيبودات. ....

٦. أليست هذه الساعة أغلى؟ - بلى، يا حبيبي، ولكن لماذا لا تشتريها لي؟ ....

٧. لقد دفعت آيبودي أقل من ذلك الذي اشتريته أنت، ولكني وجدته معطلا! ....

٨. ما أكذب هدى! - صحيح، إنها كاذبة جدا، ولكن صديقتها مريم أكذب منها بكثير! ....

٩. من له فكرة أحسن من فكرة صديقينا هذين؟ ....

١٠. ليس هناك أحد أغنى منك. ....

4 Completare le frasi seguenti inserendo, se necessario, il pronome relativo corretto.

١. لقد ذهبنا إلى السينما أمس مع نفس المدرسين .... خرجتم معهم أنتم.	الذي	اللواتي	الذين
٢. هل رأيتم هناك الأستاذين .... نخاف كثيرا من امتحانهما؟	–	اللذين	الذين
٣. إن اللئام .... تعرفنا إليهم السنة الماضية كانوا أجانب.	–	التي	الذين
٤. من أخذ المنافض .... وضعتها على طاولة غرفتي المستديرة؟	التي	الذين	اللواتي
٥. هناك طلاب كثيرون .... لا يريدون الذهاب إلى الجامعة يوم الامتحان.	الذي	–	الذين
٦. القطتان .... تدخلان دائما القاعة خلال الدرس ساكنتان في حديقة الكلية.	اللتان	التي	اللذان
٧. هل هناك كتب جديدة .... نحتاج في درسها للامتحان؟	التي	الذين	–
٨. إن زينب مغرمة بنفس الفتى .... تريد فاطمة الزواج منه.	–	الذي	اللذان
٩. من فيكم سيجلي الأطباق .... أكلنا بها؟	الذي	–	التي
١٠. هل أنتم متأكدون من ذلك .... قالوه لكم؟	الذي	التي	–

5 Memorizzare e coniugare al ماضي e al مضارع i verbi seguenti in tutte le persone.

مَرَّ، يَمُرُّ	'passare'	لَمَّ، يَلُمُّ	'raccogliere'	رَدَّ، يَرُدُّ	'restituire'	فَرَّ، يَفِرُّ	'fuggire'
عَدَّ، يَعُدُّ	'contare'	وَدَّ، يَوَدُّ	'desiderare'	كَفَّ، يَكُفُّ	'smettere'	ظَنَّ، يَظُنُّ	'ritenere'
سَبَّ، يَسُبُّ	'insultare'	صَبَّ، يَصُبُّ	'versare'	شَدَّ، يَشِدُّ	'tendere'	مَصَّ، يَمُصُّ	'succhiare'

6 Tradurre in arabo le frasi seguenti.

1. Perché mi hai^{f} insultato? ....
2. Ho raccolto i miei vestiti e li ho messi nell'armadio. ....
3. Ho sentito l'odore dei falafel, ho contato fino a (trad.: حَتَّى) tre e poi sono scappato. ....
4. Chi ha versato l'acqua sul mio cellulare? ....
5. Secondo te^{m} (ritieni che) Maryam voglia sposarmi? ....
6. Chi viene a cena a casa di Suheila, mangerà tanto sushi. ....
7. Non veniamo alla sua^{f} cena perché non desideriamo mangiare il sushi. ....
8. Perché non sei venuta con noi? – Perché avevo un esame difficilissimo. ....

9. Ha suonato il telefono, ma quando ho risposto non ha parlato nessuno. ....

10. Mi è arrivato un messaggino di Domenico in cui dice che stasera non vuole venire. ....

7 Comprensione del Testo 1. Rispondere liberamente alle seguenti domande.

١. أين تجلس مريم وفاطمة وقمر وزينب؟ ....
٢. ماذا تفعل هؤلاء الفتيات؟ ....
٣. هل من الصحيح أن كل واحدة منهن تريد أن تتزوج؟ ....
٤. لماذا تقول زينب إن الرجل الإيطالي كاذب جدا؟ ....
٥. هل تجيب قمر أن الرجل العربي أحسن من الإيطالي؟ ولماذا؟ ....
٦. من أي رجل تحلم مريم بالزواج؟ ....
٧. لماذا تظنها صديقاتها مجنونة؟ ....

8 Comprensione del Testo 2. Rispondere liberamente alle seguenti domande.

١. كيف الطقس عندما تمشي مليكة في الشارع؟ ....
٢. هل تلبس مليكة تنورة قصيرة؟ فلماذا تحس أنها تتثلج؟ ....
٣. من كتب لها رسالة هاتفية؟ ولماذا؟ ....
٤. هل من الصحيح أن جوالها بدون رصيد هاتفي؟ ....
٥. ماذا تأخذ مليكة بعد أن أغلقت جوالها؟ ....
٦. ما هي الرائحة اللذيذة التي تشمها مليكة؟ ....

Radici...

Estrapolare la radice comune ai due temi e sintetizzare con فعل il wazn del tema della seconda colonna.

1			2				الأصل	الوزن
طبق	*ṭabaq*	'piatto'	طابق	*ṭābiq*	'piano'	→	....	....
جانب	*ǧānib*	'lato'	أجنبي	*ʔaǧnabiyy*	'straniero'		....	....
قاس	*qāsa*	'misurare'	مقياس	*miqyās*	'misurino'		....	....
مثل	*miṯla*	'come'	مثل	*maṯal*	'esempio'		....	....
صباح	*ṣabāḥ*	'mattina'	أصبح	*ʔaṣbaḥa*	'diventare'		....	....
ثلج	*ṯalǧ*	'neve'	تثلج	*taṯallaǧa*	'congelarsi'		....	....
فجأة	*faǧʔatan*	'improvvisamente'	مفاجأة	*mufāǧaʔa*	'sorpresa'		....	....

أكثر Di più

1 الحُبّ... L'amore...

Sebbene molte cose vadano cambiando – e non necessariamente in meglio, secondo molti pareri conservatori... –, nel mondo arabo le tradizioni (تقليد، تقاليد *taqlīd, taqālīdu*) andrebbero rispettate. 'Avere un ragazzo o una ragazza' (e cioè frequentare un innamorato/a in tutta libertà) è ancora oggi un argomento tabù. Se vi presentate a una famiglia araba accompagnati dal/la vostro/a ragazzo/a, che potete semplicemente presentare col suo solo nome, verrà rispettosamente dato per scontato che siate marito e moglie. Non è il caso di vedervi ipocrisia: nel mondo arabo esiste un patto sociale molto preciso, per cui tutto è tollerato purché sia fatto مِنْ وَرَاءِ السِّتار 'dietro la tendina'! Camminare per la strada tenendosi per mano o abbracciati è possibile, ma lasciarsi andare a effusioni per quanto caste e lievi occasionerà l'intervento immediato della polizia.
Abbordare una sconosciuta per la strada, gesto considerato un vero e proprio oltraggio dagli arabi, può rivelarsi estremamente imprudente in quanto atto a scatenare reazioni prossime al linciaggio. Se un uomo si incapriccia di una bella ragazza, deve in primo luogo (tramite inderogabile intervento di un complice) farsi presentare a lei. Appurato che sia آنِسة *ʔānisa* 'signorina' (o مادموازيل *mādmwāzēl*), può quindi proporle di accompagnarla a casa (sua[f]), spiegandole, se lei chiede perché intenda prendersi questo distubo, che la città è piena di maleducati e che starebbe in pensiero all'idea che una ragazza così per bene potesse essere oggetto di villanie o avvicinamenti malintenzionati. Al termine della passeggiata il ragazzo potrà chiedere alla ragazza l'onore di aspettarla sotto casa sua il giorno seguente per accompagnarla di nuovo all'università o in ufficio, impegnandosi a dileguarsi opportunamente qualora la discreta frequentazione corresse il rischio di essere notata da amici o colleghi. In linea di massima l'arma più efficace per conquistare il cuore di una donna araba è la gentilezza.
Le ragazze sognatrici e di sentimenti puri sono invitate a non arrendersi con eccessiva ingenuità al romanticismo del sollecito corteggiatore, essendo questa un'arte in cui molti maschi arabi si rivelano incomparabilmente più esperti dei loro coetanei occidentali.
Se la frequentazione diventa una cosa seria, al ragazzo spetterà presentarsi ai genitori di lei per la خطبة *ḫuṭba* 'richiesta di matrimonio'. Un musulmano può sposare una cristiana o un'ebrea, ma non viceversa: se la fanciulla è musulmana, l'occidentale dovrà inderogabilmente convertirsi all'islàm.

2 تَعَدُّد الزَّوْجات La poligamia

Il Corano consente al musulmano maschio la poligamia, ovvero la facoltà di avere più di una moglie, limitatamente a quattro. Tale facoltà non è ovviamente né obbligatoria né raccomandata. Il Testo sacro, rivelato nel VII secolo, intendeva in realtà contrastare l'usanza preislamica di contrarre innumerevoli matrimoni con donne che nel più dei casi venivano abbandonate il giorno successivo. Il Corano specifica tuttavia con estrema chiarezza che la poligamia è consentita ma alla precisa condizione che l'uomo sia certo di poter offrire alle due, tre o quattro consorti la stessa parte di amore e di benessere. Ciò ha portato diversi esegeti del Corano, medievali e moderni, a dire che, non essendo realmente possibile amare più di una sola donna con lo stesso grado di amore, la poligamia – per quanto lecita – è in realtà contraria allo spirito dell'islàm.

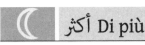

Oggi la poligamia è vietata in alcuni paesi musulmani (Tunisia, Turchia), in altri (come il Marocco) sottostà a condizioni molto rigide, atte quantomeno a raffreddare gli ardori di giovanotti agiati. Laddove essa sia ancora legale, i nuclei poligamici sono oggi estremamente rari, se non altro per ovvi motivi di ordine economico. I giovani musulmani odierni interrogati in proposito si dichiarano nella loro schiacciante maggioranza contrari alla poligamia, vivendola come un retaggio di un passato superato e arretrato.

3 العربيّة والجوال Arabo e comunicazione telematica

Per quanti non dispongano della scrittura araba sul proprio cellulare o debbano comunicare in arabo via e-mail o chat è ormai d'uso ricorrere ai caratteri latini. Si noti in maniera del tutto generale che:

- alcune cifre vengono usate – per la loro più o meno nitida somiglianza con i grafemi arabi corrispondenti – per le seguenti consonanti arabe:

2	= ء	altrimenti:	
3	= ع	th	= ث
3'	= غ	dh	= ذ
6	= ط	j	= ج
6'	= ظ	sh	= ش
7	= ح	s	= ص
7' o 5	= خ	d	= ض
9	= ق		

- secondo i principi della scrittura araba le vocali brevi e la tensione consonantica rimangono spesso inespresse, per cui سلام potrà apparire come ⟨slam⟩, عندك درس؟ come ⟨3ndk drs?⟩, الساعة come ⟨asa3a⟩ ecc.

ماذا حصل لك؟ Che cosa ti è successo?

النص الأول Testo 1 CD1/51

قام أمين عند منتصف الليل تقريبا وشكر سهيلة للعشاء الياباني وسلم عليها وعلى أصدقائه الآخرين، ثم خرج من بيتها واتجه إلى بيته هو. لم ينتظر الحافلة وفضل أن يمشي. وفي الطريق مر أمام مقهى الببغاء ووجده مفتوحا رغم الساعة المتأخرة. كان فيصل، صاحب المقهى، يرتب الكراسي وهو يتحدث مع الزبائن الأخيرين. فلم يتردد أمين دقيقة ودخل في المقهى.

- الله كريم! يا فيصل، من فضلك، أعطني أكبر كأس تجدها وأملأها بيرة مصقعة، وإلا لن أتمكن من أن أهضم المورة النيئة والطحالب الفاسدة التي أكلتها قبل قليل...
- ماذا حصل لك؟ هل تعشيت في الزبالة مع القطط؟
- فلنقل إنها كانت صدمة ثقافية وغذائية! أهم شيء الآن أن تعطيني البيرة التي طلبتها منك وأن تجد لي فستقا مملحا.
- تحت أمرك.

الكلمات الجديدة Parole nuove

عشاء	*ʕašā?*	cena	هام، ون	*hāmm, -ūna*	importante
أخير، ون	*ʔaḫīr, -ūna*	ultimo	صاحب، أصحاب	*ṣāḥib, ʔaṣḥāb*	proprietario
طريق، طرق	*ṭarīq, ṭuruq*	strada, via	مقهى، مقاه	*maqhan, maqāhin*	caffè, bar
في الطَرِيقِ		strada facendo	دقيقة، دقائق	*daqīqa, daqāʔiqu*	minuto
مفتوح، ون	*maftūḥ*	aperto	مصقع، ون	*muṣaqqaʕ, -ūna* (dicesi di bevanda)	gelato (agg.)
متأخر، ون	*mutaʔaḫḫir, -ūna*	tardo, tardivo	صدمة، صدمات	*ṣadma, ṣadamāt*	shock
قليل، ون	*qalīl, -ūna*	poco, scarso	ثقافة، ات	*ṯaqāfa, -āt*	cultura
قَبْلَ قَلِيلٍ		poco fa	ثقافي، ون	*ṯaqāfiyy, -ūna*	culturale
زبالة	*zibāla*	spazzatura	غذائي، ون	*ġiḏāʔiyy*	alimentare
فاسد، فسدى	*fāsid, fasdā*	putrido, fetido	أمر، أمور	*ʔamr, ʔumūr*	ordine
فستق	*fustuq*	pistacchi	تَحْتَ أَمْرِكَ!		agli ordini[m]!
مملح	*mumallaḥ*	salato	تقريبا	*taqrīban*	circa, quasi

فعل	شكر، يشكر	*šakara, yaškuru*	ringraziare
	هضم، يهضم	*haḍama, yahḍumu*	digerire
	حصل، يحصل	*ḥaṣala, yaḥṣulu*	accadere
	ملأ، يملأ	*malaʔa, yamlaʔu*	riempire
	املأ!	*imlaʔ!*	riempi!
	فلنقل!	*fal-naqul!*	diciamo!
	قام، يقوم	*qāma, yaqūmu*	alzarsi
	مشى، يمشي	*mašā, yamšī*	camminare
فعّل	فضل، يفضل	*faḍḍala, yufaḍḍilu*	preferire
	سلم، يسلم على	*sallama, yusallimu ʕalā*	salutare
	رتب، يرتب	*rattaba, yurattibu*	riordinare
أفعل	أعطى، يعطي	*ʔaʕṭā, yuʕṭī*	dare
	أعط!	*ʔaʕṭi!*	da'[m]!
	أعطي!	*ʔaʕṭī!*	da'[f]!
تفعل	تردد، يتردد	*taraddada, yataraddadu*	esitare
	تمكن، يتمكن من	*tamakkana, yatamakkanu min*	riuscire a
	تعشى، يتعشي	*taʕaššā, yataʕaššā*	cenare

النحو Grammatica

1 المضارع المَجْزُوم Lo iussivo

Negli enunciati:

فَلْنَتَكَلَّمْ!	*fal-natakallam*	'parliamo!'
لَمْ يَنْتَظِرِ الحافلةَ	*lam yantaẓir^{i} l-ḥāfilata*	'non ha^{m} aspettato l'autobus'
لَمْ تَلْبَسْ جَوارِبَها	*lam talbas ǧawāriba-hā*	'non ha^{f} indossato i calzini'

I verbi تكلم 'parlare', انتظر 'aspettare' e لبس 'indossare, vestirsi' sono al *muḍāriʕ maǧzūm*, o iussivo.

- Il *maǧzūm* consiste, a livello morfologico, nel
  - sostituire con *sukūn* la *-u* finale del *marfūʕ*;
  - eliminare la ن delle persone in *-v̄nv* (ossia *-īna*, *-ūna*, *-āni*), come al *manṣūb*;
  - le due persone in *-Cna* (ossia 2ª e 3ª plurale) non subiscono modifiche.

  Rispetto al *manṣūb* quindi solamente le persone prive di suffisso cambiano.

لم أَفْعَلْ	*lam ʔafʕal*	لم نَفْعَلْ	*lam nafʕal*		
لم تَفْعَلْ	*lam tafʕal*	لم تَفْعَلُوا	*lam tafʕalū*	لم تَفْعَلا	*lam tafʕalā*
لم تَفْعَلي	*lam tafʕalī*	لم تَفْعَلْنَ	*lam tafʕalna*		
لم يَفْعَلْ	*lam yafʕal*	لم يَفْعَلُوا	*lam yafʕalū*	لم يَفْعَلا	*lam yafʕalā*
لم تَفْعَلْ	*lam tafʕal*	لم يَفْعَلْنَ	*lam yafʕalna*	لم تَفْعَلا	*lam tafʕalā*

- Il *maǧzūm* è obbligatorio principalmente dopo le particelle esortative (che rendono cioè un imperativo di 3ª e di 1ª persona plurale) seguenti:

لِ	*li-*	ad es.	لِيَذْهَبْ!	*li-yaḏhab!*	'se^{m} ne vada!'
فل	*fal-*		فَلْنَدْخُلْ!	*fal-nadḫul!*	'entriamo!'
ول	*wal-*		وَلْنَنْتَظِرْ!	*wal-nantaẓir!*	'aspettiamo!'

▶Molto diffuso è il suo uso con la negazione لم *lam*, che dà un senso negativo **passato** alla forma verbale:

لَمْ	*lam*	ad es.	لَمْ يَذْهَبْ	*lam yaḏhab*	'non è andato'
			لَمْ أَفْهَمْ	*lam ʔafham*	'non ho capito'
			لَمْ يَدْخُلُوا	*lam yadḫulū*	'non sono entrati'

▶Le espressioni ما فعل *mā faʕala* e لم يفعل *lam yafʕal* 'non ha^{m} fatto' sono quindi assolutamente equivalenti. La seconda è tuttavia quella di gran lunga **più diffusa** (e sentita come più elegante).

2 اسم التفضيل L'elativo (seguito)

Gli equivalenti arabi di enunciati quali 'il libro più grande', 'la ragazza più bella', 'le conferenze più importanti' ecc., vengono ottenuti con l'elativo (invariabile in genere e numero) in *ʔiḍāfa* con il nominale indeterminato:

أَكْبَرُ كِتابٍ	*ʔakbaru kitābin*	'il libro più grande'
أَجْمَلُ بِنْتٍ	*ʔağmalu bintin*	'la ragazza più bella'
أَهَمُّ مُحاضَراتٍ	*ʔahammu muḥāḍarātin*	'le conferenze più importanti'

3 Il verbo سَأَلَ 'domandare' e il verbo طَلَبَ 'chiedere'

I due verbi si traducono con l'italiano 'chiedere, domandare', ma con sfumature diverse. سأل è 'domandare per sapere, porre una domanda' mentre طلب è 'chiedere per ottenere' (più o meno come in latino *quaero* e *peto*, in spagnolo *preguntar* e *pedir*):

سَأَلْتُها إِنْ كانَتْ فاضِيةً	*saʔaltu-hā ʔin kānat fāḍiyatan*	'le ho domandato se era libera'
طَلَبْتُ مِنْهُ بِيرةً بارِدةً	*ṭalabtu min-hu bīratan bāridatan*	'gli ho chiesto una birra fredda'

Osservare gli enunciati seguenti:

ماذا سَأَلَكِ؟	*māḏā saʔala-ki?*	'cosa ti^{f} ha^{m} chiesto?'	(se sei sposata, libera, a casa...)
ماذا طَلَبَ مِنْكِ؟	*māḏā ṭalaba min-ki?*	'cosa ti^{f} ha^{m} chiesto?'	(una birra, un libro, aiuto...)

4 آخَر، آخِر، أَخِير

Attenzione a non confondere questi tre temi:

- آخر *ʔāḫar* (per la cui flessione v. Unità 12 § 4) è **'altro'**;
- أخير *ʔaḫīr* (da flettere come un comune aggettivo فَعِيل) è **'ultimo'**;
- آخر *ʔāḫir* (omografo di آخر *ʔāḫar*!) è sinonimo di أَخير *ʔaḫīr*, sebbene abbia una valenza di maggiore conclusione (dopo آخر non c'è più nulla). Come sostantivo indica la 'fine': فِي آخِرِ المَمَرِّ *fī ʔāḫiri l-mamarri* 'in fondo al corridoio', فِي آخِرِ الشَّهْرِ *fī ʔāḫiri š-šahri* 'alla fine del mese'. الآخِرة *al-ʔāḫira* è 'l'altra vita'.

النص الثاني Testo 2 CD1/52

- هل زرت فلسطين؟
- نعم، زرتها خمس مرات: مرة كنت في تل أبيب ومرتين في القدس وثلاث مرات في حيفا. وسأعود إليها بعد ستة أشهر إن شاء الله. وأنت، كم مرة زرتها؟
- لم أزرها قط، مع الأسف، وأخاف أنني لن أزورها أبدا. فقد ولد والداي فيها،

في قرية من قرى الناصرة، يعني في الجليل، وأما أنا، فولدت في الكويت، حيث كبرت وأتممت دراساتي. بعدئذ أقمت أربع سنوات في مصر ومنذ ثماني سنوات أقيم بالأردن.

- وكم لغة تتكلم؟
- والله، أتكلم العربية كلغة أم، ثم الإنجليزية والفرنسية جيدا، وألطش الألمانية.
- إذن ثلاث لغات ونصفا!
- صحيح، وعندي أربعة أولاد لا يتكلمون إلا العربية!

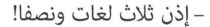

الكلمات الجديدة Parole nuove

فلسطين	*Filasṭīn*	Palestina	لا... إلا...	*lā... ʾillā...*	non... se non/che...
تل أبيبٍ	*Tall ʾAbīb*	Tel Aviv	قرية، قرى	*qarya, quran*	villaggio
القدس	*al-Quds*	Gerusalemme	بعدئذ	*baʿda-ʾiḏin*	dopo (avv.)
حيفا	*Ḥayfā*	Haifa	إنجليزي، ون	*ʾinğilīziyy, -ūna*	inglese
الناصرة	*an-Nāṣira*	Nazaret	فرنسي، ون	*faransiyy, -ūna*	francese
الجليل	*al-Ğalīl*	Galilea	ألماني، ألمان	*ʾalmāniyy, ʾalmān*	tedesco
الكويت	*al-Kuwayt*	Kuwayt	والد، ون	*wālid, -ūna*	genitore
مصر	*Miṣr*	Egitto	الوالدان	*al-wālidāni*	i genitori
الأردن	*al-ʾUrdun*	Giordania	يعني	*yaʿnī*	cioè
لُغةٌ أُمٍّ		lingua materna			

فعل	كبر، يكبر	*kabura, yakburu*	crescere, diventare grande
	زار، يزور	*zāra, yazūru*	visitare
	لم أزر	*lam ˀazur*	non ho visitato
	عاد، يعود	*ʕāda, yaʕūdu*	ritornare
	خاف، يخاف	*ḫāfa, yaḫāfu*	temere
فعّل	لطش، يلطش	*laṭṭaša, yulaṭṭišu*	masticare (una lingua)
أفعل	أتم، يتم	*ˀatamma, yutimmu*	terminare

النحو Grammatica

5 الأَعْداد I numerali

È doveroso avvertire sin da ora che la sintassi dei numerali in arabo rappresenta uno degli aspetti più complessi di questa lingua, a tal punto che gli stessi arabi possono facilmente commettere errori. Premettiamo che nell'enunciato seguente:

cinque bambini
– *cinque* è il **numerale** (العَدَد *al-ʕadad*),
– *bambini* è il **numerato** (المَعْدُود *al-maʕdūd*).

- I numerali arabi sono sostantivi (mentre in italiano sono aggettivi), e si costruiscono, da 3 a 10, **in *ˀiḍāfa* con il numerato al plurale:** خَمْسَةُ أَوْلَادٍ *ḫamsatu ˀawlādin* 'cinque bambini' è quindi letteralmente 'una cinquina di bambini'.

  ⚠ Essendo sostantivi, essi distinguono una forma maschile da una forma femminile munita di *tāˀ marbūṭa*. Il primo fatto sconcertante sta però nel fatto che, da 3 a 10, **il tema in *tāˀ marbūṭa* viene usato se il numerato è maschile e il tema senza *tāˀ marbūṭa* se il numerato è femminile:**

خَمْسَةُ رِجَالٍ	*ḫamsatu riǧālin*	'cinque uomini'
خَمْسُ نِسَاءٍ	*ḫamsu nisāˀin*	'cinque donne'

- Per determinare il sintagma numerale-numerato la soluzione canonica consisterebbe nel trattare il numerale come un aggettivo:

الرِجالُ الخَمْسَةُ	*ar-riǧālu l-ḫamsatu*	'i cinque uomini'
النِساءُ الخَمْسُ	*an-nisāˀu l-ḫamsu*	'le cinque donne'

  Sono tuttavia ammesse, seppure meno frequentemente, anche le soluzioni seguenti:

الخَمْسَةُ رِجالٍ	*al-ḫamsatu riǧālin*	خَمْسَةُ الرِجالِ	*ḫamsatu r-riǧāli*
الخَمْسُ نِساءٍ	*al-ḫamsu nisāˀin*	خَمْسُ النِساءِ	*ḫamsu n-nisāˀi*

- I numerali da 1 a 10 sono i seguenti:

	Forme usate con il maschile	Forme usate con il femminile
١	أَحَد *ʔaḥad*	إِحْدَى *ʔiḥdā*
~	وَاحِد *wāḥid*	وَاحِدَة *wāḥida*
٢	اِثْنَانِ *iṯnāni*	اِثْنَتَانِ *iṯnatāni*
٣	ثَلَاثَة *ṯalāṯa*	ثَلَاث *ṯalāṯ*
٤	أَرْبَعَة *ʔarbaʕa*	أَرْبَع *ʔarbaʕ*
٥	خَمْسَة *ḫamsa*	خَمْس *ḫams*
٦	سِتَّة *sitta*	سِتّ *sitt*
٧	سَبْعَة *sabʕa*	سَبْع *sabʕ*
٨	ثَمَانِيَة *ṯamāniya*	ثَمَانٍ *ṯamānin*
٩	تِسْعَة *tisʕa*	تِسْع *tisʕ*
١٠	عَشْرَة *ʕašra*	عَشر *ʕašar*

▶ أحد e إحدى vengono usati solamente in funzione pronominale:

جاءَ أَحَدٌ	*ǧāʔa ʔaḥadun*	'è venuto qualcuno'
لا أَحَدَ	*lā ʔaḥada*	'nessuno'
أَحَدُهُمْ	*ʔaḥadu-hum*	'uno di loro' (al f. però إِحْدَى مِنْهُنَّ *ʔiḥdā min-hunna*)

mentre واحد e واحدة intervengono come aggettivi per insistere sull'unità:

يَوْمٌ واحِدٌ	*yawmun wāḥidun*	'un giorno solo'
مَرَّةٌ واحِدَةٌ	*marratun wāḥidatun*	'un'unica volta'

▶ Lo stesso può dirsi di اثنان e اثنتان (variante più rara ثِنْتَانِ *ṯintāni*), che aggettivalmente insistono sul numero due, e che inoltre sono soggetti alla flessione del duale:

طالِبَتانِ اْثْنَتانِ	*ṭālibatāni ṯnatāni*	'due sole studentesse' o 'ben due studentesse'
بَعْدَ شَهْرَيْنِ اْثْنَيْنِ	*baʕda šahrayni ṯnayni*	'dopo due soli mesi' o 'dopo ben due mesi'

▶ ثمان si declina come فاض *fāḍin* (cf. Unità 14 § 3).

6 L'avverbio كم؟

- L'avverbio interrogativo كم è seguito dal singolare *manṣūb*:

كَمْ ساعةً؟	*kam sāʕatan?*	'quante ore?'
كَمْ قَمِيصًا اْشْتَرَيْتِ؟	*kam qamīṣan[i] štarayti?*	'quante camicie hai[f] comprato?'

- Seguito dal singolare *maǧrūr* كم ha invece un senso esclamativo:

كَمْ كِتابٍ!	*kam kitābin!*	'quanti libri!'
كَمْ قَمِيصٍ ٱشْتَرَيْتِ!	*kam qamīṣin^i štarayti!*	'quante camicie hai^f comprato!'

▶ كم con valore interrogativo o esclamativo può svolgere il ruolo di *ḫabar* anticipato ed essere seguito quindi da un aggettivo al *marfūʕ*:

كَمِ السَّاعَةُ؟	*kam^i s-sāʕatu?*	'che ore sono?'
كَمْ هو جَمِيلٌ!	*kam huwa ǧamīlun!*	'ma che bello!'

Cf.:

كَمْ سَاعَةً؟	*kam sāʕatan?*	'quante ore?'
كَمْ جَمِيلاً؟	*kam ǧamīlan?*	'quanti begli [uomini]?'
كَمْ جَمِيلٍ!	*kam ǧamīlin!*	'quanti begli [uomini]!'

7 Gli avverbi قَطُّ e أَبَدًا

Entrambi gli avverbi possono tradursi 'mai'. Il primo è però relativo al passato, il secondo al futuro:

لَمْ أَشْرَبْهُ قَطُّ	*lam ʔašrab-hu qaṭṭu*	'non l'ho mai bevuto'
لَنْ أَشْرَبَهُ أَبَدًا	*lan ʔašraba-hu ʔabadan*	'non lo berrò mai'

In un contesto presente قط ha anche la valenza di 'affatto, per niente':

لا أَفْهَمُكَ قَطُّ	*lā ʔafhamu-ka qaṭṭu*	'non ti^m capisco proprio'

Nb: attenzione agli omografi:

⟨قط⟩ *qaṭṭ* 'mai; affatto'
qiṭṭ 'gatto'

لا يفهمك قط	*lā yafhamu-ka qaṭṭu*	'non ti^m capisce^m proprio'
لا يفهمك قط	*lā yafhamu-ka qiṭṭun*	'non ti^m capisce un gatto' (enunciato improbabile)

8 وُلِدَ Nascere

Il verbo وُلِدَ *wulida* 'nascere' è il passivo (صيغة المَجْهُول *ṣīġat al-maǧhūl*) di وَلَدَ *walada* 'partorire, mettere al mondo' (quindi da citare come وَلَدَتْ، تَلِدُ *waladat, talidu*, non essendo possibile usarlo al maschile!). La coniugazione del verbo non pone problemi al *māḍī*, mentre al *muḍāriʕ* ha luogo la contrazione di **yuwladu* in *yūladu*:

وُلِدْتُ	*wulidtu*	وُلِدْنَا	*wulidnā*		
وُلِدْتَ	*wulidta*	وُلِدْتُمْ	*wulidtum*	وُلِدْتُمَا	*wulidtumā*
وُلِدْتِ	*wulidti*	وُلِدْتُنَّ	*wulidtunna*		
وُلِدَ	*wulida*	وُلِدُوا	*wulidū*	وُلِدَا	*wulidā*

وُلِدَتْ	wulidat	وُلِدْنَ	wulidna	وُلِدَتَا	wulidatā
أُولَدُ	ʔūladu	نُولَدُ	nūladu		
تُولَدُ	tūladu	تُولَدُونَ	tūladūna	تُولَدَانِ	tūladāni
تُولَدِينَ	tūladīna	تُولَدْنَ	tūladna		
يُولَدُ	yūladu	يُولَدُونَ	yūladūna	يُولَدَانِ	yūladāni
تُولَدُ	tūladu	يُولَدْنَ	yūladna	تُولَدَانِ	tūladāni

التمارين Esercizi

1 Passare i verbi affermativi al negativo prima con ما + *māḍī*, poi con لم + *mağzūm*, secondo l'esempio.

١. دخلتم ← ما دخلتم لم تدخلوا
٢. فضلا ← ....
٣. ملأتُ ← ....
٤. شكرن ← ....
٥. ترددتِ ← ....
٦. لبسَتْ ← ....
٧. ارتجف ← ....
٨. جلستَ ← ....
٩. تكلمنا ← ....
١٠. وضعوا ← ....

2 Coniugare correttamente il verbo fra parentesi e inserirlo nelle frasi seguenti.

١. إننا لن .... إلى المغرب إلا بعد شهرين. (سافر)
٢. ألم .... الحافلة، يا شباب، بعد أن خرجتم من المطعم؟ (انتظر)
٣. إن أمين لا .... من أن يهضم السمك بالطحالب. (تمكن)
٤. لماذا لم .... أشياءكن في غرفتكن؟ (رتب)
٥. لما رمينا الطحالب الفاسدة في الزبالة، ما .... هنيهة. (تردد)
٦. سمير لن .... ـه خطيبته أبدا. (فهم)
٧. قالت لي أناليزا إنها ستسافر! وما هي المشكلة، فلـ ....! (ذهب)
٨. إني لم .... منك شيئا، يا حبيبي. (طلب)
٩. ألا .... أن تجيئوا معنا إلى المرقص الليلة؟ (أراد)
١٠. ولـ .... إلى الخارج لنرى ما الذي حصل في الشارع! (خرج)

3 Tradurre in arabo.

1. Il bicchiere più grande. ....
2. I piatti più piccoli. ....
3. Le conferenze più importanti del mese. ....
4. La studentessa più bella della classe. ....
5. Ho studiato con la professoressa più brava della facoltà. ....
6. Siamo usciti con la macchina più nuova. ....
7. Da^mmmi il vocabolario migliore che trovi. ....
8. Abbiamo cenato con il panino (trad.: سَنْدَوِيش) più saporito che era nel bar. ....
9. Diciamo che era l'esame più difficile dell'anno accademico. ....
10. Sei riuscita a parlare con l'uomo più cafone della città. ....

4 Inserire nelle frasi seguenti il verbo سأل o il verbo طلب coniugando correttamente.

١. من .... منه كتابه؟
٢. لقد .... ـك فقط إن كنت في بيتك اليوم.
٣. ماذا .... الأستاذة طلابها خلال الامتحان؟
٤. هل تريدين أن .... منهم البيتسا التي ترغبين فيها؟
٥. لا أحد .... منك شيئا!

5 Tradurre in arabo.

1. Tre automobili. ....
2. Due bambini. ....
3. Dieci camicie. ....
4. Otto studentesse. ....
5. Quattro esami. ....
6. Un professore. ....
7. Un solo uomo. ....
8. Sei donne. ....
9. Cinque facoltà. ....
10. Due soli ragazzi. ....
11. Sette giorni. ....
12. Nove settimane. ....

6 Segnare con una X l'enunciato sintatticamente corretto.

- ■ ثماني ألمان
- ■ ثمانية ألمان
- ■ الطالبات الخمسة
- ■ الطالبات الخمس

■ عشرة فرنسيات ■ أربع أصدقاء
■ عشر فرنسيات ■ أربعة أصدقاء

■ سبع لغات ■ تسعة أشهر
■ سبعة لغات ■ تسع أشهر

■ الفلسطينيون التسع ■ ثلاث ساعات
■ الفلسطينيون التسعة ■ ثلاثة ساعات

■ أربعة البيوت ■ الأساتذة الست
■ أربع البيوت ■ الأساتذة الستة

7 Tradurre in arabo.

1. È venuto uno di voi[m] e mi ha chiesto cinque euro. ....
2. Quando il professore è entrato in classe ha trovato un solo studente. ....
3. Eravamo quattro amici al bar di fronte alla stazione. ....
4. Non l'ho pagato più di nove dinari. ....
5. Fahd ha trascorso dieci mesi in Giappone e ha mangiato il sushi tutti i giorni. ....
6. Fra sole due settimane partiremo tutti per l'Egitto. ....
7. Non ti aspetterò più di tre minuti, cara mia! ....
8. Te[m] l'ho già detto sei volte che questo anello non mi piace. ....
9. I nove stranieri di cui ci avete parlato sono tornati nel loro paese. ....
10. Chi ti[f] ha dato queste sei sigarette? ....

8 Tradurre in italiano.

١. ينتظر عبد اللطيف تيليفونا من أصدقائه لن يصل أبدا. ....

٢. نحن ما زرنا السودان قط، وأنتم؟ ....

٣. لا أستطيع أن أتكلم معه قط، فالتيليفون معطل. ....

٤. لم يأكل أمين السوشي قط قبل الآن ولن يأكله أبدا من جديد. ....

٥. إن قطا واحدا فقط من قططك الخمسة لم يجلس قط على هذا الكرسي. ....

٦. كم هي جميلةٌ القطة التي لم تجلس قط على ذلك الكرسي. ....

٧. متى وأين وُلدت، يا سيدي؟ ....

٨. كم مرة يجب عليّ أن أقول لك، يا غبي، إني لن أعطيك إياه أبدا؟ ....

٩. كم ليترا من الحليب شربت، يا مجنون؟ – اليوم أربعة ليترات فقط، يا عزيزي. ....

١٠. هناك أحد منكم جاء إليّ سألني كم الساعة. ....

9 Comprensione del Testo 1. Rispondere liberamente alle seguenti domande.

١. في أي ساعة سلم أمين على أصدقائه وخرج من بيت سهيلة؟ ....

٢. هل رجع أمين إلى منزله بعد أن خرج من بيت سهيلة؟ ....

٣. هل يجد مقهاه المفضل مغلقا عند منتصف الليل؟ ....

٤. ماذا كان صاحب المقهى يفعل لما وصل صديقنا؟ ....

٥. ماذا يطلب أمين من فيصل؟ ....

٦. هل يتمكن فيصل من أن يفهم ما أكله أمين في العشاء؟ ....

10 Comprensione del Testo 2. Rispondere liberamente alle seguenti domande.

١. هل يتحدث هذا النص عن ألمانيا؟ ....

٢. ما هي البلدان العربية التي يتحدث عنها هذا النص؟ ....

٣. أي مدن فلسطينية زار أحد من هذين الشخصين؟ ....

٤. ما هي لغة الأم لأحدهما؟ ....

٥. كم ولدا له أحدهما؟ ....

Radici...

Estrapolare la radice comune ai due temi e sintetizzare con فعل il wazn del tema della seconda colonna.

	1			2			الأصل	الوزن
شكر	*šakara*	'ringraziare'	شكرا	*šukran*	'grazie'	→	....	....
سلام	*salām*	'pace'	سلم على	*sallama ʕalā*	'salutare'		....	....
ممكن	*mumkin*	'possibile'	تمكن	*tamakkana*	'riuscire'		....	....
غداء	*ġadāʔ*	'pranzo'	تغدى	*taġaddā*	'pranzare'		....	....
عشاء	*ʕašāʔ*	'cena'	تعشى	*taʕaššā*	'cenare'		....	....
فطور	*fuṭūr*	'colazione'	أفطر	*ʔafṭara*	'far colazione'		....	....
أخير	*ʔaḫīr*	'ultimo'	متأخر	*mutaʔaḫḫir*	'in ritardo[m]'		....	....

ولد *walad*	والد *wālid*	ولد *wuld*	ولادة *wilāda*	ميلاد *mīlād*
'bambino'	'genitore'	'prole'	'parto'	'nascita'

الأصل

....

الوزن	الوزن	الوزن	الوزن	الوزن
....	....	....	....	....

أكثر Di più

1 اللغات Lingue

Nei ventidue stati odierni appartenenti alla Lega Araba (جامعة الدول العربية *Ǧāmiʕat ad-duwal al-ʕarabiyya*) che hanno l'arabo standard come lingua ufficiale, spesso unica, esistono in diversi casi minoranze linguistiche di entità molto variabile ma non di rado assai vitali, di cui qui andranno ricordate le principali.

In tre villaggi siriani non lontani da Damasco è ancora vivo l'aramaico (اللغة الآرامية *al-luġa al-ʔārāmiyya*), lingua semitica della Siria prima che venisse conquistata dagli arabi nel VII secolo. Altri dialetti aramaici si ritrovano in Siria orientale e soprattutto nel nord dell'Iraq. Una varietà letteraria di aramaico, detta siriaco (اللغة السريانية *al-luġa as-suryāniyya*), oggi non più parlata, fu la lingua letteraria dei cristiani orientali (chiese sirortodossa e nestoriana principalmente) e viene ancora insegnata nei licei classici cristiani di Libano, Siria e Iraq.

Nel nord dell'Iraq e della Siria (nonché in parte della Turchia) è parlato il curdo (اللغة الكردية *al-luġa al-kurdiyya*), lingua indeuropea stretta parente del persiano. L'esistenza di un popolo curdo dotato di una forte personalità culturale, non riconosciuta dalla Siria e dalla Turchia e riconosciuta soltanto a parole dall'Iraq, ha dato luogo al movimento politico *Kurdistān a Azād* 'Kurdistan Libero', che tuttavia rivendica il riconoscimento della propria specificità culturale e linguistica senza chiedere l'indipendenza politica.

In molte zone del Maghreb, e in misura decrescente dal Marocco alla Libia, e aggiungendo l'oasi di Sīwa in Egitto occidentale, viene parlata una lingua frazionata in numerosi dialetti detta berbero (اللغة البربرية *al-luġa al-barbariyya*), oggi piuttosto amazigh (اللغة الآمازيغية *al-luġa al-ʔāmāzīġiyya*), lingua del Nordafrica prima dell'arrivo degli arabi, riconosciuta solamente (ed in maniera soprattutto teorica) dal Marocco. Il principale movimento politico teso a coinvolgere i vari gruppi berberofoni è il *Mouvement Culturel Berbère*, o MCB, nato in Algeria, che rivendica un riconoscimento culturale e linguistico da parte dei governi algerino e marocchino.

Viceversa l'arabo è presente come lingua minoritaria in paesi ufficialmente non arabi, ossia principalmente in Turchia meridionale (Cilicia e Anatolia) e Iran occidentale (خوزستان *Ḫūzistān*).

2 فلسطين La Palestina

La Palestina è, dal 1948, ufficialmente Stato di Israele (إسرائيل *ʔIsrāʔīl*), stato riconosciuto dall'insieme dei paesi occidentali. La maggioranza dei paesi arabi non riconosce Israele, che chiamano Palestina (فلسطين *Filasṭīn*), talvolta Palestina Occupata (فلسطين المحتلة *Filasṭīn al-muḥtalla*). Dal 1978 l'Egitto ha avviato relazioni diplomatiche con Israele, e oggi scambi più o meno ufficiali hanno luogo con la Giordania e il Marocco.

La popolazione di Israele/Palestina comprende da una parte una componente di religione israelitica e di lingua ebraica, immigratavi progressivamente dalla fine dell'Ottocento a oggi, gli israeliani (إسرائيلي، ون *ʔisrāʔīliyy, -ūna*), dall'altra una componente di lingua araba e di religione islamica o cristiana, i palestinesi (فلسطيني، ون *filasṭīniyy, -ūna*). I palestinesi 'del Quarantotto' hanno diritto alla cittadinanza e al passaporto israeliani – e molti di essi oggi si definiscono piuttosto *arabi israeliani*, consentendo così agli israeliani progressisti e pacifisti di dirsi complementarmente *ebrei israeliani* –, quelli 'del Sessantasette' (ossia quelli residenti nei territori occupati da Israele nella cosiddetta Guerra dei Sei Giorni del 1967) hanno perlopiù la cittadinanza giordana. Durante le guerre arabo-israeliane del 1948, del 1967 e del 1973 (Guerra del Kippùr), migliaia di palestinesi sono stati espulsi da Israele e costretti a rifugiarsi in campi profughi in Libano e Giordania.

Dal 1993 Israele ha acconsentito a concedere una forma di autonomia ai territori occupati nel 1967, ossia Cisgiordania e Striscia di Gaza (ضفة غزة *Ḍiffat Ġazza*), istituendo l'Autorità Nazionale Palestinese (ANP, السلطة الوطنية الفلسطينية *as-Sulṭa al-Waṭaniyya al-Filasṭīniyya*), con capitale Gerico (أريحا *ʔArīḥā*).

Attenzione agli omografi: ⟨سلطة⟩ *sulṭa* 'autorità' e *salaṭa* 'insalata' (termine che può anche essere riferito a una faccenda poco seria e pasticciata).

L'arabista che si rechi in Palestina/Israele farà bene a richiedere da parte del personale di frontiera israeliano che il visto di ingresso non gli venga stampato sul passaporto ma su un foglio di carta da tenere nel passaporto per la durata del soggiorno: diversi paesi arabi come la Siria e lo Yemen respingono sistematicamente chi si presenti con un visto israeliano. Per l'Egitto, la Tunisia e il Marocco il problema non sussiste, almeno nel momento in cui questo libro viene scritto.

فكرة ممتازة! Ottima idea!

النص الأول Testo 1 CD1/53

– أتود أن تجيء معنا إلى شاطئ البحر بعد الظهر؟

– فكرة ممتازة. لنركب القطار المدني وسنصل إلى الشاطئ بعد خمس عشرة دقيقةً. لكن يجب عليّ أن آخذ لباس بحري.

يفكر عادل بينه وبين نفسه أن هذه فرصة رائعة ليستريح قليلا بعد الامتحانات الكتابية الأخيرة فإنه يحب أن يتكاسل على شاطئ البحر بصحبة صديقاته كالملك المحاط بجواريه.

– هل نريد أن نذهب إلى شاطئ الصبار، حيث كنا الأسبوع الماضي، وحيث يمكننا أن نتفرج على الطائرات التي تقلع من المطار وتهبط إليه؟

– لا شكرا! ذلك الشاطئ مليء بالبعوض والدبابير، ورمله وسخ. أليس شاطئ النورس أفضل؟ ألا تفضل أن ترى المراكب والقوارب؟

– شاطئ النورس محل سنوبي، كل شيء فيه غال، يعجب البرجوازيات مثلك. على كل حال، كما تردن أنتن.

في النهاية اختار أصدقاؤنا أن يذهبوا إلى مسبح فندق پلازا. لم يقل عادل إنه أغلى من شاطئ النورس، ولم يشكُ من ضجة الموسيقى، ولم يدلَّ على تكدره.

الكلمات الجديدة Parole nuove

بحر، بحار	*baḥr, biḥār*	mare	ملك، ملوك	*malik, mulūk*	re
فكرة، فكر	*fikra. fikar*	idea	جارية، جوار	*ǧāriya, ǧawārin*	giovane serva
ممتاز، ون	*mumtāz, -ūna*	eccellente	مركب، مراكب	*markab, marākibu*	nave
قطار، ات	*qiṭār, -āt*	treno	قارب، قوارب	*qārib, qawāribu*	barca
قِطارٌ مَدَنِيٌّ		metropolitana	برجوازي، ون	*burǧuwāziyy, -ūna*	borghese
شاطئ، شواطئ	*šāṭiʾ, šawāṭiʾu*	spiaggia	نهاية، ات	*nihāya, -āt*	fine
فرصة، فرص	*furṣa, furaṣ*	occasione	فاضل، ون	*fāḍil, -ūna*	buono, adatto
رائع، ون	*rāʾiʿ, -ūna*	splendido	أفضل	*ʾafḍal*	preferibile
لباس، ألبسة	*libās, ʾalbisa*	indumento	محاط، ون	*muḥāṭ*	circondato
لِباسُ بَحْرٍ		costume da bagno	صحبة	*ṣuḥba*	compagnia
رمل، رمال	*raml, rimāl*	sabbia	بِصُحْبَةِ		in compagnia di
صبار	*ṣubbār*	fichi d'India	مسبح، مسابح	*masbaḥ, masābiḥu*	piscina
طائرة، ات	*ṭāʾira*	aeroplano	غال	*ġālin*	caro
مطار، ات	*maṭār, -āt*	aeroporto	أعلى	*ʾaġlā*	più caro
بعوض	*baʿūḍ*	zanzare	ضجة، ات	*ḍaǧǧa, -āt*	chiasso
دبور، دبابير	*dabbūr, dabābīru*	vespa	تكدر، ات	*takaddur, -āt*	irritazione
نورس، نوارس	*nawras, nawārisu*	gabbiano	سنوبي، ون	*s(u)nūbiyy, -ūna*	snob

فعل	ركب، يركب	*rakiba, yarkabu*	prendere un mezzo
	هبط، يهبط	*habaṭa, yahbuṭu*	atterrare
	ود، يود	*wadda, yawaddu*	desiderare
	دل، يدل على	*dalla, yadullu ʿalā*	mostrare
أفعل	أظهر،يظهر	*ʾaẓhara, yuẓhiru*	mostrare
	أمكن، يمكن	*ʾamkana, yumkinu*	essere possibile
	يُمْكِنُهُ أنْ		può^m (fare)
	أقلع، يقلع	*ʾaqlaʿa, yuqliʿu*	decollare
تفعل	تفرج، يتفرج على	*tafarraǧa, yatafarraǧu ʿalā*	guardare
تفاعل	تكاسل، يتكاسل	*takāsala, yatakāsalu*	oziare, pigrare
افتعل	اختار، يختار	*iḫtāra, yaḫtāru*	scegliere
استفعل	استراح، يستريح	*istarāḥa, yastarīḥu*	riposarsi

النحو Grammatica

1 I numerali da 11 a 19

⚠ Questa serie di numerali deve essere appresa e memorizzata con particolare attenzione. Essi distinguono a loro volta una forma da usare con numerati maschili e una forma per numerati femminili, ma sono **invariabili in caso** (tranne 12). Il numerato li segue al **singolare *manṣūb***:

	Forme usate con il maschile		Forme usate con il femminile	
١١	أَحَدَ عَشَرَ	*ˀaḥada ˁašara*	إِحْدَى عَشْرَةَ	*ˀiḥdā ˁašrata*
١٢	اِثْنَا عَشَرَ	*iṯnā ˁašara*	اِثْنَتَا عَشْرَةَ	*iṯnatā ˁašrata*
(obl.)	اِثْنَيْ عَشَرَ	*iṯnay ˁašara*	اِثْنَتَيْ عَشْرَةَ	*iṯnatay ˁašrata*
١٣	ثَلَاثَةَ عَشَرَ	*ṯalāṯata ˁašara*	ثَلَاثَ عَشْرَةَ	*ṯalāṯa ˁašrata*
١٤	أَرْبَعَةَ عَشَرَ	*ˀarbaˁata ˁašara*	أَرْبَعَ عَشْرَةَ	*ˀarbaˁa ˁašrata*
١٥	خَمْسَةَ عَشَرَ	*ḫamsata ˁašara*	خَمْسَ عَشْرَةَ	*ḫamsa ˁašrata*
١٦	سِتَّةَ عَشَرَ	*sittata ˁašara*	سِتَّ عَشْرَةَ	*sitta ˁašrata*
١٧	سَبْعَةَ عَشَرَ	*sabˁata ˁašara*	سَبْعَ عَشْرَةَ	*sabˁa ˁašrata*
١٨	ثَمَانِيَةَ عَشَرَ	*ṯamāniyata ˁašara*	ثَمَانِيَ عَشْرَةَ	*ṯamāniya ˁašrata*
١٩	تِسْعَةَ عَشَرَ	*tisˁata ˁašar*	تِسْعَ عَشْرَةَ	*tisˁa ˁašrata*

جاءَ خَمْسَةَ عَشَرَ طالِبًا	*ǧāˀa ḫamsata ˁašara **ṭāliban***	'vennero quindici studenti'
اِنْتَظَرْنا خَمْسَ عَشْرَةَ دَقِيقَةً	*intaẓarnā ḫamsa ˁašrata **daqīqatan***	'abbiamo aspettato quindici minuti'
بَعْدَ خَمْسَةَ عَشَرَ يَوْمًا	*baˁda ḫamsata ˁašara **yawman***	'dopo quindici giorni'
هُناكَ ٱثْنا عَشَرَ بَيْتًا	*hunāka tnā ˁašara **baytan***	'ci sono dodici case'
فِي ٱثْنَيْ عَشَرَ بَيْتًا	*fī tnay ˁašara **baytan***	'in dodici case'

2 Modo *maǧrūr* e verbi *ˀaǧwaf*

Le modalità di flessione dei verbi *ˀaǧwaf* ubbidiscono semplicemente alla legge fonetica che vieta una vocale lunga in sillaba chiusa. Una forma come يَقُولُ *yaqūlu* 'dice[m]' al *maǧrūr* darebbe teoricamente يَقُولْ **yaqūl*, con una sequenza *-cv̄c-*; la vocale quindi si abbrevia, يَقُلْ *yaqul*:

لَمْ أَقُلْ	*lam ˀaqul*	لَمْ نَقُلْ	*lam naqul*		
لَمْ تَقُلْ	*lam taqul*	لَمْ تَقُولُوا	*lam taqūlū*	لَمْ تَقُولَا	*lam taqūlā*
لَمْ تَقُولِي	*lam taqūlī*	لَمْ تَقُلْنَ	*lam taqulna*		
لَمْ يَقُلْ	*lam yaqul*	لَمْ يَقُولُوا	*lam yaqūlū*	لَمْ يَقُولَا	*lam yaqūlā*
لَمْ تَقُلْ	*lam taqul*	لَمْ يَقُلْنَ	*lam yaqulna*	لَمْ تَقُولَا	*lam taqūlā*

لم أَقِسْ	*lam ʔaqis*	لم نَقِسْ	*lam naqis*		
لم تَقِسْ	*lam taqis*	لم تَقِيسُوا	*lam taqīsū*	لم تَقِيسا	*lam taqīsā*
لم تَقِيسي	*lam taqīsī*	لم تَقِسْنَ	*lam taqisna*		
لم يَقِسْ	*lam yaqis*	لم يَقِيسُوا	*lam yaqīsū*	لم يَقِيسا	*lam yaqīsā*
لم تَقِسْ	*lam taqis*	لم يَقِسْنَ	*lam yaqisna*	لم تَقِيسا	*lam taqīsā*

لم أَخَفْ	*lam ʔaḫaf*	لم نَخَفْ	*lam naḫaf*		
لم تَخَفْ	*lam taḫaf*	لم تَخَافُوا	*lam taḫāfū*	لم تَخَافَا	*lam taḫāfā*
لم تَخَافي	*lam taḫāfī*	لم تَخَفْنَ	*lam taḫafna*		
لم يَخَفْ	*lam yaḫaf*	لم يَخَافُوا	*lam yaḫāfū*	لم يَخَافَا	*lam yaḫāfā*
لم تَخَفْ	*lam taḫaf*	لم يَخَفْنَ	*lam yaḫafna*	لم تَخَافَا	*lam taḫāfā*

Lo stesso vale con i verbi *mazīd*:

أَرَادَ، يُرِيدُ	*ʔarāda, yurīdu*	'volere'	→	لم يُرِدْ	*lam yurid*	'non ha voluto'
اِحْتَاجَ، يَحْتَاجُ	*iḥtāğa, yaḥtāğu*	'aver bisogno'		لم يَحْتَجْ	*lam yaḥtağ*	'non ha avuto bis.'
اِسْتَطَاعَ، يَسْتَطِيعُ	*istaṭāʕa, yastaṭīʕu*	'potere'		لم يَسْتَطِعْ	*lam yastaṭiʕ*	'non ha potuto'

3 Le preposizioni في، بـ، مع

- في esprime uno stato in luogo:

الزُهُور فِي المَزْهَرِيَّةِ	*az-zuhūru **fī** l-mazhariyyati*	'i fiori sono nel vaso'

- بـ può essere usato con lo stesso significato con i nomi di città o paesi, talvolta con nomi indicanti luoghi:

نُقِيمُ بِعَمّانَ	*nuqīmu **bi**-ʕAmmāna*	'risiediamo ad Amman'
الجامِعةُ الأَمْرِيكِيّةُ بِالقاهِرةِ	*al-ğāmiʕatu l-ʔamrīkiyyatu **bi**-l-Qāhirati*	'l'università americana al Cairo'
كُنّا بِالمَدْرَسَةِ	*kunnā **bi**-l-madrasati*	'ci trovavamo a scuola'

Però spesso introduce un mezzo, 'con, per mezzo di, tramite':

تَكْتُبُ بِالقَلَمِ	*taktubu **bi**-l-qalami*	'scrive^{f} con la penna'
جِئْتُ بِالحافِلةِ	*ğiʔtu **bi**-l-ḥāfilati*	'sono venuto con l'autobus'
يَتَكَلَّمُونَ بِاليابانِيّةِ	*yatakallamūna **bi**-l-yābāniyyati*	'parlano^{m} (in) giapponese'
بِسُرْعةٍ!	***bi**-surʕatin!*	'presto!' <con-velocità>

- مع è invece 'con', da usare solamente per esprimere compagnia o accompagnamento:

رَقَصْتُ مَعَ فاطِمةَ	*raqaṣtu **maʕa** Fāṭimata*	'ho ballato con Fatima'
تَعالَ مَعِي!	*taʕāla **maʕ**-ī!*	'vieni^{m} con me!'

4 Il verbo وَدَّ، يَوَدُّ

Esprime un desiderio, come أراد, ma si traduce meglio con un condizionale, risultando più cortese e meno imperativo:

أُرِيدُ أَنْ أَشْرَبَ شَيْئًا	*ʾurīdu ʾan ʾašraba šayʾan*	'voglio bere qualcosa'
أَوَدُّ أَنْ أَشْرَبَ شَيْئًا	*ʾawaddu ʾan ʾašraba šayʾan*	'vorrei bere qualcosa'

النص الثاني Testo 2 CD1/54

ركب فهد سيارته وخرج من المدينة ليأخذ الطريق السريع الذي يوصل إلى المطار الدولي. وبعد حوالي عشرين كيلومترا تذكر أنه لم يكن قد ملأ الخزان وقودا قبل أن ينصرف من المنزل. فجعل ينظر إلى اللافتات، لكن لم ير أي لافتة محطة بنزين. بدأ يتضايق ويدمدم لعنات. بينما كان يقدر إمكانية الوصول إلى المطار بما بقي من بنزين في خزانه، لم ينتبه إلى الشاحنة التي كانت تسبقه على يساره وأوشك أن يسبب حادثا.

خفف فهد سرعته قليلا وواصل طريقه لسرعة تسعين كيلومترا في الساعة. ففي الليلة السابقة بات عند صديقه عمر وهو يحاول أن يرفع معنوياته بعد ملاقاته مع المحلل النفساني وبعد رسالة أبيه، ولذلك لم يستطع أن ينام كثيرا ولم يسترح كفاية.

لم يمض وقت طويل حتى وصل إلى المطار، لم يعد تعبان ومتضايقا. كاد خزانه أن يكون فارغا ولكن لحسن الحظ لمح لافتة مضخة بنزين وراء موقف السيارات.

الكلمات الجديدة Parole nuove

سريع، سرعان	*sarīʕ, surʕān*	veloce	لعنة، ات	*laʕna, -āt*	imprecazione
طَرِيقٌ سَرِيعٌ		autostrada	إمكانية، ات	*ʔimkāniyya, -āt*	possibilità
دولة، دول	*dawla, duwal*	stato (paese)	بما	*bi-mā*	con ciò che
دولي، ون	*duwaliyy, -ūna*	internazionale	حادث/حادثة، حوادث	*ḥādiṯ(a), ḥawādiṯu*	incidente
كيلومتر، ات	*kīlūmitr, -āt*	chilometro	سابق، ون	*sābiq, -ūna*	precedente
خزان، ات	*ḫazzān, -āt*	serbatoio	كفاية	*kifāya*	sufficienza
وقود	*waqūd*	combustibile	كفاية	*kifāyatan*	sufficientemente
بنزين	*banzīn*	benzina	المعنويات	*al-maʕnawiyyāt*	il morale
أي	*ʔayy*	alcuno/a	وصول	*wuṣūl*	[fatto di] arrivare
فارغ، ون	*fāriġ, -ūna*	vuoto	مضخة، ات	*miḍaḫḫa, -āt*	pompa
حسن	*ḥusn*	bontà	موقف، مواقف	*mawqif, mawāqifu*	parcheggio
حظ، حظوظ	*ḥaẓẓ, ḥuẓūẓ*	fortuna	ملاقاة	*mulāqāt*	incontro
لِحُسْنِ الحَظِّ		per fortuna	فهد	*Fahd*	Fahd (n.pr.m.)

فعل	جعل، يجعل	*ǧaʕala, yaǧʕalu*	mettersi a
	بدأ، يبدأ	*badaʔa, yabdaʔu*	incominciare
	سبق، يسبق	*sabaqa, yasbiqu*	superare
	لمح، يلمح	*lamaḥa, yalmaḥu*	scorgere
	رفع، يرفع	*rafaʕa, yarfaʕu*	sollevare
	بات، يبيت	*bāta, yabītu*	passare la notte
	كاد، يكاد أن	*kāda, yakādu ʔan*	essere quasi
	مضى، يمضي	*maḍā, yamḍī*	passare (tempo)
فعّل	قدر، يقدر	*qaddara, yuqaddiru*	valutare
	سبب، يسبب	*sabbaba, yusabbibu*	provocare
	خفف، يخفف	*ḫaffafa, yuḫaffifu*	(qui:) diminuire
فاعل	واصل، يواصل	*wāṣala, yuwāṣilu*	continuare
أفعل	أوصل، يوصل	*ʔawṣala, yūṣilu*	condurre, portare
	أوشك، يوشك أن	*ʔawšaka, yūšiku ʔan*	essere sul punto di
تفعل	تذكر، يتذكر	*taḏakkara, yataḏakkaru*	ricordarsi

تفاعل	تضايق، يتضايق	*taḍāyaqa, yataḍāyaqu*	irritarsi
انفعل	انصرف، ينصرف	*inṣarafa, yanṣarifu*	incamminarsi
افتعل	انتبه، ينتبه إلى	*intabaha, yantabihu ʔilā*	fare attenzione a
استفعل	استراح، يستريح	*istarāḥa, yastarīḥu*	riposare
فَعْلَلَ	دمدم، يدمدم	*damdama, yudamdimu*	borbottare

النحو Grammatica

5 I numeri. Le decine

Le decine sono formate unendo il morfema del plurale sano maschile al tema del cardinale corrispondente. Sono invariabili in genere:

٢٠	عِشْرُونَ	*ʕišrūna*
٣٠	ثَلاثُونَ	*ṯalāṯūna*
٤٠	أَرْبَعُونَ	*ʔarbaʕūna*
٥٠	خَمْسُونَ	*ḫamsūna*
٦٠	سِتُّونَ	*sittūna*
٧٠	سَبْعُونَ	*sabʕūna*
٨٠	ثَمَانُونَ	*ṯamānūna*
٩٠	تِسْعُونَ	*tisʕūna*

- Il morfema ون *-ūna* diviene ين *-īna* ai casi *manṣūb* e *mağrūr*.
  💣 Il numerato, come dopo ١١-١٩, va al **singolare *manṣūb***:

عِشْرُونَ كِيلُومِتْرًا	*ʕišrūna **kīlūmitran***	'venti chilometri'
أَعْطاني خَمْسِينَ دِرْهَمًا	*ʔaʕṭā-nī ḫamsīna **dirhaman***	'mi ha^m dato cinquanta dirham'
أَكْثَرَ مِنْ سَبْعِينَ سَنَةً	*ʔakṯara min sabʕīna **sanatan***	'per più di settant'anni'

▶Nei numerali composti l'unità **precede** la decina (cf. tedesco *fünfundzwanzig* 'cinque-e-venti'); l'unità deve accordarsi con il numerato:

خَمْسَةٌ وَعِشْرُونَ طالِبًا	*ḫamsatun wa-ʕišrūna ṭāliban*	'venticinque studenti'
خَمْسٌ وَعِشْرُونَ طالِبَةً	*ḫamsun wa-ʕišrūna ṭālibatan*	'venticinque studentesse'

6 Modo *mağrūr* e verbi *nāqiṣ*

- Alle persone uscenti in vocale lunga -v̄ non è possibile aggiungere un *sukūn*. La vocale lunga si **abbrevia** quindi:

لم أَحْكِ	*lam ʔaḥki*	لم نَحْكِ	*lam naḥki*		
لم تَحْكِ	*lam taḥki*	لم تَحْكُوا	*lam taḥkū*	لم تَحْكِيَا	*lam taḥkiyā*
لم تَحْكِي	*lam taḥkī*	لم تَحْكِينَ	*lam taḥkīna*		
لم يَحْكِ	*lam yaḥki*	لم يَحْكُوا	*lam yaḥkū*	لم يَحْكِيَا	*lam taḥkiyā*
لم تَحْكِ	*lam taḥki*	لم يَحْكِينَ	*lam yaḥkīna*	لم تَحْكِيَا	*lam taḥkiyā*

لم أَنْسَ	*lam ʔansa*	لم نَنْسَ	*lam nansa*		
لم تَنْسَ	*lam tansa*	لم تَنْسَوْا	*lam tansaw*	لم تنسيا	*lam tansayā*
لم تَنْسَيْ	*lam tansay*	لم تَنْسَيْنَ	*lam tansayna*		
لم يَنْسَ	*lam yansa*	لم يَنْسَوْا	*lam yansaw*	لم يَنْسَيَا	*lam yansayā*
لم تَنْسَ	*lam tansa*	لم يَنْسَيْنَ	*lam yansayna*	لم تَنْسَيَا	*lam tansayā*

لم أَشْكُ	*lam ʔašku*	لم نَشْكُ	*lam našku*		
لم تَشْكُ	*lam tašku*	لم تَشْكُوا	*lam taškū*	لم تَشْكُوَا	*lam taškuwā*
لم تَشْكِي	*lam taškī*	لم تَشْكُونَ	*lam taškūna*		
لم يَشْكُ	*lam yašku*	لم يَشْكُوا	*lam yaškū*	لم يَشْكُوَا	*lam yaškuwā*
لم تَشْكُ	*lam tašku*	لم يَشْكُونَ	*lam yaškūna*	لم تَشْكُوَا	*lam taškuwā*

- Lo stesso vale con i verbi *mazīd*:

غَنَّى يُغَنِّي	*ġannā, yuġannī*	'cantare'	→	لم يُغَنِّ	*lam yuġānni*	'non ha cantato'
نَادَى يُنَادِي	*nādā, yunādī*	'chiamare'		لم يُنَادِ	*lam yunādi*	'non ha chiamato'
أَعْطَى يُعْطِي	*ʔaʕṭā, yuʕṭī*	'dare'		لم يُعْطِ	*lam yuʕṭi*	'non ha dato'
تَمَنَّى يَتَمَنَّى	*tamannā, yatamannā*	'sperare'		لم يَتَمَنَّ	*lam yatamanna*	'non ha sperato'
اِشْتَرَى يَشْتَرِي	*ištarā, yaštarī*	'comprare'		لم يَشْتَرِ	*lam yaštari*	'non ha comprato'

ATTENZIONE al verbo رأى، يرى *raʔā, yarā* (soprattutto a livello grafico):

لم أَرَ	*lam ʔara*	لم نَرَ	*lam tara*		
لم تَرَ	*lam tara*	لم تَرَوْا	*lam taraw*	لم تَرَيَا	*lam tarayā*
لم تَرَيْ	*lam taray*	لم تَرَيْنَ	*lam tarayna*		
لم يَرَ	*lam yara*	لم يَرَوْا	*lam yaraw*	لم يَرَيَا	*lam yarayā*
لم تَرَ	*lam tara*	لم يَرَيْنَ	*lam yarayna*	لم تَرَيَا	*lam tarayā*

7 Modo *mağrūr* e verbi *muḍāʕaf*

- Non essendo ammessa una sillaba doppiamente chiusa *-cvcc-*, alle persone prive di morfemi suffissi non è possibile cambiare la vocale finale in *sukūn*: لم يَمُرّْ **lam yamurr*. In tal caso la soluzione più semplice consiste nel sostituire *sukūn* con *-a*, ottenendo quindi lo stesso paradigma del *manṣūb*:

لم أَمُرَّ	*lam ʔamurra*	لم نَمُرَّ	*lam namurra*		
لم تَمُرَّ	*lam tamurra*	لم تَمُرُّوا	*lam tamurrū*	لم تَمُرَّا	*lam tamurrā*
لم تَمُرِّي	*lam tamurrī*	لم تَمْرُرْنَ	*lam tamrurna*		
لم يَمُرَّ	*lam yamurra*	لم يَمُرُّوا	*lam yamurrū*	لم يَمُرَّا	*lam yamurrā*
لم تَمُرَّ	*lam tamurra*	لم يَمْرُرْنَ	*lam yamrurna*	لم تَمُرَّا	*lam tamurrā*

Nb: è tuttavia anche possibile, benché estremamente raro in arabo contemporaneo, il paradigma seguente:

لم أَمْرُرْ	*lam ʔamrur*	لم نَمْرُرْ	*lam namrur*		
لم تَمْرُرْ	*lam tamrur*	لم تَمُرُّوا	*lam tamurrū*	لم تَمُرَّا	*lam tamurrā*
لم تَمُرِّي	*lam tamurrī*	لم تَمْرُرْنَ	*lam tamrurna*		
لم يَمْرُرْ	*lam yamrur*	لم يَمُرُّوا	*lam yamurrū*	لم يَمُرَّا	*lam yamurrā*
لم تَمْرُرْ	*lam tamrur*	لم يَمْرُرْنَ	*lam yamrurna*	لم تَمُرَّا	*lam tamurrā*

- Lo stesso vale con i verbi *mazīd*:

أَحَبَّ، يُحِبُّ	*ʔaḥabba, yuḥibbu*	'amare'	→	لم يُحِبَّ	*lam yuḥibba*	'non ha amato'
اِحْتَلَّ، يَحْتَلُّ	*iḥtalla, yaḥtallu*	'occupare'		لم يَحْتَلَّ	*lam yaḥtalla*	'non ha occupato'
اِسْتَمَرَّ، يَسْتَمِرُّ	*istamarra, yastamirru*	'durare'		لم يَسْتَمِرَّ	*lam yastamirra*	'non è durato'

(Con le alternative rare لم يُحْبِبْ *lam yuḥbib*, لم يَحْتَلِلْ *lam yaḥtalil*, لم يَسْتَمْرِرْ *lam yastamrir*).

Nb: a livello grafico la mancata registrazione delle vocali brevi occasiona spesso ambiguità che soltanto la pratica della lingua scritta permette di disambiguare:

⟨لم يقل⟩	può leggersi:	لَمْ يَقِلْ	*lam yaqil*	←	وَقَلَ، يَقِلُ	*waqala, yaqilu*	'inerpicarsi'
		لَمْ يَقُلْ	*lam yaqul*		قَالَ، يَقُولُ	*qāla, yaqūlu*	'dire'
		لَمْ يَقْلِ	*lam yaqli*		قَلَى، يَقْلِي	*qalā, yaqlī*	'friggere'
		لَمْ يَقِلَّ	*lam yaqilla*		قَلَّ، يَقِلُّ	*qalla, yaqillu*	'scarseggiare'

8 أفعال الشُّرُوع I verbi incoativi

- I verbi جَعَلَ، يَجْعَلُ *ǧaʕala, yaǧʕalu* 'fare, disporre', بَدَأَ، يَبْدَأُ *badaʔa, yabdaʔu* 'incominciare', أَخَذَ، يَأْخُذُ *ʔaḫaḏa, yaʔḫuḏu* 'prendere', شَرَعَ، يَشْرَعُ *šaraʕa, yašraʕu* 'incominciare', direttamente seguiti da un altro verbo al *muḍāriʕ*, hanno valore incoativo, ovvero 'incominciare a, mettersi a':

جَعَلَتْ تَضْحَكُ	*ǧaʕalat taḍḥaku*	'si[f] mise a ridere'
بَدَأْتُ أَفْهَمُ	*badaʔtu ʔafhamu*	'incominciai a capire'
أَخَذُوا يُفَكِّرُونَ فِي ذٰلِكَ	*ʔaḫaḏū yufakkirūna fī ḏālika*	'hanno[m] incominciato a pensarci'
شَرَعْنَا نَتَكَلَّمُ بِالعَرَبِيَّةِ	*šaraʕnā natakallamu bi-l-ʕarabiyyati*	'ci siamo messi a parlare arabo'

9 ما عادَ / لم يَعُدْ Non [essere] più

• Il verbo عاد يعود ˁāda yaˁūdu significa normalmente 'ritornare' (essendo quindi sinonimo di رجع) o, temporalmente, 'risalire a':

عُدْتُ إلى فاسَ	*ˁudtu ˀilā Fāsa*	'tornai a Fes'
يَعُودُ إلى القَرْنِ الماضي	*yaˁūdu ˀilā l-qarni l-māḍī*	'risale^{m} al secolo scorso'

▶ Un altro significato è quello di 'tornare a essere' (nel qual caso è 'sorella di كان') o 'tornare a fare, rimettersi a':

عادَ مَرِيضًا	*ˁāda marīḍan*	'si è riammalato' ('tornò malato') o 'è di nuovo ammalato'
عادَ يَدْرُسُ	*ˁāda yadrusu*	'si è rimesso a studiare'

▶ Negato – quindi ما عاد *mā ˁāda* o لم يعد *lam yaˁud* –, esso esprime la nozione di 'non essere **più**' o 'non fare **più**':

ما عادَ مَرِيضًا	*mā ˁāda marīḍan*	(opp.)	لم يَعُدْ مَرِيضًا	*lam yaˁud marīḍan*	'non è^{m} più ammalato'
ما عادَ أُسْتاذًا	*mā ˁāda ˀustāḏan*		لم يَعُدْ أُسْتاذًا	*lam yaˁud ˀustāḏan*	'non è^{m} più professore'
ما عادَ يَدْرُسُ	*mā ˁāda yadrusu*		لم يَعُدْ يَدْرُسُ	*lam yaˁud yadrusu*	'non studia^{m} più'

التمارين Esercizi

1 Tradurre in arabo gli enunciati seguenti.

1. Dodici mesi. ....
2. Tredici libri. ....
3. Diciannove anni. ....
4. Sedici pantaloni. ....
5. Diciotto euro. ....
6. Undici bicchieri. ....
7. Quattordici motivi. ....
8. Quindici ore. ....
9. Diciassette tedeschi. ....

2 Segnare con una X l'enunciato sintatticamente corretto.

■	خمس عشرة طالبا	■	سبعة عشر ولدا
■	خمسة عشر طالبا	■	سبعة عشر أولاد
■	أربعة عشر صديقة	■	ثلاث عشرة بيتا
■	أربع عشرة صديقة	■	ثلاثة عشر بيتا
■	تسعة عشر ساعات	■	ثمانية عشر سنوات
■	تسع عشرة ساعة	■	ثماني عشرة سنة

■ أحد عشر يوما   ■ ستة عشر دارا

■ إحدى عشرة يوما   ■ ست عشرة دارا

■ مع اثنتي عشرة فتاة

■ مع اثني عشر فتاة

■ مع اثني عشرة فتاة

---

3   Tradurre in arabo le frasi seguenti.

1. In classe ci sono quindici studentesse e quattro studenti. ....

2. Non ho capito: vuoi sette piatti e diciassette bicchieri? ....

3. In due settimane ci sono quattordici giorni. ....

4. Non ve^m l'ho chiesto solo tre volte, ma più di dodici volte. ....

5. Ci sono due aerei che arriveranno nello stesso tempo, fra diciannove minuti. ....

---

4   Coniugare al modo *maǧrūr* i verbi *ʾaǧwaf* seguenti.

قام، يقوم 'alzarsi'	باس، يبوس 'baciare'	زاد، يزيد 'aggiungere'	زار، يزور 'visitare'
نام، ينام 'dormire'	سار، يسير 'camminare'	لام، يلوم 'rimproverare'	طار، يطير 'volare'
أقام، يقيم 'risiedere'	أراد، يريد 'volere'	أدار، يدير 'girare (qc)'	أحاط، يحيط 'circondare'

---

5   Tradurre gli enunciati seguenti.

1. Venti telefoni. ....
2. Trenta anni. ....
3. Quaranta libri. ....
4. Cinquanta camicie. ....
5. Sessanta euro. ....
6. Settanta bicchieri. ....
7. Ottanta piatti. ....
8. Novanta ore. ....

9. Ventiquattro ore. ....
10. Trentatré anni. ....
11. Quarantaquattro gatti. ....
12. Cinquantacinque esami. ....
13. Sessantanove euro. ....
14. Settantasette volte. ....
15. Ottantotto saponi. ....
16. Novantasei occasioni. ....

6 Coniugare al modo *maǧrūr* i verbi *nāqiṣ* seguenti.

رمى 'buttare'	دعا 'chiamare'	مشى 'camminare'	بدا 'apparire'
بقي 'restare'	قضى 'trascorrere'	غنّى 'cantare'	بكى 'piangere'
جلى 'lavare i piatti'	كوى 'stirare'	انتهى 'finire'	تلاقى 'incontrarsi'

7 Coniugare al modo *maǧrūr* i verbi *muḍāʿaf* seguenti.

شَمَّ، يَشُمُّ 'sentire l'odore'	لَمَّ، يَلُمُّ 'raccogliere'	رَدَّ، يَرُدُّ 'restituire'	فَرَّ، يَفِرُّ 'fuggire'
عَدَّ، يَعُدُّ 'contare'	وَدَّ، يَوَدُّ 'desiderare'	كَفَّ، يَكُفُّ 'smettere'	ظَنَّ، يَظُنُّ 'ritenere'
سَبَّ، يَسُبُّ 'insultare'	صَبَّ، يَصُبُّ 'versare'	شَدَّ، يَشِدُّ 'tendere'	مَصَّ، يَمُصُّ 'succhiare'

8 Tradurre in arabo le frasi seguenti.

1. Mi sono rimesso a lavorare da due settimane. ....
2. Chi non desidera più fuggire dall'università? ....
3. Non abbiamo più paura di Giuseppe. ....
4. L'incidente di cui hanno parlato risale alla settimana scorsa. ....
5. Non ho sentito più nessuno. ....

9 Comprensione del Testo 1. Rispondere liberamente alle seguenti domande.

١. ماذا يريد أصدقاؤنا أن يفعلوا اليوم بعد الظهر؟ ....
٢. من فيهم ليس له لباس بحر؟ ....
٣. هل تعجب عادل فكرة الذهاب إلى البحر؟ ولماذا؟ ....
٤. هل كان أصدقاؤنا من قبل في شاطئ الصبار؟ ....
٥. ماذا يوجد في شاطئ النورس؟ وهل هو محل رخيص؟ ....
٦. ما هو المكان الذي اختار أصدقاؤنا ان يذهبوا إليه في النهاية؟ ....
٧. هل قال عادل شيئا عن ذلك المكان الأخير؟ ....

10 Comprensione del Testo 2. Rispondere liberamente alle seguenti domande.

١. إلى أين يود فهد أن يذهب بسيارته؟ ....
٢. ما هو الطريق الذي اختاره فهد للوصول إلى المطار؟ ....
٣. ماذا تذكر صديقنا بعد الكثير من الكيلومترات؟ ....
٤. هل من الصحيح أنه سبب حادثا مع شاحنة؟ ....
٥. لماذا فهد تعبان جدا؟ هل تأخر الليلة السابقة؟ ....
٦. لماذا بات فهد الليلة السابقة عند صديقه عمر؟ ....

Radici...

Estrapolare la radice comune ai due temi e sintetizzare con فعل il wazn del tema della seconda colonna.

1			2				الأصل	الوزن
صاحب	*ṣāḥib*	'compagno'	صحبة	*ṣuḥba*	'compagnia'	→	....	....
ركب	*rakiba*	'montare'	مركب	*murakkab*	'complesso'		....	....
خير	*ḫayr*	'meglio'	اختار	*iḫtāra*	'scegliere'		....	....
مريح	*murīḥ*	'confortevole'	استراح	*istarāḥa*	'riposarsi'		....	....
يكفي	*yakfī*	'basta'	كفاية	*kifāya*	'sufficienza'		....	....
وقف	*waqafa*	'fermarsi'	موقف	*mawqif*	'fermata'		....	....
خفيف	*ḫafīf*	'leggero'	خفف	*ḫaffafa*	'alleggerire'		....	....
سبب	*sabab*	'causa'	سبب	*sabbaba*	'causare'		....	....

طار *ṭāra*	طير *ṭayr*	طيران *ṭayarān*	طائرة *ṭāʔira*	مطار *maṭār*
'volare'	'uccello'	'volo'	'aeroplano'	'aeroporto'
		الأصل		
		....		
الوزن	الوزن	الوزن	الوزن	الوزن
....	....	....	....	....

نبه *nabbaha*	منبه *munabbih*	انتبه *intabaha*	انتباه *intibāh*	تنبيه *tanbīh*
'avvertire'	'sveglia'	'stare attento'	'attenzione'	'avvertimento'
		الأصل		
		....		
الوزن	الوزن	الوزن	الوزن	الوزن
....	....	....	....	....

أكثر Di più

1 البحر Il mare

In diverse località arabe lo studente potrà, durante il periodo estivo, unire l'utile al dilettevole facendo ogni tanto un salto al mare. Ciò è possibile per esempio in Libano, Egitto, Tunisia, Algeria, Marocco, ma anche negli Emirati, Qatar o Bahrein.

In linea di massima i costumi da bagno femminili occidentali sono oggi ammessi senza problemi, essendo indossati anche da molte donne arabe – sebbene ancora oggi non sia affatto raro vedere ragazze vestite da capo a piedi con tanto di foulard e occhiali immergersi togliendosi unicamente i sandali. Nondimeno uno stabilimento con guardiani potrà rivelarsi preferibile alla spiaggia libera, dove la presenza di ragazze occidentali occasionerà nel giro di poco tempo avvicinamenti concentrici e approcci acquatici gentili ma non necessariamente graditi.
Su un altro versante sarà bene essere prudenti con la voglia di tintarella, essendo la luce del sole (specie sull'oceano) molto più intensa che non nel Mediterraneo settentrionale: munirsi di creme protettive e preferire l'ombrellone all'esposizione integrale eviterà insolazioni fastidiose e soprattutto dolorose, facilmente accompagnate da febbri molto alte e da sbalzi di pressione.
Diverse località arabe sono oggi specializzate nel turismo marittimo (in particolare شرم الشيخ *Šarm aš-Šayḫ* 'Golfo dello Sceicco' in Egitto, l'isola di جربة *Ǧirba* in Tunisia, أگادير *ʾAgādīr* in Marocco), ma rischiano di deludere gli autentici amanti del mare.

2 الكلمات الدخيلة Prestiti

Il concetto di 'metropolitana', o 'treno metropolitano' (come venne chiamato il primo, costruito a Parigi nel 1900, presto accorciato in *métro* nel linguaggio corrente), da cui قطار مدني, che per ora ha scarse probabilità di scalzare ميترو *mītrū*. Lo stesso dicasi per altri mezzi di trasporto, come il tram o il filobus, حافلة كهربائية *ḥāfila kahrabāʾiyya* 'autobus elettrico', per il quale si sentono diversi adattamenti: il Maghreb ricorre a ترام *trām* (fr. *tram*) mentre nel Mashreq si ha in Egitto ترماي *turmāy*, in Palestina ترمواي *trumwāy*, in Siria e Iraq تراموای *trāmwāy* (ingl. *tramway*).
Similmente il termine لباس بحر, lett. 'indumento da mare', appare assai di rado anche nello scritto, dove viene ovunque preferito il francesismo مايو *māyō* (fr. *maillot* [*de bain*], pl. مايوهات *māyōhāt*).

انتبه جيدا! Sta' bene attento!

النص الأول Testo 1

CD2/1

- اسمع، لقد قلت لك أكثر من مئة مرة إنني لا أحتمل تصرفك هذا!
- أي تصرف؟ قولي لي أي تصرف من تصرفاتي لا يعجبك أو يزعجك وسأكف عنه حالا، يا قرةَ عيني...
- انتبه جيدا، ولا تظنني بلهاء. لا أحب سخريتك هذه، كلما أحاول أن أتكلم معك عن شيء جدي تهزأ بي. هذه آخر مرة أنبهك: إن استمررت في النظر إلى فتيات أخريات لما نتنزه في الشارع فأتركك!
- يا كتكوتتي المعبودة، كيف تستطيعين أن تقولي مثل هذا الكلام؟ فكري جيدا: أنا أنظر إليهن فقط كما أنظر إلى الجبال أو إلى الأشجار! هناك فرق غير قليل بين النظر إلى شيء وبين لمسه...

يتوقف رضا عن الكلام فجأة ويدير نظره إلى فتاة شقراء دخلت مقهى الببغاء ويبقى فاغر الفم. تقول له هدى:

- يا أمير الفلاسفة، فسر لي شيئا لم أفهمه: ما الذي دخل المقهى الساعة، جبل أم شجرة؟

الكلمات الجديدة Parole nuove

حالا	*ḥālan*	immediatamente	كلما	*kulla-mā*	ogni volta che
قرة	*qurra*	refrigerio	آخر، ون	*ʔāḫir, -ūna*	ultimo
عين، أعين	*ʕayn, ʔaʕyun*	occhio (f.!)	آخِرُ مَرَّةٍ		l'ultima volta
أبله	*ʔablah*	sciocco	كتكوت،كتاكيت	*katkūt, katākītu*	pulcino
سخرية	*suḫriyya*	ironia	معبود، ون	*maʕbūd, -ūna*	adorato
كلام	*kalām*	discorso, parole	نظر	*naẓar*	[il] guardare
جبل، جبال	*ǧabal, ǧibāl*	montagna	لمس	*lams*	[il] toccare
نظر، أنظار	*naẓar, ʔanẓār*	sguardo	فـ	*fa-*	(qui:) allora
أشقر	*ʔašqar*	biondo	الساعةَ	*as-sāʕata*	all'istante
فاغر	*fāġir*	spalancato	فيلسوف، فلاسفة	*faylasūf, falāsifatu*	filosofo

فعل	ترك، يترك	*taraka, yatruku*	lasciare
	لمس، يلمس	*lamasa, yalmusu*	toccare
	هزأ، يهزأ بـ	*hazaʔa, yahzaʔu bi-*	prendere in giro
	كف، يكف عن	*kaffa, yakuffu ʕan*	smettere di
	ظن، يظن ه	*ẓanna, yaẓunnu*	prendere qn per
فعّل	نبه، ينبه	*nabbaha, yunabbihu*	avvertire
أفعل	أزعج، يزعج	*ʔazʕaǧa, yuzʕiǧu*	disturbare
	أدار، يدير	*ʔadāra, yudīru*	girare, voltare
تفعل	تنزه، يتنزه	*tanazzaha, yatanazzahu*	passeggiare
	توقف، يتوقف (عن)	*tawaqqafa, yatawaqqafu (ʕan)*	interrompersi (di)
افتعل	احتمل، يحتمل	*iḥtamala, yaḥtamilu*	sopportare
استفعل	إن استمررت	*ʔin[i] stamrarta*	se continui[m]

النحو Grammatica

1 I numerali. Centinaia e migliaia

١٠٠	مِئَة، مِائَة	*miʔa*	١٠٠٠	أَلْف	*ʔalf*
٢٠٠	مِئَتَانِ	*miʔatāni*	٢٠٠٠	أَلْفَانِ	*ʔalfāni*

٣٠٠	ثَلَاثُمِئَةٍ	ṯalāṯu-miʾatin	٣٠٠٠	ثَلَاثَةُ آلَافٍ	ṯalāṯatu ʾālāfin
٤٠٠	أَرْبَعُمِئَةٍ	ʾarbaʿu-miʾatin	٤٠٠٠	أَرْبَعَةُ آلَافٍ	ʾarbaʿatu ʾālāfin
٥٠٠	خَمْسُمِئَةٍ	ḫamsu-miʾatin	٥٠٠٠	خَمْسَةُ آلَافٍ	ḫamsatu ʾālāfin
٦٠٠	سِتُّمِئَةٍ	sittu-miʾatin	٦٠٠٠	سِتَّةُ آلَافٍ	sittatu ʾālāfin
٧٠٠	سَبْعُمِئَةٍ	sabʿu-miʾatin	٧٠٠٠	سَبْعَةُ آلَافٍ	sabʿatu ʾālāfin
٨٠٠	ثَمَانِيمِئَةٍ	ṯamānī-miʾatin	٨٠٠٠	ثَمَانِيَةُ آلَافٍ	ṯamāniyatu ʾālāfin
٩٠٠	تِسْعُمِئَةٍ	tisʿu-miʾatin	٩٠٠٠	تِسْعَةُ آلَافٍ	tisʿatu ʾālāfin

▶ I numerali da 100 in poi si uniscono in ʾiḍāfa con il numerato al **singolare maǧrūr**:

مِئَةُ مَرَّةٍ   miʾatu **marratin**   'cento volte'

أَلْفُ كِتَابٍ   ʾalfu **kitābin**   'mille libri'

ATTENZIONE: مِئَتان e ألفان sono temi **duali**: se muḍāf, cade la ن:

مِئَتَا مَرَّةٍ   miʾatā marratin   'duecento volte'

أَكْثَرَ مِنْ مِئَتَيْ مَرَّةٍ   ʾakṯara min miʾatay marratin   'più di duecento volte'

أَلْفَا صَفْحَةٍ   ʾalfā ṣafḥatin   'duemila pagine'

بَعْدَ أَلْفَيْ صَفْحَةٍ   baʿda ʾalfay ṣafḥatin   'dopo duemila pagine'

▶ ألف ha come plurale آلاف in composizione con altri numerali; altrimenti viene usato piuttosto أُلُوف ʾulūf:

جَاؤُوا أُلُوفًا   ǧāʾū ʾulūfan   'venneroᵐ a migliaia'

▶ Nell'esprimere numeri composti l'ordine (contemporaneo) da seguire è: migliaia, centinaia, unità, decine, unite da و:

أَلْفٌ وَتِسْعُمِئَةٍ وَتِسْعَةٌ وَخَمْسُونَ   ʾalfun wa-tisʿu-miʾatin wa-tisʿatun wa-ḫamsūna   '1959' (١٩٥٩)

È possibile anche (specie in Iraq e Tunisia):

تِسْعَةٌ وَخَمْسُونَ وَتِسْعُمِئَةٍ وَأَلْفٌ   tisʿatun wa-ḫamsūna wa-tisʿu-miʾatin wa-ʾalfun   '1959' (١٩٥٩)

تِسْعَةٌ وَخَمْسُونَ وَتِسْعُمِئَةٍ بَعْدَ الأَلْفِ   tisʿatun wa-ḫamsūna wa-tisʿu-miʾatin baʿda l-ʾalfi

Per riassumere le regole di accordo del numerato:

	Numero	Caso	Esempio		Costruzione
da 3 a 10	plurale	maǧrūr	ثَلَاثَةُ كُتُبٍ	ṯalāṯatu **kutubin**	(ʾiḍāfa)
da 11 a 99	singolare	manṣūb	ثَلَاثُونَ كِتَابًا	ṯalāṯūna **kitāban**	(tamyīz)
da 100 all'infinito	singolare	maǧrūr	ثَلَاثُمِئَةِ كِتَابٍ	ṯalāṯu-miʾati **kitābin**	(ʾiḍāfa)

▶dopo un numero composto, il numerato deve accordarsi con l’**ultimo** numerale della catena:

أَلْفٌ وَتِسْعُمِئَةٍ وَتِسْعٌ وَخَمْسُونَ سَنَةً	*ʔalfun wa-tisʕu-miʔatin wa-tisʕun wa-**ḫamsūna sanatan***	‘1959 anni’
مِئَةٌ وَخَمْسُ صَفَحَاتٍ	*miʔatun wa-**ḫamsu ṣafaḥātin***	‘105 pagine’
أَلْفَانِ وَمِئَةُ دِينَارٍ	*ʔalfāni wa-**miʔatu dīnārin***	‘2100 dinari’

▶Attenzione a 101, 102, 1001, 1002 ecc.:

مِئَةُ كَلْبٍ وَكَلْبٌ	*miʔatu kalbin wa-kalbun*	‘101 cani’
مِئَتَا كَلْبٍ وَكَلْبَانِ	*miʔatā kalbin wa-kalbāni*	‘202 cani’
أَلْفُ لَيْلَةٍ وَلَيْلَةٌ	*ʔalfu laylatin wa-laylatun*	‘1001 notti’
خَمْسَةُ آلافِ يَوْمٍ وَيَوْمَانِ	*ḫamsatu ʔālāfi yawmin wa-yawmāni*	‘5002 giorni’

2 صيغة الأَمْر L’imperativo

L’imperativo si ottiene molto semplicemente togliendo i morfemi prefissi delle 2e persone del *muḍāriʕ mağzūm*:

فَسَّرَ، يُفَسِّرُ *fassara, yufassiru* ‘spiegare’ →

فَسِّرْ *fassir*	فَسِّرُوا *fassirū*	فَسِّرَا *fassirā*
فَسِّرِي *fassirī*	فَسِّرْنَ *fassirna*	

وَقَفَ، يَقِفُ *waqafa, yaqifu* ‘fermarsi’ →

قِفْ *qif*	قِفُوا *qifū*	قِفَا *qifā*
قِفِي *qifī*	قِفْنَ *qifna*	

قالَ، يَقُولُ *qāla, yaqūlu* ‘dire’ →

قُلْ *qul*	قُولُوا *qūlū*	قُولا *qūlā*
قُولِي *qūlī*	قُلْنَ *qulna*	

غَنَّى، يُغَنِّي *ġannā, yuġannī* ‘cantare’ →

غَنِّ *ġanni*	غَنُّوا *ġannū*	غَنِّيَا *ġanniyā*
غَنِّي *ġannī*	غَنِّينَ *ġannīna*	

ضَادَّ، يُضَادُّ *ḍādda, yuḍāddu* ‘contraddire’ →

ضَادَّ *ḍādda*	ضَادُّوا *ḍāddū*	ضَادَّا *ḍāddā*
ضَادِّي *ḍāddī*	ضَادِدْنَ *ḍādidna*	

I morfemi sono quindi:

	Singolare	Plurale	Duale
2m	ـْ -0	ـوا -ū	ـا -ā
2f	ـي -ī	ـنَ -na	

▶ Se, una volta soppressi i morfemi prefissi, risulta una sequenza iniziale di due consonanti, questa deve essere puntellata da un'*alif waṣla*, che verrà vocalizzata in:
- *u* se segue una *u* nella sillaba seguente;
- *i* negli altri casi:

كتب، يكتب *kataba, yaktubu* 'scrivere' → كْتُبْ **ktub* →

أُكْتُبْ *uktub*	أُكْتُبُوا *uktubū*	أُكْتُبَا *uktubā*
أُكْتُبِي *uktubī*	أُكْتُبْنَ *uktubna*	

جلس، يجلس *ğalasa, yağlisu* 'sedersi' → جْلِسْ **ğlis* →

اِجْلِسْ *iğlis*	اِجْلِسُوا *iğlisū*	اِجْلِسَا *iğlisā*
اِجْلِسي *iğlisī*	اِجْلِسْنَ *iğlisna*	

فهم، يفهم *fahima, yafhamu* 'capire' → فْهَمْ **fham* →

اِفْهَمْ *ifham*	اِفْهَمُوا *ifhamū*	اِفْهَما *ifhamā*
اِفْهَمِي *ifhamī*	اِفْهَمْنَ *ifhamna*	

حَكَى، يَحْكِي *ḥakā, yaḥkī* 'raccontare' → حْكِ **ḥki* →

اِحْكِ *iḥki*	اِحْكُوا *iḥkū*	اِحْكِيَا *iḥkiyā*
اِحْكِي *iḥkī*	اِحْكِينَ *iḥkīna*	

اِسْتَرَاحَ، يَسْتَرِيحُ *istarāḥa, yastarīḥu* 'riposarsi' → سْتَرِحْ **stariḥ* →

اِسْتَرِحْ *istariḥ*	اِسْتَرِيحُوا *istarīḥū*	اِسْتَرِيحَا *istarīḥā*
اِسْتَرِيحِي *istarīḥī*	اِسْتَرِحْنَ *istariḥna*	

Attenzione ai verbi *muḍāʕaf*:

شَمَّ، يَشُمُّ *šamma, yašummu* 'odorare' →

شُمَّ *šumma*	شُمُّوا *šummū*	شُما *šummā*
شُمِّي *šummī*	أُشْمُمْنَ *ušmumna*	

Nb: tale *ʔalif* è *waṣla*, quindi si elide se preceduta da altra vocale:

اِجْلِسْ وَٱكْتُبْ!	*iğlis wa-ktub!*	'siediti^m e scrivi^m!'
قَالَ لَهُ «ٱجْلِسْ!»	*qāla la-hu "ğlis!"*	'gli disse^m "siediti^m!"'

▶Se il verbo è del *wazn* أَفْعَلَ، يُفْعِل *ˀafˁala, yufˁilu* – detto dagli arabisti occidentali IV forma –, caratterizzato dal prefisso أ *ˀa-* che cade al *muḍāriˁ*, tale prefisso **ricompare** all'imperativo:
أَخْبَرَ، يُخْبِرُ *ˀaḫbara, yuḫbiru* 'informare' →

أَخْبِرْ	*ˀaḫbir*	أَخْبِرُوا	*ˀaḫbirū*	أَخْبِرَا	*ˀaḫbirā*
أَخْبِرِي	*ˀaḫbirī*	أَخْبِرْنَ	*ˀaḫbirna*		

E con i verbi *muḍāˁaf* si ha prevalentemente:
أَحَبَّ، يُحِبُّ *ˀaḥabba, yuḥibbu* 'amare' →

أَحْبِبْ	*ˀaḥbib*	أَحِبُّوا	*ˀaḥibbū*	أَحِبَّا	*ˀaḥibbā*
أَحِبِّي	*ˀaḥibbī*	أَحْبِبْنَ	*ˀaḥbibna*		

3 النَّهْي L'imperativo negativo

▶L'imperativo negativo (o proibitivo) si ottiene con il **muḍāriˁ mağzūm** negato da **لا** *lā*:

لا تَذْهَبْ!	*lā taḏhab!*	'non andare^{m}!'
لا تَقُولِي لِي هذا	*lā taqūlī l-ī hāḏā*	'non dir^{f}mi questo!'
لا تُفَسِّرُوا لَهُ	*lā tufassirū la-hu*	'non spiegate^{m}gli!'
لا تُصَدِّقْنَ كَلِمَةً مِمَّا يَقُولُهُ	*lā tuṣaddiqna kalimatan mim-mā yaqūlu-hu*	'non credete^{f} una parola di quel che dice^{m}'
لا تَنْسَ أَنْ تَرْجِعَ قَبْلَ الثالثةِ	*lā tansa ˀan tarğiˁa qabla t-tāliṯati*	'non dimenticare^{m} di tornare prima delle tre'

4 Il *ḥarf* يا (seguito)

La particella vocativa يا, già intravvista alla Unità 2 § 3.2, ha valore determinante e richiede quindi che il nominale seguente sia al *marfūˁ* privo di *tanwīn*:

يا أُستاذُ! *yā ˀustāḏu!* 'professore!' (correntemente *yā ˀustāḏ!*)

- Se tuttavia il nominale in questione è *muḍāf*, esso va al *manṣūb*:

يا أَمِيرَ الفَلاسِفةِ!	*yā ˀamīra l-falāsifati!*	'principe dei filosofi!'
يا قُرَّةَ عَيْنَيَّ!	*yā qurrata ˁaynay-ya!*	'frescura dei miei occhi!'
يا صَدِيقِي العَزِيزَ!	*yā ṣadīq-ī l-ˁazīza!*	'mio caro amico!'

النص الثاني Testo 2 CD2/2

- آلو نعم، من معي؟
- كريمة معك، ألا تعرف صوتي الآن؟
- سامحيني، أنا في الحافلة الكهربائية ولا أسمع شيئا. تفضلي.
- أنا راجعة إلى البيت وأنا أجوع من الذئب. هل هناك شيء في البيت أم يجب أن آخذ شيئا من الدكان؟
- والله أعتقد أن الثلاجة شبه فارغة، فأنا لم أشتر شيئا من قبل. قد تكون فيها واحدة من تلك الشوربات المجمدة التي تحبينها، ولكن لا أكثر من ذلك. على كل حال يمكنني النزول إلى البقال لآخذ خبزا وزيتونا أو علبة تن.
- لا تنْسَ أني مسافرة إلى طوكيو غدا مبكرا وما زالت حقيبتي فارغةً هي أيضا.
- نعم، لن أنسى. في أي ساعة تقلع طائرتك؟
- الساعة السابعة صباحا، فعليّ أن أكون في المطار ساعتين قبل الإقلاع. ولا بد أن أضبط منبهي في الساعة الثالثة والنصف على الأقل...
- لا أحسدك. وبعد غفوتك هذه تنتظرك أربع عشرة ساعة طيران دون تدخين وطبقُ سمك نيء بارد للفطور.

الكلمات الجديدة Parole nuove

آلو	ʔālō	pronto (telefono)	أجوع	ʔağwaʕ	più affamato
من معي؟	man maʕ-ī?	= con chi parlo?	ذئب، ذئاب	ḏiʔb, ḏiʔāb	lupo
كهرباء	kahrabāʔ	elettricità	شوربة، ات	šawraba, -āt	minestra, zuppa
كهربائي، ون	kahrabāʔiyy, -ūna	elettrico	مجمد	muğammad	surgelato
حافِلة كهربائية		tram, filobus	زيتون	zaytūn	olive
علبة، علب	ʕulba, ʕulab	scatola	نزول	nuzūl	[lo] scendere
تن	tunn	tonno	إقلاع، ات	ʔiqlāʕ	decollo
حقيبة، حقائب	ḥaqība, ḥaqāʔibu	valigia	تدخين	tadḫīn	[il] fumare, fumo
ثالث	tālit	terzo (3°)	طيران	ṭayarān	[il] volare, volo
الساعة الثالثة		le tre	على الأقل	ʕalā l-ʔaqalli	almeno
سابِع	sābiʕ	settimo	غفوة، غفوات	ġafwa, ġafawāt	sonnellino
الساعة السابعة		le sette			

فعل	حسد، يحسد	ḥasada, yaḥsudu	invidiare
	أنا راجِعٌ		sto^m tornando
	طار، يطير	ṭāra, yaṭīru	volare
فاعل	سامح، يسامح	sāmaḥa, yusāmiḥu	perdonare
	سافر، يسافر	sāfara, yusāfiru	partire, viaggiare
	أنا مُسَافِرٌ		sono^m in partenza
افتعل	اعتقد، يعتقد	iʕtaqada, yaʕtaqidu	credere

النحو Grammatica

5 المَصْدَر Il nome d'azione (primi cenni)

Le coppie di enunciati seguenti sono perfettamente equivalenti:

يُمكِنُني أَنْ أَنْزِلَ	*yumkinu-nī ʔan ʔanzila*	يُمكِنُنِي النُزُولُ	*yumkinu-nī n-**nuzūlu***	'posso scendere'
قَرَّرَ أَنْ يَذْهَبَ	*qarrara ʔan yaḏhaba*	قَرَّرَ الذَهابَ	*qarrara **ḏ-ḏahāba***	'ha^m deciso di andarsene'
أُرِيدُ أَنْ أُدَخِّنَ	*ʔurīdu ʔan ʔudaḫḫina*	أُرِيدُ التَدْخِينَ	*ʔurīdu **t-tadḫīna***	'voglio fumare'

I primi tre si traducono letteralmente:		Mentre i restanti tre:
'mi è possibile che io scenda'	→	'mi è possibile lo scendere'
'ha^m deciso che se ne andasse'	→	'ha^m deciso l'andare'
'voglio che io fumi'	→	'voglio il fumare'

- Nel primo caso si ricorre al subordinante أن *ʔan* seguito dal *muḍāriʕ manṣūb*, che è il modo più semplice di tradurre i costrutti italiani {verbo servile + infinito/congiuntivo}.
- Nel secondo viene usato un tema nominale, detto **مصدر** *maṣdar* (lett. 'fonte'), che sostantiva il verbo. L'arabistica occidentale traduce *maṣdar* con 'nome d'azione' (o impropriamente 'infinito').

▶Per i verbi *muǧarrad* la formazione del *maṣdar* è sostanzialmente imprevedibile e deve essere memorizzata insieme a *māḍī* e *muḍāriʕ*. I dizionari citano, convenzionalmente, il *maṣdar* al caso *manṣūb*:

نزَل، ينزِل، نُزُولاً	*nazala, yanzilu,* ***nuzūlan***	'scendere'
ذهَب، يذهَب، ذَهَابًا	*ḏahaba, yaḏhabu,* ***ḏahāban***	'andare'
رجَع، يرجِع، رُجُوعًا	*raǧaʕa, yarǧiʕu,* ***ruǧūʕan***	'tornare, ritornare'

▶Per i verbi *mazīd* la formazione del *maṣdar* è automatica nella maggioranza dei casi e verrà studiata più avanti. Per ora si memorizzino le forme date:

دَخَّنَ، يُدَخِّنُ، تَدْخِينًا	*daḫḫana, yudaḫḫinu,* ***tadḫīnan***	'fumare'
أَقْلَعَ، يُقْلِعُ، إِقْلاَعًا	*ʔaqlaʕa, yuqliʕu,* ***ʔiqlāʕan***	'decollare'

Il *maṣdar* può anche molto spesso tradursi con un sostantivo:

إِقْلاع	*ʔiqlāʕ*	'decollo'	ad es.:	بَعْدَ إِقْلاعِ الطائرةِ	*baʕda ʔiqlāʕi ṭ-ṭāʔirati*	'dopo il decollo dell'aereo'
اِنْتِظار	*intiẓār*	'attesa'		قاعةُ الاِنْتِظارِ	*qāʕatu lⁱ-ntiẓāri*	'la sala d'attesa'

6 ما زال [Essere] ancora

- Il verbo زَالَ، يَزَالُ *zāla, yazālu* è letteralmente 'cessare (di essere o fare)'. Negato e seguito da un nominale al *manṣūb* (زال è pertanto una 'sorella di كان'), esso dice che la condizione espressa dal nominale 'non è cessata', e che quindi è *ancora* in atto:

ما زالَ مَشْغُولَ البَالِ	*mā zāla mašġūla l-bāli*	'è ancora preoccupato'
حَقِيبَتِي ما زالَتْ فارغةً	*ḥaqībat-ī mā zālat fāriġatan*	'la mia valigia è ancora vuota'
ما زِلْتُ مَوْجُودًا هُنا	*mā ziltu mawǧūdan hunā*	'sono^m ancora qui'

▶Seguito da un verbo al *muḍāriʕ (marfūʕ)* esso esprime che il processo è *ancora* in corso:

ما زالَتْ تَدْرُسُ في دِمَشْقَ	*mā zālat tadrusu fī Dimašqa*	'studia^f ancora a Damasco'

- È possibile ovviamente anche la forma لم يزل *lam yazal*:

لَمْ تَزَلْ طِفْلاً	*lam tazal ṭiflan*	'sei^m ancora un bambino'
لَمْ يَزَلْ يُدَخِّنُ	*lam yazal yudaḫḫinu*	'fuma^m ancora'

7 شِبْه

شبه، أَشْباه *šibh, ʔašbāh* è letteralmente ‘somiglianza’. Usato in *ʔiḍāfa* con un nominale esso esprime l’essere ‘quasi’, ‘simile a’, venendo spesso a coincidere con i prefissi italiani *semi-*, *pen-*:

شِبْهُ فارِغٍ	*šibhu fāriġin*	‘quasi vuoto, semivuoto, praticamente vuoto’
شِبْهُ مَهْجُورَةٍ	*šibhu mahǧūratin*	‘semiabbandonata’
شِبْهُ جَزِيرَةٍ	*šibhu ǧazīratin*	‘penisola’ (جزيرة ‘isola’)
شِبْهُ ظِلٍّ	*šibhu ẓillin*	‘penombra’ (ظل ‘ombra’)

التمارين Esercizi

1 Tradurre in arabo gli enunciati seguenti.

1. Cento gatti. ....
2. Duecento anni. ....
3. Trecento libri. ....
4. Quattrocento camicie. ....
5. Cinquecento euro. ....
6. Seicento bicchieri. ....
7. Settecente piatti. ....
8. Ottocento ore. ....
9. Novecento penne. ....
10. Mille anni. ....
11. Undicimila abitanti. ....
12. Dodicimila volte. ....
13. Tremila esami. ....
14. Quattromila euro. ....
15. Cinquemila pagine. ....
16. Seimila giorni. ....
17. Settemila chilometri. ....
18. Ottomila litri. ....
19. Novemila sushi. ....
20. Diecimila problemi. ....

2 Segnare con una X l’enunciato sintatticamente corretto.

■ مئتان وعشرون بطاطا
■ مئتا عشرين بطاطا

■ عشرة آلاف يوري
■ عشر آلاف يورو

■ سبعة عشر ألف شجرة
■ سبع عشرة ألف شجرة

■ تسعمئة وخمسة دينار
■ تسعمئة وخمسة دنانير

■ أكثر من ألفين تونسي
■ أكثر من ألفي تونسي

■ أربع وعشرون ألف بوسة
■ أربع وعشرون ألف بوسات

■ مئتا أيام ويوم
■ مئتا يوم ويوم

■ بعد اثنتي عشرة امتحانا
■ بعد اثني عشر امتحانا

■ ثلاثمئة طالب
■ ثلاثمئة طلاب

■ أربعة ألف مدن
■ أربعة آلاف مدينة

3 Coniugare l'imperativo affermativo dei verbi seguenti.

نبّه	'avvertire'	تنزّه	'passeggiare'	احتمل	'sopportare'	ركب	'montare su un mezzo'
رمى	'buttare'	دعا	'chiamare'	مشى	'camminare'	قام، يقوم	'alzarsi'
بقي	'restare'	لَمَّ، يَلُمُّ	'raccogliere'	صَبَّ، يَصُبُّ	'versare'	نام، ينام	'dormire'
جلى	'lavare i piatti'	كوى	'stirare'	انتهى	'finire'	زاد، يزيد	'aggiungere'

4 Tradurre in arabo.

1. Apri^{m} la porta, per favore, esci e poi chiudi bene!
2. Non dite^{m}gli che siamo andati via.
3. Di^{f}mmi con chi sei uscita ieri!
4. Andate^{2} al mercato e compratemi il pane!
5. Non lasciar^{f}mi, o non saprò cosa fare!
6. Cammina sempre dritto poi prendi un tassì.
7. Rimani qui, per piacere, e lava quei piatti sporchi, (إنَّ) questa casa è un porcile (مَزْبَلَة 'letamaio').
8. Non chiamar^{f}lo prima di mezzogiorno, perché è molto occupato in ufficio.

5 Tradurre in italiano.

١. لا تقل للمغني "غن!".

٢. اسمع جيدا ماذا أقول لك الآن: لا ترقص معها مرة أخرى، وإلا سأتركك!

٣. اتصلي بي عند الظهر ولا تنسي!

٤. ارم الزبالة، من فضلك، اليوم جاء دورك.

٥. لا تهزؤوا بنا يا شباب!

٦. قوموا، يا شباب، فقد رن المنبه أربع مرات!

٧. قلت له: "اكوِ قمصاني!"، فأجابني: "لا أحتملك!".

٨. من فضلك، يا عزيزتي، صبي لي شيئا من الحليب في الشاي.

٩. نبهّا! (⚠)

١٠. لا تزد كلمة، فقد فهمت كل شيء!

6 Tradurre in arabo.

1. Perché sei ancora in ufficio a quest'ora? ....
2. Giuseppe ora è un medico, ma è ancora un idiota come quando era studente. ....
3. Ho capito che non hai[f] studiato perché i libri sono ancora sul tavolo. ....
4. Mi ha[m] detto che vorrebbe vederti[f] ancora. ....
5. Mangiate[m] ancora qualcosa? No, grazie, non mangiamo più. ....

7 Comprensione del Testo 1. Rispondere liberamente alle seguenti domande.

١. على من غضبت هدى؟ ....
٢. أين صديقانا عندما يتحدثان؟ ....
٣. هل تزعجها تصرفات رضا؟ ولماذا؟ ....
٤. هل هي أول مرة تغضب فيها هدى؟ ....
٥. ماذا يجيبها رضا بعد أن نبهته؟ ....
٦. هل سيكف رضا عن النظر إلى الفتيات الأخريات في النهاية؟ ....

8 Comprensione del Testo 2. Rispondere liberamente alle seguenti domande.

١. من اتصل بجوال صديقنا؟ ....
٢. ماذا تسأله كريمة؟ ....
٣. هل يقول صديقنا إن الثلاجة مليئة؟ ....
٤. هل صديقنا يمكنه أن يشتري شيئا وأين؟ ....
٥. هل كريمة مسافرة إلى مكان ما؟ ....
٦. ماذا يظن صديقنا أن كريمة ستأكل في طائرتها للفطور؟ ....

Radici...

Applicare alla radice √كلم gli schemi proposti.

فَعِلَةٌ →	كلمة	*kalima*	'parola'
فَعَالٌ	....	....	'discorso, parole'
فَعَّلَ	....	....	'rivolgere la parola a qn'
تَفَعَّلَ	....	....	'parlare'
مُتَفَعِّلٌ	....	....	'parlante; prima persona del singolare'
مُفَاعَلَةٌ	....	....	'chiamata telefonica'
تَفَعُّلٌ	....	....	'conversazione'

Il neologismo كهرباء *kahrabāʔ* per 'elettricità' significava anticamente 'ambra gialla' (che ha proprietà magnetiche). Si noti che anche il termine europeo ha la medesima storia, dal greco ἤλεκτρον *élektron* 'ambra gialla' (per chi studi anche l'ebraico, lo stesso destino è toccato a חשמל *ḥašmal*).
NB: in Tunisia كرهبة *karhaba* (con metatesi di ه e ر) indica l'"automobile'!

أكثر Di più

1 الشعر I capelli

Nel mondo arabo dominano le chiome corvine, sebbene non siano assenti tinte (naturali) diverse, dal castano al biondo o al rosso. Si ricordi che gli aggettivi relativi a tali colori seguono lo schema أفعل *ʔafʕal* visto all'Unità 16 § 3:

			Femminile singolare		Maschile plurale		Femminile plurale	
أسمر	*ʔasmar*	'moro'	سمراء	*samrāʔ*	سمر	*sumr*	سمراوات	*samrāwāt*
أشقر	*ʔašqar*	'biondo'	شقراء	*šaqrāʔ*	شقر	*šuqr*	شقراوات	*šaqrāwāt*
أصهب	*ʔaṣhab*	'rosso'	صهباء	*ṣahbāʔ*	صهب	*ṣuhb*	صهباوات	*ṣahbāwāt*
أشيب	*ʔašyab*	'brizzolato'	شيباء	*šaybāʔ*	شيب	*šīb*	شيباوات	*šaybāwāt*
أصلع	*ʔaṣlaʕ*	'calvo'	صلعاء	*ṣalʕāʔ*	صلع	*ṣulʕ*	صلعاوات	*ṣalʕāwāt*
أجعد	*ʔağʕad*	'ricciuto'	جعداء	*ğaʕdāʔ*	جعد	*ğuʕd*	جعداوات	*ğaʕdāwāt*
أملس	*ʔamlas*	'liscio'	ملساء	*malsāʔ*	ملس	*muls*	ملساوات	*malsāwāt*

Naturalmente il parrucchiere (حلاق *ḥallāq*, piuttosto per gli uomini, o مزين *muzayyin*, piuttosto per le donne) può fare miracoli per mezzo di messa in piega (تجعيد *tağʕīd*) o tintura (صبغ *ṣibġ*), nel qual caso userà spesso il حناء *ḥinnāʔ* 'hennè', colorante naturale rosso-bruno ricavato dalla pianta detta ligustro egiziano, molto usato anche per tatuaggi (non indelebili) sulle palme della mano.

2 في الهاتف Al telefono

È noto che parlare al telefono in una lingua che non si padroneggia ancora bene può provocare sgradevoli stati d'ansia, specialmente se dall'altra parte del filo si presenti una voce sconosciuta.
Quando il telefono squilla (رن، يرن *ranna, yarinnu*), si alza (رفع، يرفع *rafaʕa, yarfaʕu*) il ricevitore (السماعة *as-sammāʕa*) e si risponde آلو *ʔālū* con una *ā* prolungata; qualcuno aggiunge نعم oppure *oui* o *yes*. L'interlocutore interviene quindi normalmente con !مرحبا 'salve!', a meno che si tratti di un amico di cui riconosca la voce e passi direttamente a un saluto più confidenziale.
Per informarsi dell'identità del corrispondente un ؟من معي 'chi è con me?' verrà considerato più civile di un diretto ؟من أنت 'chi è?'. Ci si presenta con سَمِير غَسّان معك 'parla Samir Ghassan'. Seguiranno domande che facilmente possono tradursi dall'italiano: أَوَدُّ أن أتكلم مع رضا 'vorrei parlare con Ridha', ؟فاطمة موجودة 'c'è Fatima?', ؟من يريدها 'chi la desidera?', لا، للأَسَف، ليس موجودا 'no, purtroppo, non c'è', لحظة *laḥẓa* 'un attimo' ecc.

Chiamando da telefoni pubblici, disponibili in numerose téléboutiques in giro per la città, si andrà regolarmente incontro a piccoli disagi: الهاتف مُعَطَّل 'il telefono è guasto', يَرِنّ مَشْغُولاً 'suona occupato', ليس هناك خَطّ 'non c'è linea' (al cellulare ليست هناك شَبَكة 'non c'è campo', lett. 'rete'), الرَقَم غَلَط 'il numero è sbagliato'.
Chi chiami lontano farà bene a munirsi in anticipo di spiccioli (فراطة *furāṭa*, فكة *fakka*), da introdurre man mano che l'apparecchio lo richiede.

حكوا لي نكتة Mi hanno raccontato una barzelletta

النص الأول Testo 1 CD2/3

يدخل عبد الرحيم ضاحكا ضحك المجنون ويرتكز على طاولة في مقهى الببغاء.

- ما بك، يسأله فيصل، هل أنت سكران في هذه الساعة؟
- لا، أبدا! الواقع أنهم قد حكوا لي نكتة منذ وقت قصير ولا أستطيع أن أتوقف عن الضحك!
- هيا، احك لنا نكتتك الجديدة لنضحك كلنا معا.

فإن عبد الرحيم معروف كحاكي نكت، وكلما كانت النكتة سخيفة كلما أضحكته أكثر.

- اسمعوا هذه. هناك حلاق مجنون واقف وراء أحد الزبائن يقص له شعره. وإذا بقط يدخل وهو يموء مواء متوسلا، نياو نياو نياو! بعد دقيقة يفقد الحلاق صبره ويقطع بمقصه قطعة من أذن الزبون الجالس أمامه ويرميها للقط. فيبدأ الزبون بالصراخ «أخّ، يا أذني!» فيقول له الحلاق: «يا سلام! أتظن نفسك مضحكا؟ إني أسكتُّ القط والآن تبدأ أنت؟»

يتلوى عبد الرحيم من الضحك أمام أصدقائه المبتسمين بحلم. يقول له فيصل:

- اسمع أنت نصيحتي: كل سمكا أكثر، ففيه فصفور، وأنت محتاج إليه...

الكلمات الجديدة Parole nuove

طاولة، ات	*ṭāwila, -āt*	tavolo	ضحك	*ḍaḥk*	[il] ridere, riso
سكران، سكارى	*sakrān, sakārā*	ubriaco	حاك	*ḥākin*	raccontatore
الواقِعُ أَن		il fatto è che	واقف	*wāqif*	in piedi[m]
نكتة، نكت	*nukta, nukat*	barzelletta	إذا بـ	*ʔiḏā bi-*	quand'ecco
معروف، ون	*maʕrūf, -ūna*	conosciuto	متوسل، ون	*mutawassil, -ūna*	implorante
كلما... كلما...	*kulla-mā... kulla-mā...*	più... più...	نِياو!	*nyāw!*	miao!
سخيف، سخاف	*saḫīf, siḫāf*	stupido	صبر	*ṣabr*	pazienza
حلاق، ون	*ḥallāq, -ūna*	barbiere	مقص، مقاص	*miqaṣṣ, maqāṣṣu*	forbici (sg.!)
شعر	*šaʕr*	capelli (coll.)	أذن، آذان	*ʔuḏun, ʔāḏān*	orecchio (f.!)
أكثر	*ʔakṯar*	(qui:) più spesso	أخ!	*ʔuḫḫ!*	aio!
فصفور	*fuṣfūr*	fosforo	يا سلام!	*yā Salām!*	Dio mio!
صراح	*ṣurāḫ*	*maṣdar* di صرخ	حلم	*ḥilm*	indulgenza

فعل	سكت، يسكت	*sakata, yaskutu*	tacere, stare zitto
	قص، يقص	*qaṣṣa, yaquṣṣu*	tagliare (con forbici)
	قطع، يقطع	*qaṭaʕa, yaqṭaʕu*	tagliare (con coltello)
	وقف، يقف	*waqafa, yaqifu*	stare in piedi
	صرخ، يصرخ	*ṣaraḫa, yaṣruḫu*	strillare
	يَظُنُّ نَفْسَهُ		si[m] crede
	ماء، يموء	*māʔa, yamūʔu*	miagolare
	مواء	*muwāʔ*	miagolio
أفعل	أسكت، يسكت	*ʔaskata, yuskitu*	far tacere, zittire
	أضحك، يضحك	*ʔaḍḥaka, yuḍḥiku*	far ridere
تفعل	تلوى، يتلوى	*talawwā, yatalawwā*	contorcersi
افتعل	ارتكز، يرتكز على	*irtakaza, yartakizu ʕalā*	appoggiarsi su
	ابتسم، يبتسم	*ibtasama, yabtasimu*	sorridere

النحو Grammatica

1 اسم الفاعِل Il participio attivo

I temi seguenti:

جَالِس	*ǧālis*	'che siede^{m}, seduto'	←	جَلَسَ	'sedere, sedersi'
وَاقِف	*wāqif*	'che sta^{m} in piedi'		وَقَفَ	'stare in piedi, alzarsi'
ضَاحِك	*ḍāḥik*	'che ride^{m}, ridente'		ضَحِكَ	'ridere'
حَاكٍ	*ḥākin*	'che racconta^{m}' e 'narratore'		حَكَى	'raccontare'
بَارِد	*bārid*	'(che è) freddo'		بَرُدَ	'essere freddo'
مُبْتَسِم	*mubtasim*	'che sorride^{m}, sorridente'		اِبْتَسَمَ	'sorridere'
مُضْحِك	*muḍḥik*	'che fa^{m} ridere, divertente'		أَضْحَكَ	'far ridere, divertire'
مُسَافِر	*musāfir*	'che viaggia^{m}, viaggiante' e 'viaggiatore'		سَافَرَ	'viaggiare, partire'

sono formazioni nominali dette in arabo **اسم الفاعل**, letteralmente 'nome del facente' (lo stesso فاعل, già incontrato per 'soggetto di frase nominale', è dal verbo فعل *faʿala*). L'*ism al-fāʿil* esprime quindi 'colui che fa, esperisce il processo', e viene detto in italiano **participio attivo** (non *presente*!).
L'*ism al-fāʿil* può quindi svolgere quattro funzioni sintattiche.

- Verbale, soprattutto negli incisi حال *ḥāl*:

دَخَلَ ضَاحِكًا	*daḫala* ***ḍāḥikan***	=	دَخَلَ وَهُوَ يَضْحَكُ	*daḫala wa-huwa yaḍḥaku*	'entrò^{m} ridendo'
خَرَجَ مُبْتَسِمًا	*ḫarağa* ***mubtasiman***		خَرَجَ وَهُوَ يَبْتَسِمُ	*ḫarağa wa-huwa yabtasimu*	'uscì^{m} sorridendo'

▶Con i verbi di movimento esso può rendere un presente concomitante o un futuro intenzionale immediato:

إلى أَيْنَ أنتَ ذاهِبٌ؟	*ʔilā ʔayna ʔanta* ***ḏāhibun?***	'dove stai^{m} andando?', 'dove credi di andare?'
أنا مُسَافِرَةٌ غَدًا	*ʔanā* ***musāfiratun*** *ġadan*	'parto^{f} domani'

- Aggettivale:

ماءٌ بارِدٌ	*māʔun* ***bāridun***	'acqua fredda'
وَلَدٌ مُبْتَسِمٌ	*waladun* ***mubtasimun***	'un bambino sorridente'

- Nominale:

كاتِب ج كُتّاب	***kātib***, pl. *kuttāb*	'scrittore' e 'segretario'
مُسافِر ج ون	***musāfir***, pl. *-ūna*	'viaggiatore'

- Preposizionale:

داخِلَ	*dāḫila*	'in, all'interno di'
خارِجَ	*ḫāriğa*	'fuori da, all'esterno di'

2 اسم الفاعل Il participio attivo (seguito)

L'*ism al-fāʿil* si ottiene morfologicamente nei modi seguenti.

- Verbi *muǧarrad*:

schema فَاعِل *fāʿil* ($c_1āc_2ic_3$) ad es.

كاتِب	*kātib*	'scrivente'	←	كَتَبَ	*kataba*	'scrivere'
داخِل	*dāḫil*	'entrante'		دَخَلَ	*daḫala*	'entrare'
خارِج	*ḫāriǧ*	'uscente'		خَرَجَ	*ḫaraǧa*	'uscire'
لابِس	*lābis*	'indossante'		لَبِسَ	*labisa*	'indossare'

Con gli *ʾafʿāl al-ʿilla*:

miṯāl	وَاعِل	*wāʿil*	ad es.	واصِل	*wāṣil*	'arrivante'	←	وَصَلَ	*waṣala*	'arrivare'
ʾaǧwaf	فَائِل	*fāʾil*		قائِل	*qāʾil*	'dicente'		قال	*qāla*	'dire'
				قائِس	*qāʾis*	'misurante'		قاس	*qāsa*	'misurare'
				نائِم	*nāʾim*	'dormiente'		نامَ	*nāma*	'dormire'
nāqiṣ	فَاعٍ	*fāʿin*		حاكٍ	*ḥākin*	'narrante'		حَكَى	*ḥakā*	'narrare'
				ناسٍ	*nāsin*	'dimenticante'		نَسِيَ	*nasiya*	'dimenticare'
				شاكٍ	*šākin*	'lamentante'		شَكَا	*šakā*	'lamentarsi'
muḍāʿaf	فَاعّ	*fāʿʿ*		مارّ	*mārr*	'passante'		مَرَّ	*marra*	'passare'

- Verbi *mazīd*:

L'*ism al-fāʿil* si ottiene a partire dal tema *muḍāriʿ*, sostituendo i morfemi prefissi con مـ *mu-* e vocalizzando sempre in ***i*** la seconda radicale, secondo uno schema generico مُـــِـل *mu—il*:

مُفَسِّر	*mufassir*	'spiegante'	←	فَسَّرَ، يُفَسِّرُ	*fassara, yufassiru*	'spiegare'
مُسَافِر	*musāfir*	'viaggiante'		سَافَرَ، يُسَافِرُ	*sāfara, yusāfiru*	'viaggiare'
مُخْبِر	*muḫbir*	'informante'		أَخْبَرَ، يُخْبِرُ	*ʾaḫbara, yuḫbiru*	'informare'
مُتَكَلِّم	*mutakallim*	'parlante'		تَكَلَّمَ، يَتَكَلَّمُ	*takallama, yatakallamu*	'parlare'
مُتَشَابِه	*mutašābih*	'somigliante'		تَشَابَهَ، يَتَشَابَهُ	*tašābaha, yatašābahu*	'somigliarsi'
مُنْصَرِف	*munṣarif*	'partente'		اِنْصَرَفَ، يَنْصَرِفُ	*inṣarafa, yanṣarifu*	'partire'
مُتَّجِه	*muttaǧih*	'dirigentesi'		اَتَّجَهَ، يَتَّجِهُ	*ittaǧaha, yattaǧihu*	'dirigersi'
مُسْتَأْجِر	*mustaʾǧir*	'affittante'		اِسْتَأْجَرَ، يَسْتَأْجِرُ	*istaʾǧara, yastaʾǧiru*	'prendere in affitto'

Con verbi *ʾaǧwaf*:

مُقَاوِم	*muqāwim*	'combattente'	قَاوَمَ، يُقَاوِمُ	*qāwama, yuqāwimu*	'combattere'
مُرِيد	*murīd*	'volente'	أَرَادَ، يُرِيدُ	*ʾarāda, yurīdu*	'volere'
مُسْتَرِيح	*mustarīḥ*	'riposantesi'	اِسْتَرَاحَ، يَسْتَرِيحُ	*istarāḥa, yastarīḥu*	'riposarsi'

Nb: hanno un comportamento a sé gli *ʔaǧwaf* ai wazn اِنْفَعَلَ e اِفْتَعَلَ:

مُنْبَاع	*munbāʕ*	'che si vende'	اِنْبَاعَ، يَنْبَاعُ	*inbāʕa, yanbāʕu*	'vendersi'
مُحْتَاج	*muḥtāǧ*	'necessitante'	اِحْتَاجَ، يَحْتَاجُ	*iḥtāǧa, yaḥtāǧu*	'necessitare'

Con verbi *nāqiṣ*:

مُغَنٍّ	*muġannin*	'cantante'	←	غَنَّى، يُغَنِّي	*ġannā, yuġannī*	'cantare'
مُنَادٍ	*munādin*	'chiamante'		نَادَى، يُنَادِي	*nādā, yunādī*	'chiamare'
مُعْطٍ	*muʕṭin*	'dante'		أَعْطَى، يُعْطِي	*ʔaʕṭā, yuʕṭī*	'dare'
مُتَمَنٍّ	*mutamannin*	'sperante'		تَمَنَّى، يَتَمَنَّى	*tamannā, yatamannā*	'sperare'
مُشْتَرٍ	*muštarin*	'comprante'		اِشْتَرَى، يَشْتَرِي	*ištarā, yaštarī*	'comprare'

Attenzione alla flessione di questi temi (come فاض *fāḍin*):

مرفوع	مُغَنٍّ	*muġannin*	المُغَنِّي	*al-muġannī*	مُغَنِّيَةٌ	*muġanniyatun*	مُغَنُّون	*muġannūna*
منصوب	مُغَنِّيًا	*muġanniyan*	المُغَنِّيَ	*al-muġanniya*	مُغَنِّيَةً	*muġanniyatan*	مُغَنِّين	*muġannīna*
مجرور	مُغَنٍّ	*muġannin*	المُغَنِّي	*al-muġannī*	مُغَنِّيَةٍ	*muġanniyatin*		

Con verbi *muḍāʕaf*:

مُضَادّ	*muḍādd*	'contraddicente'	ضَادَّ، يُضَادُّ	*ḍādda, yuḍāddu*	'contraddire'
مُحِبّ	*muḥibb*	'amante'	أَحَبَّ، يُحِبُّ	*ʔaḥabba, yuḥibbu*	'amare'
مُحْتَلّ	*muḥtall*	'occupante'	اِحْتَلَّ، يَحْتَلُّ	*iḥtalla, yaḥtallu*	'occupare'

3 المفعول المُطْلَق Il complemento assoluto

▶Gli enunciati seguenti:

يَضْحَكُ ضَحْكَ المَجْنُونِ	*yaḍḥaku **ḍaḥka** l-maǧnūni*	'ride^{m} come un matto'
يَمُوءُ مُوَاءً مُتَوَسِّلًا	*yamūʔu **muwāʔan** mutawassilan*	'miagola^{m} in maniera implorante'

si traducono letteralmente 'ride il ridere del matto' e 'miagola un miagolio implorante'. Questo costrutto, che vede intervenire il *maṣdar* al *manṣūb* del verbo usato nella proposizione principale, viene detto in arabo **مفعول مطلق** ***mafʕūl muṭlaq*** 'complemento assoluto', e introduce un complemento di modo. Il *maṣdar* può essere completato da un aggettivo, da un nominale in *ʔiḍāfa* o da un inciso relativo:

نَظَرَ إِلَيْهَا نَظَرًا مُتَسَائِلًا	*naẓara ʔilay-hā **naẓaran** mutasāʔilan*	'la guardò^{m} interrogativamente'
فَسَّرَهُ لِي تَفْسِيرَ الأُسْتَاذِ	*fassara-hu l-ī **tafsīra** l-ʔustāḏi*	'me ne diede^{m} una spiegazione professorale'
ضَحِكَ ضَحْكًا لَمْ يُعْجِبْنِي	*ḍaḥika **ḍaḥkan** lam yuʕǧib-nī*	'rise^{m} in un modo che non mi piacque'

È possibile l'uso del solo *maṣdar* a scopo enfatico:

ضَحِكْتُ ضَحْكًا	*ḍaḥiktu* ***ḍaḥkan***	'mi sono fatto una bella risata'
رَتَّبْتُها تَرْتِيبًا	*rattabtu-hā* ***tartīban***	'le ho messe a posto come si deve'

Nb: il *maf'ūl muṭlaq* non è mai traducibile parola per parola in una lingua occidentale. I sette esempi precedenti potrebbero tradursi ugualmente: 'fa una risata demente', 'miagola con tono implorante', 'le lanciò un'occhiata interrogativa', 'me lo spiegò da professorone', 'emise una risata che trovai sgradevole', 'ho riso di cuore', 'le ho sistemate una volta per tutte'.

4 Gli aggettivi di schema فَعْلَان

Gli aggettivi come تَعْبان *ta'bān* 'stanco', سَكْران *sakrān* 'ubriaco' ecc., caratterizzati da un formante suffisso ان *-ān* (e derivati da verbi *muğarrad* di schema فَعِلَ) secondo la buona lingua sono diptoti e dovrebbero seguire il paradigma seguente:

	Singolare	Plurale	Duale
m.	سَكْرَانُ *sakrānu*	سَكَارَى *sakārā*	سَكْرَانَانِ *sakrānāni*
f.	سَكْرَى *sakrā*	سَكْرَيَات *sakrayāt*	سَكْرَيَان *sakrayāni*

Nella prosa attuale tuttavia non è raro vederli trattati come gli altri aggettivi triptoti, con f. in ة *-a*, pl. m. in ون *-ūna* e f. in ات *-āt*, specialmente se siano sospetti di dialettismi, come خربان *ḫarbān* 'guasto, rotto', o se abbiano un corrispondente diretto nel dialetto, come عطشان *'aṭšān* 'assetato, che ha sete': أنا عطشى *'anā 'aṭšā* 'hof sete' (invece di أنا عطشانة *'anā 'aṭšāna*) va bene in una poesia o in un testo ambientato nel Medioevo, mentre in una conversazione in *fuṣḥā* confinerebbe con il pedantismo.

النص الثاني Testo 2 CD2/4

سوسن وشادية هما اثنتان من الفتيات الأربع الساكنات في شقة في البناية فوق مقهى الببغاء. كلتاهما تدرسان في قسم اللغات الحية بكلية الآداب وتشتغلان المساء لتربحا قليلا من النقود إضافة إلى ما يرسله إليهما والدوهما. تعمل سوسن نادلة في مقهى الببغاء وشادية مقدمة أسطوانات، أو «ديجاي»، في مرقص اسمه «التماسيح».

سوسن ماهرة في دراستها وتنوي أن تصبح مترجمة محاضرات دولية إذ أنها تتقن اللغتين الإنجليزية والإسبانية، اللتين تعلمتهما خلال طفولتها. أما شادية، فنتائجها الدراسية أضعف بكثير، وحلمها السري هو أن تصبح مغنية مشهورة.

فكم مرة تناقشنا في هذا الموضوع!

– الحقيقة أنك لست مجتهدة! كم مرة سمعتك قائلة إنك ناوية الدراسة وبعد خمس دقائق تماما أجدك متمشية من غرفة إلى غرفة وجوالَك ملصق بأذنك! خذي مني!

– ليس كذلك يا سوسن، إني أدرس أكثر مما تظنينه، ولكن في الليل، عندما أنت نائمة ولا ترينني...

– في الليل؟ بعد المرقص؟ أتظنينني بلهاء؟ من الساعة السادسة صباحا حتى الظهر تشخرين مثل دب شبعان...

الكلمات الجديدة Parole nuove

كلاهما	*kilā-humā*	entrambi	نادل، نوادل	*nādil, nawādilu*	cameriere
كلتاهما	*kiltā-humā*	entrambe	مقدم، ون	*muqaddim, -ūna*	presentatore
فوق	*fawqa*	al di sopra di	أسطوانة، ات	*ʾusṭuwāna, -āt*	disco
قليلا من	*qalīlan min*	un po' di	مُقَدِّمُ أُسْطُوَانَاتٍ		deejay
نقود	*nuqūd*	soldi (pl.)	ديجاي، ات		deejay
إضافة، ات	*ʾiḍāfa, -āt*	aggiunta	تمساح، تماسيح	*timsāḥ, tamāsīḥu*	coccodrillo
إضافةً إلى		in aggiunta a	إذ أن	*ʾiḏ ʾanna*	poiché
خلال	*ḫilāla*	durante	إسباني، ون	*ʾisbāniyy, -ūna*	spagnolo

طفولة	*ṭufūla*	infanzia	ناو	*nāwin*	intenzionato a
دراسي، ون	*dirāsiyy, -ūna*	di studio	قسم، أقسام	*qism, ˀaqsām*	(qui:) sezione
ضعيف، ضعفاء	*ḍaˁīf, ḍuˁafāˀu*	debole	مجتهد، ون	*muǧtahid, -ūna*	diligente
حلم، أحلام	*ḥulm, ˀaḥlām*	sogno	مترجم، ون	*mutarǧim, -ūna*	traduttore
سر، أسرار	*sirr, ˀasrār*	segreto (sost.)	حقيقة، حقائق	*ḥaqīqa, ḥaqāˀiqu*	verità
سري، ون	*sirriyy, -ūna*	segreto (agg.)	دب، دببة	*dubb, dibaba*	orso
تماما	*tamāman*	esattamente	شبعان	*šabˁān*	sazio
ملصق، ون	*mulṣaq, -ūna*	incollato	الساعة السادِسة		le sei

فعل	ربح، يربح	*rabiḥa, yarbaḥu*	guadagnare
	خدم، يخدم	*ḫadama, yaḫdimu*	servire
	أخذ، يأخذ من ه	*ˀaḫaḏa, yaˀḫuḏu min*	imparare da qn
	شخر، يشخر	*šaḫara, yašḫiru*	russare
	نوى، ينوِي	*nawā, yanwī*	aver l'intenzione di
أفعل	أرسل، يرسل إلى	*ˀarsala, yursilu ˀilā*	spedire a
	أصبح، يصبح	*ˀaṣbaḥa, yuṣbiḥu*	diventare
	أتقن، يتقن	*ˀatqana, yutqinu*	sapere a fondo
تفعل	تعلم، يتعلم	*taˁallama, yataˁallamu*	imparare
	تمشى، يتمشى	*tamaššā, yatamaššā*	fare avanti indietro
تفاعل	تناقش، يتناقش	*tanāqaša, yatanāqašu*	discutere
افتعل	اجتهد، يجتهد	*iǧtahada, yaǧtahidu*	darsi da fare
	اشتغل، يشتغل	*ištaġala, yaštaġilu*	lavorare
فعلل	ترجم، يترجم	*tarǧama, yutarǧimu*	tradurre

النحو Grammatica

5 ما

ما è un *ḥarf* con diversi significati:

- pronome interrogativo: ما هذا؟ *mā hāḏā?* 'cos'è?';
- negazione del verbo al *māḍī*: ما دَرَسَ *mā darasa* 'non ha^{m} studiato';
- pronome indefinito: لِسَبَبٍ ما *li-sababin mā* 'per un qualche motivo'.

▶Una sua ulteriore funzione è quella di pronome relativo indefinito, 'ciò che, quello che'; nell'inciso relativo, se complemento, esso è normalmente ripreso da un pronome ritornante:

هذا ما أُرِيدُهُ	*hāḏā mā ʔurīdu-hu*	‘questo è ciò che voglio’
كُلُّ ما قُلْتَهُ لي	*kullu mā qulta-hu l-ī*	‘tutto quello che mi hai^{m} detto’
ما نَحْتاجُ إِلَيْهِ	*mā naḥtāǧu ʔilay-hi*	‘ciò di cui abbiamo bisogno’

Attenzione 1: ‘non ne abbiamo bisogno’ è لا نَحْتاجُ إِلَيْهِ ***lā** naḥtāǧu ʔilay-hi.*

Attenzione 2: ما رَأَيْناهُ *mā raʔaynā-hu* può quindi valere tanto ‘ciò che abbiamo visto’ quanto ‘non lo abbiamo visto’.

مما *mim-mā* è da من ما *min mā*:

لم تَقُلْ لي شَيْئًا مِمّا حَدَثَ	*lam taqul l-ī šayʔan mim-**mā** ḥadaṯa*	‘non mi hai^{m} detto nulla di quanto è successo’

6 التَمْييز La specificazione

▶Negli enunciati:

تَعْمَلُ سَوْسَنُ نادِلَةً	*taʕmalu Sawsanu nādilatan*	‘Sawsan lavora come cameriera’
أَجِدُكِ مُتَمَشِّيَةً	*ʔaǧidu-ki mutamaššiyatan*	‘ti^{f} trovo a gironzolare’ (‘gironzolante^{f}’)

نادلة e متمشية sono al *manṣūb* perché sintatticamente in **تمييز** ***tamyīz***: essi specificano, o esplicitano, in che modo ‘Sawsan lavora’ e intenta a fare cosa ‘ti^{f} trovo’.

7 Imperativo di أخذ e أكل

Questi due verbi di uso frequente, أَخَذَ، يَأْخُذُ *ʔaḫaḏa, yaʔḫuḏu* ‘prendere’ e أَكَلَ، يَأْكُلُ *ʔakala, yaʔkulu* ‘mangiare’, seguendo le indicazioni dell’Unità 20 § 3.2, dovrebbero avere come temi imperativi rispettivi أُأْخُذْ **uʔḫuḏ* e أُأْكُلْ **uʔkul*. In entrambi i casi la sequenza *uʔ-* iniziale cade:

خُذْ	*ḫuḏ*	خُذُوا	*ḫuḏū*	خُذا	*ḫuḏā*	كُلْ	*kul*	كُلُوا	*kulū*	كُلا	*kulā*
خُذِي	*ḫuḏī*	خُذْنَ	*ḫuḏna*			كُلِي	*kulī*	كُلْنَ	*kulna*		

التمارين Esercizi

1 Formare il participio attivo dei verbi seguenti secondo gli esempi.

مُنَبِّه	←	نبّه	لائِم	←	لام
…………	←	انتظر	…………	←	عاد
…………	←	دعا	…………	←	تكاسل
…………	←	أقام	…………	←	أسكت
…………	←	درس	…………	←	درّس
مُضْحِك	←	أضحك	…………	←	بحث
…………	←	قص	…………	←	أغلق

انتبه	←	....	طار	←	....
فتح	←	....	صرخ	←	....
راجع	←	....	بقي	←	....
استيقظ	←	....	ركب	←	راكِب
أصاب	←	....	مشى	←	....
سأل	←	....	تفرَّج	←	....
رافق	←	....	وجد	←	....

2 Individuare il verbo a partire dal participio attivo secondo gli esempi.

مُلَطِّش	→	لطّش	مُحِسّ	→	....
مُتَكَلِّم	→	....	مُتَزَوِّج	→	....
مُعْطٍ	→	....	مُكْتَشِف	→	....
مُسافِر	→	....	جالٍ	→	....
زائِر	→	....	مُغْلٍ	→	....
مُتَّجِه	→	....	مُسْتَمِع	→	....
مُجِيب	→	أجاب	راجٍ	→	....
مُنتَظِر	→	....	فارّ	→	....
مُفَضِّل	→	....	ناقِل	→	....
مُتَرَدِّد	→	....	مُطِلّ	→	....
مُتَعَشّ	→	....	مُناهِز	→	....
قاعِد	→	قعد			

3 Tradurre in arabo le frasi seguenti.

1. Quello che mi dici^{m} non è possibile. ....
2. Le abbiamo dato ciò che ci aveva chiesto. ....
3. Da^{m}cci quello che vuoi. ....
4. Prendete^{m} tutto quello che trovate e andate via! ....
5. Ci ha^{f} raccontato quello che ha^{f} visto durante gli esami. ....

4 Comprensione del Testo 1. Rispondere liberamente alle seguenti domande.

١. كيف يدخل عبد الرحيم مقهاه المفضل؟ ....

٢. من يجد صديقنا عند دخوله في المقهى؟ ....

٣. بسبب ماذا يضحك عبد الرحيم؟ ....

٤. هل يريد الزبائن الموجودون في المقهى أن يسمعوا نكتته؟ ....

٥. هل تتحدث النكتة عن شرطي وقطه؟ وعَمَّا تتحدث؟ ....

٦. هل أعجبت النكتة فيصل وزبائنه كما أعجبت من حكاها؟ وهل أضحكتك أنت؟ ....

....

٧. هل تعرف نكتة مضحكة تريد أن تحكيها لنا؟ ....

5 Comprensione del Testo 2. Rispondere liberamente alle seguenti domande.

١. هل تسكن سوسن وشادية معًا؟ ....

٢. لماذا تشتغل كلتاهما إضافةً إلى الدراسة الجامعية؟ ....

٣. من فيهما أحسن طالبة؟ ....

٤. ماذا تنوي سوسن أن تشتغل بعد الجامعة؟ ....

٥. وهل تود شادية أن تشتغل نفس شغل صديقتها؟ ....

٦. هل من الممكن أن تدرس شادية في الليل؟ ولماذا؟ ....

Radici...

Applicare gli schemi indicati alle singole radici.

الوزن		الأصل				
فُعْلَةٌ	x	√نكت →	نكتة	*nukta*	‘barzelletta’
فَاعِلَةٌ		√طول	....	....	....
فَعْلَانٌ		√سكر	....	....	....
فُعَّلٌ		"	....	....	‘zucchero’
فَعْلٌ		√جهد	....	....	‘sforzo’
اِفْتِعَالٌ		"	....	....	....
فِعَالٌ		"	....	....	‘jihad’ (m.!)
فُعْلٌ		√شغل	....	....	....
اِفْتَعَلَ		"	....	....	....
مَفْعُولٌ		"	....	....	....
فَعَلَ		√قصّ	....	....	....
فِعْلَةٌ		"	....	....	....
مِفْعَلٌ		"	مقص	*miqaṣṣ*	....

أكثر Di più

1 النكت Barzellette

Gli arabi sono molto affezionati ad una loro ricca tradizione barzellettisitica. Protagonista indiscusso della maggioranza di esse è un tale جحا *Ǧuḥā* (che ha da tempo varcato il Mediterraneo per raggiungere la Sicilia e la Calabria naturalizzato in *Giufà*), che alterna volta per volta l'astuzia volpina di un Pierino e la scarsa avvedutezza del Carabiniere. Altra figura frequente è il مجنون 'matto', participio passivo (v. Unità 22 § 1) derivato dal termine جن *ǧinn* 'ginn, spiriti maligni', quindi lett. 'posseduto dai ginn'.

2 الحَيَوَانَات الدَاجِنة Animali domestici

Nelle città arabe il viaggiatore occidentale noterà l'assenza generalizzata di cani tenuti al guinzaglio (però potrà notare cani e gatti randagi nei quartieri più popolari), così come osserverà negli appartamenti la mancanza, o comunque l'estrema rarità, di cani, gatti o canarini. Nel mondo arabo gli animali vengono considerati sporchi e quindi inadatti a vivere in appartamento. Non così ovviamente nelle zone rurali, dove non solamente abbondano cani e gatti di tutti i tipi, ma dove galline, pecore e conigli passeggiano indisturbati nei cortili delle case.
Si ricordi che l'islàm – come l'ebraismo – vieta il consumo di carne di maiale (خنزير *ḫinzīr*). Il maiale, che l'occidentale concepisce come simpatico animale grassottello e rosa, simboleggia per i musulmani il colmo del sudiciume animalesco, a tal punto che perfino i soggetti più laici o distaccati dall'osservanza religiosa rifiutano di assaggiarlo, convinti così di evitare un sapore disgustoso. Nel ricevere musulmani a tavola è quindi prudente evitare accuratamente di offrire carne di maiale sotto qualsiasi forma.
La parola italiana *gatto* (con la sua variante arcaica *catto*) proviene dal latino tardo *cattus*, termine di etimologia sconosciuta venuto a sostituire *feles*. L'arabo قط *qiṭṭ* (e più ancora la variante dialettale tunisina قطوس *qaṭṭūs*) vi è chiaramente riconducibile. Sembra tuttavia che il gatto europeo (nelle sue tante razze) provenga dall'Africa, dove visse come animale selvatico inviso all'uomo fino a quando gli antichi egizi si accorsero che la sua presenza implicava una drastica riduzione di quella dei topi. Da allora è nata una lunga amicizia tra il gatto e l'uomo. Secondo i paesi arabi i gatti fanno نياو *nyāw* in Vicino Oriente, نيو *nīw* in Egitto, مراو *mrāw* in Marocco ecc.

منتهى الغضب Il colmo della rabbia

النص الأول Testo 1 CD2/5

يدخل مروان في الحمام ويغلق بابه بالمفتاح لأنه يريد أن يستحم بالدوش دون أن يزعجه أحد. فهذا المساء سيذهب إلى حفلة تخرج صديق له ولا بد أن يكون أنيقا ومعطرا وممشطا. يفتح حنفية الماء الساخن وينتظر أن يدفأ الماء، وفي خلال ذلك يفتش عن صابونه وشامبوه... ولا يجدهما! إن الله مع الصابرين... بعد بضع دقائق لا يزال الماء مصقعا. هكذا يصعد مروان على إسكملة ويراقب السخان: إنه خربان!

يتشجع مروان ويرمي نفسه تحت الماء البارد وهو يفكر كيف سينتقم من شركائه في الإيجار الذين لم ينادوا السمكري وسرقوا صابونه وشامبوه. عوضا عن صابونه المسروق يأخذ صابون أخته ريمة، دون أن يعرف أنه صابون مزيل الشعر. هكذا، بعد استحمام لم يدم أكثر من ثلاثين ثانية، يخرج من الحمام نصف مصبن الجسم، مقرس الأعضاء، محلوق الذراعين والساقين، في منتهى الغضب. فيكلم أصدقاءه قائلا:

– يا أبناء بائعة الحساء في السوق، إنكم لزمرة تيوس منتنة!

ثم يرجع إلى غرفته تاركا أصدقاءه في منتهى الدهشة.

الكلمات الجديدة Parole nuove

دوش، ات	*dūš, -āt*	doccia	عطر، عطور	*ʿiṭr, ʿuṭūr*	profumo
حَفْلَةُ تخرُّجٍ		festa di laurea	مشط، أمشاط	*mišṭ, ʾamšāṭ*	pettine
أنيق، ون	*ʾanīq, -ūna*	elegante	دافئ، ون	*dāfiʾ, -ūna*	tiepido
حنفية، ات	*ḥanafiyya, -āt*	rubinetto	مُزِيلُ الشَّعْرِ		depilante
ساخن، ون	*sāḫin, -ūna*	caldo	شريك، شركاء	*šarīk, šurakāʾu*	socio*
في خِلالِ ذلك		nel frattempo	صابون	*ṣābūn*	sapone (coll.)
إسكملة، ات	*ʾiskamla, -āt*	sgabello	شامبو	*šāmbū*	shampoo**
شجاع، شجعان	*šuǧāʿ, šuǧʿān*	coraggioso	مصقع، ون	*muṣaqqaʿ, -ūna*	gelido
ثانية، ثوان	*ṯāniya, ṯawānin*	secondo	مقرس، ون	*muqarras, -ūna*	congelato
سخان، ات	*saḫḫān, -āt*	scaldabagno	عضو، أعضاء	*ʿuḍw, ʾaʿḍāʾ*	membro
سمكري، ة	*samkariyy, -a*	idraulico	ذراع، أذرع	*ḏirāʿ, ʾaḏruʿ*	braccio (f.!)
عوضا عن	*ʿiwaḍan ʿan*	al posto di	ساق، سيقان	*sāq, sīqān*	gamba (f.!)
زمرة، زمر	*zumra, zumar*	branco	غضب	*ġaḍab*	furore, rabbia
تيس، تيوس	*tays, tuyūs*	caprone	منتهى	*muntahan*	finito
منتن، ون	*muntin, -ūna*	puzzolente	في مُنْتَهَى		al colmo di
مجموعة، ات	*maǧmūʿa,-āt*	gruppo, banda	حساء	*ḥasāʾ*	zuppa, brodo
دهشة، ات	*dahša, -āt*	stupore	سوق، أسواق	*sūq, ʾaswāq*	mercato
ريمة	*Rīma*	Rima (n.pr.f.)	مروان	*Marwān*	Marouan (n.pr.m.)

* شريك في الإيجار, lett. 'socio nell'affitto', traduce la nozione di 'coinquilino'.
** Piuttosto شامبوان *šampwān* nel Maghreb e in Libano (fr. *shampooing* pron. [ʃãpw'ɛ̃]).

فعل	حلق، يحلق	*ḥalaqa, yaḥliqu*	radere
	صعد، يصعد	*ṣaʿida, yaṣʿadu*	salire
	دام، يدوم	*dāma, yadūmu*	durare
فعّل	عطر، يعطر	*ʿaṭṭara, yuʿaṭṭiru*	profumare
	مشط، يمشط	*maššaṭa, yumaššiṭu*	pettinare
	فتش، يفتش عن	*fattaša, yufattišu ʿan*	cercare
	كلم، يكلم	*kallama, yukallimu*	rivolgersi a
	صبن، يصبن	*ṣabbana, yuṣabbinu*	insaponare
فاعل	راقب، يراقب	*rāqaba, yurāqibu*	controllare

أفعل	أنتن، ينتن	*ʔantana, yuntinu*	puzzare
تفعل	تخرج، يتخرج في	*taḫarraǧa, yataḫarraǧu fī*	diplomarsi in/a
	تخرج، ات	*taḫarruǧ, -āt*	*maṣdar* di 'diplomarsi in/a'
	تدفأ، يتدفأ	*tadaffaʔa, yatadaffaʔu*	scaldarsi
	تشجع، يتشجع	*tašaǧǧaʕa, yatašaǧǧaʕu*	farsi coraggio
افتعل	انتقم، ينتقم من	*intaqama, yantaqimu min*	vendicarsi di
	انتهى، يَنتهي	*intahā, yantahī*	finire
استفعل	استحم، يستحم	*istaḥamma, yastaḥimmu*	fare il bagno
	استحمام	*istiḥmām*	*maṣdar* di 'fare il bagno'

النحو Grammatica

1 اسم المَفْعُول Il participio passivo

I temi seguenti:

مَسْرُوق	*masrūq*	'rubato'	←	سَرَق	*saraqa*	'rubare'
مَحْلُوق	*maḥlūq*	'rasato'		حَلَق	*ḥalaqa*	'radere'
مَشْغُول	*mašġūl*	'occupato'		شَغَل	*šaġala*	'occupare'
مُفَضَّل	*mufaḍḍal*	'preferito'		فَضَّل	*faḍḍala*	'preferire'
مُصَبن	*muṣabban*	'insaponato'		صَبَّن	*ṣabbana*	'insaponare'
مَلْصَق	*mulṣaq*	'incollato'		أَلْصَق	*ʔalṣaqa*	'incollare'

sono formazioni nominali dette in arabo **اسم المفعول**, letteralmente 'nome del fatto' (lo stesso مفعول è dal verbo فعل *faʕala*). L'*ism al-mafʕūl* esprime quindi 'colui che subisce il processo', e viene detto in italiano **participio passivo** (non *passato*!).

L'*ism al-mafʕūl* può svogere due ruoli sintattici:

- aggettivale:

الصابُونُ المَسْرُوقُ	*aṣ-ṣābūnu l-masrūqu*	'il sapone rubato'
رَأْسٌ مَحْلُوقٌ	*raʔsun maḥlūqun*	'una testa rasata'
مُغَنِّيَتِي المُفَضَّلَةُ	*muġanniyat-ī l-mufaḍḍalatu*	'la mia cantante preferita'

- nominale:

مَشْرُوب، ات	*mašrūb, -āt*	'bevanda' (e 'bevuto')	←	شرب	*šariba*	'bere'
مَوْضُوع، مواضيع	*mawḍūʕ, mawāḍīʕu*	'argomento' (e 'messo')		وضع	*waḍaʕa*	'mettere'
مَشْرُوع، مشاريع	*mašrūʕ, mašārīʕu*	'progetto' (e 'tracciato')		شرع	*šaraʕa*	'tracciare'

L'*ism al-mafʿūl* si ottiene morfologicamente nei modi seguenti:

• verbi *muǧarrad*:

schema مَفْعُول *mafʿūl* (*ma*c_1c_2*ū*c_3) ad es.

مَكْتُوب	*maktūb*	'scritto'	←	كَتَبَ	*kataba*	'scrivere'
مَطْلُوب	*maṭlūb*	'chiesto'		طَلَبَ	*ṭalaba*	'chiedere'
مَفْهُوم	*mafhūm*	'capito'		فَهِمَ	*fahima*	'capire'
مَأْخُوذ	*maʾḫūḏ*	'preso'		أَخَذَ	*ʾaḫaḏa*	'prendere'

Con gli *ʾafʿāl al-ʿilla*:

miṯāl	مَوْعُول	*mawʿūl*	مَوْجُود	*mawǧūd*	'trovato'	←	وَجَدَ	*waǧada*	'trovare'
ʾaǧwaf	مَفُول	*mafūl*	مَقُول	*maqūl*	'detto'		قال	*qāla*	'dire'
	مَفِيل	*mafīl*	مَبِيع	*mabīʿ*	'venduto'		باعَ	*bāʿa*	'vendere'
	مَفُول	*mafūl*	مَخُوف	*maḫūf*	'temuto'		خافَ	*ḫāfa*	'temere'
nāqiṣ	مَفْعِيّ	*mafʿiyy*	مَحْكِيّ	*maḥkiyy*	'narrato'		حَكَى	*ḥakā*	'narrare'
			مَنْسِيّ	*mansiyy*	'dimenticato'		نَسِيَ	*nasiya*	'dimenticare'
	مَفْعُوّ	*mafʿuww*	مَشْكُوّ	*maškuww*	'lamentato'		شَكَا	*šakā*	'lamentarsi'
muḍāʿaf	مَفْعُوع	*mafʿūʿ*	مَشْدُود	*mašdūd*	'teso'		شَدَّ	*šadda*	'tendere'

• verbi *mazīd*:

L'*ism al-mafʿūl* si ottiene molto semplicemente sostituendo la *i* finale di مُـــِـل *mu—il* in *a*, ottenendo lo schema generico مُـــَـل *mu—al*:

مُفسر	*mufassar*	'spiegato'	←	فَسَّرَ، يُفَسِّرُ	*fassara, yufassiru*	'spiegare'
مُكافح	*mukāfaḥ*	'combattuto'		كافَحَ، يُكافِحُ	*kāfaḥa, yukāfiḥu*	'combattere'
مُغلَق	*muǧlaq*	'chiuso'		أَغْلَقَ، يُغْلِقُ	*ʾaǧlaqa, yuǧliqu*	'chiudere'
مُتَكَلَّم	*mutakallam*	'parlato'		تَكَلَّمَ، يَتَكَلَّمُ	*takallama, yatakallamu*	'parlare'
مُتَناقَش	*mutanāqaš*	'discusso'		تَناقَشَ، يَتَناقَشُ	*tanāqaša, yatanāqašu*	'discutere'
مُنْكَسر	*munkasar*	'avvilito'		اِنْكَسَرَ، يَنْكَسِرُ	*inkasara, yankasiru*	'avvilirsi'
مُحْتَرَم	*muḥtaram*	'rispettato'		اِحْتَرَمَ، يَحْتَرِمُ	*iḥtarama, yaḥtarimu*	'rispettare'
مُسْتَأْجَر	*mustaʾǧar*	'affittato'		اِسْتَأْجَرَ، يَسْتَأْجِرُ	*istaʾǧara, yastaʾǧiru*	'prendere in affitto'

Nb: nella scrittura corrente l'*ism al-mafʿūl* di questi verbi non si distingue graficamente dall'*ism al-fāʿil*: ⟨مفسر⟩ sta tanto per *mufassir* quanto per *mufassar*.

Con verbi *ʾaǧwaf*:

مُراد	*murād*	'voluto'	أَرادَ، يُرِيدُ	*ʾarāda, yurīdu*	'volere'
مُسْتَشار	*mustašār*	'consultato'	اِسْتَشارَ، يَسْتَشِيرُ	*istašāra, yastašīru*	'consultare'

Con verbi *nāqiṣ*:

مُغَنًّى	*muġannan*	'cantato'	←	غَنَّى، يُغَنِّي	*ġannā, yuġannī*	'cantare'
مُنَادًى	*munādan*	'chiamato'		نَادَى، يُنَادِي	*nādā, yunādī*	'chiamare'
مُعْطًى	*muʕṭan*	'dato'		أَعْطَى، يُعْطِي	*ʔaʕṭā, yuʕṭī*	'dare'
مُتَمَنًّى	*mutamannan*	'sperato'		تَمَنَّى، يَتَمَنَّى	*tamannā, yatamannā*	'sperare'
مُشْتَرًى	*muštaran*	'comprato'		اِشْتَرَى، يَشْتَرِي	*ištarā, yaštarī*	'comprare'

Attenzione alla flessione di questi temi (come فتى *fatan*):

مُنَادًى	*munādan*	المُنَادَى	*al-munādā*	مُنَادَاةٌ	*munādātun*	مُنَادَوْنَ	*munādawna*	مُنَادَيَاتٌ	*munādayātun*
مُنَادًى	*munādan*	المُنَادَى	*al-munādā*	مُنَادَاةً	*munādātan*	مُنَادَيْنَ	*munādayna*	مُنَادَيَاتٍ	*munādayātin*
مُنَادًى	*munādan*	المُنَادَى	*al-munādā*	مُنَادَاةٍ	*munādātin*				

Con verbi *muḍāʕaf*:

مُضَادّ	*muḍādd*	'contraddetto'	←	ضَادَّ، يُضَادُّ	*ḍādda, yuḍāddu*	'contraddire'
مُحَبّ	*muḥabb*	'amato'		أَحَبَّ، يُحِبُّ	*ʔaḥabba, yuḥibbu*	'amare'
مُحْتَلّ	*muḥtall*	'occupato'		اِحْتَلَّ، يَحْتَلُّ	*iḥtalla, yaḥtallu*	'occupare'

2 بَعْض Qualche, alcuni

- Per esprimere queste nozioni l'arabo dispone del quantificatore **بَعْض** ***baʕḍ*** usato in *ʔiḍāfa* con il nominale seguente:

يَقُولُ بَعْضُ النَاسِ إنَّ...	*yaqūlu baʕḍu n-nāsi ʔinna...*	'alcune persone dicono che...'
بَعْضُ المَرّاتِ	*baʕḍu l-marrāti*	'alcune volte, qualche volta'
بَعْضَ الشَيْءِ	*baʕḍa š-šayʔi*	'un po', in una certa misura'

- Simile a بعض è **بِضْع** ***biḍʕ***, che indicativamente designa una quantità imprecisata ma non superiore a dieci. Per tale motivo esso si comporta come un numerale da 3 a 10, unendosi in *ʔiḍāfa* con il nominale seguente, invertendo il genere:

بِضْعَةُ أيّامٍ	*biḍʕatu ʔayyāmin*	'pochi giorni'
بِضْعُ ساعاتٍ	*biḍʕu sāʕātin*	'poche ore'

3 أوزان الفعل Le forme derivate del verbo

Qualche cenno agli *ʔawzān* o forme derivate del verbo è stato dato all'Unità 8 § 8. Tali *ʔawzān* sono molto genericamente paragonabili ai verbi derivati italiani come ad es.:

vedere *rivedere* *provvedere* *intravvedere* *stravedere* i quali sono visibilmente 'imparentati' l'uno con l'altro. Si consideri la lista di verbi arabi seguenti:

قَبِلَ، يَقْبَلُ	*qabila, yaqbalu*	'accettare'
قَبَّلَ، يُقَبِّلُ	*qabbala, yuqabbilu*	'abbracciare, dare un abbraccio'
قَابَلَ، يُقَابِلُ	*qābala, yuqābilu*	'incontrare'
تَقَبَّلَ، يَتَقَبَّلُ	*taqabbala, yataqabbalu*	'accogliere, accettare di buon grado'
تَقَابَلَ، يَتَقَابَلُ	*taqābala, yataqābalu*	'incontrarsi'
أَقْبَلَ، يُقْبِلُ	*ʾaqbala, yuqbilu*	'avvicinarsi'
اِقْتَبَلَ، يَقْتَبِلُ	*iqtabala, yaqtabilu*	'dedicarsi a'
اِسْتَقْبَلَ، يَسْتَقْبِلُ	*istaqbala, yastaqbilu*	'andare incontro a, accogliere'

Appare evidente che tutti e otto questi verbi sono costruiti intorno alla medesima radice √*q-b-l*. Nel lessico affrontato fino a qui lo studente avrà avuto modo di constatare simili 'imparentamenti'.

Nominali			Verbi					
دُخّان	*duḫḫān*	'fumo'	دَخَّنَ	*daḫḫana*	'fumare'			
فِكْرة	*fikra*	'idea'	فَكَّرَ	*fakkara*	'pensare'			
كَلِمة	*kalima*	'parola'	كَلَّمَ	*kallama*	'rivolgersi a'	تَكَلَّمَ	*takallama*	'parlare'
			عَرَفَ	*ʿarafa*	'conoscere'	تَعَرَّفَ	*taʿarrafa*	'fare conoscenza'
دَرْس	*dars*	'lezione'	دَرَسَ	*darasa*	'studiare'	دَرَّسَ	*darrasa*	'insegnare'
سُكُوت	*sukūt*	'silenzio'	سَكَتَ	*sakata*	'tacere'	أَسْكَتَ	*ʾaskata*	'far tacere'
ضَحْك	*ḍaḥk*	'riso'	ضَحِكَ	*ḍaḥika*	'ridere'	أَضْحَكَ	*ʾaḍḥaka*	'far ridere'
وُصُول	*wuṣūl*	'arrivo'	وَصَلَ	*waṣala*	'arrivare'	أَوْصَلَ	*ʾawṣala*	'condurre'
			خَرَجَ	*ḫarağa*	'uscire'	أَخْرَجَ	*ʾaḫrağa*	'estrarre'
نَظْرة	*naẓra*	'sguardo'	نَظَرَ	*naẓara*	'guardare'	إِنْتَظَرَ	*intaẓara*	'aspettare'
مُنَبِّه	*munabbih*	'sveglia'	نَبَّهَ	*nabbaha*	'avvertire'	إِنْتَبَهَ	*intabaha*	'fare attenzione'
مُمْكِن	*mumkin*	'possibile'	أَمْكَنَ	*ʾamkana*	'essere possibile'	تَمَكَّنَ	*tamakkana*	'riuscire a'
أُجْرة	*ʾuğra*	'affitto'	اِسْتَأْجَرَ	*istaʾğara*	'prendere in affitto'			

Gli *ʾawzān* in arabo contemporaneo sono dieci (più altri due che appaiono eccezionalmente) e verranno studiati separatamente più avanti.

النص الثاني Testo 2 CD2/6

صباح يوم الجمعة حول الساعة العاشرة غضبت إيمان غضبا شديدا لأن خطيبها كسر حذاءها. كان يمشي وراءها، بسبب الزحمة، وبغير قصد منه داس بطرف قدمه على كعب حذائها فكسره. فالتفتت هي مقطبة الحاجبين وصاحت:

- أحسنت، يا شيخ، والآن حذائي مكسور! وقد عرفت جيدا أن هذين هما حذاءاي المفضلان! أنت وسيجارتك الدائمة...!
- إني متأسف جدا على ما فعلته، يا حبيبتي، ولكن ما العلاقة بين سيجارتي وكسر حذائك؟
- لو لم تدخن باستمرار لانتبهت إلى أين تضع قدميك!
- أولا إنني لا أدخن باستمرار، فهذه أول سيجارة أدخنها اليوم، وثانيا...
- لقد دخنت واحدة قبل أن نخرج، وهذه هي الثانية على الأقل أو الثالثة...
- المهم...! فلنفتش عن إسكافي في الضواحي وسيصلح حذاءك، فليس عليه إلا أن يدق مسمارين صغيرين.
- لماذا لا تفعله أنت، يا علامة؟ اليوم يوم الجمعة، كيف تريد أن تجد دكان صانع مفتوحا؟ وزد على ذلك أن عندي موعدا مع كاتيا الساعة الرابعة! أنا حانقة عليك وأكرهك...

الكلمات الجديدة Parole nuove

خطيب، خطباء	*ḫaṭīb, ḫuṭabāʾu*	fidanzato	بِاسْتِمْرارٍ		in continuazione
إسكافي، أساكفة	*ʾiskāfiyy, ʾasākifatu*	calzolaio	لو لم تدخن	*law lam tudaḫḫin*	se tu[m] non fumassi
زحمة، زحمات	*zaḥma, zaḥamāt*	folla, calca	لانتبهت	*la-ntabahta*	faresti attenzione

قصد، قصود	*qaṣd, quṣūd*	scopo, meta	نسبة، نسب	*nisba, nisab*	rapporto
قصدا	*qaṣdan*	apposta	أولا	*ʔawwalan*	in primo luogo
بِغَيْرِ قصدٍ منه		senza farlo apposta	ثانيا	*ṯāniyan*	in secondo luogo
كعب، كعاب	*kaʕb, kiʕāb*	tacco	على الأَقَلِّ		almeno
حاجب، حواجب	*ḥāǧib, ḥawāǧibu*	sopracciglio	المهم...	*al-muhimm...*	insomma...
شيخ، شيوخ	*šayḫ, šuyūḫ*	shaykh	مسمار، مسامير	*mismār, masāmīru*	chiodo
دائم، ون	*dāʔim, -ūna*	eterno	زد على ذلك	*zid ʕalā ḏālika*	aggiungi^m a ciò
صانع، صناع	*ṣāniʕ, ṣunnāʕ*	artigiano	متأسف، ون	*mutaʔassif, -ūna*	dispiaciuto
حانق، ون	*ḥāniq*	furioso			

فعل	كسر، يكسر	*kasara, yaksiru*	rompere
	كسر	*kasr*	*maṣdar* di 'rompere'
	كره، يكره	*kariha, yakrahu*	odiare
	داس، يدوس	*dāsa, yadūsu*	pestare
	صاح، يصيح	*ṣāḥa, yaṣīḥu*	gridare
	زاد، يزيد	*zāda, yazīdu*	aggiungere
	دق، يدق	*daqqa, yaduqqu*	(qui:) piantare (chiodo)
فعّل	صلح، يصلح	*ṣallaḥa, yuṣalliḥu*	riparare
	قطب، يقطب	*qaṭṭaba, yuqaṭṭibu*	aggrottare
تفعل	تأسف، يتأسف	*taʔassafa, yataʔassafu*	essere dispiaciuto
افتعل	التفت، يلتفت	*iltafata, yaltafitu*	voltarsi
	انتبه، ينتبه إلى	*intabaha, yantabihu ʔilā*	fare attenzione a
استفعل	استمر، يستمر	*istamarra, yastamirru*	continuare
	استمرار	*istimrār*	*maṣdar* di 'continuare'

النحو Grammatica

4 الأعداد التَرْتِيبِيّة I numerali ordinali

I numerali ordinali (eccetto 'primo') applicano lo schema فَاعِلٌ dell'*ism al-fāʕil* alla radice del numerale (con un'anomalia per 'sesto'). Essi sono aggettivi e si accordano regolarmente in genere (oltre che numero e caso) con il sostantivo che determinano:

	Maschile	Femminile	Plurale maschile	Plurale femminile
1°	أَوَّل *ʔawwal*	أُولى *ʔūlā*	أَوَّلُون / أَوَائِل *ʔawwalūna / ʔawāʔil*	أُوَل *ʔuwal*
2°	ثانٍ *ṯānin*	ثانِية *ṯāniya*		
3°	ثَالِث *ṯāliṯ*	ثالِثة *ṯāliṯa*		
4°	رابِع *rābiʕ*	رابِعة *rābiʕa*		
5°	خامِس *ḫāmis*	خامِسة *ḫāmisa*		
6°	سادِس *sādis**	سادِسة *sādisa*		
7°	سابِع *sābiʕ*	سابِعة *sābiʕa*		
8°	ثامِن *ṯāmin*	ثامِنة *ṯāmina*		
9°	تاسِع *tāsiʕ*	تاسِعة *tāsiʕa*		
10°	عاشِر *ʕāšir*	عاشِرة *ʕāšira*		

* La linguistica semitica comparata pone abitualmente che la radice più antica del numerale 'sei' fosse √*s-d-ṯ*, la quale avrebbe dato da una parte سِتّ *sitt* e da un'altra سِدْس *sids* come evoluzioni fonetiche a partire da **sidṯ*.

Da 11° a 19° i temi sono invariabili in caso:

	Maschile	Femminile
11°	حادِيَ عَشَرَ *ḥādiya ʕašara*	حادِيَةَ عَشْرَةَ *ḥādiyata ʕašrata*
12°	ثانِيَ عَشَرَ *ṯāniya ʕašara*	ثانِيَةَ عَشْرَةَ *ṯāniyata ʕašrata*
13°	ثالِثَ عَشَرَ *ṯāliṯa ʕašara*	ثالِثَةَ عَشْرَةَ *ṯāliṯata ʕašrata*
14°	رابِعَ عَشَرَ *rābiʕa ʕašara*	رابِعَةَ عَشْرَةَ *rābiʕata ʕašrata*
15°	خامِسَ عَشَرَ *ḫāmisa ʕašara*	خامِسَةَ عَشْرَةَ *ḫāmisata ʕašrata*
16°	سادِسَ عَشَرَ *sādisa ʕašara*	سادِسَةَ عَشْرَةَ *sādisata ʕašrata*
17°	سابِعَ عَشَرَ *sābiʕa ʕašara*	سابِعَةَ عَشْرَةَ *sābiʕata ʕašrata*
18°	ثامِنَ عَشَرَ *ṯāmina ʕašara*	ثامِنَةَ عَشْرَةَ *ṯāminata ʕašrata*
19°	تاسِعَ عَشَرَ *tāsiʕa ʕašara*	تاسِعَةَ عَشْرَةَ *tāsiʕata ʕašrata*

Da 20° in poi viene usato il tema del cardinale:

عِيدُ مِيلادِهِ العِشْرُونَ	*ʕīdu mīlādi-hi l-ʕišrūna*	'il suo^m ventesimo compleammo'
في اليَوْمِ الخامِسِ والثَّلاثِينَ	*fī l-yawmi l-ḫāmisi wa-ṯ-ṯalāṯīna*	'il trentacinquesimo giorno'
السِيجارةُ المِئَةُ	*as-sīgāratu l-miʔatu*	'la centesima sigaretta'
المَرَّةُ الأَلْفُ	*al-marratu l-ʔalfu*	'la millesima volta'

►I numerali ordinali vengono adoperati, obbligatoriamente da 1° in poi, come aggettivi (صِفات):

الدَرْسُ الأَوَّلُ	*ad-darsu l-ʔawwalu*	'la prima lezione'
المَرَّةُ الأُولى	*al-marratu l-ʔūlā*	'la prima volta'

الطابِقُ الرابِعُ	*aṭ-ṭābiqu r-rābiʕu*	'il quarto piano'
الشَهْرُ التاسِعُ	*aš-šahru t-tāsiʕu*	'il nono mese'

I temi ordinali da 1° a 10° possono tuttavia essere usati in *ʔiḍāfa* con il quantificato ed in tal caso sono invariabili in genere:

أَوَّلُ دَرْسٍ	*ʔawwalu darsin*
أَوَّلُ مَرَّةٍ	*ʔawwalu marratin*
رابِعُ طابِقٍ	*rābiʕu ṭābiqin*
تاسِعُ شَهْرٍ	*tāsiʕu šahrin*

5 الساعة L'ora

Le ore della giornata vengono indicate dall'ordinale corripondente, preceduto (facoltativamente) da الساعة.

▶L'arabo non pratica la divisione della giornata in 24 ore: si dice pertanto 'le tre del pomeriggio' e non 'le quindici'.

▶L'arabo suddivide il quadrante dell'orologio in **quarti** e **terzi**.

che ore sono?	كم الساعة؟	*kamⁱ s-sāʕatu?*
06ʰ00	الساعةُ السادِسةُ	*as-sāʕatu s-sādisatu*
06ʰ05	الساعةُ السادِسةُ وَخَمْسٌ	*as-sāʕatu s-sādisatu wa-ḫamsun*
06ʰ10	الساعةُ السادِسةُ وَعَشَرٌ	*as-sāʕatu s-sādisatu wa-ʕašarun*
06ʰ15	الساعةُ السادِسةُ والرُبْعُ	*as-sāʕatu s-sādisatu wa-r-rubʕu*
06ʰ20	الساعةُ السادِسةُ والثُلْثُ	*as-sāʕatu s-sādisatu wa-ṯ-ṯulṯu*
06ʰ25	الساعةُ السادِسةُ والنِصْفُ إلاّ خَمْسٍ	*as-sāʕatu s-sādisatu wa-n-niṣfu ʔillā ḫamsin*
06ʰ30	الساعةُ السادِسةُ والنِصْفُ	*as-sāʕatu s-sādisatu wa-n-niṣfu*
06ʰ35	الساعةُ السادِسةُ والنِصْفُ وَخَمْسٌ	*as-sāʕatu s-sādisatu wa-n-niṣfu wa-ḫamsun*
06ʰ40	الساعةُ السابِعةُ إلاّ الثُلْثِ	*as-sāʕatu s-sābiʕatuʔillā ṯ-ṯulṯi*
06ʰ45	الساعةُ السابِعةُ إلاّ الرُبْعِ	*as-sāʕatu s-sābiʕatu ʔillā r-rubʕi*
06ʰ50	الساعةُ السابِعةُ إلاّ عَشَرٍ	*as-sāʕatu s-sābiʕatu ʔillā ʕašarin*
06ʰ55	الساعةُ السابِعةُ إلاّ خَمْسٍ	*as-sāʕatu s-sābiʕatu ʔillā ḫamsin*
07ʰ00	الساعةُ السابِعةُ	*as-sāʕatu s-sābiʕatu*

6 أيام الأسبوع I giorni della settimana

I giorni della settimana vengono denominati (tranne venerdì e sabato) con temi numerali particolari (per chi sappia il portoghese si pensi a *secunda feira, terça feira* ecc.):

الأَحَدُ	(أو)	يَوْمُ الأَحَدِ	*yawmu l-ʔaḥadi*	(opp.)	*al-ʔaḥadu*	'domenica'
الاِثْنانِ		يَوْمُ الاِثْنَيْنِ	*yawmu lⁱ-ṯnayni*		*alⁱ-ṯnāni*	'lunedì'

الثُلاثاءُ	يَوْمُ الثُلاثاءِ	*yawmu ṯ-ṯulāṯāʾi*	*aṯ-ṯulāṯāʾu*	‘martedì’
الأَرْبَعاءُ	يَوْمُ الأَرْبَعاءِ	*yawmu l-ʾarbaʿāʾi*	*al-ʾarbaʿāʾu*	‘mercoledì’
الخَمِيسُ	يَوْمُ الخَمِيسِ	*yawmu l-ḫamīsi*	*al-ḫamīsu*	‘giovedì’
الجُمْعَةُ	يَوْمُ الجُمْعَةِ	*yawmu l-ǧumʿati*	*al-ǧumʿatu*	‘venerdì’
السَبْتُ	يَوْمُ السَبْتِ	*yawmu s-sabti*	*as-sabtu*	‘sabato’

La giornata del musulmano praticante è scandita da cinque preghiere (صلاة ج صلوات *ṣalāt*, pl. *ṣalawāt*) canoniche:

الفَجْر أو الصُبْح	*al-faǧr* o *aṣ-ṣubḥ*	‘alba’
الظُهْر	*aẓ-ẓuhr*	‘mezzogiorno’
العَصر	*al-ʿaṣr*	‘pomeriggio’
المَغْرِب	*al-maġrib*	‘tramonto’
العِشاء	*al-ʿišāʾ*	‘sera’

Ogni preghiera viene annunciata con qualche minuto d’anticipo dall’appello alla preghiera (آذان *ʾaḏān*) lanciato dal muezzin (مُؤَذِّن *muʾaḏḏin*, participio attivo del verbo أَذَّنَ، يُؤَذِّنُ *ʾaḏḏana, yuʾaḏḏinu*) dal minareto (مِئْذَنة، مَآذِنُ *miʾḏana, maʾāḏin*, dove si riconosce la radice *ʾ-ḏ-n* dell’orecchio, أُذُن) della moschea (جامِع، جَوامِعُ *ǧāmiʿ, ǧawāmiʿ* o مَسْجِد، مَساجِدُ *masǧid, masāǧid*, che indica un luogo di culto più piccolo, talvolta una stanza riservata alla preghiera negli edifici pubblici).

التمارين Esercizi

1 Formare il participio passivo dei verbi seguenti secondo gli esempi.

....	←	أعطى	....	←	لام
مُفَضَّل	←	فضّل	....	←	تصور
....	←	دعا	....	←	كوى
....	←	أراد	....	←	أسكت
....	←	درس	....	←	درّس
مُخْبَر	←	أخبر	....	←	بحث
....	←	جلى	....	←	أغلق
....	←	طار	....	←	حلم
....	←	صبن	....	←	فتح
....	←	نسي	....	←	راجع
مَتْرُوك	←	ترك	....	←	أعدّ
....	←	فتّش	....	←	أصاب
....	←	أغلى	....	←	أكل
....	←	وجد	....	←	رافق

2 Individuare il verbo a partire dal participio passivo.

مُلَخَّص	→	....	مَسْكُون	→	....
مُحْتَمَل	→	....	مَتْرُوك	→	....
مُغْرَم	→	....	مُطَلّ	→	....
مَكْرُوه	→	....	مَضْغُوط	→	....
مُحاط	→	....	مَزِيد	→	....
مُخْرَج	→	....	مَرْبُوط	→	....
مَأْكُول	→	....	مُراجَع	→	....
مَمْدُود	→	....	مَسْمُوح	→	....

3 Collegare le radici e i verbi *mazīd* nei casi di 'imparentamento' secondo l'esempio.

فَتَحَ	اِفْتَتَحَ
	تَحَسَّنَ
	اِنْتَظَرَ
حَسَنَ	تَفَتَّحَ
	سَخَّنَ
	أَحْسَنَ
سُخْنَ	اِسْتَنْظَرَ
	اِنْفَتَحَ
	اِسْتَحْسَنَ
نَظَرَ	فَتَّحَ

4 كَمِ السَّاعةُ الآنَ؟ Leggere e scrivere l'ora indicata.

le 03^h15	le 12^h30	le 18^h55 ....
le 03^h45	le 13^h10	le 08^h00 ....
le 11^h20	le 12^h05	le 09^h35 ....

5 Comprensione del Testo 1. Rispondere liberamente alle seguenti domande.

١. هل يدخل مروان حمام منزله ليحلق لحيته؟ ....

٢. ما هي الحفلة التي سيذهب إليها المساء؟ ....

٣. هل السخان فيه مشكلة ما؟ ....

٤. هل الشامبو والصابون موجودان؟ ....

٥. هل يترك مروان الحمام فورا عندما يكتشف أن هناك مشاكل؟ ....

٦. كيف يخرج صديقنا من الحمام بعد استحمامه؟ ....

٧. هل غضب مروان على أصدقائه الذين يسكنون معه في بيته؟ ....

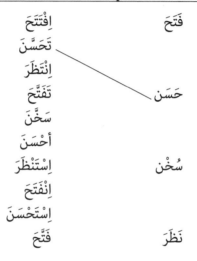

6 Comprensione del Testo 2. Rispondere liberamente alle seguenti domande.

١. لماذا غضبت إيمان غضبا شديدا؟ ....
٢. كيف كسر خطيبها كعب حذائها؟ ....
٣. في أي ساعة حصل لهما هذا الحادث؟ ....
٤. هل تأسف خطيبها مِمّا فعله؟ ....
٥. هل يحاول خطيبها أن يجد حلا لهذه المشكلة؟ ....
٦. هل الدكاكين مفتوحة يوم الجمعة بالعادة؟ ....
٧. ماذا تود إيمان أن تفعل الساعة الرابعة؟ ....

Radici...

Estrapolare la radice comune ai due temi e sintetizzare con فعل il wazn del tema della seconda colonna.

1			2				الأصل	الوزن
شجاع	*šuǧāʿ*	'coraggio'	تشجع	*tašaǧǧaʿa*	'farsi coraggio'	→	....	....
حلق	*ḥalaqa*	'radere'	حلاق	*ḥallāq*	'barbiere'		....	....
صعد	*ṣaʿida*	'salire'	مصعد	*miṣʿad*	'ascensore'		....	....
حمام	*ḥammām*	'bagno'	استحم	*istaḥamma*	'farsi il bagno'		....	....
أسف	*ʾasaf*	'dispiacere'	تأسف	*taʾassafa*	'dispiacersi'		....	....
جمع	*ǧamaʿa*	'riunire'	جمعة	*ǧumʿa*	'venerdì'		....	....
خرج	*ḫaraǧa*	'uscire'	تخرج	*taḫarraǧa*	'laurearsi'		....	....
ساكن	*sākin*	'abitante'	مسكن	*maskan*	'abitazione'		....	....
عطر	*ʿiṭr*	'profumo'	عطر	*ʿaṭṭara*	'profumare'		....	....
مشط	*mušṭ*	'pettine'	مشط	*maššaṭa*	'pettinare'		....	....
صابون	*ṣābūn*	'sapone'	صبن	*ṣabbana*	'insaponare'		....	....

أكثر Di più

1 الحمام Il ḥammām

L'istituzione del ḥammām, noto in Occidente come 'bagno turco' (franc. *bain maure*), è parte intergrante della vita settimanale dei paesi arabi. Il ḥammām è uno stabilimento equiparabile a un centro estetico o a un salone di bellezza, in cui uomini e donne – secondo orari rigorosamente stabiliti – possono usufruire di bagni, docce, massaggi, trattamenti della pelle, dei capelli e delle dita, offerti da inservienti professionalmente qualificati. Chi vada al ḥammām deve preventivare almeno due ore di permanenza nello stabilimento: è quindi prassi recarcisi in compagnia di amici/amiche o parenti. Accanto al ḥammām esiste anche, nelle grandi città, il centro estetico (مركز تجميل *markaz taǧmīl*) di stampo maggiormente occidentale.

2 الأسبوع La settimana

Per l'islàm il **venerdì**, يوم الجمعة 'giorno della riunione [in moschea]', è giorno di riposo. Il fine settimana è quindi rappresentato da giovedì e venerdì, e la settimana lavorativa inizia il sabato. Questo è il caso di alcuni paesi come la Siria, l'Egitto o l'Algeria. In Giordania sono festivi venerdì e sabato, mentre domenica ricomincia la settimana lavorativa. In altri come la Tunisia e il Marocco la domenica è il giorno di chiusura di uffici, scuole e università e di molti negozi, mentre il venerdì negli uffici il lavoro cessa alle 11^h30 in modo di permettere ai fedeli di recarsi in moschea per la preghiera in comune dello ظهر *ẓuhr*. Nei paesi arabomusulmani convivono spesso consistenti minoranze giudaiche e cristiane: specialmente nel Mashreq, venerdì, sabato e domenica rappresentano una sorta di 'ponte' durante il quale è bene rassegnarsi a un generale rallentamento delle attività lavorative.

3 شيخ Sceicco

Il termine شيخ ha come primo significato quello di '(uomo) anziano, di età veneranda'. Nella lingua contemporanea tuttavia una persona anziana verrà indicata come مسن *musinn* 'attempato' o طاعن في السن *ṭāʿin fī s-sinn* 'avanzato nell'età'. Nella tradizione beduina, antica e moderna, شيخ indica il capotribù, nel qual caso può essere tradotto come *sceicco*. Il termine viene altresì riferito a un'autorità religiosa musulmana e, nelle zone rurali, al sindaco del paese: in tal caso è preferibile usare, in lingua occidentale, l'arabismo *shaykh* (o *sheykh*, le pronunce dialettali del termine variano da *šēḫ* a *šīḫ*). Nel linguaggio quotidiano يا شيخ *yā šayḫ* viene usato per apostrofare un conoscente con tono ironico o sarcastico.
Si ricordi che l'islàm, a differenza del cristianesimo e dell'ebraismo, non possiede un *clero* e quindi l'equivalente di un sacerdote (prete, pastore, rabbino). Il termine إمام *ʾimām*, che spesso viene percepito come un 'prete musulmano', indica in realtà colui che guida la preghiera collettiva (mettendosi *davanti*, أمام, agli altri fedeli). Questo per quanto riguarda l'islàm sunnita (سني *sunniyy*), o 'ortodosso'. L'islàm sciita (شيعي *šīʿiyy*, principalmente in Iràn) conosce la figura del ملاه *mullāh*.

فات الوقت! Troppo tardi!

النص الأول Testo 1 CD2/7

عثمان في وكالة السفريات ليشتري تذكرة طائرة إلى صنعاء. إنه يتردد بين حلول مختلفة، لأن ثمن التذكرة مرتفع. يفسر له الموظف:

- إن سافرت باليمنية دفعت ٨٥٠ (ثمانيَمئة وخمسين) يورو، وإن اخترت القطرية كلفتك التذكرة ٦٠٠ (ستمئة) يورو فقط.
- ولكن طيران القطرية يؤدي بي إلى الدوحة، ومن ثم يجب عليّ أن أركب طائرة ثانية إلى صنعاء، بعد ساعتي انتظار، وإن أضفت ثمن التذكرة الإضافية إلى تذكرة روما-الدوحة تساوى الحلان.
- لا، الثمن الذي قلته لك هو إجمالي روما-صنعاء بتوقف في الدوحة، ويلائمك، لكن عليك أن تحدد موعد سفرك ابتداء من أوائل شهر آب.
- فات الوقت... عليّ أن أكون في اليمن في بداية تموز.
- طبعا يمكنك كذلك السفر بآليطاليا أو بالخطوط الجوية البريطانية، لكن الأثمان لا تختلف كثيرا. صدقني، لو كان عندي حل أرخص لقلت لك. اسمع، فلنفعل هكذا: عد بعد غد، وفي خلال ذلك سأحاول أن أستخبر عن المسألة استخبارا أتم. إذا فكرت جيدا وجدت الحل لتلك المشاكل. لو جاءتني فكرة... فمن يدري؟
- شكرا، يا أنطونيو، لولاك لما عرفت ما أفعله.

الكلمات الجديدة Parole nuove

مرتفع، ون	*murtafiʕ, -ūna*	elevato, alto	اِبْتِداءً مِنْ		iniziando da
سفر، أسفار	*safar, ʔasfār*	viaggio	يمني، ون	*yamaniyy, -ūna*	yemenita
وِكالةُ سَفَرِيّاتٍ		agenzia. di viaggi	اليمنية	*al-Yamaniyya*	Yemeniya
تذكرة، تذاكر	*taḏkara, taḏākiru*	biglietto	قطر	*Qaṭar*	Qatar
صنعاءُ	*Ṣanʕāʔ*	Sanaa	قطري، ون	*qaṭariyy, -ūna*	qatarita
الدوحة	*ad-Dawḥa*	Doha	القطرية	*al-Qaṭariyya*	Qatariya
حل، حلول	*ḥall, ḥulūl*	soluzione	يورو	*yūrū*	euro (indecl.)
طيران	*ṭayarān*	volo; linea aerea	ثم	*ṯamma*	lì, là
ثمن، أثمان	*ṯaman, ʔaṯmān*	prezzo	بعد غد	*baʕda ġadin*	dopodomani
اليمن	*al-Yaman*	Yemen	مسألة، مسائل	*masʔala, masāʔilu*	questione, faccenda
إضافي، ون	*ʔiḍāfiyy, -ūna*	aggiuntivo	جوي، ون	*ǧawwiyy, -ūna*	aereo (agg.)
إجمالي، ون	*ʔiǧmāliyy, -ūna*	forfettario	بريطاني، ون	*barīṭāniyy, -ūna*	britannico
من أوائل	*min ʔawāʔili*	dai primi di	تام، ون	*tāmm, -ūna*	completo
فات الوقت	*fāta l-waqtu*	è troppo tardi	لولا	*law-lā*	se non fosse per
بداية، ات	*bidāya, -āt*	inizio	جو، أجواء	*ǧaww, ʔaǧwāʔ*	aria
خط، خطوط	*ḫaṭṭ, ḫuṭūṭ*	linea			

فعل	درى، يدري	*darā, yadrī*	sapere
فعّل	كلف، يكلف	*kallafa, yukallifu*	costare (a)
	حدد، يحدد	*ḥaddada, yuḥaddidu*	fissare
	أدى، يؤدي إلى	*ʔaddā, yuʔaddī ʔilā*	portare, condurre
فاعل	لاءم، يلائم	*lāʔama, yulāʔimu*	convenire
أفعل	أضاف، يضيف	*ʔaḍāfa, yuḍīfu*	aggiungere
تفعل	توقف، يتوقف	*tawaqqafa, yatawaqqafu*	fermarsi, sostare
	توقف، ات	*tawaqquf, -āt*	*maṣdar* di ‘fermarsi, sostare’, scalo
تفاعل	تساوى، يتساوى	*tasāwā, yatasāwā*	pareggiare
افتعل	ابتدأ، يبتدئ	*ibtadaʔa, yabtadiʔu*	iniziare
	ابتداء، ات	*ibtidāʔ, -āt*	inizio

	اختلف، يختلف	*iḫtalafa, yaḫtalifu*	differire
استفعل	استخبر، يستخبر	*istaḫbara, yastaḫbiru*	informarsi
	استخبار	*istiḫbār*	*maṣdar* di 'informarsi'

النحو Grammatica

1 الجملة الشَرْطِيّة Il periodo ipotetico (affermativo)

Nell'enunciato italiano:

se canti disturbi

- il segmento *se canti* è la proposizione ipotetica (o la protasi);
- il segmento *disturbi* è la proposizione principale (o l'apodosi).

Nella terminologia grammaticale araba la prima viene chiamata **الشرط** *aš-šarṭ*, lett. 'la condizione', la seconda **الجواب** *al-ǧawāb*, lett. 'la risposta'.
Si considerino ora i due enunciati seguenti:
a) *se cerchi nel cassetto trovi il temperino*
b) *se tu cercassi nel cassetto troveresti il temperino*

In *a*) si intende che l'eventualità che tu *cerchi* e conseguentemente tu *trovi* siano **realizzabili**: non hai che da cercare, sei perfettamente in grado di farlo, mi aspetto che tu segua il mio suggerimento ecc. In *b*) invece si evince che l'eventualità in questione sia per qualche ragione **irrealizzabile**: so che tanto non lo farai, non ascolti mai quello che ti si dice, sei legato a una sedia ecc. In italiano la distinzione tra realizzabile e irrealizzabile viene ottenuta selezionando temi verbali diversi, indicativo nel primo caso, congiuntivo nel secondo. In arabo i due enunciati si traducono come segue:

a) إِنْ فَتَّشْتَ فِي الدُرْجِ وَجَدْتَ المِبْرَاةَ *ʔin fattašta fī d-durǧi waǧadta l-mibrāta*

b) لَوْ فَتَّشْتَ فِي الدُرْجِ لَوَجَدْتَ المِبْرَاةَ ***law*** *fattašta fī d-durǧi* ***la****-waǧadta l-mibrāta*

selezionando cioè non due temi verbali diversi ma un *ḥarf* ipotetico diverso, إن *ʔin* nel primo caso, لو *law* nel secondo.
Rispetto al subordinante ipotetico italiano ***se*** l'arabo dispone di tre particelle: إن *ʔin*, لو *law*, إذا *ʔiḏā*. Tutte e tre vanno tradotte 'se' ma con sfumature diverse.

- ▶إن *ʔin*, لو *law*, إذا *ʔiḏā*, sono **sempre** seguiti dal ***māḍī*** (o più raramente, e senza cambiamento di significato, dal ***muḍāriʕ maǧzūm***), nello *šarṭ* **e** nel *ǧawāb*.
- ▶Se lo *šarṭ* viene introdotto da لو, il *ǧawāb* deve essere preceduto dalla particella **لـ** *la-* (che non si traduce).

La principale differenza è tra إن *ʔin* e لو *law*:

- إن introduce una **condizione realizzabile**: il parlante che formula un enunciato ipotetico usando إن ritiene che sia possibile o probabile che la cosa si realizzi;
- لو introduce una **condizione irrealizzabile**: il parlante che formula un enunciato ipotetico usando لو ritiene che sia impossibile o improbabile che la cosa si realizzi.

إِنْ تَخَرَّجْتُ في تَمُّوزَ سَافَرْتُ إلى الجَزَائِرِ	*ʔin taḫarraǧtu fī tammūza sāfartu ʔilā l-Ǧazāʔiri*	
	‘se mi laureo a luglio parto per l’Algeria’	(→ è possibile)
لَوْ تَخَرَّجْتُ في تَمُّوزَ لَسَافَرْتُ إلى الجَزَائِرِ	*law taḫarraǧtu fī tammūza la-sāfartu ʔilā l-Ǧazāʔiri*	
	‘se mi laureassi a luglio partirei per l’Algeria’	(→ è improbabile)

È possibile quindi adoperare il *muḍāriʕ maǧzūm* in alternativa al *māḍī*:

إِنْ أَتَخَرَّجْ في تَمُّوزَ أُسَافِرْ إلى الجَزَائِرِ	*ʔin ʔataḫarraǧ fī tammūza ʔusāfir ʔilā l-Ǧazāʔiri*
لَوْ أَتَخَرَّجْ في تَمُّوزَ لَأُسَافِرْ إلى الجَزَائِرِ	*law ʔataḫarraǧ fī tammūza la-ʔusāfir ʔilā l-Ǧazāʔiri*
إِنْ تُفَتِّشْ في الدُرْجِ تَجِدِ المِبْرَاةَ	*ʔin tufattiš fī d-durǧi taǧid^{i} l-mibrāta*
لَوْ تُفَتِّشْ في الدُرْجِ لَتَجِدِ المِبْرَاةَ	*law tufattiš fī d-durǧi la-taǧid^{i} l-mibrāta*

Ma in arabo contemporaneo tale costrutto è raro e percepito come un po’ pedante.

Nel tradurre dall’arabo verso l’italiano si può esitare nella scelta dei tempi secondo il contesto:

إن جِئْتَ غَدًا وَجَدْتَنِي	*ʔin ǧiʔta ġadan waǧadta-nī*	‘se vieni^{m} domani mi trovi^{m}’ ‘se verrai domani mi troverai’
لو جئتَ أَمْسِ لَوَجَدْتَنِي	*law ǧiʔta ʔamsi la-waǧadta-nī*	‘se tu^{m} fossi venuto ieri mi avresti^{m} trovato’
لو جئتَ غدًا لَوَجَدْتَنِي	*law ǧiʔta ġadan la-waǧadta-nī*	‘se tu^{m} venissi domani mi troveresti^{m}’

- **إذا** è sostanzialmente sinonimo di إن, in quanto introduce ugualmente una condizione realizzabile; rispetto a quest’ultimo tuttavia esso introduce un’idea di ripetizione o di abitudine, ‘se (e quando)’, e in alcuni contesti può tradursi ‘quando’ o ‘ogni volta che’:

إذا رَآنِي نَادَانِي	*ʔiḏā raʔā-nī nādā-nī*	‘se mi vede^{m} mi chiama’ (ogni volta è così)
إذا لم تَغْتَسِلْ نَتِنْتَ	*ʔiḏā lam taġtasil natinta*	‘se non ti^{m} lavi puzzi’

الجملة الشرطية الإيجابيّة Periodo ipotetico affermativo

ǧawāb		šarṭ		particella		condizione
فَعَلَ o (يَفْعَلْ)	←	فَعَلَ o (يَفْعَلْ)	←	إِنْ / إذا	←	realizzabile
لَـ فَعَلَ o (يَفْعَلْ)	←	فَعَلَ o (يَفْعَلْ)	←	لَوْ	←	irrealizzabile

2 الجملة الشَّرْطِيّة Il periodo ipotetico (negativo)

- Se lo *šarṭ* è negativo, il verbo verrà negato preferibilmente da لم (+ *mağzūm*):

إنْ لَمْ أَجِدْهُ اشْتَرَيْتُهُ ثَانِيَةً	*ʔin lam ʔağid-hu štaraytu-hu ṯāniyatan*	'se non lo trovo lo ricompro'
لَوْ لَمْ أُسَافِرْ لَبَقِيتُ مَعَكِ	*law lam ʔusāfir la-baqītu maʕa-ki*	'se non partissi resterei con te[f]'

- Se il *ğawāb* è negativo, il verbo può essere negato da ما + *māḍī* o da لم (+ *mağzūm*):

إنْ رَأَيْتُهُ مَا قُلْتُ لَهُ شَيْئًا	*ʔin raʔaytu-hu mā qultu la-hu šayʔan*	'se lo vedo non gli dico niente'
إنْ رَأَيْتُهُ لَمْ أَقُلْ لَهُ شَيْئًا	*ʔin raʔaytu-hu lam ʔaqul la-hu šayʔan*	'id.'

- Se il *ğawāb* è consecutivo a uno *šarṭ* introdotto da لو, la particella ل *la-* interviene soltanto se la negazione usata è ما + *māḍī*, altrimenti (لم + *mağzūm*) non interviene:

لَوْ سَمِعْتَهُ لَمَا صَدَّقْتَهُ	*law samiʕta-hu la-mā ṣaddaqta-hu*	'se tu[m] lo sentissi non lo crederesti'
لَوْ سَمِعْتَهُ لَمْ تُصَدِّقْهُ	*law samiʕta-hu lam tuṣaddiq-hu*	'id.'

الجملة الشرطية السَّلْبِيّة Periodo ipotetico negativo

ğawāb affermativo		*šarṭ* negativo		particella		condizione
فَعَلَ o يَفْعَلُ	←	لَمْ يَفْعَلْ	←	إنْ / إذا	←	realizzabile
لَـ فَعَلَ o يَفْعَلُ	←	لَمْ يَفْعَلْ	←	لَوْ	←	irrealizzabile

ğawāb negativo		*šarṭ* affermativo		particella		condizione
ما فَعَلَ o لَمْ يَفْعَلْ	←	فَعَلَ o يَفْعَلُ	←	إنْ / إذا	←	realizzabile
لَـ ما فَعَلَ o لَمْ يَفْعَلْ	←	فَعَلَ o يَفْعَلُ	←	لَوْ	←	irrealizzabile

▶In non pochi casi lo *šarṭ* non viene seguito da un *ǧawāb* consecutivo perché il parlante cambia proposito o passa a un commento; in tal caso il *ǧawāb* deve essere introdotto da فَ *fa-* ('allora'):

إن لم تَجِئْ فَقُلْ لي	*ʔin lam taǧiʔ fa-qul l-ī*	'se non vieni^m dimmelo'
إنْ أَحْبَبْتَني فَلاَ تَتْرُكْني!	*ʔin ʔaḥbabta-nī fa-lā tatruk-nī!*	'se mi ami^m non lasciar^m mi!'
لو رَجَعَ فَمَعْنَاهُ أنَّهُ تَغَيَّرَ	*law raǧaʕa fa-maʕnā-hu ʔanna-hu taġayyara*	'se tornasse^m significherebbe che è cambiato' (مَعْنًى، مَعَانٍ *maʕnan, maʕānin* 'significato')

النص الثاني Testo 2 CD2/8

– كيف يقال treno بالعربية؟

– يقال «قِطَار».

– وما الجمع؟

– إما قُطُر، أو قِطَارَات، أو قُطُرَات. لماذا تسأل، هل تنوي أن تركب قطرا كثيرة في الأيام القادمة؟

– ستضحك مني، لكني كنت أفكر في أن أسافر إلى المغرب بالقطار...

ينظر إبراهيم إلى صديقه سرجو نظرا قلقا.

– هل تدرك ما تقوله؟ الظاهر أنك لا تعرف الجغرافيا، فلو كنت درستها لكنت تعرف أن بين إيطاليا والمغرب بريكة اسمها البحر الأبيض المتوسط. وإن قمت بهذه الرحلة بالقطار كنت مضطرا إلى أن تجتاز نصف شبه الجزيرة الإيطالية ثم كل ساحل فرنسا الجنوبي ثم الساحل الإسباني من برشلونة حتى آلخيثيرس. ستستغرق سفرتك هذه أكثر من يومين كاملين على الأقل! أجننت؟

– الواقع أني مصاب برهبة الارتفاع.

– يا ربي، وما هذا المرض الغريب، حفظك الله؟

– معناه أني لا أستطيع أن أركب طائرة! فإذا ركبت طائرة أصابتني رهبة مخيفة!

- وهل تعاني دوار البحر كذلك؟
- نعم، للأسف...
- في هذه الحالة، أنت مدان: فإن وصلت بالقطار إلى جنوب إسبانيا وجب عليك أن تركب معدية من آلخيثيرس إلى سبتة...

الكلمات الجديدة Parole nuove

قطار، قطر	*qiṭār, quṭur*	treno	يقال	*yuqālu*	è detto, si dice (passivo)
جغرافيا	*ǧuġrāfiyā*	geografia	نظر، أنظار	*naẓar, ʔanẓār*	*maṣdar* di نَظَرَ
المغرب	*al-Maġrib*	il Marocco	إما... أو/وإما	*ʔimmā... ʔaw/wa-ʔimmā*	sia... sia...
بركة، برك	*birka, birak*	pozzanghera	ظاهر، ون	*ẓāhir, -ūna*	evidente, ovvio
بريكة، ات	*burayka, -āt*	(dimin. di pozzanghera)	الظاهِرُ أَنَّ		si direbbe che
متوسط، ون	*mutawassiṭ, -ūna*	mediano	رب، أرباب	*rabb, ʔarbāb*	padrone, signore
سفرة، سفرات	*safra, safarāt*	viaggio	يا رَبِّي!		o Signore!
رحلة، ات	*riḥla, -āt*	gita	كامل، ون	*kāmil, -ūna*	completo, intero
ساحل، سواحل	*sāḥil, sawāḥilu*	costa	رهبة، رهبات	*rahba, rahabāt*	fobia
إسبانيا	*ʔIsbāniyā*	Spagna	ارتفاع	*irtifāʕ*	altezza
برشلونة	*Baršalūna*	Barcellona	رَهْبَةُ الاِرْتِفَاعِ		acrofobia
آلخيثيرس	*Alḫīṯīras*	Algeciras	دوار (البحر)	*duwār (al-baḥr)*	mal di mare
سبتة	*Sabta*	Ceuta	مرض، أمراض	*maraḍ, ʔamrāḍ*	malattia
معنى، معان	*maʕnan, maʕānin*	significato	مخيف، ون	*muḫīf, -ūna*	terribile
مَعْنَاهُ أَنَّ		vuol dire che	غريب، غرباء	*ġarīb, ġurabāʔ*	strano, curioso
أسف، آساف	*ʔasaf, ʔāsāf*	dispiacere	مصاب، ون بـ	*muṣāb, -ūna bi-*	colpito da
لِلأَسَفِ		purtroppo	مضطر، ون إلى	*muḍṭarr, -ūna ʔilā*	costretto a

مدان، ون	*mudān, -ūna*	condannato	قلق، ون	*qaliq, -ūna*	preoccupato
معدية، ات	*muʕaddiya, -āt*	traghetto	قادم، ون	*qādim, -ūna*	prossimo
إبراهيم	*ʔIbrāhīm*	Ibrahim	سرجو		Sergio

فعل	حفظ، يحفظ	*ḥafiẓa, yaḥfaẓu*	conservare
	قام، يقوم بـ	*qāma, yaqūmu* **bi-**	fare, eseguire
	جن، يجن	*ǧunna, yuǧannu*	impazzire
أفعل	أدرك، يدرك	*ʔadraka, yudriku*	rendersi conto di
افتعل	اجتاز، يجتاز	*iǧtāza, yaǧtāzu*	percorrere
استفعل	استغرق، يستغرق	*istaġraqa, yastaġriqu*	durare (viaggio)

النحو Grammatica

3 صِيغة المَجْهُول Il passivo (primi cenni)

- Tutti i verbi studiati finora sono all'attivo (صيغة المعلوم *ṣīġat al-maʕlūm*). L'arabo possiede una diatesi passiva, che verrà studiata più avanti, il cui schema generale è **فُعِلَ يُفْعَلُ** *fuʕila, yufʕalu*.

  Nelle lezioni precedenti abbiamo incontrato alcuni casi:

وَجَدَ، يَجِدُ	*waǧada, yaǧidu*	'trovare'	→	وُجِدَ، يُوجَدُ	*wuǧida, yūǧadu*	'trovarsi, esserci'
وَلَدَتْ، تَلِدُ	*waladat, talidu*	'partorire'		وُلِدَ، يُولَدُ	*wulida, yūladu*	'nascere' (cf. *to be born*)

  Nello stesso modo:

كَتَبَ النَّصَّ	*kataba n-naṣṣa*	'ha^{m} scritto il testo'	→	كُتِبَ النَّصُّ	*kutiba n-naṣṣu*	'il testo è stato scritto'

  In questo testo sono stati incontrati due verbi, uno *ʔaǧwaf*, l'altro *muḍāʕaf*, al passivo:

قِيلَ، يُقَالُ	*qīla, yuqālu*	'essere detto, dirsi'	←	قَالَ، يَقُولُ	*qāla, yaqūlu*	'dire'
جُنَّ يُجَنُّ	*ǧunna, yuǧannu*	'impazzire'		جِنّ، جُنُون	*ǧinn, ǧunūn*	'ginn, spiritello' (sost.)

  Nb: جُنَّ verrebbe dalla contrazione di جُنِنَ **ǧunina*, da cui le forme coniugate جُنِنْتُ *ǧunintu* 'sono impazzito' ecc.

4 اسم التَّصْغِير Il diminutivo

- Anche se non molto sfruttata dall'arabo standard, esiste la possibilità di derivare temi diminutivi tramite gli schemi seguenti:

فُعَيْل	*fuʕayl*	a partire da temi con vocali brevi
فُعَيِّل	*fuʕayyil*	a partire da temi con una vocale lunga

Ad es.:

كَلْب	*kalb*	'cane'	→	كُلَيْب	*kulayb*	'cagnolino'
بِرْكَة	*birka*	'pozzanghera'		بُرَيْكَة	*burayka*	'pozzangherina'
كِتَاب	*kitāb*	'libro'		كُتَيِّب	*kutayyib*	'libricino'
صَغِير	*ṣaġīr*	'piccolo'		صُغَيِّر	*ṣuġayyir*	'piccolino, piccino'

In alcuni casi il diminutivo appare lessicalizzato:

بَحْر	*baḥr*	'mare'	↔	بُحَيْرَة	*buḥayra*	'lago'

5 صِيغة التَمَنِّي L'ottativo

▶ Il *māḍī* può avere una valenza ottativa, ovvero di augurio o speranza:

حَفِظَكَ الله!	*ḥafiẓa-ka Llāhu!*	'Dio ti^{m} protegga!'
بَارَكَ اللهُ فِيكَ!	*bāraka Llāhu fī-ka!*	'Dio ti^{m} benedica!' (formula di ringraziamento molto usata nel Maghreb)
عَاشَ المَلِكُ!	*ʿāša l-maliku!*	'viva il re!'

التمارين Esercizi

1 Inserire nei periodi ipotetici seguenti il verbo fra parentesi coniugandolo in maniera appropriata.

١. إن .... إلى غرفة الأساتذة، وجدتَـه. (ذهب)
٢. إذا اتصلَتْ بالسفارة، .... أن تسألهم ما تريده. (استطاع)
٣. لو .... معنا إلى شاطئ البحر، لانبسطتم كثيرا. (جاء)
٤. لو .... لي وقت لأتوقف عندك، لقلت لك. (كان)
٥. إن .... والداك أن يعطياك النقود، فسافري معنا! (استطاع)
٦. لو .... أنا في مكانكم، لـ .... أكثر. (كان)، (درس)
٧. إن .... من المنزل اليوم، اشترينا الخبز. (خرج)
٨. إن .... أصدقاؤكم يتكلمون بالعربية، .... عملا جيدا. (بدأ)، (وجد)
٩. إذا .... أبوك أسئلة، فلم .... ه قط. (سأل)، (أجاب)
١٠. إن .... حجرة بذلك الفندق، فـ .... ك ثمنا غاليا. (اختار)، (كلف)

2 Tradurre in arabo le frasi seguenti.

1. Se non mangio a casa oggi, ti^{f} telefono. ....
2. Se non ve lo avessero^{f} detto, non lo^{m} avreste riconosciuto. ....
3. Se tu^{m} non avessi tempo, non saresti venuto a casa mia. ....

4. Se non ci spediscono la lettera, li chiamiamo. ....
5. Se usciamo stasera, non dire[f] niente a mio fratello. ....

3 Passare i periodi ipotetici seguenti alla condizione irrealizzabile.

١. إن ذهبت اليوم إلى الكلية، لم تجد أحدا. ....
٢. إن لم تطبخ زوجتي عجة، أعدت معكرونة. ....
٣. إذا لم نخرج الخميس، ما ذهبنا إلى السينما. ....
٤. إن جاء الأستاذ متأخرا، لم يعطنا الامتحان. ....
٥. إن لم تجدوا شيئا، فاتصلوا بي. ....

4 Dai diminutivi seguenti risalire ai nomi originari secondo l'esempio.

جُبَيْل → جَبَل
قُرَيِّب → ....
شُجَيْرة → ....
قُبَيْلَ → ....
بُعَيِّدَ → ....
رُجَيْل → ....
مُدَيْرِسة → ....
قُطَيْط → ....
سُوَيْق → ....
غُرَيْفة → ....
بُوَيِّب → ....
حُسَين → ....

5 Comprensione del testo 1. Rispondere liberamente alle seguenti domande.

١. ماذا يمكن الزبائن أن يشتروا في وكالة سفريات؟ ....
٢. هل عثمان مسافر إلى مكان ما؟ ....
٣. ما هو الطيران الذي يكلف أكثر؟ ....
٤. إن توقف صديقنا في الدوحة خلال السفر، فهل يرتفع سعر التذكرة كثيرا ؟ ....
٥. متى يود عثمان أن يصل إلى اليمن؟ ....
٦. هل يشتري صديقنا التذكرة في النهاية؟ ....

6 Comprensione del Testo 2. Rispondere liberamente alle seguenti domande.

١. هل تعرف الآن ما هو مفرد الكلمة قُطُر؟ ....
٢. إلى أين يريد سرجو أن يسافر بالقطار؟ ....
٣. لماذا يفضل سرجو أن يركب القطار عوضا عن الطائرة؟ ....
٤. هل ستستغرق السفرة بالقطار من إيطاليا إلى المغرب وقتا قصيرا؟ ....
٥. ما هي البلدان التي يجب على صديقنا أن يجتازها، إن قام بمثل هذه الرحلة؟ ....
٦. لماذا يقول ابراهيم إن صديقها مدان عند وصوله إلى جنوب إسبانيا؟ ....

Radici...

Estrapolare la radice comune ai due temi e sintetizzare con فعل il wazn del tema della seconda colonna.

1			2				الأصل	الوزن
سفر	*safar*	'viaggio'	سافر	*sāfara*	'viaggiare'	→	....	....
ذكر	*ḏakara*	'ricordare'	تذكرة	*taḏkira*	'biglietto'		....	....
خط	*ḫaṭṭ*	'linea'	خطاط	*ḫaṭṭāṭ*	'calligrafo'		....	....
يعني	*yaʿnī*	'significa[m]'	معنى	*maʿnā*	'significato'		....	....
خبر	*ḫabar*	'notizia'	استخبر	*istaḫbara*	'informarsi'		....	....
وكالة	*wikāla*	'agenzia'	وكيل	*wakīl*	'agente'		....	....
رفع	*rafaʿa*	'sollevare'	ارتفع	*irtafaʿa*	'elevarsi'		....	....
وصل	*waṣala*	'arrivare'	وصول	*wuṣūl*	'arrivo'		....	....
عاش	*ʿāša*	'vivere'	عيش	*ʿayš*	'modo di vivere'		....	....
غريب	*ġarīb*	'strano'	غربة	*ġurba*	'esilio'		....	....

أكثر Di più

1 البِحار العربية I mari arabi

Mentre il Mar Rosso e il Mar Nero portano in arabo lo stesso nome che in altre lingue europee, il Mar Mediterraneo è per gli arabi il 'Mar Bianco', cui viene aggiunto l'aggettivo متوسط 'mediano, di mezzo' onde tradurre il nostro *medi-terraneo*:

البَحْرُ الأَحْمَرُ	*al-baḥru l-ʔaḥmaru*	'il Mar Rosso'
البَحْرُ الأَسْوَدُ	*al-baḥru l-ʔaswadu*	'il Mar Nero'
البَحْرُ الأَبْيَضُ المُتَوَسِّطُ	*al-baḥru l-ʔabyaḍu l-mutawassiṭu*	'il Mar Mediterraneo'

Tali denominazioni non sono dovute al colore effettivo o immaginario di questi mari, ma al fatto che anticamente i punti cardinali venivano identificati con dati colori, per cui 'il mar rosso' doveva essere inteso come 'il mar del sud' ecc.

L'oceano è invece chiamato محيط *muḥīṭ*, participio attivo di un verbo أحاط، يحيط *ʔaḥāṭa, yuḥīṭu* 'circondare': أطلسي *ʔaṭlasiyy* 'atlantico', هادئ *hādiʔ* 'pacifico', هندي *hindiyy* 'indiano'. Tra la costa orientale dell'Arabia e l'Iran si estende finalmente الخليج العربي *al-ḫalīǧ al-ʕarabiyy* 'il Golfo arabico', più noto in Occidente come 'Golfo persico'.

2 العُمْلات العربية Le valute arabe

Il denaro (نقود *nuqūd*, pl., o anche مال *māl*, sg.) sotto forma di monete e banconote non sembra decisamente essere un'invenzione araba, dato che quasi tutti i nomi delle differenti valute usate nei vari paesi arabi derivano da termini europei. Nei dialetti i 'soldi' sono un po' ovunque noti come فلوس *flūs*, tema in cui potrebbe ravvisarsi il latino *obolus* (da cui un singolare فلس *fals* o *fils* che in alcuni paesi designa il 'centesimo').

Arabia Saudita, Yemen, Oman, Emirati, Qatar e Bahrayn usano il رِيَال *riyāl* (pl. ات -*āt*) 'rial' (< it. *reale*, fr. *réal*); la Siria la لِيرا *līra* (o ليرة, pl. ات -*āt*) 'lira o sterlina siriana'; l'Egitto il جُنَيْه *ǧunayh*, con pronuncia dialettale *ginēh*, (pl. ات -*āt*) 'lira o sterlina egiziana' (< fr. *guinée*); Giordania, Libia, Tunisia, Algeria il دِينَار *dīnār* (pl. دَنَانِيرُ *danānīr*, dialettalmente anche دينارات *dīnārāt*) 'dinaro' (< *denarius*); il Marocco il دِرْهَم *dirham* (pl. دَرَاهِمُ *darāhim*) 'dirham' (< δράχμα *dráchma*); soltanto la Mauritania usa un termine arabo, la وقية *wuqiyya* (con pronuncia dialettale *wgiyya*, pl. ات -*āt*), che all'origine sarebbe una misura di peso.

Le banconote possono essere ritirate con una tessera (بطاقة مصرفية *biṭāqa maṣrifiyya*) presso un bancomat (صراف آلي *ṣarrāf ʔāliyy* nel Mashreq, موزع آلي *muwazziʕ ʔāliyy* nel Maghreb).

Le valute occidentali sono lo يورو *yūrū* (pl. يوروهات *yūrūhāt*) 'euro' e il دولار *dūlār* (pl. ات -*āt*) 'dollaro'.

مراجعة Ripasso

1 أوزان الفعل Le forme derivate

- Le forme derivate del verbo arabo sono convenzionalmente classificate e numerate dall'arabistica occidentale nella maniera seguente. Ogni forma viene indicata da un numero romano da I a X.

I forma	فَعُلَ *faʕa/i/ula*	forma spoglia
II forma	فَعَّلَ *faʕʕala*	tensione 2ª radicale
III forma	فَاعَلَ *fāʕala*	interfisso -*ā*- tra 1ª e 2ª radicali
IV forma	أَفْعَلَ *ʔafʕala*	prefisso *ʔa*-
V forma	تَفَعَّلَ *tafaʕʕala*	prefisso *ta*- a II forma
VI forma	تَفَاعَلَ *tafāʕala*	prefisso *ta*- a III forma
VII forma	اِنْفَعَلَ *infaʕala*	prefisso *n*-
VIII forma	اِفْتَعَلَ *iftaʕala*	interfisso -*ta*- tra 1ª e 2ª radicali
IX forma	اِفْعَلَّ *ifʕalla*	tensione 3ª radicale
X forma	اِسْتَفْعَلَ *istafʕala*	prefisso *sta*-

Cui occorre aggiungere due ulteriori forme (in arabo classico erano XV), rarissime ma ancora usate:

XI forma	اِفْعَالَّ *ifʕālla*	interfisso -*ā*- e tensione 3ª radiale
XII forma	اِفْعَوْعَلَ *ifʕawʕala*	interfisso -*aw*- e duplicazione 2ª

- Non tutti i verbi *muǧarrad* posseggono necessariamente una o più forme derivate (nessuno le ha tutte e nove), e viceversa alcuni verbi derivati non presentano il tema spoglio o *muǧarrad*.

2 الفعل الرُّباعي I quadriconsonantici

- Le radici quadriconsonantiche, di schema فَعْلَلَ *faʿlala* (o $c_1ac_2c_3ac_4a$), non sono numerosissime e non presentano problemi di flessione, coniugandosi esattamente come i verbi del *wazn* فَعَّلَ *faʿʿala* (II forma):

اسم المفعول	اسم الفاعل	الأمر	المضارع	← الماضي
مُفَسَّر *mufassar*	مُفَسِّر *mufassir*	فَسِّر *fassir*	يُفَسِّرُ *yufassiru*	فَسَّرَ *fassara*
مُتَلْفَن *mutalfan*	مُتَلْفِن *mutalfin*	تَلْفِن *talfin*	يُتَلْفِنُ *yutalfinu*	تَلْفَنَ *talfana*
مُدَمْدَم *mudamdam*	مُدَمْدِم *mudamdim*	دَمْدِم *damdim*	يُدَمْدِمُ *yudamdimu*	دَمْدَمَ *damdama*

- Essi posseggono tre temi *mazīd* (o derivati):

II forma	تَفَعْلَلَ *tafaʿlala*	ad es.	تَجَمْهَرَ *taǧamhara*	‘affollarsi’	√*ǧ-m-h-r*
III forma	اِفْعَنْلَلَ *ifʿanlala*		*(inusitata in arabo standard contemporaneo)*		
IV forma	اِفْعَلَلَّ *ifʿalalla*		اِشْمَأَزَّ *išmaʾazza*	‘provare nausea’	√*š-m-ʾ-z*

Nb: numerosi prestiti europei vengono adattati in arabo come quadriconsonantici di I o II forma (è già stato visto تَلْفَنَ *talfana* ‘telefonare’):

دَبْلَجَ	*dablaǧa*	‘doppiare [un film]’	←	fr. *doublage* ‘doppiaggio’
فَرْنَسَ	*farnasa*	‘francesizzare’	←	fr. *franç(ais)*
تَأَكْسَدَ	*taʾaksada*	‘ossidarsi’	←	fr./ing. *oxyd-*
تَلَمْبَدَ	*talambada*	‘ballare la lambada’	←	port. *lambada*

3 Come cercare le parole nel vocabolario

Trovare una parola su un vocabolario arabo (قَامُوس *qāmūs* o مُعْجَم *muʿǧam*) non è affatto semplice per lo studente durante i primi due/tre anni di apprendimento, perché i vari lemmi non vengono elencati l’uno dopo l’altro in senso alfabetico ma raggruppati intorno alle **radici** da cui sono generati (le quali radici sono in ordine alfabetico). Prima di aprire il vocabolario per cercare una parola sconosciuta, che normalmente incontriamo sulla carta senza vocalizzazione, occorre quindi estrapolarne la radice – nel più dei casi – triconsonantica.

Ora finché la radice in questione si riveli *sālima*, o ‘sana’, ossia fatta di tre consonanti ‘forti’ (che non siano cioè و e ي), l’operazione non si rivela necessariamente troppo ardua. Le cose si complicano se: 1) la radice contiene una و o/e una ي, che come è stato visto a proposito dei verbi ‘deboli’ molto spesso vengono mascherate da una ا, si sostituiscono a vicenda o si elidono, o 2) se la radice è *muḍāʿafa*, in cui la non registrazione della *šadda* impedisce di riconoscere a prima vista la radicale geminata, nonché 3) in alcuni casi di verbi hamzati.

La radice deve essere estrapolata a partire da un *ism*, da un *fiʿl*, o in molti casi da un *ḥarf*. Si spera naturalmente che – a questo punto dei suoi studi – l’aspirante arabista sia in grado di eliminare dalla ricerca elementi periferici quali l’articolo ال, il coordinante و, le preposizioni prefisse لـ, بـ, كـ, pur tenendo a mente che in dati casi come التفت *iltafata* ‘si è voltato’, والدان *wālidāni* ‘genitori’, لبنان

Lubnān 'Libano', ببغاء *babbaġā*ʔ 'pappagallo', كستنة *kastana* 'castagne' essi fanno invece parte della radice.
Una volta proceduto a questa prima potatura, occorre ricordare che alcune lettere, dette **servili**, fungono quasi (ma non!) sempre da morfemi derivazionali. Tali consonanti servili sono:

ء ʔ	ad es.	– morfema prefisso di 1ª pers. sing. del *muḍāriʕ* – morfema prefisso del wazn أَفْعَلَ *ʔafʕala* (IV forma)
ا *ā*		– morfema suffisso di 3ª duale del *māḍī* – morfema interfisso del wazn فَاعَلَ *fāʕala* – morfema interfisso del participio attivo *muǧarrad* فَاعِل *fāʕil*
ت *t*		– morfema suffisso del plurale sano femminile – morfema prefisso o suffisso di 1ª, 2ª e 3ª pers. al *māḍī* e al *muḍāriʕ* – morfema prefisso dei due wazn تَفَعَّلَ *tafaʕʕala* (V forma) e تَفَاعَلَ *tafāʕala* (VI forma) – morfema interfisso del wazn اِفْتَعَلَ *iftaʕala* (VIII forma) – morfema prefisso di alcuni *maṣdar*
ست *st*		– morfema prefisso del wazn اِسْتَفْعَلَ *istafʕala* (X forma)
م *m*		– morfema prefisso di locativi, strumentali e participi attivi e passivi
ن *n*		– morfema suffisso del plurale sano maschile e del duale – morfema prefisso di 1ª pers. plurale al *muḍāriʕ* – morfema prefisso del wazn اِنْفَعَلَ *infaʕala* – morfema suffisso di 2ª femm. singolare di 2ª e 3ª pers. plurale e duale del *muḍāriʕ*
و *w*		– morfema suffisso di 3ª pers. plurale del *māḍī*
ي *y*		– morfema prefisso di 3ª del *muḍāriʕ* – pronome suffisso di 1ª pers. singolare – *nisba*

Nb: è possibile ricordare tali consonanti memorizzando l'espressione أنت موسى *ʔanta Mūsā.*

Anche con queste lettere può darsi il caso, non frequentissimo ma neanche raro, di radici che contengano una lettera servile come prima, seconda o terza radicale (o quarta), laddove cioè essa potrebbe essere scambiata per tale, ad es.:

				che potrebbero essere:		
أدب	*ʔaddaba*	'haᵐ educato'	√*ʔ-d-b*	*ʔadibbu*	'cammino carponi'	√*d-b-b*
ترك	*taraka*	'haᵐ lasciato'	√*t-r-k*	*tarikku*	'seiᵐ ignobile'	√*r-k-k*
سكت	*sakata*	'haᵐ taciuto'	√*s-k-t*	*sakkat*	'haᶠ coniato'	√*s-k-k*
مرضى	*marḍā*	'ammalati'	√*m-r-ḍ*	*murḍā*	'accontentato'	√*r-ḍ-y*
نكت	*nukat*	'barzellette'	√*n-k-t*	*nakittu*	'mormoriamo'	√*k-t-t*

				che potrebbero essere:		
غليون	*ġalyūn*	'pipa'	√*ġ-l-y-n*	*ġaliyyūna*	'costosi'	√*ġ-l-w*
سكين	*sikkīn*	'coltello'	√*s-k-n*	*sakkayni*	'due ganci' (obl.)	√*s-k-k*
ألمان	*ˀalmān*	'tedeschi'	√*ˀ-l-m-n*	*ˀalamāni*	'due dolori'	√*ˀ-l-m*
سري	*sariyy*	'ruscello'	√*s-r-y*	*sirriyy*	'segreto'	√*s-r-r*
يمين	*yamīn*	'destra'	√*y-m-n*	*yamīnu*	'mente[m]'	√*m-y-n*
كراسي	*karāsiyy*	'sedie'	√*k-r-s-y*	*kurrās-ī*	'i miei quaderni'	√*k-r-s*

È probabile che lo studente a questo punto si senta smarrito e molto lontano dalla sponda della padronanza dell'arabo. Gli va risposto che è perfettamente normale e gli assicuriamo che anche da parte degli arabi questi problemi possono essere vissuti in alcuni casi come disperanti. Lo invitiamo partanto a meditare la frase del celebre scrittore egiziano قاسم أمين *Qāsim ˀAmīn* (1865-1908):

«إننا الشعب الوحيد الذي يجب أن يفهم ليقرأ، بينما كل شعوب العالم تقرأ لتفهم»

شعب، شعوب	*šaˁb, šuˁūb*	popolo
وحيد	*waḥīd*	unico

التمارين Esercizi

1 Coniugare correttamente i verbi dati fra parentesi.

١. لم .... فيصل أن .... أباه في أعماله المنزلية. (أراد)، (ساعد)

٢. لن .... أنا وأصدقائي مرة أخرى للامتحان. (بكي)

٣. لا .... علامات دون المقبول، يا فهد، وإلا لن .... أبوك يدفع دراساتك. (أخذ)، (عاد)

٤. إن لم .... عليكم دروس، فلماذا لا .... معنا إلى المرقص؟ (كان)، (أتى)

٥. قبل أن .... من منزلك، .... السخان ولا .... (خرج)، (شغّل)، (نسي)

٦. .... لنا الوقت الآن لكي .... هذا الصباح معكم. (ليس)، (قضى)

٧. إن لم .... إلى البيت، ف .... بأخيكَ لكي .... ك. (عاد)، (اتصل)، (انتظر)

٨. سوف .... يوم الخميس، ولكننا لن .... إلا بعد يومين. (سافر)، (وصل)

٩. قبل أن ....، فعليك أن .... فتى جميلا. (تزوج)، (وجد)

١٠. .... الكتب التي أعطاها إياك الأستاذ و .... ها، يا جاهل! (أخذ)، (قرأ)

2 Tradurre in italiano.

١. لم يقل لي صديقي إنه غضب لأنه انتظر كثيرا. ....

٢. من دعاكم إلى حفلتي دون أن أقول لكم شيئا؟ ....

٣. أما زال الأستاذ مشغول البال لطلابه الذين لم يدرسوا لامتحانه؟ ....

٤. ذلك السيد هو المحلل النفساني لصديقتنا تلك. ....

٥. لقد أرسلت إليّ أمي رسالة تقول فيها إنها غضبت غضبا شديدا بسبب علاماتي. ....

٦. خذوا الخبز والمربى، يا شباب، وكلوهما دون أن تدمدموا! ....

٧. لا تأكل أكثر من اللازم، يا حبيبي، وإلا سأتركك فورا. ....

٨. لم أفهم جيدا مع من تلمبدتِ أمس، يا بنتي، فالآن أريد أن تقولي لي الحق! ....

٩. اشمأزت أختي لما دخلت غرفتي ووجدتها وسخة على هذا القدر. ....

١٠. أولئك الذين لم ينجحوا في هذا الامتحان لن يتعشوا مع الأساتذة في آخر السنة. ....

3 Tradurre in arabo.

1. Sai[f] chi si è sposato il mese scorso? – No, e tu[f]? – Neanch'io! ....
2. Vorreste[m] darmi un po' del vostro pane? – Subito! ....
3. Mio padre vorrebbe sapere chi ha aperto la finestra della cucina. ....
4. Sei più anziano di me, ma anche più bello! ....
5. Spegni[m] la luce, per favore, voglio dormire adesso. ....
6. Spiega[m]ci perché sei ancora preoccupato. ....
7. Che cosa le ha detto lo psicanalista? – Che non c'è soluzione al suo problema! ....
8. Non dite[m]mi nulla della cena, ho già saputo tutto da Soheila. ....
9. Perché non mi stiri le camicie quando sei libero? ....
10. Quando ti[m] daranno[m] ciò che ti hanno detto saremo diventati vecchi! ....

لن يصدقني أحد! Non mi crederà nessuno!

النص الأول Testo 1 CD2/9

ذهب هشام إلى مخفر شرطة حارته لكي يجدد إذن إقامته، الذي كان على وشك الانتهاء. فجاء بإذنه السابق، وبجواز سفره، وبشهادة تسجيله في الجامعة، وبتصريح مالك بيته، وبتقرير طبي، وحتى بشهادة ميلاده، فمن يدري؟ إن البيروقراطية الإيطالية معروفة!

بعد ثلاثة أرباع ساعة انتظار يناديه الشرطي الموظف في مكتب الإقامات ويدخله إلى قاعة مكيفة الهواء ويجلسه على كرسي ويبدأ بفحص أوراقه:

- هشام برقاش، المولود في الدار البيضاء الخ... المقيم بـ الخ... المسجل في كلية الهندسة الخ...

يلاحظ هشام بدهشة أن الشرطي منصرف إلى قراءة جزء جواز سفره المكتوب بالعربية. هذا من المستحيل!

- من علمك العربية، هل أنت عربي؟
- كلا، إني إيطالي مئةً في المئة، لكن في مدرسة اللغات للشرطة نظموا دورات لغة عربية وأنا سجلت نفسي فيها. للآن لم أتعلم إلا أشياء بسيطة...
- شرطي يتكلم ويقرأ العربية، لن يصدقني أحد! ولماذا أردت أن تدرس العربية؟
- سؤال جميل... لكن لي سؤالا آخر إليك، وإن أردت أن أجدد إذنك بسرعة فعليك أن تعطيني جوابا مقنعا: كيف استطعتم، أنتم العرب، أن تخترعوا لغة معقدة بهذا المقدار؟

الكلمات الجديدة Parole nuove

مخفر الشُرْطة	*maḫfar aš-šurṭa*	commissariato	بيروقراطية	*bīrūqrāṭiyya*	burocrazia
حارة، ات	*ḥāra, -āt* (= حيّ)	quartiere	مولود	*mawlūd*	nato
إقامة، ات	*ʔiqāma, -āt*	soggiorno	الدارُ البَيْضاءُ	*ad-Dār al-Bayḍāʔ*	Casablanca
إذن، إذنوات	*ʔiḏn, ʔiḏnawāt*	permesso	شهادة، ات	*šahāda, -āt*	certificato
إِذْنُ إِقامَةٍ		permesso di soggiorno	مقيم، ون	*muqīm, -ūna*	residente
شهادة، ات	*šahāda, -āt*	certificato	تَقْرِيرٌ طِبِّيٌّ		certificato medico
ورق، أوراق	*waraq, ʔawrāq*	carta, documento	مالك، ملاك	*mālik, mullāk*	proprietario
امتهاء	*intihāʔ*	scadenza	شرطة	*šurṭa*	polizia
إلى آخره (= الخ)	*ʔilā ʔāḫiri-hi*	ecc.	دورة، ات	*dawra, -āt*	corso (lezioni)
هندسة	*handasa*	ingegneria	للآن	*li-l-ʔāni*	finora
منصرف، ون إلى	*munṣarif ʔilā*	(qui:) intento a	جواب، أجوبة	*ǧawāb, ʔaǧwiba*	risposta
قراءة، قراءات	*qirāʔa, -āt*	lettura	مقنع، ون	*muqniʕ, -ūna*	convincente
جزء، أجزاء	*ǧuzʔ, ʔaǧzāʔ*	parte	مقدار، مقادير	*miqdār, maqādīru*	misura
مستحيل، ون	*mustaḥīl, -ūna*	impossibile	بِهٰذَا المِقْدَارِ		così tanto
هشام	*Hišām*	Hicham (n.pr.m.)	سؤال، أسئلة	*suʔāl, ʔasʔila*	domanda
برقاش	*Barqāš*	Bergache*	معقد، ون	*muʕaqqad, -ūna*	complicato

* برقاش, nella sua pronuncia dialettale *Bargāš*, è un cognome maghrebino di origine andalusa: *Vargas*.

فعل	سقَط (ـُ)	*saqaṭa (u)*	cadere; scadere
	فحَص (ـَ)	*faḥaṣa (a)*	esaminare
	جاء بـ	*ǧāʔa* **bi-**	portare (qc)
فعّل	علم	*ʕallama*	insegnare
	جدد	*ǧaddada*	rinnovare
	سجل	*saǧǧala*	iscrivere
	وظف	*waẓẓafa*	impiegare
	دخل	*daḫḫala*	far entrare
	نظم	*naẓẓama*	organizzare
	صرح	*ṣarraḥa*	dichiarare
	كيف	*kayyafa*	condizionare (aria)
أفعل	أجلس، يجلس	*ʔaǧlasa, yuǧlisu*	far sedere
افتعل	اخترع، يخترع	*iḫtaraʕa, yaḫtariʕu*	inventare

النحو Grammatica

1 الفعل المجرد La I forma

Il verbo in I forma ha la struttura seguente (in cui *v* indica una qualsiasi vocale *a i u*):

māḍī	*muḍāriʿ*
فَعْلْـ *faʿvl-*	ـفْعِلْـ *-fʿvl-*

Tra vocalizzazione del *māḍī* e vocalizzazione del *muḍāriʿ* vi sono alcune corrispondenze:

فَعَلَ *faʿala* → يَفْعُلُ *yafʿulu* (nel 60% dei casi)
يَفْعِلُ *yafʿilu* (in un 30% dei casi)
يَفْعَلُ *yafʿalu* (solo se c_2 e/o c_3 sia ء ه غ خ ع ح)
فَعِلَ *faʿila* → يَفْعَلُ *yafʿalu* (sempre)
فَعُلَ *faʿula* → يَفْعُلُ *yafʿulu* (sempre)

Nei vocabolari la vocalizzazione del *muḍāriʿ* viene indicata nel modo seguente:

كتَب (ُ)
غسَل (ِ)
فتَح (َ)
غضِب (َ)

Esistono alcuni verbi con due vocalizzazioni (e due significati) diversi:

حزَن (ُ) 'rattristare'
حزِن (َ) 'essere triste'

Con i verbi *miṯāl*:

وصَل (ِ) ← يَصِلُ
وقَف (ِ) ← يَقِفُ

Con i verbi *ʾağwaf*:

قال (ُ) ← يَقُولُ
قاس (ِ) ← يَقِيسُ
نام (َ) ← يَنَامُ

Con i verbi *nāqiṣ*:

حكَى (ِ) ← يَحْكِي
نسِي (َ) ← يَنْسِي
شكَا (ُ) ← يَشْكُو

Con i verbi *muḍāʿaf*:

مر (ُ) ← يَمُرُّ
شد (ِ) ← يَشِدُّ

2 الفعل المزيد على وزن فَعَّلَ La II forma

La II forma è caratterizzata dalla tensione della seconda radicale: فَعَّلَ *faʿʿala*. Il paradigma generale della II forma è il seguente:

المصدر	اسم المفعول	اسم الفاعل	الأمر	المضارع	الماضي
تَفْعِيلاً *tafʿīl* (تَفْعِلَةً) (*tafʿila*)	مُفَعَّلٌ *mufaʿʿal*	مُفَعِّلٌ *mufaʿʿil*	فَعِّلْ *faʿʿil*	يُفَعِّلُ *yufaʿʿilu*	فَعَّلَ *faʿʿala*

Si osservi il rapporto semantico tra le II forme seguenti e i temi corrispondenti nella colonna di destra:

عَلَّمَ	*ʿallama*	'insegnare'	↔	عَلِمَ	*ʿalima*	'sapere'
دَرَّسَ	*darrasa*	'insegnare'		دَرَسَ	*darasa*	'studiare'
دَخَّلَ	*daḫḫala*	'far entrare, introdurre'		دَخَلَ	*daḫala*	'entrare
جَدَّدَ	*ǧaddada*	'rinnovare'		جَدِيد	*ǧadīd*	'nuovo'
نَظَّفَ	*naẓẓafa*	'pulire'		نَظِيف	*naẓīf*	'pulito'
سَجَّلَ	*saǧǧala*	'iscrivere, registrare'		سِجِلّ	*siǧill*	'lista, elenco'
نَظَّمَ	*naẓẓama*	'mettere in ordine, organizzare'		نِظَام	*niẓām*	'ordine'

Si evince una valenza **fattitiva** ('far fare') e **denominativa** ('rendere, fare *x*').

كسر	*kassara*	'frantumare'	↔	كَسَرَ	*kasara*	'rompere'
قَطَّعَ	*qaṭṭaʿa*	'spezzettare'		قَطَعَ	*qaṭaʿa*	'tagliare'

In questi ultimi due casi la valenza è invece **intensiva** ('fare molto').

▶ A partire da un verbo in I forma, che può avere uno dei tre schemi فَعَلَ *faʿala*, فَعِلَ *faʿila*, فَعُلَ *faʿula*, le varie forme derivate – dalla II alla X – presentano un unico schema:

دَرَسَ	*darasa*	'studiare'	→	دَرَّسَ	*darrasa*	'insegnare'
مَرِضَ	*mariḍa*	'ammalarsi'		مَرَّضَ	*marraḍa*	'curare un malato'
كَبُرَ	*kabura*	'crescere, diventare grande'		كَبَّرَ	*kabbara*	'ingrandire'

3 الأفعال المزيدة المُعْتَلّة II forma e radici deboli

- Verbi *miṯāl*: nessuna irregolarità, ad es. وَظَّفَ *waẓẓafa* 'dare un impiego (وظيفة *waẓīfa*)':

المصدر	اسم المفعول	اسم الفاعل	الأمر	المضارع	الماضي
تَوْظِيفًا *tawẓīf*	مُوَظَّفٌ *muwaẓẓaf*	مُوَظِّفٌ *muwaẓẓif*	وَظِّفْ *waẓẓif*	يُوَظِّفُ *yuwwaẓẓifu*	وَظَّفَ *waẓẓafa*

- Verbi *ʾaǧwaf*: la seconda radicale semivocalica riprende corpo:

كَانَ يَكُونُ	*kāna, yakūnu*	'essere'	→	كَوَّنَ	*kawwana*	'formare'
قَاسَ يَقِيسُ	*qāsa, yaqīsu*	'misurare'		قَيَّسَ	*qayyasa*	'misurare'
نَامَ يَنَامُ	*nāma, yanāmu*	'dormire'		نَوَّمَ	*nawwama*	'anestetizzare'

المصدر	اسم المفعول	اسم الفاعل	الأمر	المضارع	الماضي
تَكْوِينًا	مُكَوَّنٌ	مُكَوِّنٌ	كَوِّنْ	يُكَوِّنُ	كَوَّنَ
takwīn	*mukawwan*	*mukawwin*	*kawwin*	*yukawwinu*	*kawwana*
تَقْيِيسًا	مُقَيَّسٌ	مُقَيِّسٌ	قَيِّسْ	يُقَيِّسُ	قَيَّسَ
taqyīs	*muqayyas*	*muqayyis*	*qayyis*	*yuqayyisu*	*qayyasa*

- Verbi *nāqiṣ*: segue il modello حَكَى; il *maṣdar* è obbligatoriamente **تَفْعِلَةٌ** *tafʕila*:

بَكَى يَبْكِي	*bakā, yabkī*	‘piangere’	→	بَكى	*bakkā*	‘far piangere’
نَسِيَ يَنْسى	*nasiya, yansā*	‘dimenticare’		نَسى	*nassā*	‘far dimenticare’
رَبَا يَرْبُو	*rabā, yarbū*	‘crescere’		رَبى	*rabbā*	‘allevare’

المصدر	اسم المفعول	اسم الفاعل	الأمر	المضارع	الماضي
تَغْنِيَةً	مُغَنًّى	مُغَنٍّ	غَنِّ	يُغَنِّي	غَنَّى
taġniya	*muġannan*	*muġannin*	*ġanni*	*yuġannī*	*ġannā*

- Verbi *muḍāʕaf*: nessuna irregolarità:

المصدر	اسم المفعول	اسم الفاعل	الأمر	المضارع	الماضي
تَجْدِيدًا	مُجَدَّد	مُجَدِّد	جَدِّدْ	يُجَدِّدُ	جَدَّدَ
taǧdīd	*muǧaddad*	*muǧaddid*	*ǧaddid*	*yuǧaddidu*	*ǧaddada*

النص الثاني Testo 2 CD2/10

يجلس عمر أمام حاسوبه ويبدأ يكتب رسالة لأبيه.

«يا والدي المحترم،

أتمنى أن تصلك رسالتي هذه بإذن الله وأنت بأحسن حال، أما بعد.

إني أكاتبك لأقول لك إني اتخذت قرارا مهما بعد رسالتك الأخيرة التي أحزنتني إحزانا مؤلما وجعلتني أفكر في حياتي.

منذ طفولتي وأنا أعيش في ظل الجامعة وسلك الجامعة كأنهما المهنة الوحيدة الجديرة

بالاهتمام والاحترام. وطول حياتي حاولت أن أكون كما أردت: ماهرا في المدرسة، رزينا في البيت، مجتهدا في القراءة... فهل تريد أن تعرف ما نتيجة كل هذا؟ الملل، يا أبي، فلم تكن حياتي حتى الآن، كطفل وكمراهق، إلا نفق ملل طويلا، وبسببك أنت!

لقد عرفت جيدا أني أحب الحيوانات ورغم ذلك منعت عني كلبا أو قطا أو حتى سمكة حمراء منعا مطلقا! أما اليوم، ففهمت دعوتي المهنية: سأوقف حياتي على الحيوانات. لا تظن ولا ثانية أني أقصد التسجيل في كلية البيطرية، أعوذ بالله! فإن مجرد التفكير في الأساتذة والامتحانات والكتب والمكتبات يثير فيّ وجع البطن. كلا: أنا مسافر إلى قرطبة، حيث سأصبح مصارع ثيران!

يسلم عليك عمر القرطبي دي لوس طوروس».

الكلمات الجديدة Parole nuove

محترم، ون	*muḥtaram, -ūna*	rispettato	مطلق، ون	*muṭlaq, -ūna*	assoluto
إذن، إذنوات	*ʔiḏn, ʔiḏnawāt*	permesso, consenso	دعوة، دعوات	*daʕwa, daʕawāt*	vocazione
أما بعد	*ʔammā baʕdu*	(lett.) quanto a dopo*	بيطري	*bayṭariyy*	veterinario
قرار، ات	*qarār, -āt*	decisione	مجرد، ون	*muǧarrad, -ūna*	semplice, spoglio
مؤلم، ون	*muʔlim, -ūna*	doloroso	مُجَرَّدُ ال		il solo (fatto di)
ظل، ظلال	*ẓill, ẓilāl*	ombra	مكتبة، ات	*maktaba, -āt*	biblioteca; libreria
سلك، سلوك	*silk, sulūk*	(qui:) carriera	جدير، ون بـ	*ǧadīr, -ūna bi-*	degno di
مهنة، مهن	*mihna, mihan*	professione	اهتمام، ات	*ihtimām, -āt*	interesse
مهني، ون	*mihaniyy, -ūna*	professionale	وجع، أوجاع	*waǧaʕ, ʔawǧāʕ*	dolore
احترام، ات	*iḥtirām, -āt*	rispetto	بطن، بطون	*baṭn, buṭūn*	pancia
رزين، رزناء	*razīn, ruzanāʔ*	serio, posato	قرطبة	*Qurṭuba*	Cordova
ملل	*malal*	noia	قرطبي، ون	*qurṭubiyy, -ūna*	cordovano
مراهق، ون	*murāhiq, -ūna*	adolescente	ثور، ثيران	*ṯawr, ṯīrān*	toro
نفق، أنفاق	*nafaq, ʔanfāq*	tunnel	مصارع، ون	*muṣāriʕ, -ūna*	lottatore
حيوان، ات	*ḥayawān, -āt*	animale	مُصَارِعُ ثِيرَانٍ		torero
رغم	*raġma*	malgrado			

* Ogni lettera scritta in arabo inizia con una serie – non di rado lunga – di saluti, che vengono conclusi con questa formula.

فعل	قصد (ُ)	*qaṣada (u)*	intendere
	منع (َ) عن	*manaʕa (a) ʕan*	vietare a
	منع	*manʕ*	*maṣdar* di 'vietare a'
	عاش، يعيش	*ʕāša, yaʕīšu*	vivere
	عاذ (ُ)	*ʕāḏa (u)*	rifugiarsi
	أَعُوذُ بِاللهِ!		Dio ne scampi!
فاعل	صارع	*ṣāraʕa*	lottare, combattere
أفعل	أحزن، يحزن	*ʔaḥzana, yuḥzinu*	rattristare
	إحزان	*ʔiḥzān*	*maṣdar* di 'rattristare'
	أوقف ه على	*ʔawqafa, yūqifu ʕalā*	dedicare qc a
	أثار، يثير	*ʔaṯāra, yuṯīru*	eccitare, causare
افتعل	اتخذ، يتخذ	*ittaḫaḏa, yattaḫiḏu*	(qui:) prendere

النحو Grammatica

4 الفعل المزيد على وزن فاعَلَ Il verbo in III forma

La III forma è caratterizzata da un interfisso -*ā*- tra la prima e la seconda radicale: فَاعَلَ *fāʕala*. Il paradigma generale della III forma è il seguente:

المصدر		اسم المفعول	اسم الفاعل	الأمر	المضارع	الماضي
مُفاعَلَةً	فِعالاً	مُفاعَلٌ	مُفاعِلٌ	فَاعِلْ	يُفَاعِلُ	فَاعَلَ
mufāʕala	*fiʕāl*	*mufāʕal*	*mufāʕil*	*fāʕil*	*yufāʕilu*	*fāʕala*

Si osservi il rapporto semantico tra le III forme seguenti e i temi corrispondenti nella colonna di destra:

كَاتَبَ	*kātaba*	'scrivere a qn'	↔	كَتَبَ	*kataba*	'scrivere'
جَالَسَ	*ǧālasa*	'sedersi con qn'		جَلَسَ	*ǧalasa*	'sedersi'

Si evince una valenza **conativa** ('fare con/a qn').

حَارَبَ	*ḥāraba*	'combattere qn'	↔	حَرْب	*ḥarb*	'guerra'
رَافَقَ	*rāfaqa*	'accompagnare qn'		رَفِيق	*rafīq*	'compagno'

In questi ultimi due casi si ha una valenza **denominativa**.

5 الأفعال المزيدة المُعْتَلّة III forma e radici deboli

- Verbi *miṯāl*: nessuna irregolarità, ad es. وَاصَلَ *wāṣala* 'continuare':

المصدر	اسم المفعول	اسم الفاعل	الأمر	المضارع	الماضي
مُوَاصَلَةً *muwāṣala*	مُوَاصَلٌ *muwāṣal*	مُوَاصِلٌ *muwāṣil*	وَاصِلْ *wāṣil*	يُوَاصِلُ *yuwāṣilu*	وَاصَلَ *wāṣala*

- Verbi *ʔaǧwaf*: la seconda radicale semivocalica riprende corpo:

قَامَ يَقُومُ	*qāma, yaqūmu*	'alzarsi'	→	قَاوَمَ	*qāwama*	'combattere, resistere'
ضَاقَ يَضِيقُ	*ḍāqa, yaḍīqu*	'essere stretto'		ضَايَقَ	*ḍāyaqa*	'angustiare'

المصدر	اسم المفعول	اسم الفاعل	الأمر	المضارع	الماضي
مُقَاوَمَةً *muqāwama*	مُقَاوَمٌ *muqāwam*	مُقَاوِمٌ *muqāwim*	قَاوِمْ *qāwin*	يُقَاوِمُ *yuqāwimu*	قَاوَمَ *qāwama*
مُضَايَقَةً *muḍāyaqa*	مُضَايَقٌ *muḍāyaq*	مُضَايِقٌ *muḍāyiq*	ضَايِقْ *ḍāyiq*	يُضَايِقُ *yuḍāyiqu*	ضَايَقَ *ḍāyaqa*

- Verbi *nāqiṣ*: segue il modello حَكَى; attenzione ai participi e al *maṣdar*:

كَفَى يَكْفِي	*kafā, yakfī*	'bastare'	→	كَافَى	*kāfā*	'bastare (a qn)'
لَقِيَ يَلْقَى	*laqiya, yalqā*	'trovare'		لَاقَى	*lāqā*	'trovare'
نَدَا يَنْدُو	*nadā, yandū*	'riunirsi'		نَادَى	*nādā*	'chiamare'

المصدر	اسم المفعول	اسم الفاعل	الأمر	المضارع	الماضي
مُلَاقَاةً *mulāqāt*	مُلَاقًى *mulāqan*	مُلَاقٍ *mulāqin*	لَاقِ *lāqi*	يُلَاقِي *yulāqī*	لَاقَى *lāqā*

- Verbi *muḍāʕaf* (esempi rarissimi): la contrazione viene mantenuta: ضَادَّ *ḍādda* 'contraddire':

المصدر	اسم المفعول	اسم الفاعل	الأمر	المضارع	الماضي
مُضَادَّةً *muḍādda*	مُضَادٌّ *muḍādd*	مُضَادٌّ *muḍādd*	ضَادَّ *ḍādda*	يُضَادُّ *yuḍāddu*	ضَادَّ *ḍādda*

Le forme soggiacenti sarebbero ضَادَدَ **ḍādada*, يُضَادِدُ **yuḍādidu* ecc., che ricompaiono con i suffissi inizianti per consonante: أنا ضَادَدْتُ *ʔanā ḍādadtu*, هن يُضَادِدْنَ *hunna yuḍādidna*, !ضَادِدْنَ *ḍādidna!*

التمارين Esercizi

1 Costruire il paradigma di II forma derivata dei verbi ottenuti a partire dalle basi seguenti.

المصدر	اسم المفعول	اسم الفاعل	الأمر	المضارع	الماضي		base
....	....	....	....	....	....	←	ركز
....	....	....	....	....	....	←	سقط
....	....	....	....	....	....	←	صابون
....	....	....	....	....	....	←	نبه
....	....	....	....	....	....	←	كسر
....	....	....	....	....	....	←	سلم
....	....	....	....	....	....	←	وَسِخ
....	....	....	....	....	....	←	خوف
....	....	....	....	....	....	←	بقي
....	....	....	....	....	....	←	قام، يقوم
....	....	....	....	....	....	←	أدي
....	....	....	....	....	....	←	مرّ

2 Produrre la voce verbale corretta di II forma della radice indicata partendo dalle istruzioni fornite.

Radice	Istruzioni					
√بعد	→	أنا	→	المضارع المجزوم	→	أُبَعِّدْ
√شغل	→	–	→	المصدر	→	....
√خلص	→	أنتَ	→	الماضي	→	....
√كبر	→	أنتما	→	الماضي	→	....
√رغب	→	نحن	→	المضارع المرفوع	→	....
√خطو	→	أنتِ	→	المضارع المنصوب	→	....
√سير	→	أنتن	→	الأمر	→	....
√سمي	→	–	→	اسم المفعول	→	....

3 Costruire il paradigma di III forma derivata dei verbi ottenuti a partire dalle basi seguenti.

المصدر	اسم المفعول	اسم الفاعل	الأمر	المضارع	الماضي		base
....	....	....	....	....	....	←	لحظ
....	....	....	....	....	....	←	سعيد

عقب	←	....	....	....	....	....	....
نهز	←	....	....	....	....	....	....
لطيف	←	....	....	....	....	....	....
رقب	←	....	....	....	....	....	....
قريب	←	....	....	....	....	....	....
عني	←	....	....	....	....	....	....

4 Produrre la voce verbale corretta di III forma della radice indicata partendo dalle istruzioni fornite.

Radice		Istruzioni				
√بعد	→	أنتَ	→	المضارع المجزوم	→	....
√خلف	→	هم	→	الماضي	→	....
√فرق	→	أنتم	→	الأمر	→	....
√عنق	→	أنتما	→	الماضي	→	....
√صدف	→	نحن	→	المضارع المنصوب	→	....
√سفر	→	أنتِ	→	المضارع المرفوع	→	....
√عيش	→	-	→	المصدر	→	....
√حول	→	-	→	المصدر	→	....

5 Comprensione del Testo 1. Rispondere liberamente alle seguenti domande.

١. لماذا ذهب هشام إلى مخفر الشرطة؟ ....
٢. بأي أوراق ذهب صديقنا إلى المخفر؟ ....
٣. هل دخل هشام مكتب الموظف دون أن ينتظر دقيقة؟ ....
٤. ما الذي لاحظ هشام بدهشة وهو في المكتب؟ ....
٥. لماذا يلطش الشرطي العربية؟ ....
٦. هل يعتقد الشرطي أن اللغة الربية سهلة؟ ماذا يقول لهشام؟ ....

6 Comprensione del Testo 2. Rispondere liberamente alle seguenti domande.

١. من هو الشاب الذي يكتب رسالة لأبيه؟ ....
٢. ما هي الرسالة الأبوية السابقة التي أحزنت عمر إحزانا؟ ....
٣. كيف حاول عمر أن يكون طول حياته ليجعل أباه سعيدا؟ ....
٤. هل يحب أبو عمر الحيوانات؟ ....
٥. هل اختار عمر أن يتسجل في كلية البيطرية؟ ولماذا؟ ....
٦. ما هي المهنة الجديدة التي قرر صديقنا أن يوقف عليها؟ ....

أكثر Di più

1 الاعْتِقادات Credenze e... altro

L'islam (الإسلام *al-ʔislām*, da leggersi quindi *islàm* e non *ìslam*!) si pone come terzo ed ultimo patto tra Dio e l'umanità. Il primo fu attuato tramite Mosè (مُوسى *Mūsā*), il secondo tramite Gesù (عِيسى *ʕĪsā*, dai cristiani arabi detto però يَسُوع *Yasūʕ*) – venerato come *profeta* dall'islàm ma non come figlio di Dio –, il terzo tramite Muḥammad (مُحَمَّد), più noto in Occidente con il nomignolo 'Maometto'. Il testo sacro dell'islàm, il Corano (القُرْآن *al-Qurʔān*, dalla radice √قرء, quindi 'la Lettura, la Declamazione'), è secondo la teologia musulmana parola di Dio direttamente dettata a Muḥammad e da quest'ultimo oralizzata (per il cristianesimo i Vangeli sono invece opere umane *ispirate* dallo Spirito Santo). A casa di musulmani, si eviti di prendere in mano un Corano senza averne chiesto prima il permesso (che viene sempre accordato): si potrebbero avere le mani sporche.
Il Corano predica l'unicità di Dio (الله *Allāh*) e la veridicità del suo inviato (رَسُول *rasūl*, stessa radice di رِسَالَة 'lettera, messaggio') o profeta (نَبِيء *nabīʔ*, o نَبِيّ *nabiyy*).
Il credente che abbia condotto una vita giusta verrà premiato con il Paradiso (الجَنَّة *al-ǧanna*, lett. 'il Giardino', o الفِرْدَوْس *al-Firdaws*, parola indeuropea), quello malvagio andrà invece in inferno (جَهَنَّم *Ǧahannam*, o الجَحِيم *al-Ǧaḥīm*). Il mondo ultraterreno è popolato da angeli (مَلاك *malāk*, pl. مَلائِكَة *malāʔika*) e da ginn (جِنّ *ǧinn*, coll., جِنِّيّ *ǧinniyy* 'un ginn'), spiriti folletti onnipresenti e sempre pronti a danneggiare cose e persone.
In linea di massima si tenga presente che i musulmani sono mediamente superstiziosi quanto gli italiani, seppure con modalità apotropaiche diverse. Il musulmano non scongiura la malasorte con gesti della mano, toccando ferro, legno o parti del corpo ma con apposite espressioni che richiamano la protezione divina. Fare complimenti o semplici apprezzamenti su oggetti, proprietà, persone, attira la malevolenza dei ginn e può essere recepito come molto malaugurante e offensivo se non immediatamente accompagnati – o meglio sostituiti – dalla formula !مَا شَاءَ الله *mā šāʔa Llāh!* 'cosa Dio ha voluto!'. Si eviti quindi assolutamente di fare complimenti su un bambino, specialmente se piccolo.
A chi abbia qualcosa di nuovo (indumento, automobile, casa ecc.), abbia ottenuto qualcosa (nuovo lavoro, esame superato, laurea ecc.), abbia appena avuto un figlio, si dice !مَبْرُوك *mabrūk!* 'benedetto!' (ossia l'oggetto o avvenimento in questione), cui va risposto automaticamente بَارَكَ اللهُ فِيكَ *bāraka Llāhu fī-ka* 'Dio benedica te' (spesso formulata in dialetto, الله يْبَارِكْ فِيك *Allāh ybārik fī-k*).

2 اللحوم Carni

Abbiamo già visto che nei paesi musulmani la carne (لحم *laḥm*) di maiale non viene consumata per motivi religiosi. Le altre carni offerte dalle macellerie sono il manzo (لحم بقري *laḥm baqariyy*), il montone (لحم غنمي *laḥm ġanamiyy*), il pollo (دجاج *daǧāǧ*), in molti paesi anche il piccione (حمام *ḥamām*, da non confondere con حمام *ḥammām* 'bagno'!). Molte ricette arabe prevedono l'uso di carne macinata (لحم مفروم *laḥm mafrūm*). La carne può essere lessata (لحم مغلي *laḥm maġliyy*), arrostita (مشوي *mašwiyy*) o fritta (مقلي *maqliyy*), ossia ripassata nel tegame (مقلاة *miqlāt*). Il pollo arrosto viene detto دجاج محمر *daǧāǧ muḥammar*, 'pollo arrossato' (cf. أحمر *ʔaḥmar* 'rosso'), poiché nei paesi arabi viene spellato prima di essere infornato e quindi cuocendo assume un colorito rossiccio.

ارد لي حمرتي Restituiscimi il rossetto!

النص الأول Testo 1 CD2/11

إن فيصل أيضا يحب الحيوانات فلهذا السبب سمى مقهاه باسم الببغاء. وإذا دخلت في المقهى رأيت قفصا كبيرا مذهبا جنب المنضدة فيه ببغاء متعددة الألوان اسمها كاوكاو. فليست كاوكاو من الطيور المذعورة البتة: إذا اقتربت منها وأعطيتها قبضة فول سوداني أكلتها في يدك وهي تدغدغ كفك بمنقارها الأعقف. فبعض المرات يخرجها فيصل من قفصها ويتمشى من مائدة إلى أخرى وببغاءه جاثمة على كتفه، فهكذا لقبوه بالقبطان فيصل أو بالقرصان. وبطبيعة الحال تحسن ببغاؤنا إعادة الكلمات والجمل الكاملة!

وإضافة إلى الببغاء يملك فيصل قردا صغيرا اسمه بامبي، يلبس بنطلونا قصيرا ذا حمالة حمراء، ينفق وقته في القفز من المنضدة إلى الموائد مفتشا عن شيء يسرقه. يحب كل رواد المقهى كاوكاو بينما يكره معظمهم بامبي.

في هذه اللحظة تقلب شادية الكراسي والإسكملات وهي تحاول أن تقبض على بامبي الذي يفر منها مرعوبا. وفتصيح عليه:

- يا أقبح مخلوقات الله، تعال هنا فورا ورد لي حمرتي وإلا سآكل دماغك بالملعقة بعد أن أفتح جمجمتك بالمنشار!

يرفرف كاوكاو حولهما يقول:

- بامبي خبيث... بامبي قبيح...!

الكلمات الجديدة Parole nuove

قفص، أقفص	*qafaṣ, ˀaqfāṣ*	gabbia	قرد، قردة	*qird, qirada*	scimmia
مذهب، ون	*muḏahhab, -ūna*	dorato	بنطلون، ات	*banṭalūn, -āt*	pantalone
لون، ألوان	*lawn, ˀalwān*	colore	بنطلون قصير		pantaloncino
متعدد، ون	*mutaˁaddid, -ūna*	numeroso	حمالة، ات	*ḥimāla/ḥammāla*	bretelle
مُتَعَدِّدُ الأَلْوانِ		multicolore	رائد، رواد	*rāˀid, ruwwād*	(qui:) habitué
طير، طيور	*ṭayr, ṭuyūr*	uccello	حمرة	*ḥumra*	rossetto
مذعور، ون	*maḏˁūr, -ūna*	impaurito	دماغ، أدمغة	*dimāġ, ˀadmiġa*	cervello
البتة	*al-battata*	affatto	ملعقة، ملاعق	*milˁaqa, malāˁiqu*	cucchiaio
قبضة، قبضات	*qabḍa, qabaḍāt*	manciata	منشار، مناشير	*minšār, manāšīru*	sega
فول	*fūl*	fave (coll.)	تعال!	*taˁāla!*	vieni^m!
السودان	*as-Sūdān*	Sudan	تعالي!	*taˁālay!*	vieni^f!
فُولٌ سُودَانِيٌّ		arachidi	معظم	*muˁẓam*	la maggior parte
كف، كفوف	*kaff, kufūf*	palma	مرعوب، ون	*marˁūb*	spaventato
منقار، مناقير	*minqār, manāqīru*	becco	قبيح، قباح	*qabīḥ, qibāḥ*	brutto
أعقف	*ˀaˁqafu*	adunco	خبيث، خبثاء	*ḫabīṯ, ḫubaṯāˀu*	cattivo
قبطان، قباطنة	*qubṭān, qabāṭina*	capitano (marina)	مخلوق، ات	*maḫlūq, -āt*	creatura
قرصان، قراصنة	*qurṣān, qarāṣina*	pirata, corsaro	جمجمة، جماجم	*ǧumǧuma, ǧamāǧimu*	cranio, teschio
طبيعة	*ṭabīˁa*	natura	بِطَبِيعَةِ الحالِ		ovviamente

فعل	جثَم (ـِ)	*ǧaṯama (i)*	appollaiarsi
	ملَك (ـِ)	*malaka (i)*	possedere
	قفز (ـِ)، قَفْزًا	*qafaza (i), qafz*	saltare
	كرِه (ـَ)	*kariha (a)*	odiare
	صرَع (ـَ)	*ṣaraˁa (a)*	rovesciare
	قبَض (ـِ)	*qabaḍa (i)*	acchiappare
	صاح (ـِ)	*ṣāḥa (ī)*	strillare
	فر (ـِ) من	*farra (i) min*	scappare da

	رد (ـُ)	*radda (u)*	restituire
فعّل	لقب	*laqqaba*	soprannominare
	فتش عن	*fattaša ʿan*	cercare
	سمى	*sammā*	dare il nome di
أفعل	أخرج	*ʾaḫraǧa*	tirare fuori
	أحسن	*ʾaḥsana*	essere bravo a
	أنفق	*ʾanfaqa*	spendere
	أنفق وَقْتَهُ في		passare il tempo a
	أعاد	*ʾaʿāda*	ripetere
تفاعل	تعالى, يتعالى	*taʿālā. yataʿālā*	elevarsi*
افتعل	اقترب، يقترب من	*iqtaraba, yaqtaribu*	avvicinarsi a
فعلل	دغدغ	*daġdaġa*	fare il solletico
	رفرف	*rafrafa*	svolazzare

* L'imperativo di questo verbo (v. VI forma, Unità 27 § 4) viene usato come forma suppletiva per il verbo جاء *ǧāʾa*:

تَعَالَ *taʿāla* تَعَالَوْا *taʿālaw*
تَعَالَيَا *taʿālayā*
تَعَالَيْ *taʿālay* تَعَالَيْنَ *taʿālayna*

النحو Grammatica

1 الفعل المزيد على وزن أَفْعَلَ Il verbo in IV forma

La IV forma è caratterizzata da un prefisso أَ *ʾa-*: أَفْعَلَ *ʾafʿala*; tale prefisso viene soppresso al *muḍāriʿ* e nei due participi ma riappare all'imperativo e nel *maṣdar*:

المصدر	اسم المفعول	اسم الفاعل	الأمر	المضارع	الماضي
إِفْعَالاً *ʾifʿāl*	مُفْعَلٌ *mufʿal*	مُفْعِلٌ *mufʿil*	أَفْعِلْ *ʾafʿil*	يُفْعِلُ *yufʿilu*	أَفْعَلَ *ʾafʿala*

Si osservi il rapporto semantico tra le IV e i temi corrispondenti nella colonna di destra:

أَخْرَجَ *ʾaḫraǧa* 'far uscire, tirare fuori, estrarre' ↔ خَرَجَ *ḫaraǧa* 'uscire'
أَفْهَمَ *ʾafhama* 'far capire' فَهِمَ *fahima* 'capire'
أَحْسَنَ *ʾaḥsana* 'fare bene, eccellere' حَسُنَ *ḥasuna* 'essere buono'

Il valore generale della IV forma è quello di un **fattitivo** ('far fare').

2 واوُ الْمَعِيَّةِ و con il significato di مع

In alcuni casi il coordinante و assume il valore della preposizione مع 'con' e richiede il *manṣūb* nel nominale che governa:

يَتَمَشَّى وَبَبَّغَاءَهُ عَلَى كَتِفِه *yatamaššā* ***wa-babbaġāʔa-hu*** *ʕalā katifi-hi*
'fa^{m} avanti indietro con il suo pappagallo sulla spalla'

تَتَمَشَّيْنَ وَجَوَّالَكِ مُلْصَقٌ بِأُذْنِكِ *tatamaššayna* ***wa-ǧawwāla-ki*** *mulṣaqun bi-ʔuḏuni-ki*
'fai^{f} avanti indietro con il cellulare incollato all'orecchio'

رَأَيْتُكَ وَأُخْتَكَ *raʔaytu-ka* ***wa-ʔuḫta-ka***
'ti^{m} ho visto con tua sorella'

النص الثاني Testo 2 CD2/12

يتكلم الأستاذ سليمان مع زميله الأستاذ توشيرو عن الطالب المعاصر. فقبل أسبوع أقيمت الامتحانات الكتابية للغتين العربية واليابانية، ومن المئة والعشرين طالبا الذين تقدموا لها لم ينجح فيها إلا ثمانية منهم. فكان الكثير من هؤلاء قد حاول أكثر من خمس مرات من قبل... وإن غيظ الراسبين أدى بهم إلى أن يرسلوا عريضة لعميد الكلية، قائلين فيها إنهم لم يعودوا يحتملون أن يكونوا من المسقطين. فأجاب العميد بحزم قائلا إن النجاح في الامتحانات لا يتوقف على الأقدمية بل على الاجتهاد والاستحقاق.

- لم يعد فتيان اليوم فتيان أيامنا، يا عزيزي، يقول توشيرو، فالوضع مقلق شاغل للبال.

- الحق معك، يجيبه سليمان، فالظاهر أنهم يشرعون في دراسة لغات غير سهلة تتطلب جهودا واجتهادا لكن بدون أن يدركوا ما هو هدف عملهم.
- بالضبط. فهم كالبناء الذي يقول إنه يريد أن يبني حائطا ثم يجلس في الورشة وينظر إلى الآجر.
- لا نقنط! يبقى لنا الماهرون الثمانية!

الكلمات الجديدة Parole nuove

زميل، زملاء	*zamīl, zumalāʔu*	collega	حزم	*ḥazm*	fermezza
مِنْ قَبْلُ	*min qablu*	prima (avv.)	أقدمية	*ʔaqdamiyya*	anzianità
غيظ	*ġayẓ*	collera	اجتهاد، ات	*iǧtihād, -āt*	applicazione
راسب، ون	*rāsib, -ūna*	bocciato	استحقاق، ات	*istiḥqāq, -āt*	merito
عريضة، عرائض	*ʕarīḍa, ʕarāʔiḍu*	esposto	في أَيَّامِي		ai miei tempi
جهد، جهود	*ǧahd, ǧuhūd*	sforzo	شَاغِلٌ لِلْبَالِ		preoccupante
هدف، أهداف	*hadaf, ʔahdāf*	obiettivo	مقلق، ون	*muqliq, ūna*	allarmante
عمل، أعمال	*ʕamal, ʔaʕmāl*	lavoro	لم يَعُدْ يَحْتَمِلُ		non ne può[m] più
ورشة، ات	*warša, -āt*	cantiere	بناء، ون	*bannāʔ, -ūna*	muratore
آجر	*ʔāǧurr*	mattoni (coll.)	حائط، حيطان	*ḥāʔiṭ, ḥīṭān*	muro

فعل	شرَع (ـَ) في	*šaraʕa (a) fī*	intraprendere
	قنِط (ـَ)	*qaniṭa (a)*	disperare
	نجَح (ـَ)، نَجَاحًا	*naǧaḥa (a)*	superare (esame)
	شغَل (ـَ)	*šaġala (a)*	(pre)occupare
	بنى (ـِ)	*banā (ī)*	costruire
فعّل	أدّى بـ إلى	*ʔaddā*	spingere qn a
	سقّط	*saqqaṭa*	far cadere; bocciare
أفعل	أجاب	*ʔaǧāba*	rispondere
	أقيم	*ʔuqīma*	si è svolto (pass.)
تفعل	تقدم، يتقدم لـ	*taqaddama, yataqaddamu*	presentarsi
	تطلب، يتطلب	*taṭallaba, yataṭallabu*	richiedere
	توقف، يتوقف على	*tawaqqafa, yatawaqqafu ʕalā*	dipendere da

النحو Grammatica

3 IV forma e radici deboli

- Verbi *miṯāl*: la sequenza *-*uw*- si contrae in -ū- e la sequenza *-*iw*- in -ī-, ad es. أَوْصَلَ *ʔawṣala* 'fare arrivare, condure, portare':

المصدر	اسم المفعول	اسم الفاعل	الأمر	المضارع	الماضي
إيصَالاً *ʔīṣāl*	مُوصَلٌ *mūṣal*	مُوصِلٌ *mūṣil*	أَوْصِلْ *ʔawṣil*	يُوصِلُ *yūṣilu*	أَوْصَلَ *ʔawṣala*

- Verbi *ʔaǧwaf*: la radicale debole و/ي rimane neutralizzata sotto forma di vocale lunga; al *maṣdar* si noti una ة 'compensatoria', ad es. أَعَادَ *ʔaʕāda* 'ripetere':

المصدر	اسم المفعول	اسم الفاعل	الأمر	المضارع	الماضي
إعَادَةً *ʔiʕāda*	مُعَادٌ *muʕād*	مُعِيدٌ *muʕīd*	أَعِدْ *ʔaʕid*	يُعِيدُ *yuʕīdu*	أَعَادَ *ʔaʕāda*

- Verbi *nāqiṣ*: ad es. أَلْقَى *ʔalqā* 'lanciare':

المصدر	اسم المفعول	اسم الفاعل	الأمر	المضارع	الماضي
إلْقَاءً *ʔilqāʔ*	مُلْقًى *mulqan*	مُلْقٍ *mulqin*	أَلْقِ *ʔalqi*	يُلْقِي *yulqī*	أَلْقَى *ʔalqā*

- Verbi *muḍāʕaf*: ad es. أَقَرَّ *ʔaqarra* 'confessare' (attenzione all'imperativo di 2ª sg.m.!):

المصدر	اسم المفعول	اسم الفاعل	الأمر	المضارع	الماضي
إقْرَارًا *ʔiqrār*	مُقَرٌّ *muqarr*	مُقِرٌّ *muqirr*	أَقْرِرْ *ʔaqrir*	يُقِرُّ *yuqirru*	أَقَرَّ *ʔaqarra*

- Occorre qui aggiungere i verbi di prima radicale ء: laddove si crei una sequenza *-ʔv̆ʔ- si ha contrazione in -v̄-, ad es. آجَرَ *ʔāǧara* (< أأجَرَ**ʔaʔǧara*) 'dare in affitto':

المصدر	اسم المفعول	اسم الفاعل	الأمر	المضارع	الماضي
إيجَارًا *ʔīǧār*	مُؤْجَرٌ *muʔǧar*	مُؤْجِرٌ *muʔǧir*	آجِرْ *ʔāǧir*	يُؤْجِرُ *yuʔǧiru*	آجَرَ *ʔāǧara*

Nb: alla 1ª pers. sing.: أُوجِرُ *ʔūǧiru* 'do in affitto'.

التمارين Esercizi

1 Costruire il paradigma di IV forma derivata dei verbi ottenuti a partire dalle basi seguenti.

المصدر	اسم المفعول	اسم الفاعل	الأمر	المضارع	الماضي		base
....	....	....	....	....	....	←	نزل
....	....	....	....	....	....	←	ظهر
....	....	....	....	....	....	←	خرج
....	....	....	....	....	....	←	بعيد
....	....	....	....	....	....	←	قلع
....	....	....	....	....	....	←	دخل
....	....	....	....	....	....	←	سلم
....	....	....	....	....	....	←	حسن
....	....	....	....	....	....	←	صبح
....	....	....	....	....	....	←	رسالة

2 Costruire il paradigma di IV forma derivata dei verbi ottenuti a partire dalle basi seguenti.

المصدر	اسم المفعول	اسم الفاعل	الأمر	المضارع	الماضي		base
....	....	....	....	....	....	←	دور
....	....	....	....	....	....	←	حبّ
....	....	....	....	....	....	←	خوف
....	....	....	....	....	....	←	بقي
....	....	....	....	....	....	←	عطي
....	....	....	....	....	....	←	جوب
....	....	....	....	....	....	←	حسّ
....	....	....	....	....	....	←	رود

3 Produrre la voce verbale corretta di IV forma della radice indicata partendo dalle istruzioni fornite.

Radice	Istruzioni					
√بلغ	→	أنتم	→	الأمر	→	....
√نتن	→	هي	→	المضارع المرفوع	→	....
√قبل	→	أنتِ	→	المضارع المنصوب	→	....

Radice							
√سقط	→	–	→	المصدر	→	....
√وجب	→	أنتَ	→	الأمر	→	....
√قوم	→	–	→	اسم الفاعل	→	....
√عدّ	→	–	→	المصدر	→	....
√تمّ	→	أنتَ	→	الماضي	→	....
√عطي	→	أنا	→	المضارع المجزوم	→	....

4 Comprensione del Testo 1. Rispondere liberamente alle seguenti domande.

١. لماذا سمى فيصل مقهاه باسم الببغاء؟ ....
٢. هل تبقى ببغاء فيصل وحدها أم في المقهى حيوان ثان؟ ....
٣. هل تخاف ببغاء فيصل من رواد المحل؟ ....
٤. ماذا يلبس قرد صاحب المقهى وكيف ينفق وقته؟ ....
٥. هل يتمشى فيصل في محله وقرده على إحدى كتفيه؟ ....
٦. من في هذين الحيوانين تحب شادية أكثر؟ ....
٧. لماذا غضبت شادية الآن من بامبي؟ ....

5 Comprensione del Testo 2. Rispondere liberamente alle seguenti domande.

١. هل أساتذة قصتنا اليوم هم ثلاثة؟ ....
٢. من هم أساتذة قصتنا وماذا يدرس كل واحد؟ ....
٣. لقد نجح معظم الطلبة الذين تقدموا للامتحانات: هل هذا صحيح؟ ....
....
٤. إلى ما أدى الغيظ بالراسبين؟ ....
٥. ماذا أجاب العميد عريضة الطلبة؟ ....
٦. لماذا أستاذانا قلقان جدا؟ ....

أكثر Di più

1 الطيور والعصافير Uccelli

طير *ṭayr* può considerarsi sinonimo di عصفور *ʿuṣfūr*; quest'ultimo tuttavia viene usato piuttosto per 'uccellino'. Gli uccelli sono sempre stati molto presenti nella cultura artistica e favolistica araba, come è possibile notare su qualsiasi miniatura del periodo classico e persino nell'arte del خط *ḫaṭṭ*, la calligrafia araba, non è raro vedere intere parole o frasi disposte in modo da riprodurre la figura di un uccello. Gli uccelli esotici hanno sempre captato l'attenzione e l'emozione dei viaggiatori arabi medievali, che nei loro diari di viaggio li descrivevano con molta cura. Nelle favole per bambini ricorre un essere mostruoso, equiparabile al nostro 'orco', detto غول *ġūl*, di cui non è mai chiaro a quale animale somigli ma che spesso si abbatte sulle creature come un rapace. Un altro volatile favoloso è l'uccello رخ *Ruḫḫ*, mentre appartiene alla tradizione persiana il grifone سيمرغ *Sīmurġ*. Nell'arte venatoria magrebina molta importanza hanno il باز *bāzin* (o بازي *bāziyy*) 'falco' e il بياز *bayyāz* 'falconiere' (nel Mashreq بيزار *bayzār*). Nella Granada araba medievale esisteva un ربض البيازين *rabaḍ al-bayyāzīn* 'sobborgo dei falconieri', quartiere caratteristico di questa città che porta oggi il nome di Albaycín.

2 الماكياج... Il trucco

Il 'rossetto', molto apprezzato dal maquillage arabo (anche se considerato molto sconvenevole dai benpensanti) ha diversi nomi. حمرة *ḥumra* (o حومرة *ḥūmra*) proposto qui è termine dialettale orientale. Usasi anche روج *rūǧ* (francese *rouge* [*à lèvres*]). Le accademie hanno proposto أحمر الشفاه *ʔaḥmar aš-šifāh* (cf. francese, شفة، شفاه *šafa, šifāh* 'labbro'), قلم حمرة *qalamu ḥumratin* 'penna di rosso' o إصبع أحمر *ʔiṣbaʕu ʔaḥmara* 'dito di rosso' (da non interpretare, ovviamente, come un sorso di vino!). Il trucco (ماكياج *mākiyāǧ*, arabizzato anche in مكيجة *makyaǧa*) nei paesi arabi viene praticato sopattutto in occasione di feste (matrimoni, compleanni...) o spettacoli. Sono particolari i maquillage egiziano e libanese, che per un gusto occidentale appaiono spesso vagamente eccessivi. Nella vita quotidiana è bene che il trucco venga ridotto allo stretto indispensabile. Chi giri da sola farà bene a farlo in versione acqua e sapone, specie in un locale pubblico, onde evitare incresciosi equivoci.

أنا متأسف... Sono spiacente...

النص الأول Testo 1 CD2/13

تخرج سيموني من كلية الدراسات الشرقية حيث تعلم اللغة العربية. وبعدئذ حصل على منحة من وزارة الشؤون الخارجية وسافر أولا إلى مصر ثم إلى المغرب. فكان بنيته أن يتعلم مبادئ اللهجتين المصرية والمغربية، لأنه من المعروف أن لا تواصل مع العرب دون اللغة العامية.

بعد شهرين في القاهرة أحس بأنه أحرز تقدما بارزا في اللغة الإنجليزية، وبعد شهرين آخرين في الرباط تحسنت معرفته اللغة الفرنسية تحسنا محسوسا. ولا حاجة إلى القول إن سيموني لم يكن راضيا البتة! ما أشد ما كان سخطه لما علم أن الضوء الأحمر والمحطة والشوكة اسمها باللهجة المغربية الفِيرُوج واللاكار والفورشات! فقرر أن يغادر المدن الكبيرة المتفرنجة فيتجه إلى الجنوب العميق بحثا عن أساليب عيش تقليدية أصيلة.

بعد رحلة دامت ساعات بالقطار وحافلة النقل وصل إلى قرية منعزلة على مرتفعات الأطلس الكبير. فاستقر بنزل متواضع ثم قام بنزهة في القرية بين أنظار القرويين الفضولية.

فدخل المقهى الوحيد الموجود في ساحة القرية وحاول أن يطلب كأس شاي بالدارجة المغربية. فأجابه النادل بالعربية الفصحى وبلكنة غريبة:

– أنا متأسف، يا سيدي الكريم، فنحن هنا لا نتكلم إلا اللغتين الأمازيغية والفرنسية.

الكلمات الجديدة Parole nuove

وزارة، ات	*wizāra, -āt*	ministero	حاجة، ات إلى	*ḥāǧa, -āt (ʔilā)*	bisogno (di)
شأن، شؤون	*šaʔn, šuʔūn*	affare, faccenda	راض، رضاة	*rāḍin. ruḍāt*	soddisfatto
خارجي، ون	*ḫāriǧiyy, -ūna*	estero	شديد، أشداء	*šadīd, ʔašiddāʔu*	intenso, forte
مبدأ، مبادئ	*mabdaʔ, mabādiʔu*	rudimento	ما أشَدَّ ما كان		quale non fu
تواصل، ات	*tawāṣul, -āt*	comunicazione	سخط	*suḫṭ*	indignazione
بارز، ون	*bāriz, -ūna*	notevole	شوكة، شوك	*šawka, šuwak*	forchetta*
محسوس، ون	*maḥsūs, -ūna*	sensibile	عميق، عماق	*ʕamīq, ʕimāq*	profondo
أسلوب، أساليب	*ʔuslūb, ʔasālību*	stile	مِنَ المَعْرُوف أن		è risaputo che
عيش	*ʕayš*	vita	حافِلةُ نَقْلٍ		pullman (= كار)
تقليد، تقاليد	*taqlīd, taqālīdu*	tradizione	منعزل، ون	*munʕazil, -ūna*	isolato
تقليدي، ون	*taqlīdiyy, -ūna*	tradizionale	مرتفع، ات	*murtafaʕ, -āt*	altura
أصيل، أصلاء	*ʔaṣīl, ʔuṣalāʔu*	autentico	الأطلس	*al-ʔAṭlas*	l'Atlante
نزل، أنزال	*nuzul, ʔanzāl*	locanda	قروي، ون	*qarawiyy, -ūna*	villico
متواضع، ون	*mutawāḍiʕ, -ūna*	modesto	أمازيغي، ون	*ʔamāzīġiyy, -ūna*	berbero, amazigh
لكنة، لكنات	*lakna, lakanāt*	accento	نزهة، ات	*nuzha, -āt*	passeggiata

* I termini dialettali marocchini فيروج *fīrūǧ* 'semaforo', لاكار *lāgār* 'stazione', فورشات *furšāt* 'forchetta' sono dal francese *feu rouge, la gare, fourchette*.

فعل	حصَل (ـُ) على		ottenere
	طلَب (ـُ)		(qui:) ordinare
	علِم (ـَ)		(qui:) venire a sapere
	عرَف (ـِ)، مَعْرِفَةً		conoscere, sapere
	قال (ـُ)، قَوْلاً		dire
	قام (ـُ) بـ		effettuare, fare
فاعل	غادر		lasciare; tradire
أفعل	أحرز		ottenere, conseguire
	أَحْرَزَ تَقَدُّمًا		fare progressi
تفعل	تخرج في/من	*taḫarraǧa*	laurearsi in
	تقدم	*taqaddama*	progredire
	تحسن	*taḥassana*	migliorarsi
استفعل	استقر، يستقر	*istaqarra, yastaqirru*	sistemarsi
تفعلل	تفرنج	*tafarnaǧa*	occidentalizzarsi

27 ...أنا متأسف Sono spiacente...

النحو Grammatica

1 الفعل المزيد على وزن تَفَعَّلَ Il verbo in V forma

المصدر	اسم المفعول	اسم الفاعل	الأمر	المضارع	الماضي
تَفَعُّلًا *tafaʿʿul*	مُتَفَعَّلٌ *mutafaʿʿal*	مُتَفَعِّلٌ *mutafaʿʿil*	تَفَعَّلْ *tafaʿʿal*	يَتَفَعَّلُ *yatafaʿʿalu*	تَفَعَّلَ *tafaʿʿala*

Si osservi il rapporto semantico tra le V e II forme seguenti:

تَكَلَّمَ	*takallama*	'parlare'	↔	كَلَّمَ	*kallama*	'rivolgere la parola a'
تَجَدَّدَ	*taǧaddada*	'rinnovarsi'		جَدَّدَ	*ǧaddada*	'rinnovare'
تَقَرَّبَ	*taqarraba*	'avvicinarsi'		قَرَّبَ	*qarraba*	'avvicinare'
تَغَيَّرَ	*taġayyara*	'cambiare' (intrans.)		غَيَّرَ	*ġayyara*	'cambiare' (trans.)

Il valore generale della V forma è quello di un **riflessivo**, spesso collegato a una II forma.

2 V forma e radici deboli

- Verbi *miṯāl*: nessuna contrazione, ad es. تَوَقَّفَ *tawaqqafa* 'dipendere'

المصدر	اسم المفعول	اسم الفاعل	الأمر	المضارع	الماضي
تَوَقُّفًا *tawaqquf*	مُتَوَقَّفٌ *mutawaqqaf*	مُتَوَقِّفٌ *mutawaqqif*	تَوَقَّفْ *tawaqqaf*	يَتَوَقَّفُ *yatawaqqafu*	تَوَقَّفَ *tawaqqafa*

- Verbi *ʾaǧwaf*: la radicale debole و/ي, essendo tesa, non subisce contrazione, ad es. تَكَوَّنَ *takawwana* 'formarsi' e تَغَيَّرَ *taġayyara* 'cambiare':

المصدر	اسم المفعول	اسم الفاعل	الأمر	المضارع	الماضي
تَكَوُّنًا *takawwun*	مُتَكَوَّنٌ *mutakawwan*	مُتَكَوِّنٌ *mutakawwin*	تَكَوَّنْ *takawwan*	يَتَكَوَّنُ *yatakawwanu*	تَكَوَّنَ *takawwana*
تَغَيُّرًا *taġayyur*	مُتَغَيَّرٌ *mutaġayyar*	مُتَغَيِّرٌ *mutaġayyir*	تَغَيَّرْ *taġayyar*	يَتَغَيَّرُ *yataġayyaru*	تَغَيَّرَ *taġayyara*

- Verbi *nāqiṣ*: la radicale debole و/ي viene neutralizzata in ى *-ā*, ad es. تَمَنَّى *tamannā* 'sperare':

المصدر	اسم المفعول	اسم الفاعل	الأمر	المضارع	الماضي
تَمَنٍّ *tamannin**	مُتَمَنًّى *mutamannan*	مُتَمَنٍّ *mutamannin*	تَمَنَّ *tamanna*	يَتَمَنَّى *yatamannā*	تَمَنَّى *tamannā*

* Al *manṣūb* تَمَنِّيًا *tamanniyan*.

- Verbi *muḍāʿaf*: nessuna irregolarità, ad es. تَجَدَّدَ *tağaddada* 'rinnovarsi':

المصدر	اسم المفعول	اسم الفاعل	الأمر	المضارع	الماضي
تَجَدُّدًا	مُتَجَدَّدٌ	مُتَجَدِّدٌ	تَجَدَّدْ	يَتَجَدَّدُ	تَجَدَّدَ
tağaddud	*mutağaddad*	*mutağaddid*	*tağaddad*	*yatağaddadu*	*tağaddada*

3 الفعل الرباعي على وزن تَفَعْلَلَ La II forma dei quadriconsonantici (v. Unità 24 § 1)

Il paradigma segue quello della V forma del verbo triconsonantico, ad es. تَفَرْنَجَ *tafarnağa* 'europeizzarsi, occidentalizzarsi' (< إِفْرَنْج *ʾifranğ*, nome medievale degli europei, ossia 'franchi'):

المصدر	اسم المفعول	اسم الفاعل	الأمر	المضارع	الماضي
تَفرْنُجًا	مُتَفَرْنَجٌ	مُتَفَرْنِجٌ	تَفَرْنَجْ	يَتَفَرْنَجُ	تَفَرْنَجَ
tafarnuğ	*mutafarnağ*	*mutafarniğ*	*tafarnağ*	*yatafarnağu*	*tafarnağa*

النص الثاني Testo 2 CD2/14

تلاقى بعض الفتيان والفتيات الذين يختلفون إلى مقهى الببغاء ليذهبوا معا إلى مرقص التماسيح، فالعديد منهم لم يذهبوا إليه قط من قبل. تقول شادية بأن المحل رائع عالمي. وعند الساعة الثانية في الليل ها هم كلهم أمام المدخل متراصين في الصف ليشتروا بطاقة الدخول.

تتنادى كريمة وسوسن من طرفي الصف:

- يا سوسن، أين اختفى عدنان؟ لا تقولي لي إنه انسل في آخر لحظة، وإلا سأخنقه!

إن عدنان شاب رصين مجتهد لا يحب تسليات الشباب ممن هم في عمره، وإذا أردت أن يجيء معك إلى ملهى أو مرقص فعليك أن تجره كالبغل.

- دعينا من ذلك الإنسان المضجر! إن لم يكن قادرا على التسلي فليس ذنبنا. فقد يكون مكث في غرفته كالحلزونة في قوقعتها. لن يخطب أبدا،

صدقيني، وعلى كل حال لا أرى من هي البنت الصحيحة البنية القادرة على بوسه دون أن تتقيأ!

تسكت سوسن وكريمة فجأة وهما تلمحان عدنان ينزل من سيارته بصحبة نجمة روك تعانقه بحنان.

الكلمات الجديدة Parole nuove

عالمي، ون	*ʕālamiyy, -ūna*	mondiale, favoloso	مضجر، ون	*muḍǧir, -ūna*	noioso, tedioso
مدخل، مداخل	*madḫal, madāḫilu*	ingresso (luogo)	قادر، ون على	*qādir, -ūna ʕalā*	capace di
دخول	*duḫūl*	ingresso (*maṣdar*)	ذنب، ذنوب	*ḏanb, ḏunūb*	colpa
صف، صفوف	*ṣaff, ṣufūf*	fila	حلزون	*ḥalazūn*	chiocciole (coll.)
رصين، رصناء	*raṣīn, ruṣanāʔ*	serio	قوقعة، ات	*qawqaʕa, -āt*	guscio; conchiglia
تسلية، ات	*tasliya, -āt*	divertimento	بنية، بنى	*bunya, bunan*	costituzione
عمر، أعمار	*ʕumr, ʔaʕmār*	età	صَحِيحُ البُنْيَةِ		di sana costituzione
ملهى، ملاه	*malhan, malāhin*	locale per divertimenti	صحبة، ات	*ṣuḥba, -āt*	compagnia
نجمة، نجمات	*naǧma, naǧanāt*	stella	بِصُحْبَةِ		accompagnato da
روك		rock	أين اختفى؟	*ʔayna ḫtafā?*	che fine ha[m] fatto?
نجمةُ روك		rockstar	حنان	*ḥanān*	tenerezza
بغل، بغال	*baǧl, biǧāl*	mulo			

فعل	خنَق (ـُ)		strozzare
	مكَث (ـُ)		rimanere
	خطَب (ـُ)		fidanzarsi
	قال (ـُ) بـ		affermare
	باس (ـُ)، بَوْسًا		baciare
	ودَع (ـَ)		lasciar stare
	دَعْنَا مِنْهُ		lascia[m]lo perdere
	جرّ (ـُ)		tirare, trascinare
فاعل	عانق		abbracciare

تفعل	تقيأ		vomitare
	تسلى		divertirsi
تفاعل	تعانق	*taʿānaqa*	abbracciarsi
	تلاقي	*talāqā*	incontrarsi
	تنادى	*tanādā*	chiamarsi l'un l'altro
	تراص	*tarāṣṣa*	accalcarsi
انفعل	انسل، ينسل	*insalla, yansallu*	svignarsela
افتعل	اختلف، يختلف إلى	*iḫtalafa, yaḫtalifu ʾilā*	frequentare
	اختفى، يختفي	*iḫtafā, yaḫtafī*	sparire

النحو Grammatica

4 الفعل المزيد على وزن تَفَاعَلَ Il verbo in VI forma

المصدر	اسم المفعول	اسم الفاعل	الأمر	المضارع	الماضي
تَفَاعُلاً *tafāʿul*	مُتَفَاعَلٌ *mutafāʿal*	مُتَفَاعِلٌ *mutafāʿil*	تَفَاعَلْ *tafāʿal*	يَتَفَاعَلُ *yatafāʿalu*	تَفَاعَلَ *tafāʿala*

Si osservi il rapporto semantico tra le VI e III forme seguenti:

تَعَانَقَ	*taʿānaqa*	'abbracciarsi'	↔	عَانَقَ	*ʿānaqa*	'abbracciare'
تَكَاتَبَ	*takātaba*	'scriversi, corrispondere'		كَاتَبَ	*kātaba*	'scrivere a qn'
تَنَادَى	*tanādā*	'chiamarsi l'un l'altro'		نَادَى	*nādā*	'chiamare'
تَلَاقَى	*talāqā*	'incontrarsi'		لَاقَى	*lāqā*	'incontrare'

Il valore generale della VI forma è quello di un **riflessivo**, spesso collegato a una III forma.

تَجَاهَلَ	*taǧāhala*	'fare lo gnorri'	↔	جَاهِل	*ǧāhil*	'ignorante'
تَمَارَضَ	*tamāraḍa*	'fingersi ammalato'		مَرِيض	*marīḍ*	'malato'

In alcuni casi il valore della VI forma è **simulativo.**

5 VI forma e radici deboli

- Verbi *miṯāl*: nessuna contrazione, ad es. تَوَاصَلَ *tawāṣala* 'comunicare'

المصدر	اسم المفعول	اسم الفاعل	الأمر	المضارع	الماضي
تَوَاصُلاً *tawāṣul*	مُتَوَاصَلٌ *mutawāṣal*	مُتَوَاصِلٌ *mutawāṣil*	تَوَاصَلْ *tawāṣal*	يَتَوَاصَلُ *yatawāṣalu*	تَوَاصَلَ *tawāṣala*

- Verbi *ʔaǧwaf*: la radicale debole و/ي non subisce contrazione, ad es. تَعَاوَنَ *taʕāwana* 'aiutarsi a vicenda' (عَاوَنَ *ʕāwana* 'aiutare') e تَضَايَقَ *taḍāyaqa* 'irritarsi':

المصدر	اسم المفعول	اسم الفاعل	الأمر	المضارع	الماضي
تَعَاوُنًا *taʕāwun*	مُتَعَاوَنٌ *mutaʕāwan*	مُتَعَاوِنٌ *mutaʕāwin*	تَعَاوَنْ *taʕāwan*	يَتَعَاوَنُ *yataʕāwanu*	تَعَاوَنَ *taʕāwana*
تَضَايُقًا *taḍāyuq*	مُتَضَايَقٌ *mutaḍāyaq*	مُتَضَايِقٌ *mutaḍāyiq*	تَضَايَقْ *taḍāyaq*	يَتَضَايَقُ *yataḍāyaqu*	تَضَايَقَ *taḍāyaqa*

- Verbi *nāqiṣ*: la radicale debole و/ي viene neutralizzata in ى *-ā*, ad es. تَلَاقَى *talāqā* 'incontrarsi':

المصدر	اسم المفعول	اسم الفاعل	الأمر	المضارع	الماضي
تَلَاقٍ *talāqin**	مُتَلَاقًى *mutalāqan*	مُتَلَاقٍ *mutalāqin*	تَلَاقَ *talāqa*	يَتَلَاقَى *yatalāqā*	تَلَاقَى *talāqā*

* Al *manṣūb* تَلَاقِيًا *talāqiyan.*

- Verbi *muḍāʕaf*: contrazioni abituali, ad es. تَرَاصَّ *tarāṣṣa* 'accalcarsi':

المصدر	اسم المفعول	اسم الفاعل	الأمر	المضارع	الماضي
تَرَاصًّا *tarāṣṣ*	مُتَرَاصٌّ *mutarāṣṣ*	مُتَرَاصٌّ *mutarāṣṣ*	تَرَاصَّ *tarāṣṣa*	يَتَرَاصُّ *yatarāṣṣu*	تَرَاصَّ *tarāṣṣa*
(< **tarāṣuṣ*)	(< **mutarāṣaṣ*)	(< **mutarāṣiṣ*)	(< **tarāṣaṣ*)	(< **yatarāṣaṣu*)	(< **tarāṣaṣa*)

ATTENZIONE tuttavia alle persone non contratte: *māḍī* 1ª pl. تَرَاصَصْنَا *tarāṣaṣnā*, *muḍāriʕ* 3ª pl.f. يَتَرَاصَصْنَ *yatarāṣaṣna*.

6 الإضافة اللفظية Lo stato costrutto qualificativo

Il caso più frequente di stato costrutto, come ذَنَبُ الكَلْبِ o سَاعَةُ فِضَّةٍ, è detto إِضَافَة مَعْنَوِيَّة *ʔiḍāfa maʕnawiyya* ('espressiva'), che ha quindi un valore sostantivale. Viene detta لَفْظِيَّة *lafẓiyya* 'qualificativa' l'*iḍāfa* a valore aggettivale quale:

خَفِيفُ الدَّمِ	*ḫafīfu d-dami*	'simpatico'	<leggero del sangue>
قَلِيلُ النِّظَامِ	*qalīlu n-niẓāmi*	'disordinato'	<scarso dell'ordine>
صَحِيحُ البُنْيَةِ	*ṣaḥīḥu l-bunyati*	'di sana costituzione'	<sano della costituzione>
طَوِيلُ القَامَةِ	*ṭawīlu l-qāmati*	'alto di statura'	<lungo della statura>

Se un'*iḍāfa lafẓiyya* deve qualificare un sostantivo determinato, il *muḍāf* prende l'articolo:

الأُسْتَاذُ الخَفِيفُ الدَّمِ	*al-ʔustāḏu l-ḫafīfu d-dami*	'il professore simpatico'
الوَلَدُ القَلِيلُ النِّظَامِ	*al-waladu l-qalīlu n-niẓāmi*	'il bambino disordinaro'
الفَتَاةُ الصَّحِيحَةُ البُنْيَةِ	*al-fatātu ṣ- ṣaḥīḥatu l-bunyati*	'la ragazza di sana costituzione'
الرَّجُلَانِ الطَّوِيلَا القَامَةِ	*ar-raǧulāni ṭ-ṭawīlā l-qāmati*	'i due uomini di alta statura'

التمارين Esercizi

1 Costruire il paradigma di V forma derivata dei verbi ottenuti a partire dalle basi seguenti.

base		الماضي	المضارع	الأمر	اسم الفاعل	اسم المفعول	المصدر
نزل	←						
طلب	←						
خرج	←						
بعيد	←						
كلمة	←						
دخل	←						
سلم	←						
حسن	←						
صابون	←						
ردّ	←						
لوي	←						
يسر	←						
زوج	←						
زحلق	←						
دحرج	←						

2 Produrre la voce verbale corretta di V forma della radice indicata partendo dalle istruzioni fornite.

Radice	Istruzioni					
√جنب	→	هي	→	الماضي	→	
√قبل	→	نحن	→	المضارع المرفوع	→	
√فضل	→	أنتَ	→	الأمر	→	
√حدث	→	–	→	اسم الفاعل	→	
√فرق	→	–	→	المصدر	→	
√عشي	→	هو	→	الأمر	→	
√ولي	→	أنا	→	المضارع المجزوم	→	
√دور	→	هو	→	الماضي	→	
√عدّ	→	–	→	اسم الفاعل	→	

3 Costruire il paradigma di VI forma derivata dei verbi ottenuti a partire dalle basi seguenti.

المصدر	اسم المفعول	اسم الفاعل	الأمر	المضارع	الماضي		base
....	....	....	....	....	....	←	قتل
....	....	....	....	....	....	←	خصم
....	....	....	....	....	....	←	نقاش
....	....	....	....	....	....	←	بعيد
....	....	....	....	....	....	←	كسل
....	....	....	....	....	....	←	أطرش
....	....	....	....	....	....	←	عمل
....	....	....	....	....	....	←	ظهر
....	....	....	....	....	....	←	عون
....	....	....	....	....	....	←	مشى
....	....	....	....	....	....	←	سوي
....	....	....	....	....	....	←	مرّ

4 Produrre la voce verbale corretta di VI forma della radice indicata partendo dalle istruzioni fornite.

Radice	Istruzioni					
√جذب	→	هم	→	المضارع المرفوع	→	....
√حرب	→	نحن	→	الماضي	→	....
√مثل	→	–	→	المصدر	→	....
√زحم	→	–	→	اسم الفاعل	→	....
√عطف	→	–	→	المصدر	→	....
√ضمن	→	–	→	اسم الفاعل	→	....
√قضي	→	هو	→	المضارع المنصوب	→	....
√وصي	→	هم	→	المضارع المجزوم	→	....

5 Comprensione del Testo 1. Rispondere liberamente alle seguenti domande.

١. هل تعلم سيموني اللهجتين المصرية والمغربية قبل التخرج؟ ....

٢. هل سافر سيموني إلى مصر والمغرب بالنقود التي أعطاه إياها بابا وماما؟ ....

٣. كيف أحس صديقنا لغاته الأجنبية بعد مُدّة أقام فيها بالقاهرة وبالرباط؟ ....

٤. لماذا تسخط سيموني لما قضى أيامه في المدن الكبيرة المغربية؟ ....

٥. إلى أين اتجه صديقنا لكي يجد حياة عربية أصيلة؟ ....

٦. ما هي اللغات التي اكتشفها سيموني بقرية من قرى جنوب البلد؟ ....

6 Comprensione del Testo 2. Rispondere liberamente alle seguenti domande.

١. من الأصدقاء الذين قرروا الذهاب إلى مرقص التماسيح؟ ....

٢. هل عندهم بطائق الدخول أو عليهم أن يشتروها؟ ....

٣. هل خرجت الصديقات من منازلهن مع عدنان؟ ....

٤. هل إحدى من هؤلاء الفتيات معجبة بعدنان؟ ....

٥. ماذا تقول كريمة عن صديقها عدنان؟ ....

٦. هل وصل صديقهن في النهاية إلى مرقص التماسيح؟ ....

أكثر Di più

1 في الريف In campagna

La vita nelle zone rurali e beduine dei paesi arabi differisce in maniera considerevole da quella dei centri urbani, in quanto legata a usi e costumi tradizionali ancora saldamente vitali. Ciò costringerà il viaggiatore occidentale ad attenersi a una generale prudenza comportamentale se desidera esservi accolto in maniera calorosa.

Il primo atteggiamento da evitare con cura è quello della divertita curiosità del turista desideroso di catturare scene di vita per lui pittoresche, arretrate o ridicole. Si eviti di fotografare persone senza averne prima chiesto il permesso. È molto mal visto girare discinti, anche se la temperatura è elevata. Eventuali reazioni di ostilità da parte degli abitanti non vanno attribuite a xenofobia ma alla vergogna di dover mostrare povertà e condizioni di vita degradate.

Nondimeno anche in campagna, e più ancora presso i beduini, l'ospite è sacro: può essere perfettamente normale che un montone venga sgozzato in suo onore. Rifiutare il cibo offerto è offensivo. Occorre quindi accordare tutto il tempo necessario alla conversazione, al tè e al pasto.

Si eviti accuratamente di esprimere ammirazione per un oggetto (stoviglia, gioiello, tappeto ecc.), perché in tal caso esso viene immediatamente offerto all'ammiratore.

2 اللهجات I dialetti

I dialetti arabi usati nella vita quotidiana sono ovviamente innumerevoli, e più sono distanti geograficamente l'uno dall'altro più si rivela difficile la mutua comprensione. Rispetto a cinquanta anni fa tuttavia le accresciute possibilità comunicative offerte principalmente dai mezzi di massa (وسائل المواصلات *wasāʔil al-muwāṣalāt*) e dal cinema fanno sì che la maggioranza degli arabi si riveli oggi in grado di capire passivamente i principali dialetti nazionali.

Non è questa la sede per procedere a una discussione particolareggiata sull'arabo dialettale, detto anche neoarabo. In maniera molto schematica i più importanti raggruppamenti dialettali arabi sono, nella terminologia usata dagli arabi: سعودي *saʕūdiyy* 'saudita' (Arabia Saudita), يمني *yamaniyy* 'yemenita' (Yemen), خليجي *ḫalīǧiyy* 'del Golfo' (stati della costa orientale dell'Arabia), عراقي *ʕirāqiyy* 'iracheno' (Iraq), شامي *šāmiyy* o siropalestinese (Siria, Libano, Palestina/Israele, Giordania, da الشام *aš-Šām*, nome tradizionale della Grande Siria), مصري *miṣriyy* (o, nella pronuncia dialettale egiziana, *maṣrī*) 'egiziano', مغربي *maġribiyy* 'magrebino' (Libia, Tunisia, Algeria, Marocco).

Naturalmente all'interno di ciascun raggruppamento possono ravvedersi sottogruppi più o meno marcati, così il حلبي *ḥalabiyy* 'aleppino' (da حلب *Ḥalab* 'Aleppo') è diverso dallo شامي *šāmiyy* di Damasco, il صعيدي *ṣaʕīdiyy*, dialetto dell'Alto Egitto (in arabo الصعيد *aṣ-Ṣaʕīd*, lett. 'l'Altopiano') dal مصري *maṣriyy* del Cairo, il تونسي *tūnisiyy* (dial. *tūnsī*) 'tunisino' dal رباطي *ribāṭiyy* (dial. *rbāṭī*), dialetto di Rabat ecc.

Per ora non ha molto senso chiedersi di quale dialetto impadronirsi come prossima tappa. Chi intenda viaggiare e farsi capire un po' ovunque farà bene a privilegiare l'egiziano o il siropalestinese. Altrimenti è meglio aspettare che سبحانه *Subḥāna-hu* ('Sia lodato', ovvero الله *Allāh* 'Dio') decida quale località lo studente finirà per eleggere come suo paese arabo preferito.

UNITÀ 28

ماذا تنوي أن تفعل؟ Che cosa intendi fare?

النص الأول Testo 1

CD2/15

جاء الربيع أخيرا وبدأت الزهور تنفتح وأغصان الشجر تبرعم. فاليوم مشمس ودفئ الطقس، ويمكن الخروج من المنزل دون كنزة صوفية. يجلس أيمن وأسامة إلى طاولة في رصيف المقهى يتشمسان وأمامهما فنجانا شاي بالنعنع ونارجيلة.

– ماذا تنوي أن تفعل بعد أن تتخرج، يسأل أسامة، فأيمن على وشك أن يتم دراسته.

– أسئلتك واضحة، يا حبيبي، ففي زمن الأزمة الاقتصادية هذا أكثر شيء احتمالا هو أني سأصبح عاطلا عن العمل غد يوم تخرجي. وبماجستير في اللغات الأجنبية لن أبلغ شأوا بعيدا...

ينحني أيمن فوق الطاولة ويأخذ قصبة النارجيلة ليتنشق دفعة دخان دافئة ثم يخرجها ببطء.

– بالفعل تعرفت إلى شاب إيطالي يحسن لغتنا قد قضى أربعة أشهر بين مصر والمغرب وقال لي إن اللغة العربية لا فائدة لها.

– شيء غريب... لو كانت الأمور كذلك لما ازداد مراكز تدريسها في العالم كله، ألا تظن؟ ألسنا أكثر من مئتي مليون ناطق بالضاد؟

– في رأيي كل اللغات ستفقد قريبا فائدتها باستثناء اللغة الصينية، فالصينيون أكثر من مليار شخص وامتلكوا ناصية التكنولوجيا في العالم. لو كنت مكانك لتسجلت في ماجستير ثان في اللغة والثقافة الصينيتين.

الكلمات الجديدة Parole nuove

شأو	*šaʔw*	traguardo	ناطق، ون بـ	*nāṭiq, -ūna bi-*	parlante
بلغ شَأْوًا بَعِيدًا		andare lontano (fig.)	محتمل، ون	*muḥtamal, -ūna*	probabile
ربيع	*rabīʕ*	primavera	احتمال	*iḥtimāl*	probabilità
غصن، أغصان	*ġuṣn, ʔaġṣān*	ramo	بطء	*buṭʔ*	lentezza
مشمس	*mušmis*	assolato	ببطء	*bi-buṭʔin*	lentamente
كنزة، ات	*kanza, -āt*	maglione	ضاد	*ḍād*	lettera ض*
طاولة، ات	*ṭāwila, -āt*	tavolo, tavolino	رأي، آراء	*raʔy, ʔārāʔ*	parere, opinione
رصيف، أرصفة	*raṣīf, ʔarṣifa*	(qui:) esterno (bar)	شخص، أشخاص	*šaḫṣ, ʔašḫāṣ*	persona
نعنع	*naʕnaʕ*	menta	تكنولوجيا	*tiknūlūǧiyā*	tecnologia
نارجيلة، ات	*nāraǧīla, -āt*	narghilè	لو كُنْتُ مَكانَكَ		fossi al posto tuo[m]
واضح	*wāḍiḥ*	chiaro, preciso	دفعة، دفعات	*dufʕa, dufuʕāt*	boccata, tiro
أزمة، أزمات	*ʔazma, ʔazamāt*	crisi	فائدة، فوائد	*fāʔida, fawāʔidu*	utilità
عَاطِلٌ عَن العمل		disoccupato	مليون، ملايين	*malyūn, malāyīnu*	milione
غَدَ	*ġada*	l'indomani di	مليار، ات	*milyār, -āt*	miliardo
ناصية، نواص	*nāṣiya, nawāṣin*	fine della strada	قريبا	*qarīban*	fra poco
امتلك ناصِيَةَ		essere padrone di	استثناء، ات	*istiṯnāʔ, -āt*	eccezione
ماجستير، ات	*māǧistīr, -āt*	laurea	ثقافة، ات	*ṯaqāfa, -āt*	cultura
قصبة، ات	*qaṣaba*	canna; boccaglio			

* Il fonema ض anticamente doveva avere una resa diversa da quelle odierne e particolarmente difficile da acquisire per un non arabo. Perciò la lingua araba viene spesso chiamata لُغَةُ الضاد 'lingua della *ḍād*' (e gli arabi أَهْلُ الضاد 'gente della *ḍād*').

فعل	بلَغ (ـُ)		raggiungere
	خرَج (ـُ)، خُرُوجًا		uscire
	نطق (ـُ) بـ		pronunciare
	قضى (ـِ)		passare (tempo)
أفعل	أخرج		(qui:) esalare

تفعل	تشمس		prendere il sole
	تنشق		aspirare
	تسجل في		iscriversi a
انفعل	انفتح	*infataḥa*	aprirsi
	انحنى	*inḥanā*	inclinarsi
افتعل	احتمل، يحتمل	*iḥtamala, yaḥtamilu*	essere probabile
	امتلك، يمتلك	*imtalaka, yamtaliku*	possedere
	ازداد، يزداد	*izdāda, yazdādu*	aumentare
فعلل	برعم		germogliare

النحو Grammatica

1 الفعل المزيد على وزن انْفَعَلَ Il verbo in VII forma

La VII forma è caratterizzata da un prefisso اِنْ *in-*:

المصدر	اسم المفعول	اسم الفاعل	الأمر	المضارع	الماضي
اِنْفِعَالاً	مُنْفَعَلٌ	مُنْفَعِلٌ	اِنْفَعِلْ	يَنْفَعِلُ	اِنْفَعَلَ
infiʿāl	*munfaʿal*	*munfaʿil*	*infaʿil*	*yanfaʿilu*	*infaʿala*

Si osservi il rapporto semantico tra le VII forme seguenti e i temi corrispondenti nella colonna di destra:

اِنْفَتَحَ	*infataḥa*	'aprirsi'	↔	فَتَحَ	*fataḥa*	'aprire'
اِنْكَسَرَ	*inkasara*	'rompersi'		كَسَرَ	*kasara*	'rompere'
اِنْضَمَّ	*inḍamma*	'essere riunito'		ضَمَّ	*ḍamma*	'riunire'
اِنْبَغَى	*inbaġā*	'essere come si deve'		بَغَى	*baġā*	'desiderare'

Il valore generale della VII forma è quello di un **riflessivo-passivo**, spesso collegato a una I forma.

2 VII forma e radici deboli

- In arabo standard la VII forma non può realizzarsi se la prima radicale del verbo sia ل, م, ن, و o ي. Non esistono quindi VII forme di radice *miṯāl*.
- Verbi *ʾaǧwaf*: la radicale debole si mantiene sotto la forma di ا *ā* lunga, tranne al *maṣdar* dove viene trasformata in ي *y*, ad es. اِنْبَاعَ *inbāʿa* 'vendersi, essere venduto, vendibile':

المصدر	اسم المفعول	اسم الفاعل	الأمر	المضارع	الماضي
اِنْبِيَاعًا	مُنْبَاعٌ	مُنْبَاعٌ	اِنْبَعْ	يَنْبَاعُ	اِنْبَاعَ
inbiyāʿ	*munbāʿ*	*munbāʿ*	*inbaʿ*	*yanbāʿu*	*inbāʿa*

- Verbi *nāqiṣ*: la radicale debole و/ي viene neutralizzata in ى -*ā*, ad es. اِنْبَغَى *inbaġā* 'essere come si deve, essere bene che' (al *muḍāriʕ* l'espressione يَنْبَغِي أنْ *yanbaġī ʔan* sta per 'è bene che, è consigliabile (fare)':

المصدر	اسم المفعول	اسم الفاعل	الأمر	المضارع	الماضي
اِنْبِغاءً	مُنْبَغًى	مُنْبَغٍ	اِنْبَغِ	يَنْبَغِي	اِنْبَغَى
inbiġāʔ	*munbaġan*	*munbaġin*	*inbaġi*	*yanbaġī*	*inbaġā*

- Verbi *muḍāʕaf*: contrazioni abituali, ad es. اِنْسَلَّ *insalla* 'svicolare, sgattaiolare':

المصدر	اسم المفعول	اسم الفاعل	الأمر	المضارع	الماضي
اِنْسِلالاً	مُنْسَلٌّ	مُنْسَلٌّ	اِنْسَلَّ	يَنْسَلُّ	اِنْسَلَّ
insilāl	*munsall*	*munsall*	*insalla*	*yansallu*	*insalla*

3 Milioni e miliardi

Gli europeismi مَلْيُون *malyūn* e مِلْيَار *milyār* – piegati ai due *wazn* مَفْعُول *mafʕūl* e مِفْعَال *mifʕāl* –, hanno come plurali rispettivi مَلَايِين *malāyīn* (più raramente مَلْيُونَات *malyūnāt*) e مَلَايِير *malāyīr* (oggi più spesso مِلْيَارَات *milyārāt*). Per 'miliardo' si incontra ugualmente, specie in Egitto e Giordania, بِلْيُون *bilyūn*. Essi si comportano sintatticamente come مئة:

مَلْيُونُ رِيَالٍ	*malyūnu riyālin*	'un milione di riyal'
مِلْيَارُ شَخْصٍ	*milyāru šaḫṣin*	'un miliardo di individui'

4 Lingua e letteratura...

La sintassi dell'italiano contemporaneo ammette, se non preferisce, che un aggettivo relativo a due o più sostantivi in un qualche modo legati da una continuità semantica rimanga al singolare. È così che si suol dire e scrivere *Lingua e letteratura araba*, *Lingua e traduzione inglese*, quando la matematica suggerirebbe un accordo al plurale. L'arabo – d'accordo con altre lingue europee – esige in tal caso l'accordo, al plurale o al duale secondo il caso:

اللُغةُ والثَقافةُ الصِينيَّتان	*al-luġatu wa-ṯ-ṯāqāfatu ṣ-ṣīniyyatāni*	'lingua e cultura cinese'
	(cf. francese:)	'langue et culture chinoises'
	(cf. spagnolo:)	'lengua y cultura chinas'

Nell'enunciato اللغةُ والآداب العَرَبِيّةُ *al-luġatu wa-l-ʔādābu l-ʕarabiyyatu* 'lingua e letteratura araba' l'accordo dell'aggettivo عَرَبِيّ *ʕarabiyy* al femminile singolare (anziché al duale) è dovuto al fatto che il sostantivo آداب è lui stesso un plurale (irrazionale come لغة).

CD2/16 Testo 2 النص الثاني

جاء السمكري بعد أن تلفنوا له أكثر من خمس عشرة مرة فها هو الآن واقف على سلم منهمك في فك السخان الذي لم يعد يدور. يساعده مروان ويمد له الأدوات. يتمتم السمكري شتائم تجاه السخان القديم البالي، ثم يسأل مروان:

- قل لي، يا شاطر، منذ كم وقتا لا تخضعون سخانكم للصيانة؟ فالمسكين أوسخ من ساحل الكويت أثناء حرب الخليج، وتشبه محارقه هياكل الموميات للفرعون توت عنخ آمون! وقد امتلأ غطاؤها سناجا كثيفا لصقا لن ينصرف أبدا...
- والله الحق معك، يا معلم، ولكننا بالإيجار ولسنا من الأثرياء... وما دامت تشتعل فما الحاجة إلى دعاء السمكري، ألا توافق؟
- الكسل كالعسل، يا نمس، وما الذي كسبت منه؟ فالآن لا بد من تغيير المحارق والأنبوب الحلزوني، وسيكلفك كثيرا... لعله من الأفضل أن تغير السخان كله. فإن اخترت هذا الحل، أمكننا أن نتفق على ثمن معتدل، فكر في الأمر. وعلى كل حال، لا تنس أن السخان كالإنسان: له جسم وقلب، وإذا لم تحترمه ينتقم هو منك!

الكلمات الجديدة Parole nuove

سلم، سلالم	*sullam salālimu*	scala (a pioli)	صيانة	*ṣiyāna*	manutenzione
أداة، أدوات	*ʔadāt, ʔadawāt*	strumento	محرق، محارق	*miḥraq, maḥāriqu*	bruciatore
شتيمة، شتائم	*šatīma, šatāʔimu*	insulto	هيكل، هياكل	*haykal, hayākilu*	tempio; scheletro
تجاه	*tuǧāha*	verso	موميا، ت	*mūmiyā, -t*	mummia
بال	*bālin*	usato, logoro	فرعون، فراعنة	*firʕawn, farāʕinatu*	faraone
شاطر، شطار	*šāṭir, šuṭṭār*	bravo, furbo	توت عنخ آمون	*Tūt ʕAnḫ ʔĀmūn*	Tutankhamen
الكويت	*al-Kuwayt*	Kuwayt	غطاء، أغطية	*ġiṭāʔ, ʔaġṭiya*	(qui:) cappa
أثناء	*ʔaṯnāʔa*	durante (= خلال)	سناج	*sināǧ*	fuliggine
حرب، حروب	*ḥarb, ḥurūb*	guerra	لصق، لصاق	*laṣiq, liṣāq*	appiccicoso
خليج، خلجان	*ḫalīǧ, ḫulǧān*	golfo	إيجار، ات	*ʔīǧār, -āt*	affitto
حلزوني	*ḥalazūniyy*	a chiocciola	ثري، أثرياء	*ṯariyy, ʔaṯriyāʔu*	ricco, facoltoso
أنبوب حلزوني		serpentina	قلب، قلوب	*qalb, qulūb*	cuore
نمس، نموس	*nims, numūs*	furetto; furbone	كسل	*kasal*	pigrizia
معتدل، ون	*muʕtadil, -ūna*	moderato	عسل	*ʕasal*	miele

فعل	كسب (ِ)		guadagnar(ci)
	دار (ُ)		girare; funzionare
	دام (ُ)		durare
	مَا دَامَ		fintantoché
	دعا (ُ)، دُعَاءً		chiamare
	فك (ُ)، فَكًّا		smontare
	مد (ُ)		tendere, porgere
فاعل	ساعد		aiutare
	وافق		essere d'accordo
أفعل	أخضع		sottoporre
	أشبه		assomigliare a
انفعل	انصرف		(qui:) andarsene
	انهمك		affaccendarsi
افتعل	اشتغل	*ištaġala*	lavorare, funzionare
	احترم	*iḥtarama*	rispettare

	اعتدل	iʿtadala	essere livellato
	امتلأ	imtalaʾa	riempirsi
	اتفق على	ittafaqa ʿalā	mettersi d'accordo su
	اختار	iḫtāra	scegliere
فعلل	تمتم		bofonchiare

 ## النحو Grammatica

5   الفعل المزيد على وزن اِفْتَعَلَ Il verbo in VIII forma

L'VIII forma è caratterizzata da un morfema interfisso ـتَـ -ta- tra 1ª e 2ª radicale:

المصدر	اسم المفعول	اسم الفاعل	الأمر	المضارع	الماضي
اِفْتِعَالاً	مُفْتَعَلٌ	مُفْتَعِلٌ	اِفْتَعِلْ	يَفْتَعِلُ	اِفْتَعَلَ
iftiʿāl	muftaʿal	muftaʿil	iftaʿil	yaftaʿilu	iftaʿala

Si osservi il rapporto semantico tra le VIII forme seguenti e i temi corrispondenti nella colonna di destra:

اِمْتَلأَ imtalaʾa 'riempirsi'	↔	مَلأَ malaʾa 'riempire'
اِشْتَغَلَ ištaġala 'lavorare'		شَغَلَ šaġala 'dare un lavoro'
اِحْتَرَمَ iḥtarama 'rispettare'		حَرُمَ ḥaruma 'essere vietato'
اِكْتَسَبَ iktasaba 'ricavare, guadagnare'		كَسَبَ kasaba 'ricavare, guadagnare'

Il valore generale dell'VIII forma è quello di un **riflessivo**. In molti casi tuttavia il valore è lessicalizzato e non può essere dedotto logicamente:

اِنْتَظَرَ intaẓara 'aspettare'	↔	نَظَرَ naẓara 'guardare'
اِفْتَتَحَ iftataḥa 'inaugurare'		فَتَحَ fataḥa 'aprire'

6   VIII forma e radici deboli

• Verbi miṯāl: la و iniziale si assimila alla consonante dell'interfisso -ta-, ad es. وَصَلَ waṣala 'arrivare' → اِتَّصَلَ ittaṣala (< *iwtaṣala) 'collegarsi, connettersi, telefonare':

المصدر	اسم المفعول	اسم الفاعل	الأمر	المضارع	الماضي
اِتِّصَالاً	مُتَّصَلٌ	مُتَّصِلٌ	اِتَّصِلْ	يَتَّصِلُ	اِتَّصَلَ
ittiṣāl	muttaṣal	muttaṣil	ittaṣil	yattaṣilu	ittaṣala

NB: i verbi di prima ء subiscono nel più dei casi lo stesso trattamento, ad es. أَخَذَ ʾaḫaḏa 'prendere' → اِتَّخَذَ ittaḫaḏa 'fare di qualcosa qualcosa' (اِتَّخَذَ الكِيسَ قُبَّعَةً ittaḫaḏa l-kīsa qubbaʿatan 'fece della borsa un cappello, se ne servì come di').

- Verbi *ˀağwaf*: la radicale debole si mantiene sotto la forma di ا *ā* lunga, tranne al *maṣdar* dove viene trasformata in ي *y*, ad es. اِخْتَارَ *iḫtāra* 'scegliere' (< خَيَرَ):

المصدر	اسم المفعول	اسم الفاعل	الأمر	المضارع	الماضي
اِخْتِيَارًا	مُخْتَارٌ	مُخْتَارٌ	اِخْتَرْ	يَخْتَارُ	اِخْتَارَ
iḫtiyār	*muḫtār*	*muḫtār*	*iḫtar*	*yaḫtāru*	*iḫtāra*

- Verbi *nāqiṣ*: la radicale debole و/ي viene neutralizzata in ى *-ā*, ad es. اِشْتَرَى *ištarā* 'comprare'.

المصدر	اسم المفعول	اسم الفاعل	الأمر	المضارع	الماضي
اِشْتِرَاءً	مُشْتَرًى	مُشْتَرٍ	اِشْتَرِ	يَشْتَرِي	اِشْتَرَى
ištirāˀ	*muštaran*	*muštarin*	*ištari*	*yaštarī*	*ištarā*

- Verbi *muḍāˁaf*: contrazioni abituali, ad es. اِلْتَفَّ *iltaffa* 'avvolgersi':

المصدر	اسم المفعول	اسم الفاعل	الأمر	المضارع	الماضي
اِلْتِفَافًا	مُلْتَفٌّ	مُلْتَفٌّ	اِلْتَفَّ	يَلْتَفُّ	اِلْتَفَّ
iltifāf	*multaff*	*multaff*	*iltaffa*	*yaltaffu*	*iltaffa*

▶Se la prima consonante radicale è una sibilante o un'interdentale, la /t/ dell'interfisso subisce **assimilazioni** parziali regressive:

		ت								
ص	→	ط	ad es.	صَدَمَ	*ṣadama*	'urtare'	→	اِصْطَدَمَ	*iṣṭadama*	'urtare'
ض		ط		ضَرَبَ	*ḍaraba*	'colpire'		اِضْطَرَبَ	*iḍṭaraba*	'agitarsi'
ط		ط		طَلَعَ	*ṭalaˁa*	'apparire'		اِطَّلَعَ	*iṭṭalaˁa*	'andare verso l'alto'
ظ		ظ		ظَلَمَ	*ẓalama*	'maltrattare'		اِظَّلَمَ	*iẓẓalama*	'essere maltrattato'
ز		د		زَهَرَ	*zahara*	'fiorire'		اِزْدَهَرَ	*izdahara*	'fiorire'
د		د		دَرَعَ	*daraˁa*	'armare'		اِدَّرَعَ	*iddaraˁa*	'armarsi' (arcaico)
				دَعَا	*daˁā*	'chiamare'		اِدَّعَى	*iddaˁā*	'pretendere'
ذ		ذ/د		ذَخَرَ	*ḏaḫara*	'serbare'		اِذَّخَرَ	*iḏḏaḫara*	'serbare'
								اِدَّخَرَ	*iddaḫara*	'serbare'

التمارين Esercizi

1 Costruire il paradigma di VII forma derivata dei verbi ottenuti a partire dalle basi seguenti.

المصدر	اسم المفعول	اسم الفاعل	الأمر	المضارع	الماضي		base
....	....	....	....	....	....	←	سحب
....	....	....	....	....	....	←	خفض

						←	كشف
						←	قطع
						←	قلب
						←	طلق
						←	همك
						←	عكس
						←	حلّ
						←	حني

2 Produrre la voce verbale corretta di VII forma della radice indicata partendo dalle istruzioni fornite.

Radice	Istruzioni					
√صرف	→	–	→	اسم المفعول	→	
√دفع	→	نحن	→	المضارع المرفوع	→	
√سجم	→	–	→	المصدر	→	
√طبخ	→	هي	→	الماضي	→	
√قضي	→	هو	→	المضارع المجزوم	→	
√غلّ	→	أنتن	→	الأمر	→	

3 Costruire il paradigma di VIII forma derivata dei verbi ottenuti a partire dalle basi seguenti.

المصدر	اسم المفعول	اسم الفاعل	الأمر	المضارع	الماضي		base
						←	عدل
						←	بدأ
						←	خرع
						←	خلف
						←	نقم
						←	عقد
						←	حمل
						←	كشف
						←	زحم
						←	صنع
						←	واحد
						←	واسع
						←	جوز

....	....	....	....	....	....	←	لقي
....	....	....	....	....	....	←	نهي
....	....	....	....	....	....	←	شدّ
....	....	....	....	....	....	←	مدّ

4 Produrre la voce verbale corretta di VIII forma della radice indicata partendo dalle istruzioni fornite.

Radice	Istruzioni					
√نحر	→	هي	→	الماضي	→	....
√رفع	→	–	→	اسم الفاعل	→	....
√سمع	→	هما	→	المضارع المرفوع	→	....
√جمع	→	–	→	اسم المفعول	→	....
√وجه	→	–	→	المصدر	→	....
√وضح	→	هي	→	الماضي	→	....
√حوج	→	نحن	→	الماضي	→	....
√صيد	→	أنتم	→	الأمر	→	....
√ردي	→	–	→	المصدر	→	....
√دعو	→	–	→	اسم الفاعل	→	....

5 Comprensione del testo 1. Rispondere liberamente alle seguenti domande.

١. لماذا لا يجلس أيمن وأسامة في داخل المقهى؟ ....

٢. هل يتكلم صديقانا عن دراسات صديق آخر لهما؟ ....

٣. ماذا يوشك أيمن أن يتخرج؟ ....

٤. هل يعتقد أيمن أنه سيجد بسهولة عملا جيدا بعد تخرجه؟ ....

٥. لماذا يظن أسامة أن كلام أيمن غريب؟ ....

٦. هل في رأي أيمن أن اللغات كلها لها نفس الفائدة؟ ....

٧. لماذا يعتقد أحد أن دراسة اللغة الصينية تفيد كثيرا؟ ....

6 Comprensione del testo 2. Rispondere liberamente alle seguenti domande.

١. هل من الصحيح أن السمكري يشتغل في الاتصالات والهواتف؟ ....

٢. هل سخان منزل مروان جديد ويدور جيدا؟ ....

٣. ماذا يشبه سخانهم؟ ....

٤. لماذا لم يتصل مروان وأصدقاؤه بالسمكري من قبل؟ ....

٥. هل وجد السمكري في السخان مشكلة ما؟ ....

٦. ما هو أفضل حل في رأي السمكري؟ ....

أكثر Di più

1 النارجيلة Il narghilè

Il narghilè, che viene chiamato أرگيلة *ʾargīla* nel Mashreq e شيشة *šīša* in Egitto e Maghreb, è una sorta di alambicco di vetro colorato che viene riempito di acqua profumata con diversi gusti. Sopra l'alambicco, un piattino metallico viene caricato di tabacco e brace. Dalla base del narghilè parte invece un tubo terminante con un lungo becco, da cui il fumatore deve aspirare ampie boccate. Il fumo del tabacco arriva quindi rinfrescato e insaporito dall'acqua profumata. Tale fumo ha un effetto vagamente calmante ma molto leggero e non comporta alcun pericolo serio sui riflessi immediati del fumatore. Chi, di sera e dopo aver passato un momento a fumare il narghilè, debba mettersi al volante farà omunque bene a guidare con maggiore attenzione e circospezione del normale.
Droghe (مخدرات *muḫaddirāt*) leggere sono reperibili con facilità nei paesi arabi, ma è bene sapere che le leggi in proposito sono molto meno liberali che non in Occidente, specialmente per chi abbia l'intenzione di esportarle dal paese. Essere scoperti in possesso di stupefacenti comporta l'arresto immediato e una condanna carceraria di varia durata.
Lo Yemen ha una droga nazionale – sul cui statuto giuridico è difficile pronunciarsi, essendo essa consumata dalla quasi totalità della popolazione –, detta قات *qāt*. Il qāt è un arbusto le cui foglie vanno masticate a lungo, senza deglutirle ma suggendone un succo molto amaro. Ogni casa yemenita ha il proprio apposito salotto, detto مفرج *mafraǧ*, dove masticare il qāt in compagnia. Il consumo prolungato di qāt genera dipendenza e può alla lunga avere effetti destrutturanti a livello neurologico.

2 المُساوَمة Tirare il prezzo

Mercanteggiare (ساوم، يساوم *sāwama, yusāwimu*, o فاصل، يفاصل *fāṣala, yufāṣilu*) è una pratica inderogabile nei paesi arabi. Eccettuando supermercati, negozi di stampo occidentale e generalmente le librerie, dove i prezzi sono fissi, occorre sempre prevedere lunghe contrattazioni con i commercianti.
La *musāwama* è un'arte. Più il cliente riesce ad abbassare il prezzo, più verrà ammirato dai commercianti. Vi sono ovviamente tutta una serie di trucchi e di atteggiamenti che solamente una lunga pratica consente di padroneggiare. Per prima cosa occorre evitare di fare esclamazioni alla vista di un dato articolo, come chi finalmente ha trovato quello che cercava o viene fulminato dalla bellezza dell'oggetto: in tal caso naturalmente il prezzo richiesto dal venditore salirà alle stelle. Si entri nel negozio come per caso, con aria scettica e vagamente indecisa. Il commerciante farà gran mostra di tutto quello che possiede, vantandone qualità e origine. Il cliente viene fatto accomodare e non è raro che gli vengano offerti tè e dolciumi. Alla domanda su quanto costa (بكم؟ *bi-kam?*), per curiosità, tale articolo, il commerciante con aria complice dichiarerà che "per te, è tot". Il cliente allora con voce strozzata articola un "quanto?" incredulo e scioccato. ll commerciante chiede quindi all'illustre cliente quanto sarebbe disposto a pagare: segue reazione altrettanto soffocata da parte sua. La trattativa prosegue, con progressivi cedimenti da parte di entrambe le parti. Nei casi difficili, una mossa classica consiste nel lasciare il negozio con aria rassegnata e risentita: il cliente verrà prima o poi inseguito e rintracciato dal commerciante e pregato di tornare in bottega, questa volta per "parlare seriamente". Nel caso di oggetti di valore, come tappeti, gioielli, mobili ecc., il mercanteggiamento può durare giorni, magari settimane o mesi, tramite visite distanziate nel tempo (ovviamente per chi risiede a lungo sul posto).

È tuttavia altrettanto importante saper conservare un atteggiamento di rispetto nei confronti del commerciante e della sua serietà. L'aria prevenuta o sarcastica di chi sa a priori di avere a che fare con un turlupinatore può mandare a monte brutalmente una trattativa. La *musāwama* è certamente un braccio di ferro, ma tra gentiluomini. Nessuno intende truffare l'altro: il commerciante dice quanto vorrebbe guadagnare, il cliente quanto vorrebbe spendere, e prima o poi ci si mette d'accordo da persone ragionevoli e civili.

ما حيلتي في ذلك؟ Cosa ci posso fare?

النص الأول Testo 1 CD2/17

يجلس فخر الدين على إسكملة مرتفعة متكئا على مرفقه على منضدة دكان الملابس الجديد الذي فتح قبل أسبوعين. وإنه يشعر بضجر شديد. فيوجعه قدماه وعموده الفقري لأنه مشى طويلا من دكان إلى آخر. وفجأة تخرج كاتيا من حجرة تجربة الثياب لابسة فستانا قصيرا يلائمها كالقفاز لليد. تتراءى في المرآة ثم تسأل فخر الدين رأيه:

- كيف تجده؟
- أجمل من ما يكون! فهذا اللون البنفسجي يليق بك.
- أولا ليس بنفسجيا بل خبازي، وثانيا طلبت منك رأيا: لا تجاوبني فورا «نعم، يعجبني» دون أن تتبصر وفي سبيل التخلص من المسألة. تطلع فيّ كما ينبغي ثم عبر عن رأيك. ففي أثناء ذلك أجرب هذه التنورة المرقطة.

بعد ربع ساعة ها كاتيا خارجة من جديد من حجرة التجارب.

- ما رأيك فيها؟
- لا! لا تعجبني إطلاقا!
- كيف لا وعادة يعجبك هذا النوع من التنانير؟ أنا مندهشة. أأنت متأكد؟ فكرت أنك تحبها... لماذا لا تعجبك؟

يحمر فخر الدين من الضيق ويصيح:

-الحق معك، يا حبيبتي، عادة يعجبني هذا النوع من التنانير، لكن هذه التنورة بذاتها لا تعجبني، ما حيلتي في ذلك؟

الكلمات الجديدة Parole nuove

مرتفع، ون	*murtafiʕ, -ūna*	alto, elevato	ثوب، ثياب	*ṯawb, ṯiyāb*	abito, vestito
ملبس، ملابس	*malbas, malābisu*	indumento	فستان، فساتين	*fustān, fasātīnu*	vestito (donna)
أسبوع، أسابيع	*ʔusbūʕ, ʔasābīʕu*	settimana	قفاز، قفافيز	*quffāz, qafāfīzu*	guanto
قوي، أقوياء	*qawiyy, ʔaqwiyāʔu*	forte	لون، ألوان	*lawn, ʔalwān*	colore
عمود. أعمدة	*ʕamūd, ʔaʕmida*	colonna	بنفسجي	*banafsağiyy*	viola
فقرة، ات	*fiqra, -āt*	vertebra	خبازي	*ḫubbāziyy*	malva
فقري	*fiqariyy*	vertebrale	سبيل، سبل	*sabīl, subul*	via, camino
عمود فقري		colonna vertebrale	في سَبِيلِ		allo scopo di
مرقط	*muraqqaṭ*	à pois	بل	*bal*	bensì, invece
نوع، أنواع	*nawʕ, ʔanwāʕ*	tipo	في أثناءِ ذلك		nel frattempo
ذات	*ḏāt*	sostanza, natura	إطلاقا	*ʔiṭlāqan*	assolutamente
بذاته	*bi-ḏāti-hi*	stesso, di per sé	حيلة، حيل	*ḥīla, ḥiyal*	espediente
ضيق	*ḍīq*	fastidio, irritazione	ما حيلتي في ذلك؟		cosa ci posso fare?

فعل	ضجِر (ـَ)، ضَجْرًا		annoiarsi
	دهَش (ـَ)		sorprendere
	لاق (ـِ) بـ		stare bene, donare
	ظن (ـُ)، ظَنًّا		pensare
فعّل	جرّب، تَجْرِبَةً		provare, testare
	عبّر عن		esprimere
فاعل	جاوب ه		rispondere a qn
	لاءم		stare bene a
أفعل	أوجع		far male, dolere
تفعل	تبصر		riflettere
	تخلص من		sbarazzarsi di
	تطلع في		guardare, fissare
تفاعل	تراءى		guardarsi

افتعل	ارتفع		elevarsi
	اتكأ	*ittakaʾa*	appoggiarsi
افعلّ	احمر، يحمر	*iḥmarra, yaḥmarru*	arrossire

النحو Grammatica

1 الفعل المزيد على وزن اِفْعَلَّ Il verbo in IX forma

La IX forma verbale è caratterizzata dalla tensione della 3ª radicale.
Nel paradigma della IX forma è assente, visto il significato del *wazn*, l'*ism al-mafʿūl*

المصدر	اسم الفاعل	الأمر	المضارع	الماضي
اِفْعِلَالًا *ifʿilāl*	مُفْعَلٌّ *mufʿall*	اِفْعَلَّ *ifʿalla*	يَفْعَلُّ *yafʿallu*	اِفْعَلَّ *ifʿalla*

Si osservi il rapporto semantico tra le IX forme seguenti e i temi aggettivali corispondenti:

اِحْمَرَّ	*iḥmarra*	'arrossire'	↔	أَحْمَرُ	*ʾaḥmar*	'rosso'
اِصْفَرَّ	*iṣfarra*	'ingiallire, impallidire'		أَصْفَرُ	*ʾaṣfar*	'giallo'
اِسْوَدَّ	*iswadda*	'annerirsi'		أَسْوَدُ	*ʾaswad*	'nero'
اِعْوَجَّ	*iʿwağğa*	'storcersi'		أَعْوَجُ	*ʾaʿwağ*	'storto'

La IX forma, di uso molto ristretto, esprime un divenire ed è produttiva unicamente a partire da temi aggettivali di schema أَفْعَلُ *ʾafʿal* che indichino un colore o un difetto fisico.
Eccettuando اِسْوَدَّ 'annerirsi' e اِبْيَضَّ 'sbiancare', di radice *ʾağwaf*, non si riscontrano IX forme di radice *miṯāl*, *nāqiṣ* o *muḍāʿaf*.

النص الثاني Testo 2 CD2/18

منذ بضع دقائق بدأ البرنامج الموسيقي «سهران معك الليلة» أمام ملايين المشاهدين. فإنه يُبث كل ثلاثاء من الساعة التاسعة مساء حتى منتصف الليل على قناة «الكوكبية» ويلاقي رواجا عظيما.

يتكلم المقدم المحبوب يونس البعلبكي بالمكبر:

- أيها الصديقات والأصدقاء، السلام عليكم، مساء الخير، شكرا لحضوركم، فلدينا هذا المساء مفاجأة لكم...

يمد يده اليسرى نحو الستار الموجود وراءه ويواصل:

- مطربة لا تعرفونها، ليس لأنها حديثة السن جدا فقط، بل لأنها تغني لأول مرة أمام جمهور تلفازي... سيداتي وسادتي، يسرني أن أقدم لكم... **شااااااااادية!!!**

ينفتح الستار وتظهر شادية مرتدية جلبابا أصفر وأساور ذهبية وفضية حول ساعديها وخلخالا حول كاحلها الأيمن. حتى ثانيتين قبل انفتاح الستار كانت ترتجف رعبا، لكن الآن تحس أنها ربة العالم بين تصفيق الجمهور وصياحه. يقرب إليها يونس المكبر ويقول:

- حدثينا عنك، يا شادية، فكلنا راغبون في التعرف عليك...
- السلام عليكم، عمري تسع عشرة سنة، ولدت في طرابلس الشام وكبرت في بيروت، ثم استغرقت في الموسيقى واليوم إن شاء الله سأستحق استحسانكم.
- ما عنوان الأغنية التي ستغنينها لنا؟
- سأغني لكم «حبيبي يا نور العين» لعمرو دياب.

تبدأ نغمة الأغنية تعزف من الجوال المحطوط على طاولة السرير وتستيقظ شادية من حلمها الجميل.

الكلمات الجديدة Parole nuove

موسيقي	*mūsīqiyy*	musicale	مطرب، ون	*muṭrib, -ūna*	cantante
مشاهد، ون	*mušāhid, -ūna*	(tele)spettatore	حديث، حدثاء	*ḥadīṯ, ḥudaṯāʾu*	recente, nuovo
قناة، قنوات	*qanāt, qanawāt*	canale	سن، أسنان	*sinn, ʾasnān*	dente (f.!); età
كوكبي، ون	*kawkabiyy, -ūna*	astrale; cosmopolita	حَدِيثُ السِنِّ		giovane

رواج	*rawāǧ*	diffusione	جمهور، جماهير	*ǧumhūr, ǧamāhīru*	massa; pubblico
مقدم، ون	*muqaddim, -ūna*	presentatore	تلفازي، ون	*tilfāziyy, -ūna*	televisivo
محبوب، ون	*maḥbūb, -ūna*	amato; popolare	جلباب، جلابيب	*ǧilbāb, ǧalābību*	caffettano
مكبر (الصوت)	*mukabbir (aṣ-ṣawt)*	microfono	سوار، أساور	*siwār, ʔasāwiru*	braccialetto
أيسر	*ʔaysar*	sinistro	رعب	*raʕb*	spavento
أيمن	*ʔayman*	destro	يونس	*Yūnis*	Younes
ستار، ستر	*sitār, sutur*	tenda, sipario	بعلبك	*Baʕlabak*	Baalbek
خلخال، خلاخيل	*ḫalḫāl, ḫalāḫīlu*	anello da caviglia	عمرو دياب	*ʕAmr Diyāb*	Amr Diab
ذهبي	*ḏahabiyy*	d'oro	راغب، ون في	*rāġib, -ūna fī*	desideroso di
فضي	*fiḍḍiyy*	d'argento	نغمة، نغمات	*naġma, naġamāt*	melodia
ساعد، سواعد	*sāʕid, sawāʕidu*	avambraccio	طاولةُ سَريرٍ		comodino
كاحل، كواحل	*kāḥil, kawāḥilu*	caviglia	طرابلس	*Ṭarābulusu*	Tripoli
مرعب، ون	*murʕib, -ūna*	terribile	لدى	*ladā*	= ل*
رب، أرباب	*rabb, ʔarbāb*	padrone			

* Con i pronomi suffissi لَدَيَّ *laday-ya* ecc. (come على).

فعل	حضَر (ـُ)، حُضُورًا	essere presente
	عزَف (ـِ)	suonare (musica)
	بث (ـِ)	trasmettere
	بُثَّ، يُبَثُّ	(passivo di trasmettere)
	سر (ـُ)، سُرُورًا	rallegrare
	يَسُرُّنِي أَن	ho il piacere di
	حط (ـُ)	poggiare, posare
	صاح (ـِ)، صِيَاحًا	urlare, gridare
فعّل	قدّم ه ل	presentare qn a
	صفّق	applaudire
	قرّب إلى	avvicinare a
أفعل	أعلم	far sapere
افتعل	ارتجف	tremare

	ارتدى	indossare
استفعل	استخبر عن	prendere notizie su
	استغرق	impegnarsi
	استحسن	ammirare
	استحق	meritare
	استيقظ	svegliarsi

النحو Grammatica

2 الفعل المزيد على وزن اِسْتَفْعَلَ Il verbo in X forma

La X forma verbale è caratterizzata dal prefisso اِسْتَ *ista-*:

المصدر	اسم المفعول	اسم الفاعل	الأمر	المضارع	الماضي
اِسْتِفْعَالاً	مُسْتَفْعَلٌ	مُسْتَفْعِلٌ	اِسْتَفْعِلْ	يَسْتَفْعِلُ	اِسْتَفْعَلَ
istifʿāl	*mustafʿal*	*mustafʿil*	*istafʿil*	*yastafʿilu*	*istafʿala*

Si osservi il rapporto semantico tra le IX forme seguenti e i temi corrispondenti nella colonna di destra:

اِسْتَخْبَرَ	*istaḫbara*	'informarsi, cercare notizie'	↔	خَبَر	*ḫabar*	'notizia'
اِسْتَحْسَنَ	*istaḥsana*	'apprezzare, ammirare'		حَسَن	*ḥasan*	'buono'
اِسْتَعْمَلَ	*istaʿmala*	'utilizzare, adoperare'		عَمِلَ	*ʿamila*	'lavorare, fare'
اِسْتَحَقَّ	*istaḥaqqa*	'meritare'		حَقّ	*ḥaqq*	(anche:) 'diritto'

Il valore generale della X forma è **procurativo** ('cercare di essere, ottenere, utilizzare *x*'), o **dichiarativo** ('trovare, ritenere *x*').

3 X forma e radici deboli

- Verbi *miṯāl*: la radicale debole iniziale non subisce alterazioni tranne la و al *maṣdar*, che si assimila alla *i*; ad es. اِسْتَوْقَفَ *istawqafa* 'fermare, bloccare', اِسْتَيْقَظَ *istayqaẓa* 'svegliarsi':

المصدر	اسم المفعول	اسم الفاعل	الأمر	المضارع	الماضي
اِسْتِيقَافًا	مُسْتَوْقَفٌ	مُسْتَوْقِفٌ	اِسْتَوْقِفْ	يَسْتَوْقِفُ	اِسْتَوْقَفَ
istīqāf	*mustawqaf*	*mustawqif*	*istawqif*	*yastawqifu*	*istawqafa*
اِسْتِيقَاظًا	مُسْتَيْقَظٌ	مُسْتَيْقِظٌ	اِسْتَيْقِظْ	يَسْتَيْقِظُ	اِسْتَيْقَظَ
istīqāẓ	*mustayqaẓ*	*mustayqiẓ*	*istayqiẓ*	*yastayqiẓu*	*istayqaẓa*

- Verbi *ʾağwaf*: la radicale debole و/ي rimane neutralizzata sotto forma di vocale lunga; al *maṣdar* si noti una ة 'compensatoria' (cf. IV forma), ad es. اِسْتَشَارَ *istašāra* 'chiedere consiglio':

المصدر	اسم المفعول	اسم الفاعل	الأمر	المضارع	الماضي
اِسْتِشَارَةً	مُسْتَشَارٌ	مُسْتَشِيرٌ	اِسْتَشِرْ	يَسْتَشِيرُ	اِسْتَشَارَ
istišāra	*mustašār*	*mustašīr*	*istašir*	*yastašīru*	*istašāra*

- Verbi *nāqiṣ*: la radicale debole و/ي viene neutralizzata in ى *-ā*, ad es. اِسْتَبْقَى *istabqā* 'cercar di far rimanere, trattenere':

المصدر	اسم المفعول	اسم الفاعل	الأمر	المضارع	الماضي
اِسْتِبْقَاءً	مُسْتَبْقًى	مُسْتَبْقٍ	اِسْتَبْقِ	يَسْتَبْقِي	اِسْتَبْقَى
istibqāʾ	*mustabqan*	*mustabqin*	*istabqi*	*yastabqī*	*istabqā*

- Verbi *muḍāʿaf*: contrazioni abituali, ad es. اِسْتَمَرَّ *istamarra* 'durare, continuare':

المصدر	اسم المفعول	اسم الفاعل	الأمر	المضارع	الماضي
اِسْتِمْرَارًا	مُسْتَمَرٌّ	مُسْتَمِرٌّ	اِسْتَمِرَّ	يَسْتَمِرُّ	اِسْتَمَرَّ
istimrār	*mustamarr*	*mustamirr*	*istamirra*	*yastamirru*	*istamarra*

التمارين Esercizi

1 Costruire il paradigma di IX forma derivata dei verbi ottenuti a partire dalle basi seguenti.

المصدر	اسم المفعول	اسم الفاعل	الأمر	المضارع	الماضي		base
....	....	....	....	....	....	←	أحول
....	....	....	....	....	....	←	أزرق
....	....	....	....	....	....	←	أخضر

2 Produrre la voce verbale corretta di IX forma della base indicata partendo dalle istruzioni fornite.

Radice	Istruzioni					
أسود	→	هي	→	الماضي	→	....
أخضر	→	هو	→	المضارع المرفوع	→	....
أصفر	→	–	→	المصدر	→	....
أحمر	→	أنتَ	→	الماضي	→	....
أعوج	→	–	→	اسم الفاعل	→	....

3 Costruire il paradigma di X forma derivata dei verbi ottenuti a partire dalle basi seguenti.

base		الماضي	المضارع	الأمر	اسم الفاعل	اسم المفعول	المصدر
غرق	←	....	....	....	....	....	....
قبل	←	....	....	....	....	....	....
علم	←	....	....	....	....	....	....
كبر	←	....	....	....	....	....	....
واضح	←	....	....	....	....	....	....
طوع	←	....	....	....	....	....	....
لقي	←	....	....	....	....	....	....
قرّ	←	....	....	....	....	....	....

4 Produrre la voce verbale corretta di X forma della radice indicata partendo dalle istruzioni fornite.

Radice	Istruzioni					
√عمل	→	نحن	→	الماضي	→	....
√خدم	→	–	→	اسم الفاعل	→	....
√غرب	→	–	→	المصدر	→	....
√كمل	→	أنتن	→	المضارع المنصوب	→	....
√عجل	→	أنتم	→	الأمر	→	....
√ورد	→	–	→	المصدر	→	....
√جوب	→	هي	→	المضارع المجزوم	→	....
√فتي	→	هم	→	الماضي	→	....
√حمّ	→	أنتَ	→	الأمر	→	....

5 Comprensione del Testo 1. Rispondere liberamente alle seguenti domande.

١. إلى أين ذهب فخر الدين مع صديقته كاتيا؟ ....

٢. هل هذا الدكان هو أول محل دخل فيه صديقانا؟ ....

٣. ماذا تفعل كاتيا بينما يستريح صديقها قليلا؟ ....

٤. هل التنورة التي جربتها كاتيا تعجب فخر الدين؟ ....

٥. هل جربت كاتيا أول تنورة أخذتها فقط؟ ....

٦. لماذا يشعر فخر الدين بضيق شديد في النهاية؟ ....

6 Comprensione del Testo 2. Rispondere liberamente alle seguenti domande.

١. هل يتحدث هذا النص عن أمر حقيقي أو حلم؟ ....

٢. ما هو البرنامج التلفازي الذي حلمت شاديا بأن تحضره؟ ....
٣. ماذا تلبس شادية وهي تغني؟ ....
٤. هل من الصحيح أنها ولدت في تونس وعاشت بعمّان؟ ....
٥. لمن الأغنية التي تود أن تغنيها؟ ....

أكثر Di più

1 طرابلس Tripoli

Esistono due Tripoli nel mondo arabo: Tripoli del Libano, seconda città del paese (dopo la capitale Beirut, بيروت, *Bayrūt*) Tripoli di Libia, capitale dello stato. In arabo esse vengono distinte dalle diciture rispettive طرابلس الشام *Ṭarābulus aš-Šām* 'Tripoli di Siria' e طرابلس الغرب *Ṭarābulus al-Ġarb* 'Tripoli d'Occidente'.

2 المجوهرات Gioielli

L'oreficeria nel mondo arabo ha radici antichissime legate al commercio con la Persia (detta oggi إيران *ʾĪrān*), Bisanzio, l'Estremo Oriente e l'Africa. Nella città vecchia esiste ovunque un سوق الصاغة *sūq aṣ-ṣāġa* 'mercato dei gioiellieri' (sing. صائغ *ṣāʾiġ*), che offre tutte le gioie possibili e immaginabili: orecchini (حلق *ḥalaq*, coll.), collane (عقد، عقود *ʿiqd, ʿuqūd*), braccialetti (سوار، أساور *siwār, ʾasāwiru*), anelli (خاتم، خواتم *ḫātam, ḫawātimu*), diademi (إكليل، أكاليل *ʾiklīl, ʾakālīlu*); proprio della gioielleria araba è il خلخال *ḫalḫāl* 'anello da caviglia', talvolta di dimensioni e peso non indifferenti. I metalli usati sono stagno (قصدير *qaṣdīr*), argento (فضة *fiḍḍa*), oro (ذهب *ḏahab*), le pietre ametista (جمشت *ğamašt*), lapislazzuli (لازورد *lāzuward*), onice (جزع *ğazʿ*), corallo (مرجان *murğān*) o, per tasche più guarnite, smeraldo (زمرد *zumurrud*, coll.), rubino (ياقوت *yāqūt*), diamante (ألماس *ʾalmās*) o perle (لؤلؤ *luʾluʾ*, coll., indica anche le 'margherite').
ATTENZIONE: un uomo può regalare un gioiello solamente a sua moglie o fidanzata, o a sua sorella, figlia, nipote, madre, nonna. Una donna può regalare un gioiello a un'altra donna che non sia una sua parente. Spesso il viaggiatore maschio si ricorda di comprare un regalo per i suoi ospiti nei negozi dell'aeroporto, dove finisce regolarmente per eleggere una collana, un foulard o un profumo da destinare alla moglie dell'ospite. Ciò si può fare, ma alla strettissima condizione che il dono venga offerto alla signora come "da parte di mia moglie(/fidanzata/sorella/madre/figlia...)", altrimenti la cosa può essere recepita come altamente insultante, o quantomeno creare una situazione di forte imbarazzo.

3 الكلمات الدخيلة Prestiti

Per il 'microfono' le accademie di lingua araba hanno proposto مجهار *miğhār* (cf. جهر *ğahara* 'parlare ad alta voce', جهير *ğahīr* 'stentoreo'), che tuttavia non ha attecchito. مكبر (الصوت) 'amplificatore (di voce)' qui usato è più frequente in letteratura ma starebbe per 'altoparlante'. Nel colloquiale dominano ovviamente ميكروفون *maykrūfūn* nel Mashreq, ميكرو *mīkrū* nel Maghreb.
Anche per il 'citofono', هاتف داخلي *hātif dāḫiliyy* 'telefono interno' – comunque non molto diffuso nei paesi arabi –, suppliscono l'inglese *intercom* e il francese *interphone*.

ما أشد سحر هذه المدينة!
Come è affascinante questa città!

النص الأول Testo 1 CD2/19

وصل بينو إلى القاهرة منذ أربعين دقيقة وها هو الآن على متن الميكروباص الذي يوصل الركاب إلى مركز المدينة. فكان من المتفق عليه أن ينتظره زميلان له مصريان في المطار ولكنهما لم يحضرا: بعد اتصالين هاتفيين اتضح أنهما كانا ينتظرانه في المطار الجديد، حيث تهبط شركة الطيران المصرية، في حين سافر هو بآليطاليا. لا بأس! وقبل أن يغادر المطار يخرج من محفظته بطاقته المصرفية ويسحب نقدا مصريا من الصراف الآلي.

ما زال الطقس شتويا وتقارب الحرارة ٢٨ درجة. تخيم على العاصمة طبقة ضباب رمادي كثيفة ترشح أشعة الشمس، فإن القاهرة من أكثر مدن العالم تلوثا. أما السير، فيظهر جنونيا هائجا، تركض السيارات في كل الاتجاهات ويزمر السائقون كما لو أن فريق مصر فاز بكأس العالم في المباراة النهائية لبطولة كرة القدم.

شيئا فشيئا يكتشف بينو واقع القاهرة: بين أبراج الفنادق الدولية الضخمة والنوادي الأنيقة على أرصفة النيل والسيارات الفخمة ترى الفلاح اللابس "جلابية" مرقعة الذي يمشي جنب عربة خشبية يجرها حمار. يقول دليله السياحي إن عدد سكان المدينة يفوق عشرين مليون نسمة ومليونين!

يُعجب بينو برؤية كل ذلك إعجابا شديدا متأثرا:

– ما أشد سحر هذه المدينة! وكم تذكرني بمدينتي نابولي!

الكلمات الجديدة Parole nuove

متن، متون	matn, mutūn	dorso (animale)	مصرفي	maṣrifiyy	bancario
على متنِ		a bordo di	بطاقة مصرفية		bancomat (tessera)
ميكروباص، ات	mīkrūbāṣ, -āt	microbus	آلة، ات	ʾāla, -āt	strumento
راكب، ركاب	rākib, rukkāb	passeggero	آلي	ʾāliyy	automatico
شركة، شركات	širka, šarikāt	ditta, compagnia	صراف، ون	ṣarrāf, -ūna	cambiavalute
في حينِ	fī ḥīni	quando, allorché	صراف آلي		bancomat (sportello)
بأس، أبؤس	baʾs, ʾabʾus	danno	نقد، نقود	naqd, nuqūd	denaro
لا بأسَ		non fa niente	برج، أبراج	burǧ, ʾabrāǧ	torre
شتوي	šatawiyy	invernale	ناد، نواد	nādin, nawādin	club, circolo
درجة، ات	daraǧa, -āt	grado	رصيف، أرصفة	raṣīf, ʾarṣifa	(anche:) banchina
عاصمة، عواصم	ʿāṣima, ʿawāṣimu	capitale	النيل	an-Nīl	il Nilo
طبقة، ات	ṭabaqa, -āt	(qui:) coltre	فخم	faḫm	lussuoso
ضباب	ḍabāb	nebbia	فلاح، ون	fallāḥ, -ūna	contadino
شعاع، أشعة	šuʿāʿ, ʾašiʿʿa	raggio	جلابية، ات	gallābiyya, -āt	caffettano (dial.)
جنوني، ون	ǧunūniyy, -ūna	folle, pazzesco	عربة، ات	ʿaraba, -āt	carro
هائج، هياج	hāʾiǧ, hiyāǧ	imbizzarrito	خشب	ḫašab	legno
اتجاه، ات	ittiǧāh, -āt	senso, direzione	خشبي	ḫašabiyy	di legno
كما لو أن	kamā law ʾan(na)	come se	بطولة، ات	buṭūla, -āt	campionato
فريق، فرق	farīq, firaq	squadra	نسمة، ات	nasama, -āt	anima (= abitante)
كأس، كؤوس	kaʾs, kuʾūs	(anche:) coppa	دليل، أدلة	dalīl, ʾadilla	guida
مباراة، مباريات	mubārāt, -ayāt	partita (calcio)	دَلِيلٌ سِيَاحِيٌّ		guida turistica
نهائي، ون	nihāʾiyy, -ūna	finale	واقع	wāqiʿ	realtà
شيئا فشيئا	šayʾan fa-šayʾan	poco a poco	سحر	siḥr	fascino, magia
محفظة، محافظ	miḥfaẓa, maḥāfiẓu	portafoglio			

فعل	ركب (ـَ)، رُكُوبًا		salire su un mezzo
	حضر (ـُ)، حُضُورًا		presentarsi, essere presente
	سحب (ـَ)، سَحْبًا		tirare, ritirare
	ركض (ـُ)، رَكْضًا		correre
	فاز (ـُ)، فَوْزًا بـ		vincere qc
	فاق (ـُ)		superare
	رأى، رُؤْيَةً		vedere
فعّل	رشّح		filtrare
	زمّر		suonare il clacson
	رقّع		rattoppare
	ذكّر بـ		far pensare a
	لوّث		inquinare
	خيّم		sovrastare
فاعل	قارب		avvicinarsi a
أفعل	أعجب		piacere a
	أُعجب بـ	*ʔuʕǧiba bi-*	essere incantato da
تفعل	تلوث		essere inquinato
	تأثر		commuoversi
افتعل	اتّفق على		accordarsi su
	اتّضح		avverarsi

النحو Grammatica

1 صيغة المجهول Il passivo

Già intravisto all'Unità 23 § 3 il *maǧhūl* è caratterizzato morfologicamente da uno schema interno -*u*-*i*-. Esso è raro con le forme V, VI e VIII, rarissimo con la VII, inesistente con la IX:

	صيغة المعلوم Attivo			صيغة المجهول Passivo	
I	سَرَقَ	*saraqa*	'rubare' →	سُرِقَ	*suriqa*
II	دَرَّسَ	*darrasa*	'insegnare'	دُرِّسَ	*durrisa*
(quadr.)	تَرْجَمَ	*tarǧama*	'tradurre'	تُرْجِمَ	*turǧima*
III	لَاحَظَ	*lāḥaẓa*	'notare'	لُوحِظَ	*lūḥiẓa*

	صيغة المعلوم Attivo			صيغة المجهول Passivo
IV	أَخْرَجَ *ʔaḫraǧa*	‘estrarre’	→	أُخْرِجَ *ʔuḫriǧa*
V	تَكَلَّمَ *takallama*	‘parlare’		تُكُلِّمَ *tukullima*
VI	تَنَاقَشَ *tanāqaša*	‘discutere’		تُنُوقِشَ *tunūqiša*
VII	اِنْطَلَقَ *inṭalaqa*	‘trascorrere’		أُنْطُلِقَ *unṭuliqa*
VIII	اِفْتَتَحَ *iftataḥa*	‘inaugurare’		أُفْتُتِحَ *uftutiḥa*
X	اِسْتَعْمَلَ *istaʕmala*	‘adoperare’		أُسْتُعْمِلَ *ustuʕmila*

Al *muḍāriʕ* il *maǧhūl* differisce dal tema *maʕlūm* (‘attivo’):

- per la vocalizzazione in *u* dei morfemi soggetto prefissi, *yu-*;
- per la vocalizzazione in *a* della penultima radicale, -c_2ac_3 (o -c_3ac_4 con i quadriconsonantici):

	صيغة المعلوم Attivo			صيغة المجهول Passivo
I	يَسْرُقُ *yasruqu*	‘rubare’	→	يُسْرَقُ *yusraqu*
	يَكْسِرُ *yaksiru*	‘rompere’		يُكْسَرُ *yuksaru*
	يَفْتَحُ *yaftaḥu*	‘aprire’		يُفْتَحُ *yuftaḥu*
II	يُدَرِّسُ *yudarrisu*	‘insegnare’		يُدَرَّسُ *yudarrasu*
(quadr.)	يُتَرْجِمُ *yutarǧimu*	‘tradurre’		يُتَرْجَمُ *yutarǧamu*
III	يُلَاحِظُ *yulāḥiẓu*	‘notare’		يُلَاحَظُ *yulāḥaẓu*
IV	يُخْرِجُ *yuḫriǧu*	‘estrarre’		يُخْرَجُ *yuḫraǧu*
V	يَتَكَلَّمُ *yatakallamu*	‘parlare’		يُتَكَلَّمُ *yutakallamu*
VI	يَتَنَاقَشُ *yatanāqašu*	‘discutere’		يُتَنَاقَشُ *yutanāqašu*
VII	يَنْطَلِقُ *yanṭaliqu*	‘trascorrere’		يُنْطَلَقُ *yunṭalaqu*
VIII	يَفْتَتِحُ *yaftatiḥu*	‘inaugurare’		يُفْتَتَحُ *yuftataḥu*
X	يَسْتَعْمِلُ *yastaʕmilu*	‘adoperare’		يُسْتَعْمَلُ *yustaʕmalu*

Nb: il *muḍāriʕ* passivo della I e della IV forma coincidono:

يُكْتَبُ *yuktabu* ‘viene scritto’ (كَتَبَ، يَكْتُبُ)

يُكْتَبُ *yuktabu* ‘viene dettato’ (أَكْتَبَ، يُكْتِبُ)

2 Sintassi del *maǧhūl*

- Il passivo in arabo viene usato quando si ignori il soggetto del verbo (il termine مجهول significa infatti ‘sconosciuto, ignoto’, dal verbo جهِل َ ‘ignorare’):

فُتِحَ البَابُ	*futiḥa l-bābu*	‘la porta è stata aperta’	(non si sa da chi)
تُسْتَعْمَلُ هذه الكَلِمَةُ	*tustaʕmalu hāḏihi l-kalimatu*	‘questa parola viene usata’	(un po’ da tutti)

- Il *maǧhūl* pertanto ha spesso una valenza di **impersonale** (specie in enunciati negativi):

يُحْتَمَلُ (أن)	*yuḥtamalu (ʔan)*	'è probabile (che)'	(si concepisce [che])
لا يُسْمَعُ	*lā yusmaʕu*	'non si sente'	(non viene udito)
خَبَرٌ لا يُصَدَّقُ	*ḫabarun lā yuṣaddaqu*	'una notizia incredibile'	(una notizia che non ci si crede)
٣ مُكَالَمَاتٍ لم يُرَدَّ عَلَيْهَا	*ṯalāṯu mukālamātin lam yuradda ʕalay-hā*	'3 chiamate senza risposta'	(che non è stato risposto a loro)

▶Per la buona lingua quindi un complemento d'agente non potrebbe essere espresso. Se l'agente debba essere menzionato, si ricorre a una perifrasi tramite l'attivo:

البَابُ فَتَحَتْهُ الرِيحُ	*al-bābu fataḥat-hu r-rīḥu* 'la porta è stata aperta dal vento' (la porta l'ha aperta il vento)
هذه الكَلِمَةُ يَسْتَعْمِلُهَا المِصْرِيُّونَ	*hāḏihi l-kalimatu yastaʕmilu-hā l-miṣriyyūna* 'questa parola viene usata dagli egiziani' (questa parola la usano gli egiziani)

▶Per interferenza delle lingue europee si è ormai diffuso, specie nel linguaggio giornalistico, l'uso di esprimere un complemento d'agente tramite uno dei due sintagmi مِنْ طَرَفِ *min ṭarafi* o مِنْ قِبَلِ *min qibali*, lett. 'da parte di':

رُفِضَتِ الدَعْوَةُ مِنْ طَرَفِ الرَئِيسِ	*rufiḍat^{i} d-daʕwatu min ṭarafi r-raʔīsi*	'l'invito è stato rifiutato dal presidente'
يُصَفَّقُ لَهُ مِنْ قِبَلِ المُعْجَبِينَ بِهِ	*yuṣaffaqu la-hu min qibali l-muʕǧabīna bi-hi*	'viene applaudito dai suoi fans'

▶Un caso particolare è quello del verbo أَعْجَبَ *ʔaʕǧaba* 'piacere a', ad es.:

هَلْ أَعْجَبَتْكِ القَاهِرَةُ؟	*hal ʔaʕǧabat-ki l-Qāhiratu?*	'ti^{f} è piaciuta il Cairo?
لا يُعْجِبُنِي	*lā yuʕǧibu-nī*	'non mi piace^{m}'

che può usarsi al *maǧhūl*, أُعْجِبَ *ʔuʕǧiba*, lett. 'essere incantato, stupito, preso da ammirazione', ove necessariamente la causa di tale sensazione va specificata dal *ḥarf* بِـ:

أُعْجِبْتُ بِذَلِكَ	*ʔuʕǧibtu bi-ḏālika*	'mi è piaciuto molto'
يُعْجَبُ بِرُؤْيَةِ كُلِّ ذَلِكَ	*yuʕǧabu bi-ruʔyati kulli ḏālika*	'rimane incantato nel vedere tutto ciò'
إنَّ فاطِمَةَ مُعْجَبَةٌ بِكَ	*ʔinna Fāṭimata muʕǧabatun bi-ka*	'piaci^{m} a Fatima'
أنا مُعْجَبٌ بِكِ	*ʔanā muʕǧabun bi-ki*	'mi piaci^{f}'

النص الثاني Testo 2 CD2/20

رجع الأستاذ منصور من سفرته إلى نابولي حيث دعي ليلقي دورة محاضرات حول اللسانيات العربية في جامعة "لوريانطالي". هو الآن يجلس في مقهى الببغاء، وبعد أن جاء فيصل بالقهوة يضيق عليه زملاؤه بالأسئلة:

- يا منصور، يحكى أن بركان الڤيزوڤ على وشك الثوران من لحظة إلى أخرى، ألم تذعر لذلك؟
- يقال إن في نابولي يعدون البيتسا على شكل قلب، وإنهم يأكلون المعكرونة الممزوجة بالحصى...
- أصحيح أن لديهم رقصا يقلد من لدغه العنكبوت، أو الرتيلاء؟
- حُدثنا أن اتجاه السير في داخل المدينة ليس إجباريا، بحيث أنه يمكنك السوق على اليمين أو على اليسار كما يحلو لك...

يضحك الأستاذ منصور وهو يستمع إلى تلك المواضيع المطروقة.

- فيما تقولونه حق وباطل، يا أحبائي. فالڤيزوڤ مطفأ منذ قرون والحمد لله، والبيتسا لم أرها أنا إلا مستديرة، والمعكرونة ليست متبلة بالحصى بل بالصدف! أما السير، فالحق يقال، إنه يكاد يكون أشد فوضى مما هو في القاهرة. ولكن هناك شيئا لا يُشك فيه: إن أهل نابولي من أكثر شعوب العالم كرما وتسامحا.

الكلمات الجديدة Parole nuove

سفرة، سفرات	*safra, safarāt*	viaggio	شكل، أشكال	*šakl, ʔaškāl*	forma
دورة، ات	*dawra, -āt*	ciclo	معكرونة	*maʕkarūna*	pastasciutta
لسان، ألسن	*lisān, ʔalsun*	lingua	حصى	*ḥaṣan*	sassolini (coll.)
لساني، ون	*lisāniyy, -ūna*	linguistico	عنكبوت، عناكب	*ʕankabūt, ʕanākibu*	ragno
لسانيات	*lisāniyyāt*	linguistica (sost.)	رتيلاء، رتيلاوات	*rutaylāʔ, -āwāt*	tarantola
بركان، براكين	*burkān, barākīnu*	vulcano	إجباري، ون	*ʔiǧbāriyy, -ūna*	obbligatorio
الفيزوف	*al-Vīzūv*	il Vesuvio	بحيث أن	*bi-ḥaytu ʔan*	di modo che
ثوران	*tawarān*	eruzione	مطروق	*maṭrūq*	battuto
بيتسا	*bītsā*	pizza	صدف	*ṣadaf*	conchiglie, molluschi
مَوْضُوعٌ مَطروقٌ		luogo comune	فوضى	*fawḍā*	confusione, caos
فيما	*fī-mā*	in ciò che	مما	*mim-mā*	di ciò che
حق	*ḥaqq*	vero (sost.)	أهل، أهال	*ʔahl, ʔahālin*	gente, popolo
باطل	*bāṭil*	falso	كرم	*karam*	generosità

فعل	مزَج (ـِ)، مِزاجًا	mescolare, mischiare
	رقَص (ـُ)، رَقْصًا	ballare
	لدَغ (ـَ)، لَدْغًا	pungere, mordere
	ذُعِرَ لـ	spaventarsi per
	ساق (ـُ)، سَوْقًا	guidare (veicolo)
	جاء بـ	portare qc
	حلا (ـُ)	essere dolce
	كَما يحلو لك	come ti^m pare e piace
	شك (ـُ) في	dubitare di qc
فعّل	قلّد	imitare
	حدّث ه	raccontare a qn
	تبّل	condire
	ضيّق ه بـ	tempestare qn di

أفعل	أجبر	costringere
	ألقى محاضرة	tenere una conferenza
	أعدّ	preparare
تفاعل	تسامح	essere tollerante

النحو Grammatica

3 Passivo e verbi deboli (verbi *muǧarrad*)

- Verbi *miṯāl*: soltanto al *muḍāriʕ* si osserva la contrazione di *-*uw*- in -*ū*-:

وَضَعَ يَضَعُ	*waḍaʕa yaḍaʕu*	'mettere'	→	وُضِعَ يُوضَعُ	*wuḍiʕa yūḍaʕu*	'essere messo'
وَصَفَ يَصِفُ	*waṣafa yaṣifu*	'descrivere'		وُصِفَ يُوصَفُ	*wuṣifa yūṣafu*	'essere descritto'

- Verbi *ʔaǧwaf*
Le forme soggiacenti فَوَلَ *fawala, فَيَلَ *fayala e فَوِلَ *fawila, attraverso فُوِلَ *fuwila, فُيِلَ *fuyila e فُوِلَ *fuwila, si contraggono tutte e tre in **فِيلَ** ***fīla***. Al *muḍāriʕ* lo schema è nei tre casi **يُفَالُ** ***yufālu***:

قَالَ يَقُولُ	*qāla yaqūlu*	'dire'	→	قِيلَ يُقَالُ	*qīla yuqālu*	'essere detto'
بَاعَ يَبِيعُ	*bāʕa yabīʕu*	'vendere'		بِيعَ يُبَاعُ	*bīʕa yubāʕu*	'essere venduto'
خَافَ يَخَافُ	*ḫāfa yaḫāfu*	'temere'		خِيفَ يُخَافُ	*ḫīfa yuḫāfu*	'essere temuto'

- Verbi *nāqiṣ*: i tre schemi فَعَى *faʕā*, فَعِيَ *faʕiya* e فَعَا *faʕā* si risolvono in **فُعِيَ** ***fuʕiya***; al *muḍāriʕ* **يُفْعَى** ***yufʕā***:

حَكَى يَحْكِي	*ḥakā yaḥkī*	'narrare'	→	حُكِيَ يُحْكَى	*ḥukiya yuḥkā*	'essere narrato'
نَسِيَ يَنْسَى	*nasiya, yansā*	'dimenticare'		نُسِيَ يُنْسَى	*nusiya yunsā*	'essere dimenticato'
دَعَا يَدْعُو	*daʕā yadʕū*	'invitare'		دُعِيَ يُدْعَى	*duʕiya yudʕā*	'essere invitato'

- Verbi *muḍāʕaf*: lo schema فَعَّ *faʕʕa* (< فَعَعَ**faʕaʕa*) diviene **فُعَّ** ***fuʕʕa*** (< فُعِعَ**fuʕiʕa*, da cui le 1e e 2e pers. فُعِعْتُ *fuʕiʕtu* ecc.); al *muḍāriʕ* **يُفَعُّ** ***yufaʕʕu*** (< يُفْعَعُ**yufʕaʕu*):

صَبَّ يَصُبُّ	*ṣabba yaṣubbu*	'versare'	→	صُبَّ يُصَبُّ	*ṣubba yuṣabbu*	'essere versato'
شَدَّ يَشِدُّ	*šadda yašiddu*	'stringere'		شُدَّ يُشَدُّ	*šudda yušaddu*	'essere stretto'

4 Passivo e verbi deboli (verbi *mazīd*)

- وزن فعّل – II forma

وَصَّلَ يُوَصِّلُ	*waṣṣala yuwaṣṣilu*	'condurre'	→	وُصِّلَ يُوَصَّلُ	*wuṣṣila yuwaṣṣalu*	'essere condotto'
زَوَّجَ يُزَوِّجُ	*zawwaǧa yuzawwiǧu*	'maritare'		زُوِّجَ يُزَوَّجُ	*zuwwiǧa yuzawwaǧu*	'essere maritato'

غَيَّرَ يُغَيِّرُ	*ġayyara yuġayyiru*	'cambiare'		غُيِّرَ يُغَيَّرُ	*ġuyyira yuġayyaru*	'essere cambiato'
سَمَّى يُسَمِّي	*sammā yusammī*	'nominare'		سُمِّيَ يُسَمَّى	*summiya yusammā*	'essere nominato'
قَرَّرَ يُقَرِّرُ	*qarrara yuqarriru*	'decidere'		قُرِّرَ يُقَرَّرُ	*qurrira yuqarraru*	'essere deciso'

- وزن فاعل – III forma

وَاصَلَ يُوَاصِلُ	*wāṣala yuwāṣilu*	'continuare'	→	وُوصِلَ يُوَاصَلُ	*wūṣila yuwāṣalu*	'essere continuato'
عَاوَنَ يُعَاوِنُ	*ʕāwana yuʕāwinu*	'aiutare'		عُووِنَ يُعَاوَنُ	*ʕūwina yuʕāwanu*	'essere aiutato'
ضَايَقَ يُضَايِقُ	*ḍāyaqa yuḍāyaqu*	'irritare'		ضُويِقَ يُضَايَقُ	*ḍūyiqa yuḍāyaqu*	'essere irritato'
نَادَي يُنَادِي	*nādā yunādī*	'chiamare'		نُودِيَ يُنَادَى	*nūdiya yunādā*	'essere chiamato'
ضَادَّ يُضَادُّ	*ḍādda yuḍāddu*	'contraddire'		ضُودَّ يُضَادُّ	*ḍūdda yuḍāddu*	'essere contraddetto'

- وزن أفعل – IV forma

أَوْصَلَ يُوصِلُ	*ˀawṣala yūṣilu*	'condurre'	→	أُوصِلَ يُوصَلُ	*ˀūṣila yūṣalu*	'essere condotto'
أَرَادَ يُرِيدُ	*ˀarāda yurīdu*	'volere'		أُرِيدَ يُرَادُ	*ˀurīda yurādu*	'essere voluto'
أَعْطَى يُعْطِي	*ˀaʕṭā yuʕṭī*	'dare'		أُعْطِيَ يُعْطَى	*ˀuʕṭiya yuʕṭā*	'essere dato'
أَقَرَّ يُقِرُّ	*ˀaqarra yuqirru*	'confessare'		أُقِرَّ يُقَرُّ	*ˀuqirra yuqarru*	'essere confessato'

- وزن تفعل – V forma (le forme V, VI, VII, VIII essendo generalmente passivo-riflessive gli esempi da mettere al *maǧhūl* sono relativamente rari).

تَوَقَّعَ يَتَوَقَّعُ	*tawaqqaʕa yatawaqqaʕu*	'aspettarsi'	→	تُوُقِّعَ يُتَوَقَّعُ	*tuwuqqiʕa yutawaqqaʕu*	'essere atteso'
تَذَوَّقَ يَتَذَوَّقُ	*taḏawwaqa yataḏawwaqu*	'assaggiare'		تُذُوِّقَ يُتَذَوَّقُ	*tuḏuwwiqa yutaḏawwaqu*	'essere assaggiato'
تَمَنَّى يَتَمَنَّى	*tamannā yatamannā*	'sperare'		تُمُنِّيَ يُتَمَنَّى	*tumunniya yutamannā*	'essere sperato'
تَحَقَّقَ يَتَحَقَّقُ	*taḥaqqaqa yataḥaqqaqu*	'indagare'		تُحُقِّقَ يُتَحَقَّقُ	*tuḥuqqiqa yutaḥaqqau*	'essere indagato'

- وزن تفاعل – VI forma

تَوَاصَفَ يَتَوَاصَفُ	*tawāṣafa yatawāṣafu*	'riferire'	→	تُووصِفَ يُتَوَاصَفُ	*tuwūṣifa yutawāṣafu*	'esere riferito'
تَنَاوَلَ يَتَنَاوَلُ	*tanāwala yatanāwalu*	'prendere'		تُنُووِلَ يُتَنَاوَلُ	*tunūwila yutanāwalu*	'essere preso'
تَقَاضَى يَتَقَاضَى	*taqāḍā yataqāḍā*	'riscuotere'		تُقُوضِيَ يُتَقَاضَى	*tuqūḍiya yutaqāḍā*	'essere riscosso'
تَضَادَّ يَتَضَادُّ	*taḍādda yataḍāddu*	'contraddirsi'		(تُضُودَّ) يُتَضَادُّ	*(tuḍūdda) yutaḍāddu*	'contradirsi'

- وزن انفعل – VII forma (nessun esempio)
- وزن افتعل – VIII forma

اِتَّحَدَ يَتَّحِدُ	*ittaḥada yattaḥidu*	'unificare'	→	أُتُّحِدَ يُتَّحَدُ	*uttuḥida yuttaḥadu*	'essere unificato'
اِخْتَارَ يَخْتَارُ	*iḫtāra yaḫtāru*	'scegliere'		أُخْتِيرَ يُخْتَارُ	*uḫtīra yuḫtāru*	'essere scelto'
اِبْتَلَى يَبْتَلِي	*ibtalā yabtalī*	'affliggere'		أُبْتُلِيَ يُبْتَلَى	*ubtuliya yubtalā*	'essere afflitto'
اِضْطَرَّ يَضْطَرُّ	*iḍṭarra yaḍṭarru*	'costringere'		أُضْطُرَّ يُضْطَرُّ	*uḍṭurra yuḍṭarru*	'essere costretto'

- وزن استفعل – X forma

اِسْتَوْقَفَ يَسْتَوْقِفُ	*istawqafa yastawqifu*	'bloccare'	→	أُسْتُوقِفَ يُسْتَوْقَفُ	*ustūqifa yustawqafu*	'essere bloccato'
اِسْتَيْقَظَ يَسْتَيْقِظُ	*istayqaẓa yastayqiẓu*	'svegliarsi'		أُسْتُوقِظَ يُسْتَيْقَظُ	*ustūqiẓa yustayqaẓu*	'essere svegliato'
اِسْتَشَارَ يَسْتَشِيرُ	*istašāra yastašīru*	'consultare'		أُسْتُشِيرَ يُسْتَشَارُ	*ustušīra yustašāru*	'essere consultato'
اِسْتَثْنَى يَسْتَثْنِي	*istaṯnā yastaṯnī*	'eccettuare'		أُسْتُثْنِيَ يُسْتَثْنَى	*ustuṯniya yustaṯnā*	'essere eccettuato'

التمارين Esercizi

1 Costruire il passivo del *māḍī* e del *muḍāriʿ* dei verbi seguenti.

Attivo		Passivo
كَسَرَ، يَكْسِرُ	→	....
عَلَّمَ، يُعَلِّمُ	→	....
دَمْدَمَ، يُدَمْدِمُ	→	....

Attivo		Passivo
عاقَبَ، يُعاقِبُ	→	....
أَخْرَجَ، يُخْرِجُ	→	....
تَقَدَّمَ، يَتَقَدَّمُ	→	....
تَسامَحَ، يَتَسامَحُ	→	....
اِنْكَفَأَ، يَنْكَفِئُ	→	....
اِخْتَرَعَ، يَخْتَرِعُ	→	....
اِسْتَقْبَلَ، يَسْتَقْبِلُ	→	....

2 Tradurre in arabo.

1. La finestra è stata rotta ed è entrato qualcuno. ....
2. Lo studente che non studia sarà punito. ....
3. L'automobile di Ahmad è stata rubata davanti a lui. ....
4. Quando è stato bevuto il vino? ....
5. La tua voce non si sente bene al telefono. ....

3 Trasformare le frasi seguenti secondo il modello.

النّافِذَةُ فَتَحَتْها الرِّيحُ. ← قَدْ فُتِحَت النّافِذَةُ مِن قِبَلِ الرِّيحِ.

La finestra l'ha aperta il vento. → La finestra è stata aperta dal vento.

١. هذا الكتاب كتبه أستاذنا. ....

٢. إن دراساتك يدفعها أبوك وأمك. ....

٣. لماذا هذا المطار لا تراقبه الشرطة؟ ....

٤. هؤلاء الزبائن حلقهم كلهم نفس الحلاق. ....

٥. أستاذ اللغة العربية شكره العميد أمام الجمهور. ....

4 Costruire il passivo del *māḍī* e del *muḍāriʿ* dei verbi seguenti.

Attivo		Passivo
وَجَدَ، يَجِدُ	→	....
ساقَ، يَسوقُ	→	....
قَضى، يَقْضي	→	....
عَدَّ، يَعُدُّ	→	....
دَخَّنَ، يُدَخِّنُ	→	....

Attivo		Passivo
أَصابَ، يُصيبُ	→	....
تَوَفَّى، يَتَوَفَّى	→	....
اِلْتَقى، يَلْتَقي	→	....
أَعَدَّ، يُعِدُّ	→	....

5 Comprensione del Testo 1. Rispondere liberamente alle seguenti domande.

١. ماذا يفعل پينو بعد وصوله إلى مطار القاهرة؟ ....
٢. هل كان صديقنا في انتظار أحد ما عند المطار؟ ....
٣. هل فهمتَ من النص كم مطارا يوجد في مدينة القاهرة؟ ....
٤. هل يجد پينو طقسا باردا جدا في القاهرة؟ ....
٥. هل من الصحيح أن القاهرة مدينة نظيفة ليس فيها تلوث؟ ....
٦. هل عدد سُكان تلك المدينة دون المليونين؟ ....

6 Comprensione del Testo 2. Rispondere liberamente alle seguenti domande.

١. إلى أين كان الأستاذ منصور سافر ليلقي بعض المحاضرات؟ ....
٢. ما هو الموضوع لدورة المحاضرات التي ألقاها الأستاذ؟ ....
٣. هل يتحدث أستاذنا الآن بعد رجوعه مع طلابه الأعزاء؟ ....
٤. هل بركان الڤيزوڤ لم يعد يثور الآن؟ ....
٥. هل يعتقد زملاؤه أن سير المدينة جنوني؟ وماذا يعتقد الأستاذ؟ ....
٦. أي شكل وجد الأستاذ للبيتسا في مطاعم نابولي؟ ....

أكثر Di più

1 المدن الكبيرة Grandi città

Tra le grandi metropoli arabe il Cairo è certamente quella che più potrà sconcertare il viaggiatore durante la sua prima visita, per le dimensioni della città, per il traffico, il caos e l'inquinamento. Orientarsi al Cairo richiede molto più di qualche giorno, e gli spostamenti quotidiani da una parte all'altra del Cairo non di rado richiedono da una a due ore di viaggio. Nondimeno l'arabista cederà subito al fascino di questa megalopoli e alla simpatia dei suoi abitanti.

In Siria le due grandi metropoli sono Damasco (دمشق *Dimašqu*), la capitale, e Aleppo (حلب *Ḥalab*), capitale del Nord, i cui abitanti rispettivi provano un legame di fratellanza paragonabile a quello che unisce i milanesi ai napoletani: gran lavoratori gli aleppini, festaioli e posapiano i damasceni.

Molto più a dimensione d'uomo si rivelano invece altre capitali, quali Amman (عمان *ʕAmmān*, omografo di عمان *ʕUmān* 'Oman'), Tunisi e Rabat (الرباط *ar-Ribāṭ*, o *ar-Rabāṭ*). Particolarmente suggestiva è la vecchia città di Sanaa (صنعاء *Ṣanʕāʔ*), situata a 1400 m. di altitudine, dove un Medioevo imperituro convive con la modernità.

Deludenti, trafficate, prive di un centro storico, sono le modernissime capitali degli stati petroliferi della costa arabica occidentale, quali Dubai (دبي *Dubayy*), Abu Dhabi (أبو ظبي *ʔAbū Ẓaby*) negli Emirati Uniti, Doha (الدوحة *ad-Dawḥa*) in Qaṭar, Manama (المنامة *al-Manāma*) a Baḥrayn, Città del Kuwayt (مدينة الكويت *Madīnat al-Kuwayt*, 'Kuwayt-City' dei giornalisti).

2 Il bancomat

Il bancomat, ovvero il distributore automatico di banconote, ha diversi nomi da un paese arabo all'altro. صراف آلي *ṣarrāf ʔāliyy* 'cambiavalute automatico' usato qui è egiziano; la Giordania preferisce سحب آلي *saḥb ʔāliyy* 'prelevamento automatico', la Tunisia موزع آلي *muwazziʕ ʔāliyy* 'distributore automatico'...

لقد جاء الصيف! È arrivata l'estate!

النص الأول Testo 1 CD2/21

لقد جاء الصيف وانتهت السنة الدراسية بعد الامتحانات الكتابية والشفهية الأخيرة. فالآن إن فهدا يحس نفسه حرا طلقا ويتذوق بطالته الهانئة تحت شمسية من شماسي مقهى الببغاء بصحبة بعض أصدقائه. وفجأة تدخل في المقهى مجموعة صاخبة من الطلاب الأجانب المتكلمين بلغات شتى. فيتذكر فهد بعد لحظة أنها قد بدأت من أوائل تموز دورات اللغة العربية لغير الناطقين بها، الذين يأتي معظمهم من القارات الخمس أوربا وإفريقيا وأمريكا وآسيا وأوقيانيا.

يتلاقى نظر فهد ونظر فتاة صهباء رشيقة، فيقوم فهد بلطف ويقول لها:

- پليز... سِتْ داوْن... وار آر يو فروم؟

ترفع الفتاة عينيها إلى السماء ثم تجلس محبطة العزيمة وتجيبه:

- شكرا، أو بالأحرى، ثانك يو... افتح أذنيك جيدا وأصغ إليّ: قد مضى عليّ سنتان طويلتان وأنا أدرس لغتك بحماس واجتهاد، ثم آتي إلى بلادك، وها أنت ذا تخاطبني باللغة الإنجليزية، كما لو أني سائحة أمريكية غبية!

يحاول فهد أن يتمتم بعض كلمات الاعتذار بينما تشخص الطالبة الأجنبية ببصرها الأخضر إليه:

- يا أختي الكريمة، هل تقصدين بذلك أنك تودين مني أن أتكلم معك بالعربية دائما؟
- يا ليته كذلك!
- حسنا... تفضلي... آه... هل أنت متزوجة؟

الكلمات الجديدة Parole nuove

صيف، أصياف	*ṣayf, ˀaṣyāf*	estate	هانئ، ون	*hāniˀ, -ūna*	sereno
شفهي	*šafahiyy, -ūna*	orale	صاخب، ون	*ṣāḫib, -ūna*	chiassoso
طلق، ون	*ṭaliq, -ūna*	disimpegnato	(شتيت،) شتى	*(šatīt,) šattā*	svariati
بطالة، ات	*biṭāla, -āt*	ozio	نَاطِقٌ بـ		-ofono
قارة، ات	*qārra, -āt*	continente	حماس	*ḥamās*	entusiasmo
أصهب	*ˀaṣhabu*	rosso, fulvo	كما لو أن	*kamā law ˀanna*	come se
رشيق، رشاق	*rašīq, rišāq*	snello	سائح، سياح	*sāˀiḥ, suyyāḥ*	turista
لطف	*luṭf*	garbo, gentilezza	أحرى	*ˀaḥrā*	preferibile
محبط، ون	*muḥbaṭ*	abbattuto	بالأحرى		piuttosto
عزيمة	*ˁazīma*	volontà	ها هو ذا	*hā huwa ḏā*	eccolo là
محبط العزيمة		scoraggiato	بصر، أبصار	*baṣar, ˀabṣār*	sguardo

فعل	شخَص (ـَ) ببصره إلى	fissare qn
	قصد (ـِ)	intendere, voler dire
	مضى عليه ... و	è [tot tempo] che
فاعل	خاطب	rivolgere la parola a
أفعل	أصغى إلى	stare a sentire
تفعل	تذوق	assaporare
افتعل	اعتذر	scusarsi
فعلل	تمتم	balbettare

النحو Grammatica

1 Espressioni temporali

Per situare eventi del passato rispetto al momento in cui si parla le varie lingue del mondo ricorrono a costrutti spesso difficili da tradurre dall'una all'altra. Si considerino le espressioni italiane seguenti:

due anni fa mi sono iscritto all'università
sono due anni che studio l'arabo

- Per situare un evento **in** un punto del passato è stato già visto (Unità 4) che il 'fa' temporale viene reso semplicemente da قَبْلَ *qabla* 'prima (di)':

كَانَتْ فِي القاهِرَةِ قَبْلَ أُسْبُوعٍ	*kānat fī l-Qāhirati* ***qabla*** *ʔusbūʕin*	'era[f] al Cairo una settimana fa'
تَسَجَّلْتُ فِي الجامِعَةِ قَبْلَ سَنَتَيْنِ	*tasağğaltu fī l-ğāmiʕati* ***qabla*** *sanatayni*	'mi sono iscritto all'università due anni fa'

- Per esprimere invece la durata intercorsa **tra** quel punto nel passato e il momento in cui si parla esistono due alternative praticamente sinonime, sebbene la seconda insista di più sulla durata:

مُنْذُ سَنَتَيْنِ وَأَنَا أَدْرُسُ العَرَبِيَّةَ	***mundu sanatayni*** *wa-ʔanā ʔadrusu l-ʕarabiyyata*
مَضَى عَلَيَّ سَنَتَانِ وَأَنَا أَدْرُسُ العَرَبِيَّةَ	***maḍā ʕalay-ya sanatāni*** *wa-ʔanā ʔadrusu l-ʕarabiyyata* <è-passato su-me due-anni e-io studio l'-arabo>

Nb: nel secondo caso il verbo مضى 'passare' rimane invariato in 3ª persona m.sg.

2 Il verbo نطق 'pronunciare'

Il verbo نطق (ـُ) بـ significa basilarmente 'pronunciare, articolare, emettere un suono o una parola' (traduce bene l'inglese *to utter*) e dà luogo a una serie di derivati:

نُطْق	*nuṭq*	'pronuncia'
مَنْطِق	*manṭiq*	'facoltà di parola, dialettica, logica'
مِنْطَقَة، مَنَاطِقُ	*minṭaqa*	'regione, zona' (ovvero luogo in cui si parla con la stessa pronuncia) (spesso letto, erroneamente, **manṭiqa*)

In arabo standard contemporaneo l'*ism al-fāʕil* نَاطِقٌ بـ 'parlante (una data lingua)' traduce il suffisso occidentale *-ofono*:

نَاطِقٌ بِالعَرَبِيَّةِ	*nāṭiqun bi-l-ʕarabiyyati*	'arabofono'
النَاطِقُونَ بالفَرَنْسِيَّةِ	*an-nāṭiqūna bi-l-faransiyyati*	'i francofoni'
غَيْرُ النَاطِقِينَ بالعَرَبِيَّةِ	*ġayru n-nāṭiqīna bi-l-ʕarabiyyati*	'i non arabofoni'

3 شتى

Plurale di شَتِيت *šatīt* 'sparpagliato', شَتَّى *šattā* viene usato per esprimere diversità ed eterogeneità:

أَشْيَاءُ شَتَّى	*ʔašyāʔu šattā*	'cose di ogni tipo'
يَتَكَلَّمُونَ بِلُغَاتٍ شَتَّى	*yatakallamūna bi-luġātin šattā*	'parlano in tante lingue diverse'

النص الثاني Testo 2 CD2/22

اصطحب رضا صديقتيه الإيطاليتين الجديدتين سارة وآنجيلا إلى مقبرة شالة، الواقعة على عشر دقائق من مدينة الرباط. وبعد نزهة قصيرة بين قبور الملوك السعديين وبين النباتات الاستوائية الكثيفة يصل الثلاثة إلى حوضين واطئين مليئين بمياه البحر، ترى في قاعيهما قطع بيض مسلوق رماها الناس فيهما. ففي واحدة منهما تقف امرأتان والماء يحاذي بطنيهما.

يفسر رضا لصديقتيه:

- إن تطلعتما بانتباه إلى قعر الحوضين رأيتما رؤوس الأنقليس، أو كما نسميها في المغرب النون، الذي يأتي من المحيط الأطلسي من خلال قنوات تحت أرضية. فإن هذه النونات مباركة. فالنساء العاقرات، يعني اللواتي لا يستطعن أن يخلفن، يجئن إلى هذين الحوضين ويستحممن فيهما ويتلون الدعوات، ثم يتركن بعض البيضات المسلوقة تأكلها النونات. فتحبل الكثيرات منهن بعد زيارتهن لشالة.

تصغي الفتاتان إلى هذه الرواية الممتعة بتعجب واحترام. وبعد لحظة صمت تسأل سارة رضا:

- ما هذا القوق الغريب الذي يدوي في كل أشجار البستان؟
- إنه لقلقة اللقلق!

ترفع سارة بصرها إلى الأعلى وتبصر عشرات أعشاس اللقالق بين أغصان الشجر وفوق أبراج الضرائح، فتهتف:

- يا رضا، ما أسذجك...! ليس الأنقليس الذي يأتي بالأطفال، بل اللقلق!!!

الكلمات الجديدة Parole nuove

قبر، قبور	*qabr, qubūr*	tomba	كثيف، كثاف	*kaṯīf, kiṯāf*	denso, fitto
مقبرة، مقابر	*maqbara, maqābiru*	cimitero, necropoli	حوض، أحواض	*ḥawḍ, ʔaḥwāḍ*	vasca, bacino
شالة	*Šālla*	Chellah	واطئ، ون	*wāṭiʔ, -ūna*	basso (agg.)
ملك، ملوك	*malik, mulūk*	re	مليء بـ	*malīʔ bi-*	pieno di
سعدي، ون	*saʕdiyy, -ūna*	saadita	ماء، مياه	*māʔ, miyāh*	acqua
نبات، ات	*nabāt, -āt*	pianta (botan.)	قاع، قيعان	*qāʕ, qīʕān*	fondo
استوائي، ون	*istiwāʔiyy, -ūna*	tropicale	قعر، قعور	*qaʕr, quʕūr*	fondo
أنقليس	*ʔanqalīs*	anguilla	دعوة، دعوات	*daʕwa, daʕawāt*	preghiera, voto
نون	*nūn*	anguilla (marocc.)	زيارة، ات	*ziyāra, -āt*	visita
محيط، ات	*muḥīṭ, -āt*	oceano	ممتع، ون	*mumtiʕ, -ūna*	accattivante
أطلسي، ون	*ʔaṭlasiyy, -ūna*	atlantico	صمت، صموت	*ṣamt, ṣumūt*	silenzio
مِنْ خِلاَلِ		attraverso	لقلق، لقالق	*laqlaq, laqāliqu*	cicogne
قناة، قنوات	*qanāt, qanawāt*	canale	عش، أعشاش	*ʕušš, ʔaʕšāš*	nido
عاقر، ات	*ʕāqir, -āt*	sterile	ضريح، ضرائح	*ḍarīḥ, ḍarāʔiḥu*	mausoleo

فعل	سلَق (ـُ)، سَلْقًا	lessare, far bollire
	حبلتْ (ـَ)، حَبَلاً	rimanere incinta
	هتَف (ـِ)، هَتْفًا	esclamare
	قاق (ـُ)، قَوْقًا	chiocciare
	تلا (ـُ)، تِلاَوَةً	recitare
فعّل	خلّف	generare, partorire
	دوّى	risuonare
فاعل	بارك	benedire
	حاذى	arrivare all'altezza di
أفعل	أبصر	scorgere, notare
تفعل	تعجب	meravigliarsi
افتعل	احترم	rispettare
	اصطحب	accompagnare
فعلل	لقلق، لَقْلَقَةً	gloterare (cicogna)

النحو Grammatica

4 رَسْم الهمزة Scrittura della *hamza*

Le regole di scrittua della ء *hamza* non sono numerosissime ma vanno studiate con attenzione, perché nella flessione e derivazione di أفعال مهموزة 'verbi hamzati' quali أكل, سأل o قرأ il contesto vocalico può portare la *hamza* a eleggere sostegni diversi:

مُؤَاكِل	*muʾākil*	'commensale'	سُؤَال	*suʾāl*	'domanda'	قَرَؤُوا	*qaraʾū*	'lessero'
آكِل	*ʾākil*	'mangiatore'	سُئِلَ	*suʾila*	'fu chiesto'	قَارِئ	*qāriʾ*	'lettore'
مَأْكُول	*maʾkūl*	'commestibile'	مُسَاءَلَة	*musāʾala*	'interrogazione'	مَقْرُوء	*maqrūʾ*	'leggibile'
مَآكِل	*maʾākil*	'cibi'	مَسْؤُول	*masʾūl*	'responsabile'	قُرْآن	*Qurʾān*	'Corano'

Il sostegno della *hamza*, che può essere ا, ى (senza punti!) o و, viene detto كُرْسِيُّ الهَمْزَة 'sedia della *hamza*'

La *hamza* può quindi trovarsi, come le altre lettere dell'alfabeto arabo, in posizione iniziale, mediana, finale.

- In posizione **iniziale** *hamza* è necessariamente sostenuta da una *ʾalif*:

أَمَل	*ʾamal*	'speranza'
إِبِل	*ʾibil*	'dromedari'
أُمَّة	*ʾumma*	'comunità'

  Se la vocale che segue la *hamza* è lunga, interviene la semiconsonante corrispondente per allungare *kasra* e *ḍamma*, ma si ricordi che *ʾā-* si scrive con *ʾalif mādda*:

آمَال	*ʾāmāl*	'speranze'
إِيمَان	*ʾīmān*	'fede'
أُولى	*ʾūlā*	'prima'

- In posizione mediana *hamza* poggia su un sostegno che sarà ا, ى (senza punti!) o و a seconda del vocalismo circostante; occorre cioè guardare quali sono le due vocali che precedono e seguono la *hamza*, ossia *fatḥa*, *kasra*, *ḍamma* o *sukūn*. Si consideri lo schema di precedenza seguente:

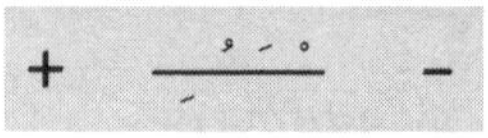

  Lo schema dà la regola di precedenza nella selezione del sostegno ا / ى / و necessario:
  - se prima o dopo la *hamza* vi è una *i*, il sostegno è necessariamente ⟨ئ⟩;
  - se non vi è nessuna *i* ma vi è una *u*, il sostegno è necessariamente ⟨ؤ⟩;
  - se non vi è nessuna *i* o *u* ma vi è una *a*, il sostegno è necessariamente ⟨أ⟩.

  Qualche esempio:
  - se *hamza* è preceduta da una vocale breve e seguita da *sukūn* (*-vʾc-*) → il sostegno è quello corrispondente al timbro della vocale precedente:

raˀs → أ es.: رَأْس ‘testa’
biˀr → ئ بِئْر ‘pozzo’
suˀdud → ؤ سُؤْدُد ‘sovranità’

- se *hamza* è preceduta da *sukūn* e seguita da una vocale breve o lunga (-*c*ˀ*v*-, -*c*ˀ*v̄*-) → il sostegno è quello corrispondente al timbro della vocale seguente (e si ricordi che ˀ*ā* si scrive ˀ*alif madda*!):

masˀala → أ es.: مَسْأَلَة ‘questione’
ˀ*asˀila* → ئ أَسْئِلَة ‘domande’
yabˀusu → ؤ يَبْؤُسُ ‘si^m comporta da prode’
mirˀāb → آ مِرْآب ‘officina’
tarˀīs → ئي تَرْئِيس ‘elezione a presidente’ (esempi rarissimi)
masˀūl → ؤو مَسْؤُول ‘responsabile’ (la prima و è di sostegno, la seconda è per *ū*)

Nb: la grafia ⟨مسئول⟩ per ⟨مسؤول⟩ è certamente frequente ma scorretta.

- se *hamza* è preceduta e seguita da una vocale (-*v*ˀ*v*-) il sostegno sarà quello corrispondente alla vocale più vicina al ⟨+⟩ nello schema di precedenza:

saˀala → أ es.: سَأَلَ ‘ha^m chiesto’
raˀīs → ئ رَئِيس ‘presidente’
biˀār → ئ بِئَار ‘pozzi’
suˀāl → ؤ سُؤَال ‘domanda’
saˀūl → ؤ سَؤُول ‘mendicante’
ruˀasāˀ → ؤ رُؤَسَاء ‘presidenti’
suˀila → ئ سُئِلَ ‘è stato chiesto’
tafāˀul → ؤ تَفَاؤُل ‘ottimismo’
mutafāˀil → ئ مُتَفَائِل ‘ottimista’

Nb: la sequenza -*ā*ˀ*a*- verrà tuttavia sempre scritta ⟨اءَ⟩:

tasāˀala → تَسَاءَلَ ‘domandarsi’
lāˀama → لَاءَمَ ‘confarsi a’

- In posizione finale vi sono due sottocasi:
  - se *hamza* è preceduta da una vocale breve il sostegno è quello corrispondente alla vocale:

nabaˀ → أ es.: نَبَأ ‘notizia’
dāfiˀ ئ دَافِئ ‘tiepido’
luˀluˀ ؤ لُؤْلُؤ ‘perle’

  - se *hamza* è preceduta da una vocale lunga, da un dittongo o da una consonante con *sukūn*, essa si scrive sul rigo senza sostegno:

masāˀ	→	es.:	مَسَاء	'sera'
malīˀ	→		مَلِيء	'pieno' (attenzione quindi a non confondere ⟨يء⟩ *īˀ* con ⟨ئ⟩ *iˀ* !)
hudūˀ	→		هُدُوء	'tranquillità'
ḍawˀ	→		ضَوْء	'luce'
šayˀ	→		شَيْء	'cosa'
ˁibˀ	→		عِبْء	'fardello'

Attenzione: l'aggiunta di morfemi suffissi fa sì che la *hamza* non sia più in posizione finale:

نَبَئِي	*nabaˀ-ī*	'la mia notizia'
نَبَأَك	*nabaˀa-ka*	'la tua^{m} notizia' (*manṣūb*)
نَبَؤُه	*nabaˀu-hu*	'la sua^{m} notizia'
هُدُوئِي	*hudūˀ-ī*	'la mia tranquillità'
هُدُوؤُك	*hudūˀu-nā*	'la tua^{m} tranquillità'
عِبْؤُنَا	*ˁibˀu-nā*	'il nostro fardello

ecc.

Attenzione infine alle 3e persone del verbo مهموز اللام:

قَرَأَ	*qaraˀa*	قَرَؤُوا	*qaraˀū*	قَرَآ	*qaraˀā*
قَرَأَتْ	*qaraˀat*	قَرَأْنَ	*qaraˀna*	قَرَأَتَا	*qaraˀatā*

التمارين Esercizi

1 Tradurre in arabo.

1. Abbiamo già mangiato due ore fa. ....
2. Sono tre ore che ti^{f} chiedo di dirmi cosa faremo stasera. ....
3. La professoressa è andata via due minuti fa e oggi non tornerà più. ....
4. Sono tornato al lavoro da due giorni e già mi hanno^{m} annoiato. ....
5. Due giorni fa mi è arrivata la sua^{m} mail di cui vi^{f} ho parlato. ....
6. Non bevo niente da tre giorni: avete un po' d'acqua? ....
7. Ha^{f} provato a telefonarti sul cellulare qualche ora fa, quando eri uscito. ....

2 Tradurre in italiano.

١. الأسبوع الماضي تذوقنا في منزل سوسن أكلات شتى.
٢. إن هذه الأمور تحصل في شتى انحاء العالم.
٣. لقد دمدمت ناديا تجاهي لعنات شتى بدون سبب.
٤. مضى على إيمانويلا سنتان ونصف وهي تزوجت مع زوجه پييردوناتو.
٥. كم عاما مضى عليك وأنت تسكن في أبي ظبي؟

3 Riportare in arabo le seguenti parole hamzate trascritte.

baʾusnā →	....	*tadfiʾa* →	....
buʾbuʾ →	....	*difʾ* →	....
ʾūḫiḏa →	....	*maǧīʾ* →	....
laʾīm →	....	*maǧīʾu-nā* →	....
mutašāʾim →	....	*ʾanbāʾ* →	....

4 Comprensione del Testo 1. Rispondere liberamente alle seguenti domande.

١. هل جاءت نهاية السنة الجامعية ودورة الامتحانات؟
٢. كيف يحب فهد أن يقضي وقته الآن؟
٣. من يدخل فجأة في المقهى بينما فهد جالس في إحدى الطاولات؟
٤. كيف يخاطب صديقنا إحدى الطالبات الأجنبيات؟
٥. أيجد صديقنا فتاة لا تستطيع التكلم إلا باليابانية؟
٦. هل يبدأ فهد في النهاية أن يخاطبها بلغته؟

5 Comprensione del Testo 2. Rispondere liberamente alle seguenti domande.

١. في أي بلد عربي تقع مقبرة شالة؟
٢. لمن القبور الموجودة في هذه المقبرة التاريخية القديمة؟
٣. ماذا تفعل فيها النساء العاقرات؟
٤. ما هي الحيوانات التي لاحظتها سارة على الأشجار؟
٥. ما هي المخلوقات التي يقال إنها تأتي بالأطفال؟

والآن الدور لك! E ora tocca a te!

Arrivati a questo punto, è giunto il momento di lasciarsi il manuale alle spalle per lanciarsi nel "vero", ovvero affrontare lo studio di testi presi dalla letteratura contemporanea, dal teatro e dalla stampa. الدَوْرُ لك!

In quest'ultima unità verranno dati una serie di consigli su come procedere, perché da ora in poi sarà molto importante che lo studente di arabo si dedichi ad assimilare vocaboli e modi di dire e a familiarizzarsi sempre di più con la lingua. 'Fare versioni', ossia tradurre per iscritto con l'aiuto del vocabolario, non è esattamente l'esercizio più acconcio. Nondimeno a questo punto sarà necessario disporre di un dizionario.

Come testo di partenza suggeriamo, di Rohi Baalbaki (روحي البعلبكي), المَوْرِد. قامزس عربي _ إيطالي, pubblicato dalla دار العلم للملايين di Beirut, 2009, che presenta il vantaggio relativo di elencare le parole in ordine esclusivamente alfabetico (cioè non per radici). Più avanti si rivelerà fondamentale il *Vocabolario arabo-italiano* curato da Renato Traini e pubblicato dall'Istituto per l'Oriente (IPO) di Roma nel 1966 (continuamente ristampato).

Un testo sconosciuto deve essere affrontato nel modo seguente.

1. Delimitare un paragrafo o una serie di battute e provare a leggerlo dall'inizio alla fine senza aprire il vocabolario. L'operazione deve essere ripetuta più volte, senza fretta, e soffermandosi sulle parole conosciute. È importante che lo studente sappia che, in questa fase di studio, la sua capacità di lettura è ancora soprattutto una capacità di lettura *grammaticale*, che cioè può consentirgli in alcuni casi una lettura corretta (dal punto di visto della vocalizzazione e dell'intonazione), ma dopo la quale si renderà conto di non essere riuscito a cogliere i nessi logici tra le varie parole, ossia il *senso* dell'enunciato. Il sintomo è assolutamente normale, e con un po' di tempo finirà per scomparire.

2. Cercare nel vocabolario le parole sconosciute, ricopiandole con la traduzione possibilmente su un quaderno o un foglio a parte, evitando cioè di segnare le traduzioni in microscrittura sopra/sotto le singole parole arabe: il testo di studio deve rimanere immacolato (e non vocalizzato), questo perché lo studente continui ad avere la sensazione di afffrontare la sfida con cavalleresco coraggio.

3. Una volta completata la ricerca delle parole nuove, la lettura del brano deve essere ripetuta, cercando di combinare l'armonia della dizione (possibilmente a voca alta o quantomeno sussurrata)

e la comprensione del contenuto espressivo. Allo studente la scelta se rispettare l'*iʕrāb* o meno: sia chiaro però che rispettarlo, anche senza eccessiva pignoleria, risulta molto più elegante e desta sempre molto rispetto da parte di un pubblico arabofono.

4. Un complemento finale può essere quello di meditare le singole parole nuove cercate nel vocabolario, chiedendosi se non sia possibile in alcuni casi ricollegarle ad altre parole conosciute.

Procediamo a un primo tentativo con il brano seguente, tratto dal romanzo di Alaa El Aswani, *Chicago*, Il Cairo, 2007 (علاء الأسواني، «شيكاجو»، القاهرة، ٢٠٠٧), narrante l'incontro tra lo studente di medicina Karam Abdelmallak Doss e il suo professore Abdelfattah Balbaa all'Università di Ain Shams del Cairo.

عندما عرف المعيد كرم عبد الملاك دوس برسوبه للمرة الثانية في امتحان الماجستير، توجه من فوره لمقابلة الدكتور عبد الفتاح بلبع، رئيس قسم الجراحة في طب عين شمس.. كان ذلك في يوم قائظ من صيف عام ١٩٧٥. دخل كرم إلى المكتب غارقا في عرقه من أثر الحر والانفعال، ولما سأله السكرتير عن غرض المقابلة أجاب:

- موضوع شخصي.
- الدكتور عبد الفتاح بك ذهب لأداء صلاة العصر في المسجد.
- سأنتظره.

رَسَب (ـُ)، رُسُوبًا	'essere bocciato'	معيد، ون	*muʕīd, -ūna*	'assistente (univ.)'
توجّه لـ	'dirigersi verso'	من فوره	=	فورا
قابل ه	'incontrare'	قسم، أقسام	*qism, ʔaqsām*	(qui:) 'reparto'
غرِق (ـَ)، غَرَقًا	'annegare'	جراحة	*ǧirāḥa*	'chirurgia'
انفعل	'essere agitato, eccitato'	طب	*ṭibb*	'medicina'
أَدَّى، يُؤَدِّي، أَدَاءً	'eseguire, compiere, fare'	قائظ	*qāʔiẓ*	'canicolare'
		عرق	*ʕaraq*	'sudore'
		من أثر	*min ʔaṯari*	'per via di'
		حر	*ḥarr*	'calore, calura'
		غرض، أغراض	*ġaraḍ, ʔaġrāḍ*	'scopo'
		شخص، أشخاص	*šaḫṣ, ʔašḫāṣ*	'persona, individuo'
		شخصي	*šaḫṣiyy*	'personale'
		بك	(leggi:) *bēy*	(titolo di rispetto)

هكذا قال كرم بتَحَدٍّ وجلس في المقعد المواجه للسكرتير الذي تجاهله وعاد يقرأ في أوراق أمامه. مرت نصف ساعة كاملة قبل أن ينفتح الباب ويظهر الدكتور بلبع بقامته الضخمة وصلعته الفسيحة وملامحه الضخمة الصارمة ولحيته الخفيفة والمسبحة الكهرمان التي لا تفارق يده.. هب كرم واقفا، واقترب من أستاذه الذي تفحصه بنظرة مستريبة ثم سأله بما يشبه الانزعاج:
- خيرًا يا خواجة؟

تَحَدَّى	'sfidare'	ورق، أوراق	*waraq, ʔawrāq*	'carta, foglio'
واجه ه	'fronteggiare qc'	كامل	*kāmil*	'intero, totale'
تجاهل ه	'ignorare qn'	صلعة	*ṣulʕa*	'calvizie'
انفتح	'aprirsi'	فسيح، فساح	*fasīḥ, fisāḥ*	'ampio, esteso'
فارق	'separarsi da, lasciare'	ملامح	*malāmiḥu* (pl.!)	'lineamenti'
هب (ـُ)، هَبًّا	'mettersi improvvisamente a'	صارم، ون	*ṣārim, -ūna*	'rigido, severo'
اقترب من	'avvicinarsi a'	مسبحة، مسابح	*misbaḥa, masābiḥu*	'rosario'
تفحص ه/ه	'esaminare'	كهرمان	*kahramān*	'ambra'
استراب	'essere sospettoso'	نظرة، نظرات	*naẓra, naẓarāt*	'sguardo'
أشبه ه	'somigliare a'	خيرا؟	*ḫayran?*	'tutto bene?'
انزعج	'essere infastidito, seccato'			

كان الدكتور بلبع يستعمل لقب «خواجة» في الحديث إلى الأقباط جميعا، من الأساتذة حتى الفَرَّاشين، وكانت هذه الدعابة الظاهرة تخفي احتقاره العميق لهم!.. استجمع كرم شجاعته وقال:
- أرجو أن يتسع وقت سيادتك لبضع دقائق من أجل موضوع يخصني.
- تعال.

استعمل	'adoperare, usare'	حديث، أحاديث	*ḥadīṯ, ʔaḥādīṯu*	'conversazione'
خفَى (ـِ)، خَفْيًا	'nascondere, celare'	في الحديثِ إلى		'nel rivolgersi a'
احتقر	'disprezzare'	قبطي، أقباط	*qibṭiyy, ʔaqbāṭ*	'copto'
استجمع	'raccogliere'	خواجة	*ḫawāga*	(titolo di rispetto)*

اِتَّسَعَ (وسع√)	'essere abbastanza largo'	جميعا	*ǧamīʿan*	'tutti insieme'
خصّ (ـُ)، خُصُوصًا	'riguardare, concernere'	فراش، ون	*farrāš, -ūna*	'domestico' (sost.)
		دعابة، ات	*daʿāba*	'scherzo'
		ظاهر	*ẓāhir*	(qui:) 'presunto'
		عميق	*ʿamīq*	'profondo'
		شجاعة	*šaǧāʿa*	'coraggio'
		سيادة	*siyāda*	'signoria'
		من أجل	*min ʾaǧli*	'per, a proposito di'

* خواجة *ḫawāga* è un titolo di rispetto di origine persiana usato dagli egiziani per rivolgersi a un cristiano o a un occidentale.

سبقه الدكتور وجلس إلى مكتبه وأشار إليه بالجلوس.

- طلباتك؟
- أريد أن أعرف لماذا رسبت في الامتحان؟
- درجاتك ضعيفة يا خواجة.

هكذا أجاب الدكتور بلبع على الفور وكأنه يتوقع السؤال.

- ولكن كل إجاباتي صحيحة!
- وكيف عرفت؟
- تأكدت بنفسي.. ممكن نراجع ورقة الإجابة؟ إذا سمحت.

سبَق (ـِ)، سَبْقًا	'precedere'	مكتب، مكاتب	*maktab, makātibu*	'ufficio, scrivania'
أشار	'indicare'	طلب، ات	*ṭalab, -āt*	'richiesta'
أشار إليه بـ	'gli fece segno di'	درجة، ات	*daraǧa, -āt*	(qui:) 'risultato'
جلَس (ـِ)، جُلُوسًا	'sedersi'	كأن	*ka-ʾanna*	'come se'
أجاب، يُجِيب، إجابةً	'rispondere'	بنفسه	*bi-nafsi-hi*	'di persona'
توقّع	'aspettarsi'	ورقة، ات	*waraqa, -āt*	'foglio'
تأكّد	'accertarsi, verificare'			
راجع	'ripassare, controllare'			

Nb: l'enunciato ممكن نراجع *mumkin nurāǧiʿ* è di sintassi nettamente dialettale. Una resa più *fuṣḥā* sarebbe هل من الممكن أن نراجع.

عبث الدكتور بلبع بأصابعه في لحيته ثم ابتسم وقال:

- حتى لو كانت إجاباتك كلها صحيحة.. فلن يغير ذلك نتيجتك!

- لا أفهم.

- كلامي واضح.. أداء الامتحان لا يكفي وحده في النجاح.

- لكن هذا مخالف للائحة الجامعة!

- لائحة الجامعة لا تُلزمنا يا خواجة.. ليس كل من يجيب على سؤالين نسمح له بأن يكون جراحا يتحكم في حياة الناس.. نحن نختار من يستحق الدرجة العلمية.

عبِث (ـَ)، عَبَثًا	'giocare distrattamente'	حتى لو	*ḥattā law*	'anche se'
نجَح (ـَ)، نَجَاحًا	'superare (un esame)'	وحده	*waḥda-hu*	'da solo[m]'
خالف	'contraddire, essere contrario a'	لائحة، لوائح	*lāʔiḥa, lawāʔiḥu*	'statuto, regolamento'
ألزم	'obbligare, vincolare'	جراح، ون	*ǧarrāḥ, -ūna*	'chirurgo'
سمَح (ـَ)، سَمَاحًا	'permettere, concedere'	درجة	*daraǧa*	(qui:) 'livello'
تحكّم	'disporre di, dominare'	علم، علوم	*ʕilm, ʕulūm*	'scienza'
استحقّ	'meritare'	علمي	*ʕilmiyy*	'scientifico'

- على أي أساس؟

- على أسس مهمة لن أقولها لك.. اسمع يا كرم.. لا تُضيِّع وقتي.. سأكلمك بصراحة.. لقد تم تعيينك في القسم قبل أن أرأسه، ولو كان الأمر بيدي لما وافقت على تعيينك.. فكر جيدا فيما أقوله ولا تغضب.. أنت لن تكون جراحا.. أنصحك بتوفير وقتك ومجهودك.. حاول في قسم آخر وسأتوسط لك بنفسي.

ضيّع	'far perdere'	أساس، أسس	*ʔasās, ʔusus*	'base, fondamento'
كلم ه	'rivolgersi a, parlare a'	صراحة	*ṣarāḥa*	'sincerità'

تمّ (ـِ)، تمَامًا	'aver luogo, accadere, essere fatto'	أمر، أمور	*ʔamr, ʔumūr*	'faccenda'
عيّن، تَعْيِينًا	'assumere'	مجهود، ات	*mağhūd. -āt*	'sforzo, zelo'
رأس (ـَ)، رِئَاسَةً	'essere a capo, dirigere'			
نصَح (ـَ)، نَصْحًا بـ	'consigliare di'			
وفّر	'risparmiare, mettere in serbo'			
توسّط لـ	'intervenire a favore di'			

ساد صمت ثقيل، وفجأة صاح كرم بمرارة:
- سيادتك تظلمني لأني قبطي!
رمقه الدكتور بلبع بنظرة صارمة وكأنه يحذره من التمادي، ثم نهض قائلا بهدوء:
- المقابلة انتهت يا خواجة.

ساد (ـُ)، سِيَادَةً	'regnare, dominare'	مرارة	*marāra*	'amarezza'
ظلَم (ـِ)، ظُلْما	'trattare ingiustamente'	هدوء	*hudūʔ*	'tranquillità'
رمَق (ـُ)، رَمْقًا	'gettare uno sguardo'			
حذّر ه من	'mettere in guardia qn contro qc'			
تمادى	'proseguire, andare avanti'			
انتهى	'terminare, finire			

Lessico

Arabo-Italiano

Il lessico arabo-italiano contiene i vocaboli utilizzati nelle letture del manuale. Il primo numero di riferimento si riferisce all'unità di prima occorrenza del vocabolo.
Per alcuni vocaboli, accanto al numero dell'unità di prima occorrenza, compare dopo un punto e virgola un secondo numero in *corsivo* che rimanda all'unità in cui è spiegata la nozione grammaticale relativa: così, per esempio, accanto a اسم الإشارة *ismu l-ʔišārati* 'pronome dimostrativo' è riportato 9; *10*, in cui il numero 9 si riferisce all'unità in cui si ha la prima occorrenza del termine e il numero 10 a quella in cui i dimostrativi vengono spiegati estesamente.
I termini arabi non sono vocalizzati, ma accompagnati da trascrizione scientifica. Per i nominali la virgola separa il singolare dal plurale; per i verbi la virgola separa il *māḍi* dal *muḍāriʕ marfūʕ*.
Nella traduzione in italiano del termine arabo, la virgola separa significati affini, il punto e virgola significati differenti dello stesso vocabolo.
Contrariamente a quanto accade nella maggioranza dei vocabolari arabi pubblicati, un termine arabo andrà qui ricercato non per radice (ad esempio مدرسة sotto √*d-r-s*), bensì in base all'ordine alfabetico dei grafemi che lo compongono.

أ	*ʔa-*	(particella interrogativa)	6
ابتدأ، يبتدئ	*ibtadaʔa, yabtadiʔu*	iniziare	23
ابتسم، يبتسم	*ibtasama, yabtasimu*	sorridere	21
أبدا	*ʔabadan*	mai; per niente	15
إبراهيم	*ʔIbrāhīm*	Ibrahim	23
أبصر، يبصر	*ʔabṣara, yubṣiru*	scorgere, notare	31
إبط، آباط	*ʔibṭ, ʔābāṭ*	ascella	15
أبله	*ʔablah*	sciocco	20
ابن، أبناء	*ibn, ʔabnāʔu*	figlio	3
أبيض	*ʔabyaḍ*	bianco	15
اتجاه، ات	*ittiǧāh, -āt*	senso, direzione	30
اتجه، يتجه	*ittaǧaha, yattaǧihu*	dirigersi	12
اتخذ، يتخذ	*ittaḫaḏa, yattaḫiḏu*	prendere	25
اتصل، يتصل بـ	*ittaṣala, yattaṣilu bi-*	connettersi con	6
اتضح، يتضح	*ittaḍaḥa, yattaḍiḥu*	avverarsi	30
اتفق، يتفق على	*ittafaqa, yattafiqu ʕalā*	mettersi d'accordo su	28
أتقن، يتقن	*ʔatqana, yutqinu*	sapere a fondo	21
اتكأ، يتكئ	*ittakaʔa, yattakiʔu*	appoggiarsi	29
أتم، يتم	*ʔatamma, yutimmu*	terminare	18
أثار، يثير	*ʔaṯāra, yuṯīru*	eccitare, causare	25
أثناء	*ʔaṯnāʔa*	durante (= خلال)	28
أجاب، يجيب	*ʔaǧāba, yuǧību*	rispondere	17

إجباري، ون	*ʔiǧbāriyy, -ūna*	obbligatorio	30
أجبر، يجبر	*ʔaǧbara, yuǧbiru*	costringere	30
اجتاز، يجتاز	*iǧtāza, yaǧtāzu*	percorrere	23
اجتهاد، ات	*iǧtihād, -āt*	applicazione	26
اجتهد، يجتهد	*iǧtahada, yaǧtahidu*	darsi da fare	21
آجر	*ʔāǧurr*	mattoni (coll.)	26
أجرة، أجر	*ʔuǧra, ʔuǧar*	noleggio	11
أجلس، يجلس	*ʔaǧlasa, yuǧlisu*	far sedere	25
إجمالي، ون	*ʔiǧmāliyy, -ūna*	forfettario	23
أجنبي، أجانب	*ʔaǧnabīyy, ʔaǧānibu*	straniero	17
أجوع	*ʔaǧwaʕ*	più affamato	20
أحب، يحب	*ʔaḥabba, yuḥibbu*	amare	13
احتاج، يحتاج إلى	*iḥtāǧa, yaḥtāǧu ʔilā*	aver bisogno di	14
احترام، ات	*iḥtirām, -āt*	rispetto	25
احترم، يحترم	*iḥtarama, yaḥtarimu*	rispettare	28
احتمال	*iḥtimāl*	probabilità	28
احتمل، يحتمل	*iḥtamala, yaḥtamilu*	sopportare; essere probabile	20
أحرز، يحرز	*ʔaḥraza, yuḥrizu*	ottenere, conseguire	27
أحرى	*ʔaḥrā*	preferibile	31
أحزن، يحزن	*ʔaḥzana, yuḥzinu*	rattristare	25
أحس، يحس	*ʔaḥassa, yuḥissu*	sentire	17
أحسن	*ʔaḥsan*	migliore	10
أحسن، يحسن	*ʔaḥsana, yuḥsinu*	fare bene; essere bravo a	7
أحضر، يحضر	*ʔaḥḍara, yuḥḍiru*	portare (qc)	14
أحمر	*ʔaḥmar*	rosso	10
احمر، يحمر	*iḥmarra, yaḥmarru*	arrossire	29
أخ!	*ʔuḫḫ!*	ahi!	21
أخ، إخوة	*ʔaḫ, ʔiḫwa*	fratello	11
أخت، أخوات	*ʔuḫt, ʔaḫawāt*	sorella	9
اختار، يختار	*iḫtāra, yaḫtāru*	scegliere	19
اخترع، يخترع	*iḫtaraʕa, yaḫtariʕu*	inventare	25
اختفى، يختفي	*iḫtafā, yaḫtafī*	sparire	27
اختلف، يختلف	*iḫtalafa, yaḫtalifu*	differire	23
اختلف، يختلف إلى	*iḫtalafa, yaḫtalifu ʔilā*	frequentare	27
أخذ، يأخذ	*ʔaḫaḏa, yaʔḫuḏu*	prendere	7
أخذ، يأخذ من ه	*ʔaḫaḏa, yaʔḫuḏu min*	imparare da qn	21
آخر، ون	*ʔāḫar*	altro	7

آخر، ون	*ʾāḫir, -ūna*	ultimo	5
أخرج، يخرج	*ʾaḫraǧa, yuḫriǧu*	tirare fuori	14
أخرى	*ʾuḫrā*	altra	7
أخضر	*ʾaḫḍar*	verde	15
أخضع، يخضع	*ʾaḫḍaʿa, yuḫḍiʿu*	sottoporre	28
أخير، ون	*ʾaḫīr, -ūna*	ultimo	18
أداة، أدوات	*ʾadāt, ʾadawāt*	strumento	28
أدار، يدير	*ʾadāra, yudīru*	girare, voltare	20
أدب، آداب	*ʾadab, ʾādāb*	letteratura	5
أدرك، يدرك	*ʾadraka, yudriku*	rendersi conto di	23
أدى، يؤدي إلى	*ʾaddā, yuʾaddī ʾilā*	portare, condurre a	23
إذ أن	*ʾiḏ ʾanna*	poiché	21
إذن	*ʾiḏan*	allora	12
أذن، آذان	*ʾuḏun, ʾāḏān*	orecchio (f.!)	21
إذن، إذنوات	*ʾiḏn, ʾiḏnawāt*	permesso	25
أراد، يريد	*ʾarāda, yurīdu*	volere	15
ارتجف، يرتجف	*irtaǧafa, yartaǧifu*	tremare	17
ارتدى، يرتدي	*irtadā, yartadī*	indossare	29
ارتفاع	*irtifāʿ*	altezza	23
ارتفع، يرتفع	*irtafaʿa, yartafiʿu*	elevarsi	29
ارتكز، يرتكز على	*irtakaza, yartakizu ʿalā*	appoggiarsi su	21
الأردن	*al-ʾUrdun*	Giordania	18
أرسل، يرسل إلى	*ʾarsala, yursilu ʾilā*	spedire, mandare a	13
ازداد، يزداد	*izdāda, yazdādu*	aumentare	28
أزعج، يزعج	*ʾazʿaǧa, yuzʿiǧu*	disturbare	20
أزمة، أزمات	*ʾazma, ʾazamāt*	crisi	28
إسباني، ون	*ʾisbāniyy, -ūna*	spagnolo	21
إسبانيا	*ʾIsbāniyā*	Spagna	23
أسبوع، أسابيع	*ʾusbūʿ, ʾasābīʿu*	settimana	4
أسبيرين	*ʾasbīrīn*	aspirina	15
استأجر، يستأجر	*istaʾǧara, yastaʾǧiru*	prendere in affitto	13
أستاذ، أساتذة	*ʾustāḏ, ʾasātiḏa*	professore	2
استثناء، ات	*istiṯnāʾ, -āt*	eccezione	28
استحسن، يستحسن	*istaḥsana, yastaḥsinu*	ammirare	29
استحق، يستحق	*istaḥaqqa, yastaḥiqqu*	meritare	29
استحقاق، ات	*istiḥqāq, -āt*	merito	26
استحم، يستحم	*istaḥamma, yastaḥimmu*	fare il bagno	22

استخبر، يستخبر عن	*istaḫbara, yastaḫbiru ʕan*	informarsi su	23
استراح، يستريح	*istarāḥa, yastarīḥu*	riposarsi	19
استطاع، يستطيع	*istaṭāʕa, yastaṭīʕu*	potere	17
استغرق، يستغرق	*istaġraqa, yastaġriqu*	durare (tempo); impegnarsi	23
استقر، يستقر	*istaqarra, yastaqirru*	sistemarsi	27
استقلال، ات	*istiqlāl, -āt*	indipendenza	11
استمر، يستمر	*istamarra, yastamirru*	continuare	22
استمرار	*istimrār*	continuazione	12
استمع، يستمع إلى	*istamaʕa, yastamiʕu ʔilā*	ascoltare (qc)	14
استوائي، ون	*istiwāʔiyy, -ūna*	tropicale	31
استيقظ، يستيقظ	*istayqaẓa, yastayqiẓu*	svegliarsi	14
أسطوانة، ات	*ʔusṭuwāna, -āt*	disco	21
أسف، آساف	*ʔasaf, ʔāsāf*	dispiacere	23
أسقط، يسقط	*ʔasqaṭa, yusqiṭu*	far cadere; bocciare	26
إسكافي، أساكفة	*ʔiskāfiyy, ʔasākifatu*	calzolaio	22
أسكت، يسكت	*ʔaskata, yuskitu*	far tacere, zittire	21
إسكملة، ات	*ʔiskamla, -āt*	sgabello	22
أسلوب، أساليب	*ʔuslūb, ʔasālību*	stile	27
اسم الإشارة	*ismu l-ʔišārati*	dimostrativo	9; *10*
اسم العائلة	*ismu l-ʕāʔilati*	cognome	4
اسم، أسماء	*ism, ʔasmāʔu*	nome	4
إشارة، ات	*ʔišāra, -āt*	indicazione, segnale	9
أشبه، يشبه	*ʔašbaha, yušbihu*	assomigliare a	28
اشترى، يشتري	*ištarā, yaštarī*	comprare	13
اشتغل، يشتغل	*ištaġala, yaštaġilu*	lavorare, funzionare	21
أشقر	*ʔašqar*	biondo	20
أصاب، يصيب	*ʔaṣāba, yuṣību*	colpire	15
أصبح، يصبح	*ʔaṣbaḥa, yuṣbiḥu*	diventare	11
إصبع، أصابع	*ʔiṣbaʕ, ʔaṣābiʕu*	dito (f.!)	9
اصطحب، يصطحب	*iṣṭaḥaba, yaṣṭaḥibu*	accompagnare	31
أصغى، يصغي إلى	*ʔaṣġā, yuṣġī ʔilā*	stare a sentire	31
أصهب	*ʔaṣhabu*	rosso, fulvo	31
أصيل، أصلاء	*ʔaṣīl, ʔuṣalāʔu*	autentico	27
أضاف، يضيف	*ʔaḍāfa, yuḍīfu*	aggiungere	23
إضافة، ات	*ʔiḍāfa, -āt*	aggiunta	13
إضافي، ون	*ʔiḍāfiyy, -ūna*	aggiuntivo	23
أضحك، يضحك	*ʔaḍḥaka, yuḍḥiku*	far ridere	21

إضراب، ات	*ˀiḍrāb, -āt*	sciopero	14
أطل، يطل على	*ˀaṭalla, yuṭillu ˁalā*	affacciarsi, dare su	13
إطلاقا	*ˀiṭlāqan*	assolutamente	29
الأطلس	*al-ˀAṭlas*	l'Atlante	27
أطلسي، ون	*ˀaṭlasiyy, -ūna*	atlantico	31
أظهر،يظهر	*ˀaẓhara, yuẓhiru*	mostrare	19
أعاد، يعيد	*ˀaˁāda, yuˁīdu*	ripetere	26
اعتدل، يعتدل	*iˁtadala, yaˁtadilu*	essere livellato	28
اعتذر، يعتذر	*iˁtaḏara, yaˁtaḏiru*	scusarsi	31
اعتقد، يعتقد	*iˁtaqada, yaˁtaqidu*	credere	20
أعجب، يعجب	*ˀaˁǧaba, yuˁǧibu*	piacere a	12
أُعجب، يُعجب بـ	*ˀuˁǧiba yuˁǧabu bi-*	essere incantato da	30
أعد، يعد	*ˀaˁadda, yuˁiddu*	preparare	14
أعطى، يعطي	*ˀaˁṭā, yuˁṭī*	dare	13
أعقف	*ˀaˁqafu*	adunco	26
إعلان، ات	*ˀiˁlān, -āt*	pubblicità	10
إعلاني	*ˀiˁlāniyy*	pubblicitario	10
أعلم، يعلم	*ˀaˁlama, yuˁlimu*	far sapere	29
أغلق، يغلق	*ˀaġlaqa, yuġliqu*	chiudere	13
أغلى، يغلي	*ˀaġlā, yuġlī*	far bollire	14
أقر، يقر بـ	*ˀaqarra, yuqirru bi-*	confessare	15
أفضل	*ˀafḍal*	preferibile	19
أقام، يقيم بـ	*ˀaqāma, yuqīmu bi-*	risiedere	17
إقامة، ات	*ˀiqāma, -āt*	soggiorno	25
اقترب، يقترب من	*iqtaraba, yaqtaribu*	avvicinarsi a	26
اقتصاد	*iqtiṣād*	economia	11
اقتصادي، ون	*iqtiṣādiyy, -ūna*	economico	11
أقدمية	*ˀaqdamiyya*	anzianità	26
إقلاع، ات	*ˀiqlāˁ*	decollo	20
أقلع، يقلع	*ˀaqlaˁa, yuqliˁu*	decollare	19
اكتشف، يكتشف	*iktašafa, yaktašifu*	scoprire	17
أكل	*ˀakl*	cibo	10
أكل، يأكل	*ˀakala, yaˀkulu*	mangiare	7
آگدال	*Āgdāl*	Agdal (quart. di Rabat)	7
آلة، ات	*ˀāla, -āt*	strumento	30
آلخيثيرس	*Alḫīṯīras*	Algeciras	23
ألقى محاضرة	*ˀalqā muḥāḍara*	tenere una conferenza	30

ألقى، يلقي بـ	*ˀalqā, yulqī bi-*	buttare	15
إلكتروني	*ˀiliktrūniyy*	elettronico	13
ألماني، ألمان	*ˀalmāniyy, ˀalmān*	tedesco	18
آلو	*ˀālō*	pronto (telefonico)	20
آلي	*ˀāliyy*	automatico	30
إلى	*ˀilā*	verso, a	6
إلى آخره (= الخ)	*ˀilā ˀāḫiri-hi*	ecc.	25
إلى اللقاء	*ˀilā l-liqāˀi*	arrivederci	10
أم	*ˀam*	oppure	17
أم، أمهات	*ˀumm, ˀummahāt*	madre	3
أما ... فـ...	*ˀammā... fa-...*	quanto a... (ebbene)...	10
إما... أو/وإما	*ˀimmā... ˀaw/wa-ˀimmā*	sia... sia...	23
أمازيغي، ون	*ˀamāzīġiyy, -ūna*	berbero, amazigh	27
أمام	*ˀamāma*	davanti a	4
امتحان، ات	*imtiḥān, -āt*	esame	3
امتلأ، يمتلئ	*imtalaˀa, yamtaliˀu*	riempirsi	28
امتلك ناصِية	*imtalaka nāṣiyata*	essere padrone di	28
امتلك، يمتلك	*imtalaka, yamtaliku*	possedere	28
أمر، أمور	*ˀamr, ˀumūr*	faccenda, cosa; ordine	12
امرأة، نساء	*imraˀa, nisāˀ*	donna	11
أمريكا	*ˀAmrīkā*	America	17
أمريكي، ون	*ˀamrīkiyy, -ūna*	americano	17
أمس	*ˀamsi*	ieri	6
إمكانية، ات	*ˀimkāniyya, -āt*	possibilità	19
أمكن، يمكن	*ˀamkana, yumkinu*	essere possibile	12
أمين	*ˀAmīn*	Amin	12
الآن	*al-ˀāna*	ora, adesso	3
أن	*ˀanna*	che	6; *13*
أن	*ˀan*	che (+ verbo)	12; *13*
إن	*ˀinna*	proprio	6; *11*
إن شاء الله	*ˀin šāˀa Llāhu*	se Dio vuole	9
انبسط، ينبسط	*inbasaṭa, yanbasiṭu*	divertirsi	6
أنبوب حلزوني	*ˀanbūb ḥalazūniyy*	serpentina	28
انتبه، ينتبه إلى	*intabaha, yantabihu ˀilā*	fare attenzione a	19
إنترنت	*ˀintarnat*	Internet (indecl.)	6
انتظار	*intiẓār*	attesa	10
انتظر، ينتظر	*intaẓara, yantaẓiru*	aspettare	7

انتقم، ينتقم من	*intaqama, yantaqimu min*	vendicarsi di	22
أنتن، ينتن	*ˀantana, yuntinu*	puzzare	22
انتهاء	*intihāˀ*	scadenza	25
انتهى، يَنتهي	*intahā, yantahī*	finire	22
إنجليزي، ون	*ˀinǧilīziyy, -ūna*	inglese	18
انحنى، ينحني	*inḥanā, yanḥanī*	inclinarsi	28
إنسان	*ˀinsān*	essere umano	11
آنسة، ات	*ˀānisa, -āt*	signorina	14
انسل، ينسل	*insalla, yansallu*	svignarsela	27
انصرف، ينصرف	*inṣarafa, yanṣarifu*	incamminarsi, andarsene	19
انعكاس، ات	*inˁikās, -āt*	riflesso	14
انفتح، ينفتح	*infataḥa, yanfatiḥu*	aprirsi	28
أنفق، ينفق	*ˀanfaqa, yunfiqu*	spendere	26
إنفلونزة	*ˀinfilwanza*	influenza	15
أنقليس	*ˀanqalīs*	anguilla	31
انهمك، ينهمك	*inhamaka, yanhamiku*	affaccendarsi	28
انهِيار، ات	*inhiyār, -āt*	depressione	13
أنيق، ون	*ˀanīq, -ūna*	elegante	22
أهان، يهين	*ˀahāna, yuhīnu*	offendere; umiliare	15
اهتمام، ات	*ihtimām, -āt*	interesse	12
أهل، أهال	*ˀahl, ˀahālin*	gente, popolo	30
أهلا	*ˀahlan*	ciao	1
أهلا وسهلا	*ˀahlan wa-sahlan*	benvenuto	2
أو	*ˀaw*	o, oppure	4
أوجع، يوجع	*ˀawǧaˁa, yūǧiˁu*	far male, dolere	29
أوسط	*ˀawsaṭ*	medio, di mezzo	9
أوشك، يوشك أن	*ˀawšaka, yūšiku ˀan*	essere sul punto di	19
أوصل، يوصل	*ˀawṣala, yūṣilu*	condurre, portare	19
أوقف، يوقف ه ل	*ˀawqafa, yūqifu li-*	dedicare qc a	25
أول	*ˀawwal*	primo	9; *22*
أول أمس	*ˀawwala ˀamsi*	l'altro ieri	6
أولا	*ˀawwalan*	in primo luogo	15
أولوي، ون	*ˀawlawiyy, -ūna*	prioritario	11
أولى	*ˀūlā*	prima	9; *22*
أي	*ˀayy*	alcuno/a	19
أي...؟	*ˀayyu...?*	quale...?	5
آيبود، آيبودات	*ˀāypōd, ˀāypōdāt*	iPod	9

إيجار، ات	*ʔīǧār, -āt*	affitto	13
أيسر	*ʔaysar*	sinistro	29
أيضا	*ʔayḍan*	anche	1
إيطالي، ون	*ʔīṭāliyy, -ūna*	italiano	1
إيطاليا	*ʔīṭāliyā*	Italia	1
إيمان	*ʔĪmān*	Iman	11
أيمن	*ʔayman*	destro (agg.); Ayman (n.pr.m.)	29
أين؟	*ʔayna?*	dove?	2
بابا، بابوات	*bābā, bābawāt*	papa	11
بات، يبيت	*bāta, yabītu*	passare la notte	19
بارد	*bārid*	freddo	17
بارز، ون	*bāriz, -ūna*	notevole	27
بارك، يبارك	*bāraka, yubāriku*	benedire	31
بأس، أبؤس	*baʔs, ʔabʔus*	danno	30
باس، يبوس	*bāsa, yabūsu*	baciare	17
باطل	*bāṭil*	falso	30
بال	*bāl*	spirito	12
بال	*bālin*	usato, logoro	28
بالأحرى	*bi-l-ʔaḥrā*	piuttosto	31
بالتأكيد	*bi-t-taʔkīdi*	certamente	9
بالضبط	*bi-ḍ-ḍabṭi*	esattamente	9
بالعكس	*bi-l-ʕaksi*	al contrario	9
بالغ، يبالغ	*bālaġa, yubāliġu*	esagerare	14
بالمناسبة	*bi-l-munāsabati*	a proposito	9
ببطء	*bi-buṭʔin*	lentamente	28
ببغاء	*babbaġāʔ*	pappagallo (f.!)	10
البتة	*al-battata*	affatto	26
بث، يبث	*baṯṯa, yabuṯṯu*	trasmettere	29
بجانب	*bi-ǧānibi*	accanto a	10
بجد (= جديا)	*bi-ǧiddin* (=*ǧiddiyyan*)	seriamente	17
بحث، يبحث عن	*baḥaṯa, yabḥaṯu ʕan*	cercare qc	11
بحر، بحار	*baḥr, biḥār*	mare	19
بحيث أن	*bi-ḥayṯu ʔan*	di modo che	30
بدأ، يبدأ	*badaʔa, yabdaʔu*	incominciare	19
بداية، ات	*bidāya, -āt*	inizio	23
بدون	*bi-dūni*	senza	6
بذيء، أبذياء	*baḏīʔ, ʔabḏiyāʔu*	volgare, osceno	6

برادة	*barrāda*	frigorifero	11
برج، أبراج	*burǧ, ʾabrāǧ*	torre	30
برجوازي، ون	*burǧuwāziyy, -ūna*	borghese	19
برشلونة	*Baršalūna*	Barcellona	23
برعم، يبرعم	*barʿama, yubarʿimu*	germogliare	28
بركان، براكين	*burkān, barākīnu*	vulcano	30
بركة، برك	*birka, birak*	pozzanghera	23
برنامج، برامج	*barnāmaǧ, barāmiǧu*	programma	11
بريطاني، ون	*barīṭāniyy, -ūna*	britannico	23
بسبب	*bi-sababi*	a causa di	10
بسيط، بسطاء	*basīṭ, busaṭāʾu*	semplice	10
بطء	*buṭʾ*	lentezza	28
بطاطا	*baṭāṭā*	patate	3
بطاقة مصرفية	*biṭāqa maṣrifiyya*	bancomat (tessera)	30
بطاقة، ات	*biṭāqa, -āt*	biglietto, carta	17
بطالة، ات	*biṭāla, -āt*	ozio	31
بطانية، ات	*baṭṭāniyya, -āt*	coperta	15
بطبيعة الحال	*bi-ṭabīʿati l-ḥāli*	ovviamente	26
بطن، بطون	*baṭn, buṭūn*	pancia	25
بطولة، بطولات	*buṭūla, -āt*	campionato	9
بعد	*baʿda*	dopo (prep.)	4
بعد الظهر	*baʿda ẓ-ẓuhri*	questo pomeriggio	4
بعد أن	*baʿda ʾan*	dopo che	3
بعد غد	*baʿda ġadin*	dopodomani	23
بعدئذ	*baʿda-ʾiḏin*	dopo (avv.)	18
بعض ال	*baʿḍu l-*	alcuni	15
بعلبك	*Baʿlabak*	Baalbek	29
بعوض	*baʿūḍ*	zanzare	19
بعيد، بعداء عن	*baʿīd, buʿadāʾu ʿan*	lontano	9
بغل، بغال	*baġl, biġāl*	mulo	27
بقال، ون	*baqqāl, -ūna*	droghiere	13
بقي، يبقى	*baqiya, yabqā*	rimanere	13
بكى، يبكي	*bakā, yabkī*	piangere	14
بل	*bal*	bensì, invece	29
بلاد، بلدان	*bilād, buldān*	paese (f.!)	17
بلدية	*baladiyya*	municipalità	10
بلغ، يبلغ	*balaġa, yabluġu*	raggiungere	28

بلى	*balā*	(invece) sì!	12
بناء، ون	*bannāʔ, -ūna*	muratore	26
بناية، ات	*bināya, -āt*	edificio	10
بنت، بنات	*bint, banāt*	figlia; ragazza	9
البندقية	*al-Bunduqiyya*	Venezia	5
بنزين	*banzīn*	benzina	19
بنطلون، ات	*banṭalūn, -āt*	pantalone	26
بنفسجي	*banafsağiyy*	viola	29
بنك، بنوك	*bank, bunūk*	banca	10
بني	*bunayy*	diminutivo di ابن	9
بنى، يبني	*banā, yabnī*	costruire	26
بنية، بنى	*bunya, bunan*	costituzione	27
بوسة، ات	*bawsa, -āt*	bacio	17
بوظة، ات	*būẓa, -āt*	gelato	3
بيت، بيوت	*bayt, buyūt*	casa	3
بيتسا	*bītsā*	pizza	30
بيروقراطية	*bīrūqrāṭiyya*	burocrazia	25
بيض	*bayḍ*	uova (coll.)	13
بيطري	*bayṭariyy*	veterinario	25
بين	*bayna*	tra	9
بينما	*bayna-mā*	mentre	14
پلازا		Plaza	7
تأثر، يتأثر	*taʔaṯṯara, yataʔaṯṯaru*	commuoversi	30
تاريخ، تواريخ	*tārīḫ, tawārīḫ*	data; storia	4
تأسف، يتأسف	*taʔassafa, yataʔassafu*	essere dispiaciuto	22
تأكيد	*taʔkīd*	assicurazione	9
تام، ون	*tāmm, -ūna*	completo	23
تبصر، يتبصر	*tabaṣṣara, yatabaṣṣaru*	riflettere	29
تبغ	*tibġ*	tabacco	17
تبل، يتبل	*tabbala, yutabbilu*	condire	30
تثلج، يتثلج	*taṯallağa, yataṯallağu*	congelarsi	17
تجاه	*tuğāha*	nei confronti di, verso	12
تجول، يتجول	*tağawwala, yatağawwalu*	passeggiare	7
تحدث، يتحدث	*taḥaddaṯa, yataḥaddaṯu*	chiacchierare	17
تحسن، يتحسن	*taḥassana, yataḥassanu*	migliorarsi	27
تحية، ات	*taḥiyya, -āt*	saluto	13
تخرج، يتخرج في/من	*taḫarrağa, yataḫarrağu*	diplomarsi, laurearsi in	22

تخلص، يتخلص من	*taḫallaṣa, yataḫallaṣu min*	sbarazzarsi di	29
تدخين	*tadḫīn*	[il] fumare, fumo	20
تدفأ، يتدفأ	*tadaffaʾa, yatadaffaʾu*	scaldarsi	22
تذكر، يتذكر	*taḏakkara, yataḏakkaru*	ricordarsi	19
تذكرة، تذاكر	*taḏkira, taḏākiru*	biglietto	23
تذوق، يتذوق	*taḏawwaqa, yataḏawwaqu*	assaporare	31
تراءى، يتراءى	*tarāʾā, yatarāʾā*	guardarsi	29
تراص، يتراص	*tarāṣṣa, yatarāṣṣu*	accalcarsi	27
ترجم، يترجم	*tarǧama, yutarǧimu*	tradurre	21
ترجمة، ات	*tarǧama, -āt*	traduzione	1
تردد، يتردد	*taraddada, yataraddadu*	esitare	18
ترك، يترك	*taraka, yatruku*	lasciare	14
تزوج، يتزوج من	*tazawwaǧa, yatazawwaǧu min*	sposarsi con	17
تسامح، يتسامح	*tasāmaḥa, yatasāmaḥu*	essere tollerante	30
تساوى، يتساوى	*tasāwā, yatasāwā*	pareggiare	23
تسجل، يتسجل في	*tasaǧǧala, yatasaǧǧalu*	iscriversi a	28
تسلى، يتسلى	*tasallā, yatasallā*	divertirsi	27
تسلية، ات	*tasliya, -āt*	divertimento	27
تسوق، يتسوق	*tasawwaqa, yatasawwaqu*	fare la spesa	15
تشجع، يتشجع	*tašaǧǧaʿa, yatašaǧǧaʿu*	farsi coraggio	22
تشرفنا!	*tašarrafnā!*	piacere!	1
تشمس، يتشمس	*tašammasa, yatašammasu*	prendere il sole	28
تصرف، ات	*taṣarruf, -āt*	comportamento	13
تصور، يتصور	*taṣawwara, yataṣawwaru*	immaginarsi	17
تضايق، يتضايق	*taḍāyaqa, yataḍāyaqu*	irritarsi	19
تطلب، يتطلب	*taṭallaba, yataṭallabu*	richiedere	26
تطلع، يتطلع في	*taṭallaʿa, yataṭallaʿu*	guardare, fissare	29
تعالى, يتعالى	*taʿālā, yataʿālā*	elevarsi	26
تعانق، يتعانق	*taʿānaqa,yataʿānaqu*	abbracciarsi	27
تعبان، تعابى	*taʿbānu, taʿābā*	stanco	15
تعجب، يتعجب	*taʿaǧǧaba, yataʿaǧǧabu*	meravigliarsi	31
تعرف، يتعرف إلى	*taʿarrafa, yataʿarrafu ʾilā*	fare la conoscenza di	17
تعشى، يتعشي	*taʿaššā, yataʿaššā*	cenare	18
تعلم، يتعلم	*taʿallama, yataʿallamu*	imparare	21
تعليم	*taʿlīm*	insegnamento	11
تعيس، تعساء	*taʿīs, tuʿasāʾ*	infelice	12
التفت، يلتفت	*iltafata, yaltafitu*	voltarsi	22

تفرج، يتفرج على	*tafarraǧa, yatafarraǧu ʿalā*	guardare	19
تفرنج، يتفرنج	*tafarnaǧa, yatafarnaǧu*	occidentalizzarsi	27
تفسير، تفاسير	*tafsīr, tafāsīru*	spiegazione	12
تفضل!	*tafaḍḍal!*	[tiᵐ] prego!	2
تقدم، يتقدم (ل)	*taqaddama, yataqaddamu*	progredire; presentarsi a	26
تقريبا	*taqrīban*	circa, quasi, più o meno	10
تقرير طبي	*taqrīr ṭibbiyy*	certificato medico	25
تقليد، تقاليد	*taqlīd, taqālīdu*	tradizione	27
تقليدي، ون	*taqlīdiyy, -ūna*	tradizionale	27
تقيأ، يتقيأ	*taqayyaʾa, yataqayyaʾu*	vomitare	27
تكاسل، يتكاسل	*takāsala, yatakāsalu*	oziare, pigrare	19
تكدر، ات	*takaddur, -āt*	irritazione	19
تكلم، يتكلم	*takallama, yatakallamu*	parlare	17
تكنولوجيا	*tiknūlūǧiyā*	tecnologia	28
تل أبيب	*Tall ʾAbīb*	Tel Aviv	18
تلا، يتلوً	*talā, yatlū*	recitare	31
تلاقي، يتلاقى	*talāqā, yatalāqā*	incontrarsi	27
تلفاز، تلافيز	*tilfāz, talāfīzu*	televisore	11
تلفازي، ون	*tilfāziyy, -ūna*	televisivo	29
تلفزة	*talfaza*	televisione	14
تلفن، يتلفن	*talfana, yutalfinu*	telefonare	6
تلوث، يتلوث	*talawwaṯa, yatalawwaṯu*	essere inquinato	30
تلوى، يَتلوى	*talawwā, yatalawwā*	contorcersi	21
تماما	*tamāman*	esattamente, del tutto	15
تمتم، يتمتم	*tamtama, yutamtimu*	bofonchiare, balbettare	28
تمساح، تماسيح	*timsāḥ, tamāsīḥu*	coccodrillo	21
تمشى، يتمشى	*tamaššā, yatamaššā*	fare avanti indietro	21
تمكن، يتمكن من	*tamakkana, yatamakkanu min*	riuscire a	18
تمكين	*tamkīn*	potenziamento	11
تن	*tunn*	tonno	20
تنادى، يتنادى	*tanādā, yatanādā*	chiamarsi l'un l'altro	27
تناقش، يتناقش	*tanāqaša, yatanāqašu*	discutere	21
تنزه، يتنزه	*tanazzaha, yatanazzahu*	passeggiare	20
تنشق، يتنشق	*tanaššaqa, yatanaššaqu*	aspirare	28
تواصل، ات	*tawāṣul, -āt*	comunicazione	27
توت عنخ آمون	*Tūt ʿAnḫ ʾĀmūn*	Tutankhamen	28
توفو		tofu	15

توقف، يتوقف (عن)	*tawaqqafa, yatawaqqafu (ʿan)*	sostare, interrompersi (di)	20
توقف، يتوقف على	*tawaqqafa, yatawaqqafu ʿalā*	dipendere da	26
تونس	*Tūnus*	Tunisi, Tunisia	7
تيس، تيوس	*tays, tuyūs*	caprone	22
ثان	*ṯānin*	secondo	15; *22*
ثانيا	*ṯāniyan*	in secondo luogo	15
ثانية، ثوان	*ṯāniya, ṯawānin*	secondo (sost.)	22
ثري، أثرياء	*ṯariyy, ʾaṯriyāʾu*	ricco, facoltoso	28
ثقيل، ثقال	*ṯaqīl, ṯiqāl*	pesante	7
ثقافة، ات	*ṯaqāfa, -āt*	cultura	18
ثقافي، ون	*ṯaqāfiyy, -ūna*	culturale	18
ثقيلَ الدم	*ṯaqīlu d-dami*	antipatico	7
ثلاجة	*ṯallāǧa*	congelatore	11
ثلث، أثلاث	*ṯulṯ, ʾaṯlāṯ*	terzo (1/3)	11
ثلج، ثلوج	*ṯalǧ, ṯulūǧ*	neve; ghiaccio	17
ثلجي، ون	*ṯalǧiyy*	glaciale	17
ثم	*ṯumma*	poi, quindi	6
ثم	*ṯamma*	lì, là	23
ثمن، أثمان	*ṯaman, ʾaṯmān*	prezzo	23
ثوب، ثياب	*ṯawb, ṯiyāb*	abito, vestito	29
ثور، ثيران	*ṯawr, ṯīrān*	toro	25
ثوران	*ṯawarān*	eruzione	30
جاء، يجيء	*ǧāʾa, yaǧīʾu*	venire	25
جاء، يجيء بـ	*ǧāʾa, yaǧīʾu bi-*	portare qc	30
جارية، جوار	*ǧāriya, ǧawārin*	giovane serva	19
جاف	*ǧāff*	secco	12
جالس، ون	*ǧālis, -ūna*	seduto	11
جانب، جوانب	*ǧānib, ǧawānib*	lato	10
جاهل، جهل	*ǧāhil, ǧuhhal*	ignorante, ignaro	9
جاوب، يجاوب ه	*ǧāwaba, yuǧāwibu*	rispondere a qn	29
جبل، جبال	*ǧabal, ǧibāl*	montagna	20
جبنة	*ǧubna*	formaggio	13
جثم، يجثم	*ǧaṯama, yaǧṯimu*	appollaiarsi	26
جدا	*ǧiddan*	molto, assai	2
جدد، يجدد	*ǧaddada, yuǧaddidu*	rinnovare	25
جدي، ون	*ǧiddiyy, -ūna*	serio	12
جديد، جدد	*ǧadīd, ǧudud*	nuovo	2

جدير، ون بـ	*ǧadīr, -ūna bi-*	degno di	25
جر، يجر	*ǧarra, yaǧurru*	tirare, trascinare	27
جرب، يجرب	*ǧarraba, yuǧarribu*	provare, testare	29
جزء، أجزاء	*ǧuzˀ, ˀaǧzāˀ*	parte	25
جسم، أجسام	*ǧism, ˀaǧsām*	corpo	15
جعل، يجعل	*ǧaˁala, yaǧˁalu*	mettersi a	19
جغرافيا	*ǧuġrāfiyā*	geografia	23
جلابية، ات	*gallābiyya, -āt*	caffettano (dial.)	30
جلباب، جلابيب	*ǧilbāb, ǧalābību*	caffettano	29
جلس، يجلس	*ǧalasa, yaǧlisu*	sedersi	6
جلى، يجلي	*ǧalā, yaǧlī*	lavare i piatti	17
الجليل	*al-Ǧalīl*	Galilea	18
جماعة، ات	*ǧamāˁa, -āt*	gruppo, banda	9
جمجمة، جماجم	*ǧumǧuma, ǧamāǧimu*	cranio, teschio	26
جمهور، جماهير	*ǧumhūr, ǧamāhīru*	massa; pubblico	29
جميل، ون	*ǧamīl, -ūna*	bello	5
جن، يجن	*ǧunna, yuǧannu*	impazzire	23
جنس	*ǧins*	sesso	11
جنسية، ات	*ǧinsiyya, -āt*	nazionalità	4
جنوب	*ǧanūb*	sud	11
جنوني، ون	*ǧunūniyy, -ūna*	folle, pazzesco	30
جهاز، أجهزة	*ǧihāz, ˀaǧhiza*	apparecchio	6
جهد، جهود	*ǧahd, ǧuhūd*	sforzo	26
جهير	*ǧahīr*	stentoreo	14
جو، أجواء	*ǧaww, ˀaǧwāˀ*	aria	23
جواب، أجوبة	*ǧawāb, ˀaǧwiba*	risposta	25
جواز سفر	*ǧawāzu safarin*	passaporto	4
جواز، ات	*ǧawāz, -āt*	permesso	4
جوال، جوالات	*ǧawwāl, -āt*	cellulare	4
جورب، جوارب	*ǧawrab, ǧawāribu*	calzino	17
جوعان، جياع	*ǧawˁān, ǧiyāˁ*	affamato, che ha^{m} fame	11
جوي، ون	*ǧawwiyy, -ūna*	aereo (agg.)	23
جيب، جيوب	*ǧayb, ǧuyūb*	tasca	17
جيد	*ǧayyid*	buono (agg.)	9
جيدا	*ǧayyidan*	bene (avv.)	9
حائط، حيطان	*ḥāˀiṭ, ḥīṭān*	muro	26
حاجب، حواجب	*ḥāǧib, ḥawāǧibu*	sopracciglio	22

حاجة، ات	*ḥāǧa, -āt*	necessità	14
حادثة، حوادث	*ḥādiṯa, ḥawādiṯu*	incidente	19
حاذى، يحاذي	*ḥāḏā, yuḥāḏī*	arrivare all'altezza di	31
حارة، ات	*ḥāra, -āt* (= حيّ)	quartiere	25
حاسوب، حواسيب	*ḥāsūb, ḥawāsību*	computer	2
حافلة كهربائية	*ḥāfila kahrabāʾiyya*	tram, filobus	20
حافلة نقل	*ḥāfilatu naqlin*	pullman	27
حافلة، ات	*ḥāfila, -āt*	autobus	13
حاك	*ḥākin*	raccontatore	21
حال، أحوال	*ḥāl*	stato, condizione	1
حالا	*ḥālan*	immediatamente	20
حالة، ات	*ḥāla, -āt*	situazione, caso	11
حانق، ون	*ḥaniq*	furioso	22
حاول، يحاول	*ḥāwala, yuḥāwilu*	provare	14
حبة، حبوب	*ḥabba, ḥubūb*	pillola	13
حبلت، تحبل	*ḥabilat, taḥbalu*	rimanere incinta	31
حبيب، أحباء	*ḥabīb, ʾaḥibbāʾu*	amico	2
حتى	*ḥattā*	fino a	10
حجرة، حجرات	*ḥuǧra, ḥuǧurāt*	stanza (= غرفة)	13
حدث، يحدث ه	*ḥaddaṯa, yuḥaddiṯu*	raccontare a qn	30
حدد، يحدد	*ḥaddada, yuḥaddidu*	fissare	23
حديث، حدثاء	*ḥadīṯ, ḥudaṯāʾu*	recente, nuovo	29
حديقة، حدائق	*ḥadīqa, ḥadāʾiqu*	giardino pubblico	10
حذاء، أحذية	*ḥiḏāʾ, ʾaḥḏiya*	scarpa	14
حر، أحرار	*ḥurr, ʾaḥrār*	libero	11
حرارة، ات	*ḥarāra, -āt*	temperatura	15
حرب، حروب	*ḥarb, ḥurūb*	guerra (f.!)	5
حرية، ات	*ḥurriyya, -āt*	libertà	10
حريف	*ḥirrīf*	piccante	15
حزب، أحزاب	*ḥizb, ʾaḥzāb*	partito	11
حزم	*ḥazm*	fermezza	26
حزين، حزناء	*ḥazīn, ḥuzanāʾu*	triste, dispiaciuto	13
حساء	*ḥasāʾ*	zuppa, brodo	22
حساب، أحسبة	*ḥisāb*	conto	3
حسد، يحسد	*ḥasada, yaḥsudu*	invidiare	20
حسن	*ḥusn*	bontà	19
حسنا	*ḥasanan*	bene (avv.)	2

حصل، يحصل	*ḥaṣala, yaḥṣulu*	accadere	18
حصل، يحصل على	*ḥaṣala, yaḥṣulu ʿalā*	ottenere	27
حصى	*ḥaṣan*	sassolini (coll.)	30
حضر، يحضر	*ḥaḍara, yaḥḍuru*	assistitere, essere presente	6
حط، يحط	*ḥaṭṭa, yaḥuṭṭu*	poggiare, posare	29
حظ، حظوظ	*ḥaẓẓ, ḥuẓūẓ*	fortuna	6
حفظ، يحفظ	*ḥafiẓa, yaḥfaẓu*	conservare	23
حفلة، ات	*ḥafla, -āt*	festa; concerto	6
حق، حقوق	*ḥaqq, ḥuqūq*	verità	2
حقا	*ḥaqqan*	veramente	14
حقيبة، حقائب	*ḥaqība, ḥaqāʾibu*	valigia	20
حقيقة، حقائق	*ḥaqīqa, ḥaqāʾiqu*	verità	21
حكومة، ات	*ḥukūma, -āt*	governo	11
حكى، يحكي	*ḥakā, yaḥkī*	raccontare	12
حل، حلول	*ḥall, ḥulūl*	soluzione	23
حلا، يحلو	*ḥalā, yaḥlū*	essere dolce	30
حلاق، ون	*ḥallāq, -ūna*	barbiere	21
حلزون	*ḥalazūn*	lumaca, chiocciola	27
حلزوني	*ḥalazūniyy*	a chiocciola	28
حلق، يحلق	*ḥalaqa, yaḥliqu*	radere	22
حلم	*ḥilm*	indulgenza	21
حلم، أحلام	*ḥulm, ʾaḥlām*	sogno	21
حلم، يحلم ب	*ḥalama, yaḥlumu*	sognare	17
حليب	*ḥalīb*	latte	14
حماس	*ḥamās*	entusiasmo	31
حمالة، ات	*ḥimāla/ḥammāla*	bretelle	26
حمام، ات	*ḥammām, -āt*	bagno	11
حمد	*ḥamd*	lode	1
حمرة	*ḥumra*	rossetto	26
حنان	*ḥanān*	tenerezza	27
حنفية، ات	*ḥanafiyya, -āt*	rubinetto	22
حوض، أحواض	*ḥawḍ, ʾaḥwāḍ*	vasca, bacino	31
حول	*ḥawla*	intorno a	17
حي، أحياء	*ḥayy, ʾaḥiyāʾu*	quartiere	7
حياة، حيوات	*ḥayāt, ḥayawāt*	vita	12
حيث	*ḥayṯu*	dove, laddove	7
حيفا	*Ḥayfā*	Haifa	18

حيلة، حيل	*ḥīla, ḥiyal*	espediente	29
حين، أحيان	*ḥīn, ʾaḥyān*	momento	12
حيوان، ات	*ḥayawān, -āt*	animale	25
خاتم، خواتم	*ḫātam, ḫawātimu*	anello	9
خارج	*ḫāriǧ*	esterno	11
خارجي، ون	*ḫāriǧiyy, -ūna*	estero	27
خاطب، يخاطب	*ḫāṭaba, yuḫāṭibu*	rivolgere la parola a	31
خاف، يخاف	*ḫāfa, yaḫāfu*	temere	18
خامس	*ḫāmis*	quinto	13
خبازي	*ḫubbāziyy*	malva	29
خبر، أخبار	*ḫabar, ʾaḫbār*	notizia	11
خبز، أخباز	*ḫubz, ʾaḫbāz*	pane	11
خبيث، خبثاء	*ḫabīṯ, ḫubaṯāʾu*	cattivo	26
خدم، يخدم	*ḫadama, yaḫdimu*	servire	21
خرج، يخرج	*ḫaraǧa, yaḫruǧu*	uscire	9
خزان، ات	*ḫazzān, -āt*	serbatoio	19
خسر	*ḫasira, yaḫsaru*	perdere	9
خشب	*ḫašab*	legno	30
خشبي	*ḫašabiyy*	di legno	30
خط، خطوط	*ḫaṭṭ, ḫuṭūṭ*	linea	23
خطب، يخطب	*ḫaṭaba, yaḫṭubu*	fidanzarsi	27
خطيب، خطباء	*ḫaṭīb, ḫuṭabāʾu*	fidanzato	14
خفف، يخفف	*ḫaffafa, yuḫaffifu*	alleggerire; diminuire	19
خفيف الدم	*ḫafīfu ad-dami*	simpatico	5
خفيف، أخفاء، خفاف	*ḫafīf, ʾaḫiffāʾu, ḫifāf*	leggero	5
خلال	*ḫilāla*	durante	21
خلخال، خلاخيل	*ḫalḫāl, ḫalāḫīlu*	anello da caviglia	29
خلف، يخلف	*ḫallafa, yuḫallifu*	generare, partorire	31
خليج، خلجان	*ḫalīǧ, ḫulǧān*	golfo	28
خنق، يخنق	*ḫanaqa, yaḫnuqu*	strozzare	27
خيار	*ḫiyār*	cetrioli	14
خيم، يخيم	*ḫayyama, yuḫayyimu*	sovrastare	30
دائم، ون	*dāʾim, -ūna*	eterno	22
دائما	*dāʾiman*	sempre	3
داخل	*dāḫila*	dentro	17
الدار البيضاء	*ad-Dār al-Bayḍāʾ*	Casablanca	25
دار، يدور	*dāra, yadūru*	girare; funzionare	28

دارجة (اللغة ال)	*dāriǧa (al-luġatu l-)*	dialetto	5
داس، يدوس	*dāsa, yadūsu*	pestare	22
دافئ، ون	*dāfiʾ, -ūna*	tiepido	22
دام، يدوم	*dāma, yadūmu*	durare	22
دب، دببة	*dubb, dibaba*	orso	21
دبور، دبابير	*dabbūr, dabābīru*	vespa	19
دخل، يدخل	*daḫala, yadḫulu*	entrare	6
دخل، يدخل	*daḫḫala, yudaḫḫilu*	far entrare	25
دخن، يدخن	*daḫḫana, yudaḫḫinu*	fumare	15
دخول	*duḫūl*	ingresso (*maṣdar*)	27
دراسة، ات	*dirāsa, -āt*	studio	5
دراسي، ون	*dirāsiyy, -ūna*	di studio	21
درج، أدراج	*durǧ, ʾadrāǧ*	cassetto	4
درجة، ات	*daraǧa, -āt*	grado	12
درس، دروس	*dars, durūs*	lezione	4
درس، يدرس	*darasa, yadrusu*	studiare	12
درى، يدري	*darā, yadrī*	sapere	23
دعا، يدعو	*daʿā, yadʿū*	invitare, chiamare	15
دعوة، دعوات	*daʿwa, daʿawāt*	vocazione, preghiera	25
دغدغ، يدغدغ	*daġdaġa, yudaġdiġu*	fare il solletico	26
دفع، يدفع	*dafaʿa, yadfaʿu*	pagare; spingere	13
دفعة، دفعات	*dufʿa, dufuʿāt*	boccata, tiro	28
دق، يدق	*daqqa, yaduqqu*	piantare un chiodo	22
دقيقة، دقائق	*daqīqa, daqāʾiqu*	minuto	14
دكان، دكاكين	*dukkān, dakākīnu*	negozio	10
دل، يدل على	*dalla, yadullu ʿalā*	mostrare	19
دليل، أدلة	*dalīl, ʾadilla*	guida	30
دم	*dam*	sangue	5
دماغ، أدمغة	*dimāġ, ʾadmiġa*	cervello	26
دمدم، يدمدم	*damdama, yudamdimu*	borbottare	19
دهش، يدهش	*dahaša, yadhišu*	sorprendere	29
دهشة، ات	*dahša, -āt*	stupore	22
دواء، أدوية	*dawāʾ, ʾadwiya*	medicinale	14
دوار (البحر)	*duwār (al-baḥr)*	mal di mare	23
الدوحة	*ad-Dawḥa*	Doha	23
دورة، ات	*dawra, -āt*	ciclo, corso (di lezioni)	25
دوش، ات	*dūš, -āt*	doccia	22

دولة، دول	*dawla, duwal*	stato (paese)	19
دولي، ون	*duwaliyy, -ūna*	internazionale	19
دون / بدون	*dūna / bi-dūni*	senza	14
دون المقبول	*dūna l-maqbūli*	inaccettabile	13
دوى، يدوي	*dawwā, yudawwī*	risuonare	31
ديپيش مود		Depeche Mode	6
ديجاي، ات		deejay	21
ديك، ديوك	*dīk, duyūk*	gallo	15
ديكي	*dīkiyy*	da gallo	15
دينار، دنانير	*dīnār, danānīru*	dinaro	17
ذئب، ذئاب	*ḏiˀb, ḏiˀāb*	lupo	20
ذات	*ḏāt*	sostanza, natura	29; *12*
ذاق، يذوق	*ḏāqa, yaḏūqu*	assaggiare	15
ذراع، أذرع	*ḏirāˁ, ˀaḏruˁ*	braccio (f.!)	22
ذُعر، يُذعر ل	*ḏuˁira, yuḏˁaru li-*	spaventarsi per	30
ذكر، يذكر	*ḏakara, yaḏkuru*	ricordare	15
ذكر، يذكر ب	*ḏakkara, yuḏakkiru bi-*	far pensare a	30
ذكي، أذكياء	*ḏakiyy, ˀaḏkiyāˀu*	intelligente	1
ذلك	*ḏālika*	quello; ciò	7; *10*
ذنب، ذنوب	*ḏanb, ḏunūb*	colpa	27
ذهاب	*ḏahāb*	andare (*maṣdar* di ذهب)	9
ذهب، يذهب	*ḏahaba, yaḏhabu*	andare	6
ذهبي	*ḏahabiyy*	d'oro	29
الذي	*allaḏī*	che (pron. rel.)	7; *17*
رئيس، رؤساء	*raˀīs, ruˀasāˀu*	capo	11
رائحة، روائح	*rāˀiḥa, rawāˀiḥu*	odore	17
رائد، رواد	*rāˀid, ruwwād*	habitué	26
رائع، ون	*rāˀiˁ, -ūna*	splendido	19
راجع، يراجع	*rāǧaˁa, yurāǧiˁu*	ripassare	9
راسب، ون	*rāsib, -ūna*	bocciato	26
راض، رضاة	*rāḍin, ruḍāt*	soddisfatto	27
راغب، ون في	*rāġib, -ūna fī*	desideroso di	29
رافق، يرافق	*rāfaqa, yurāfiqu*	accompagnare	15
راقب، يراقب	*rāqaba, yurāqibu*	controllare	22
راقد	*rāqid*	sdraiato	14
راكب، ركاب	*rākib, rukkāb*	passeggero	30
راهن، يراهن	*rāhana, yurāhinu*	scommettere	15

رأي، آراء	*raʔy, ʔārāʔ*	parere, opinione	28
رأى، يرى	*raʔā, yarā*	vedere	11
رب، أرباب	*rabb, ʔarbāb*	padrone, signore	23
الرباط	*ar-Ribāṭ*	Rabat	5
ربح، يربح	*rabiḥa, yarbaḥu*	guadagnare	21
ربط، يربط	*rabaṭa, yarbuṭu*	regolare	14
ربع، أرباع	*rubʕ, ʔarbāʕ*	quarto	10
ربما	*rubbamā*	forse	15
ربيع	*rabīʕ*	primavera	28
رتب، يرتب	*rattaba, yurattibu*	riordinare	18
رتيلاء، رتيلاوات	*rutaylāʔ, -āwāt*	tarantola	30
رجا، يرجو	*raǧā, yarǧū*	pregare, sperare	12
رجع، يرجع	*raǧaʕa, yarǧiʕu*	tornare	6
رجع، يرجع	*raǧǧaʕa, yuraǧǧiʕu*	restituire	9
رحلة، ات	*riḥla, -āt*	gita	23
رخصة، رخص	*ruḫṣa, ruḫaṣ*	permesso	4
رخيص	*raḫīṣ*	economico, a buon mercato	10
رد، يرد	*radda, yaruddu*	restituire	26
رز	*ruzz*	riso	15
رزين، رزناء	*razīn, ruzanāʔ*	serio, posato	25
رسالة، رسائل	*risāla, rasāʔilu*	lettera	13
رشح، يرشح	*raššaḥa, yuraššiḥu*	filtrare	30
رشيق، رشاق	*rašīq, rišāq*	snello	31
رصيد، أرصدة	*raṣīd, ʔarṣida*	disponibilità	17
رصيف، أرصفة	*raṣīf, ʔarṣifa*	marciapiede	10
رصين، رصناء	*raṣīn, ruṣanāʔ*	serio	27
رضا	*Riḍā*	Ridha	1
رعب	*raʕb*	spavento	29
رغم	*raġma*	malgrado	17
رفرف، يرفرف	*rafrafa, yurafrifu*	svolazzare	26
رفع، يرفع	*rafaʕa, yarfaʕu*	sollevare	19
رقد، يرقد	*raqada, yarqudu*	sdraiarsi	12
رقص، يرقص	*raqaṣa, yarquṣu*	ballare	30
رقع، يرقع	*raqqaʕa, yuraqqiʕu*	rattoppare	30
ركب، يركب	*rakiba, yarkabu*	prendere un mezzo	19
ركز، يركز	*rakkaza, yurakkizu*	concentrare	12
ركض، يركض	*rakaḍa, yarkuḍu*	correre	30

ركن، أركان	*rukn, ʾarkān*	angolo	11
رمل، رمال	*raml, rimāl*	sabbia	19
رمى، يرمي بـ	*ramā, yarmī bi-*	lanciare, buttare (qc)	14
رن، يرن	*ranna, yarinnu*	suonare	17
رهبة الارتفاع	*rahbatu l-irtifāʿ*	acrofobia	23
رهبة، رهبات	*rahba, rahabāt*	fobia	23
رواج	*rawāǧ*	diffusione	29
رواية، ات	*riwāya, -āt*	romanzo	5
روبي	*Rūbī*	Rouby	14
روك		rock	27
ريح، رياح	*rīḥ, riyāḥ*	vento (f.!)	17
ريمة	*Rīma*	Rima (n.pr.f.)	22
زاد، يزيد	*zāda, yazīdu*	aggiungere	22
زار، يزور	*zāra, yazūru*	visitare	18
زبالة	*zibāla*	spazzatura	18
زبدة	*zubda*	burro	14
زبون، زبائن	*zabūn, zabāʾinu*	cliente	11
زجاجة، ات	*zuǧāǧa, -āt*	bottiglia	6
زحمة، زحمات	*zaḥma, zaḥamāt*	folla, calca	22
زمر، يزمر	*zammara, yuzammiru*	suonare il clacson	30
زمرة، زمر	*zumra, zumar*	branco	22
زمور، زمامير	*zammūr, zamāmīru*	clacson	30
زميل، زملاء	*zamīl, zumalāʾu*	collega	26
زواج	*zawāǧ*	matrimonio	9
زوج، أزواج	*zawǧ, ʾazwāǧ*	marito	5
زيارة، ات	*ziyāra, -āt*	visita	31
زيتون	*zaytūn*	olive	20
زينب	*Zaynab*	Zaynab	17
سؤال، أسئلة	*suʾāl, ʾasʾila*	domanda	25
سائح، سياح	*sāʾiḥ, suyyāḥ*	turista	31
سائق، ون	*sāʾiq, -ūna*	conducente	11
سابق، ون	*sābiq, -ūna*	precedente	19
ساحة، ات	*sāḥa, -āt*	piazza	11
ساحل، سواحل	*sāḥil, sawāḥilu*	costa	23
ساخن، ون	*sāḫin, -ūna*	caldo	22
ساذج، سذج	*sāḏiǧ, suḏḏaǧ*	ingenuo	17
سار، يسير	*sāra, yasīru*	camminare	14

سارة	*Sāra*	Sara	9
ساعد، سواعد	*sāʕid, sawāʕidu*	avambraccio	29
ساعد، يساعد	*sāʕada, yusāʕidu*	aiutare	28
سافر، يسافر	*sāfara, yusāfiru*	partire, viaggiare	17
ساق، سيقان	*sāq, sīqān*	gamba (f.!)	22
ساق، يسوق	*sāqa, yasūqu*	guidare (veicolo)	30
سأل، يسأل	*saʔala, yasʔalu*	chiedere	9
سامح، يسامح	*sāmaḥa, yusāmiḥu*	perdonare	20
سبب، أسباب	*sabab, ʔasbāb*	motivo, causa	10
سبب، يسبب	*sabbaba, yusabbibu*	provocare	19
سبتة	*Sabta*	Ceuta	23
سبق، يسبق	*sabaqa, yasbiqu*	superare	19
سبيل، سبل	*sabīl, subul*	via, cammino	29
ستار، ستر	*sitār, sutur*	tenda, sipario	29
سجل، يسجل	*sağğala, yusağğilu*	iscrivere	25
سحب، يسحب	*saḥaba, yasḥubu*	tirare, ritirare	30
سحر	*siḥr*	fascino, magia	30
سخان، ات	*saḫḫān, -āt*	scaldabagno	22
سخرية	*suḫriyya*	ironia	20
سخط	*suḫṭ*	indignazione	27
سخن، يسخن	*saḫḫana, yusaḫḫinu*	riscaldare	15
سخيف، سخاف	*saḫīf, siḫāf*	stupido	21
سر، أسرار	*sirr, ʔasrār*	segreto (sost.)	21
سر، يسر	*sarra, yasurru*	rallegrare	29
سرعة	*surʕa*	velocità	14
سري، ون	*sirriyy, -ūna*	segreto (agg.)	21
سرير، أسرة	*sarīr, ʔasirra*	letto	12
سريع، سرعان	*sarīʕ, surʕān*	veloce	19
سعاد	*Suʕād*	Souad	9
سعال	*suʕāl*	tosse	15
سعدي، ون	*saʕdiyy, -ūna*	saadita	31
سعل، يسعل	*saʕala, yasʕulu*	tossire	15
سفر، أسفار	*safar, ʔasfār*	viaggio	4
سفرة، سفرات	*safra, safarāt*	viaggio	23
سقط، يسقط	*saqaṭa, yasquṭu*	cadere; scadere	25
سكت، يسكت	*sakata, yaskutu*	tacere, stare zitto	21
سكران، سكارى	*sakrān, sakārā*	ubriaco	21

سكن، يسكن	*sakana, yaskunu*	abitare	7
سلطة، ات	*salaṭa, -āt*	insalata	14
سلق، يسلق	*salaqa, yasluqu*	lessare, far bollire	31
سلك، سلوك	*silk, sulūk*	carriera	25
سلم، سلالم	*sullam salālimu*	scala a pioli	28
سلم، يسلم على	*sallama, yusallimu ʕalā*	salutare	18
سلمون	*salmūn*	salmone	15
سماك، ون	*sammāk, -ūna*	pescivendolo	15
سمع، يسمع	*samiʕa, yasmaʕu*	udire, sentire	6
سمك	*samak*	pesce	12
سمكري، ة	*samkariyy, -a*	idraulico	22
سمى، يسمي	*sammā, yusammī*	dare il nome di	26
سمين، سمان	*samīn, simān*	corpulento	12
سن، أسنان	*sinn, ʔasnān*	dente (f.!); età	29
سناج	*sināǧ*	fuliggine	28
سنة، سنوات	*sana, sanawāt*	anno	17
سنوبي، ون	*s(u)nūbiyy, -ūna*	snob	19
سنونو	*sunūnū*	rondini	10
سهران	*sahrān*	sveglio di notte	14
سهولة	*suhūla*	facilità	12
سهيلة	*Suhayla*	Suhayla (n.pr.f.)	15
سوار، أساور	*siwār,ʔasāwiru*	braccialetto	29
السودان	*as-Sūdān*	Sudan	26
سوسن	*Sawsan*	Sawsan	13
سوشي		sushi	12
سوق	*sawq*	guida	4
سوق، أسواق	*sūq, ʔaswāq*	mercato	4
سياحي	*siyāḥiyy*	turistico	10
سيارة أجرة	*sayyāratu ʔuǧratin*	tassì (= تاكسي)	11
سيارة، سيارات	*sayyāra, sayyārāt*	automobile	7
سيجارة، سجائر	*sīgāra, sagāʔiru*	sigaretta	10
سيد، سادة	*sayyid, sāda*	signore	10
سيدة، ات	*sayyida, -āt*	signora	10
سَير	*sayr*	traffico	14
سيف، سيوف	*sayf, suyūf*	spada; pescespada	15
سينما	*sīnamā*	cinema (indecl.)	9
شاب، شباب	*šābb, šabāb*	ragazzo	3

شاحنة، ات	*šāḥina, -āt*	camion, furgone	14
شادية	*Šādiya*	Shadia	13
شارع، شوارع	*šāriʿ, šawāriʿ*	via, viale	7
شاشة، ات	*šāša, -āt*	schermo	2
شاطئ، شواطئ	*šāṭiʾ, šawāṭiʾu*	spiaggia	19
شاطر، شطار	*šāṭir, šuṭṭār*	bravo, furbo	28
شاغل للبال	*šāġilun li-l-bāli*	preoccupante	26
شالة	*Šālla*	Chellah	31
شامبو	*šāmbū*	shampoo	22
شأن، شؤون	*šaʾn, šuʾūn*	affare, faccenda	27
شأو	*šaʾw*	traguardo	28
شبعان	*šabʿān*	sazio	21
شتم، يشتم	*šatama, yaštumu*	insultare	12
شتوي	*šatawiyy*	invernale	30
شتى	*šattā*	svariati	31
شتيمة، شتائم	*šatīma, šatāʾimu*	insulto	28
شجاع، شجعان	*šuǧāʿ, šuǧʿān*	coraggioso	22
شجر، أشجار	*šaǧar*	alberi (coll.)	13
شحن	*šaḥn*	ricarica	17
شخر، يشخر	*šaḫara, yašḫiru*	russare	21
شخص، أشخاص	*šaḫṣ, ʾašḫāṣ*	persona	28
شخص، يشخص بصره إلى	*šaḫaṣa, yašḫaṣu baṣara-hu ʾilā*	fissare qn	31
شد، يشد على	*šadda, yašiddu ʿalā*	stringere	14
شديد، أشداء	*šadīd, ʾašiddāʾu*	forte, intenso	13
شراب، أشربة	*šarāb, ʾašriba*	sciroppo	15
شرح	*šariḥ*	luminoso	13
شرطة	*šurṭa*	polizia	25
شرطي، ون	*šurṭiyy, -ūna*	poliziotto	14
شرع، يشرع في	*šaraʿa, yašraʿu fī*	intraprendere	26
شرف	*šaraf*	onore	1
شرقي، ون	*šarqiyy, -ūna*	orientale	5
شركة، شركات	*širka, šarikāt*	ditta, compagnia	30
شريك، شركاء	*šarīk, šurakāʾu*	socio	22
شعاع، أشعة	*šuʿāʿ, ʾašiʿʿa*	raggio	30
شعر	*šaʿr*	capelli (coll.)	21
شغل، أشغال	*šuġl, ʾašġāl*	lavoro, affare	4
شغل، يشغل	*šaġala, yašġalu*	(pre)occupare	26

شفهي	*šafahiyy, -ūna*	orale	31
شفى، يشفي	*šafā, yašfī*	guarire	15
شقة، شقق	*šaqqa, šuqaq*	appartamento	13
شك، شكوك	*šakk, šukūk*	dubbio	6
شك، يشك في	*šakka, yašukku fī*	dubitare di qc	30
شكا، يشكو	*šakā, yaškū*	lamentarsi	13
شكر، يشكر	*šakara, yaškuru*	ringraziare	18
شكرا	*šukran*	grazie	2
شكرا جزيلا	*šukran ğazīlan*	tante grazie	10
شكل، أشكال	*šakl, ʾaškāl*	forma	30
شم، يشم	*šamma, yašummu*	fiutare, sentire	17
شمال	*šimāl*	sinistra; nord	10
شمسية، شماسي	*šamsiyya, šamāsiyyu*	ombrello	15
شهادة، ات	*šahāda, -āt*	certificato	25
شهر، أشهر	*šahr, ʾašhur*	mese	9
شهرة	*šuhra*	notorietà	12
شوربة، ات	*šawraba, -āt*	minestra, zuppa	20
شوكة، شوك	*šawka, šuwak*	forchetta	27
شيء، أشياء	*šayʾ, ʾašyāʾu*	cosa	3
شيئا فشيئا	*šayʾan fa-šayʾan*	poco a poco	30
شيخ، شيوخ	*šayḫ, šuyūḫ*	shaykh	22
شيشة، شيش	*šīša, šiyaš*	narghilè	17
شيطان، شياطين	*šayṭān, šayāṭīnu*	diavolo	11
صابر، ون	*ṣābir, -ūna*	paziente	11
صابون	*ṣābūn*	sapone (coll.)	22
صاح، يصيح	*ṣāḥa, yaṣīḥu*	gridare	22
صاحب، أصحاب	*ṣāḥib, ʾaṣḥāb*	proprietario	18
صاخب، ون	*ṣāḫib, -ūna*	chiassoso	31
صارع، يصارع	*ṣāraʿa, yuṣāriʿu*	lottare, combattere	25
صانع، صناع	*ṣāniʿ, ṣunnāʿ*	artigiano	22
صباح، أصباح	*ṣabāḥ, ʾaṣbāḥ*	mattina	3
صبار	*ṣubbār*	fichi d'India (coll.)	19
صبر	*ṣabr*	pazienza	21
صبن، يصبن	*ṣabbana, yuṣabbinu*	insaponare	22
صحبة	*ṣuḥba*	compagnia	19
صحة	*ṣiḥḥa*	salute	12
صحن، صحون	*ṣaḥn, ṣuḥūn*	piatto	15

صحيح، صحاح	*ṣaḥīḥ, ṣiḥāḥ*	vero	4
صدف	*ṣadaf*	conchiglie, molluschi	30
صدق، يصدق	*ṣaddaqa, yuṣaddiqu*	credere	14
صدمة، صدمات	*ṣadma, ṣadamāt*	shock	18
صديق، أصدقاء	*ṣadīq, ʔaṣdiqāʔu*	amico	2
صراحة	*ṣarāḥa*	sincerità	12
صراف آلي	*ṣarrāf ʔāliyy*	bancomat (sportello)	30
صراف، ون	*ṣarrāf, -ūna*	cambiavalute	30
صرح، يصرح	*ṣarraḥa, yuṣarriḥu*	dichiarare	11
صرخ، يصرخ	*ṣaraḫa, yaṣruḫu*	strillare	21
صرع، يصرع	*ṣaraʕa, yaṣraʕu*	rovesciare	26
صعد، يصعد	*ṣaʕida, yaṣʕadu*	salire	22
صعلوك، صعاليك	*ṣuʕlūk, ṣaʕālīku*	straccione	6
صف، صفوف	*ṣaff, ṣufūf*	fila	27
صف، يصف	*ṣaffa, yaṣuffu*	parcheggiare	14
صفر، يصفر	*ṣaffara, yuṣaffiru*	fischiare	14
صفر، يصفر	*ṣafara, yaṣfiru*	cigolare	14
صفق، يصفق	*ṣaffaqa, yuṣaffiqu*	applaudire	29
صقلي، ون	*ṣiqilliyy, -ūna*	siciliano	11
صقلية	*Ṣiqilliyyatu*	la Sicilia	11
صلح، يصلح	*ṣallaḥa, yuṣalliḥu*	riparare	22
صلصة، ات	*ṣalṣa, -āt*	salsa	15
صمت، صموت	*ṣamt, ṣumūt*	silenzio	13
صندوق، صناديق	*ṣandūq, ṣanādīqu*	cassa	14
صنعاءُ	*Ṣanʕāʔ*	Sanaa	23
صوف	*ṣūf*	lana	17
صوفي	*ṣūfiyy*	di lana	17
صيدلية، ات	*ṣaydaliyya, -āt*	farmacia	14
صيف، أصياف	*ṣayf, ʔaṣyāf*	estate	31
الصين	*aṣ-Ṣīn*	la Cina	10
صيني، ون	*ṣīniyy, -ūna*	cinese	10
ضاحية, ضواح	*ḍāḥiya, ḍawāḥin*	sobborgo	13
ضاد	*ḍād*	lettera ض	28
ضباب	*ḍabāb*	nebbia	30
ضبط	*ḍabṭ*	precisione	9
ضجة، ات	*ḍaǧǧa, -āt*	chiasso	19
ضجر، يضجر	*ḍaǧara, yaḍǧaru*	annoiarsi	29

ضحك	*ḍaḥk*	fatto di ridere	6
ضحك على	*ḍaḥika ʿalā*	prendere in giro	12
ضحك، يضحك	*ḍaḥika, yaḍḥaku*	ridere	6
ضخم، ضخام	*ḍaḫm, ḍiḫām*	grande, enorme	10
ضد	*ḍidda*	contro	5
ضرب، يضرب	*ḍaraba, yaḍribu*	picchiare	12
ضريح، أضرحة	*ḍarīḥ, ʾaḍriḥa*	mausoleo	31
ضعيف، ضعفاء	*ḍaʿīf, ḍuʿafāʾu*	debole	21
ضوء أحمر	*ḍawʾ ʾaḥmar*	semaforo	10
ضوء، أضواء	*ḍawʾ*	luce	10
ضيف، ضيوف	*ḍayf, ḍuyūf*	ospite	15
ضيق	*ḍīq*	fastidio, irritazione	29
ضيق، يضيق ه ب	*ḍayyaqa, yuḍayyiqu bi-*	tempestare qn di	30
طائرة، ات	*ṭāʾira*	aeroplano	19
طابعة، ات	*ṭābiʿa, -āt*	stampante	2
طابق أرضي	*ṭābiq ʾarḍiyy*	pianterreno	13
طابق، طوابق	*ṭābiq, ṭawābiqu*	piano	13
طار، يطير	*ṭāra, yaṭīru*	volare	20
طارق	*Ṭāriq*	Tarek (n.pr.m.)	9
طازج	*ṭāziǧ*	fresco	14
طالب، طلاب	*ṭālib, ṭullāb*	studente	2
طاولة، ات	*ṭāwila, -āt*	tavolo	21
طبخ، يطبخ	*ṭabaḫa, yaṭbuḫu*	cucinare	15
طبعا!	*ṭabʿan*	certo!	1
طبق، أطباق	*ṭabaq, ʾaṭbāq*	piatto	17
طبقة، ات	*ṭabaqa, -āt*	strato, coltre	30
طبيب، أطباء	*ṭabīb, ʾaṭibbāʾu*	medico	12
طبيعة	*ṭabīʿa*	natura	26
طحلب، طحالب	*ṭuḥlub, ṭaḥālibu*	alga	12
طرابلس	*Ṭarābulusu*	Tripoli	29
طرد، يطرد	*ṭarada, yaṭrudu*	cacciare	6
طرف، أطراف	*ṭaraf, ʾaṭrāf*	punta, estremità	17
طريق، طرق	*ṭarīq, ṭuruq*	strada, via	18
طفولة	*ṭufūla*	infanzia	12
طقس	*ṭaqs*	tempo atmosferico	9
طلب، يطلب	*ṭalaba, yaṭlubu*	richiedere, ordinare	6
طلق، ون	*ṭaliq, -ūna*	disimpegnato	31

طول	*ṭūl*	lunghezza	10
طول	*ṭūla*	(per) tutto il	14
طويل، طوال	*ṭawīl, ṭiwāl*	lungo; alto	10
طير، طيور	*ṭayr, ṭuyūr*	uccello	26
طيران	*ṭayarān*	[il] volare, volo	20
ظاهر، ون	*ẓāhir, -ūna*	evidente, ovvio	23
ظريف، ظرفاء	*ẓarīf, ẓurafāʾ*	grazioso, carino	11
ظل، ظلال	*ẓill, ẓilāl*	ombra	25
ظن، يظن ه	*ẓanna, yaẓunnu*	ritenere, prendere qn per	20
ظهر	*ẓuhr*	mezzogiorno	4
ظهر، يظهر أن	*ẓahara, yaẓharu*	sembrare che	12
عائشة	*ʿĀʾiša*	Aïcha	9
عائلة، ات	*ʿāʾila, -āt*	famiglia	4
عابس	*ʿābis*	imbronciato	12
عاد، يعود	*ʿāda, yaʿūdu*	ritornare	18
عادة، عادات	*ʿāda, ʿādāt*	abitudine	9
عاذ، يعوذ	*ʿāḏa, yaʿūḏu*	rifugiarsi	25
عاش، يعيش	*ʿāša, yaʿīšu*	vivere	25
عاصمة، عواصم	*ʿāṣima, ʿawāṣimu*	capitale	30
عاطل عن العمل	*ʿāṭil ʿan al-ʿamal*	disoccupato	28
عاقب، يعاقب	*ʿāqaba, yuʿāqibu*	punire	12
عاقر، ات	*ʿāqir, -āt*	sterile	31
عالم، ون	*ʿālam, -ūna*	mondo	11
عالمي، ون	*ʿālamiyy, -ūna*	mondiale; favoloso	12
عامي، ون	*ʿāmmiyy, -ūna*	popolare	5
عامية (اللغة ال)	*ʿāmmiyya (al-luġatu l-)*	dialetto	5
عانق، يعانق	*ʿānaqa, yuʿāniqu*	abbracciare	27
عانى، يعاني ه	*ʿānā, yuʿānī*	soffrire di	13
عاين، يعاين	*ʿāyana, yuʿāyinu*	revisionare	28
عبر، يعبر عن	*ʿabbara, yuʿabbiru ʿan*	esprimere	29
عجة، عجج	*ʿuǧǧa, ʿuǧaǧ*	frittata	13
عجلة	*ʿaǧala*	fretta	11
عجوز	*ʿaǧūz*	vecchia, anziana	14
عدة مرات	*ʿiddatu marrātin*	diverse volte	6
عديد، ون	*ʿadīd, -ūna*	numeroso	12
عربة، ات	*ʿaraba, -āt*	carro	30
عربي، عرب	*ʿarabiyy, ʿarab*	arabo	1

عرف، يعرف	*ˁarafa, yaˁrifu*	sapere, conoscere	12
عريضة، عرائض	*ˁarīḍa, ˁarāˀiḍu*	esposto	26
عزف، يعزف	*ˁazafa, yaˁzifu*	suonare (musica)	29
عزيز، أعزاء	*ˁazīz, ˀaˁizzāˀu*	caro	4
عزيمة	*ˁazīma*	volontà	31
عسل	*ˁasal*	miele	28
عش، أعشاش	*ˁušš, ˀaˁšāš*	nido	31
عشاء	*ˁašāˀ*	cena	15
عصا، عصي	*ˁaṣan, ˁuṣiyy*	bacchetta	15
عصب، أعصاب	*ˁaṣab, ˀaˁṣāb*	nervo	10
عصبي، ون	*ˁaṣabiyy, -ūna*	nervoso	11
عصير	*ˁaṣīr*	spremuta, succo	3
عضو، أعضاء	*ˁuḍw, ˀaˁḍāˀ*	membro	22
عطر، عطور	*ˁiṭr, ˁuṭūr*	profumo	22
عطر، يعطر	*ˁaṭṭara, yuˁaṭṭiru*	profumare	22
عطشان، عطاش	*ˁaṭšān, ˁiṭāš*	assetato, che ha^{m} sete	11
عظيم، عظماء	*ˁaẓīm, ˁuẓamāˀ*	grandioso	11
عفوا	*ˁafwan*	non c'è di che, prego	2
عكس، عكوس	*ˁaks, ˁukūs*	contrario	9
علاج	*ˁilāǧ*	cura, terapia	13
علامة	*ˁallāma*	erudito, dotto	9
علامة، ات	*ˁalāma, -āt*	voto (scolast.)	13
علبة، علب	*ˁulba, ˁulab*	scatola	20
علم، يعلم	*ˁallama, yuˁallimu*	insegnare	25
علم، يعلم	*ˁalima, yaˁlamu*	(qui:) venire a sapere	27
على	*ˁalā*	su, sopra; contro	4
على الأقل	*ˁalā l-ˀaqalli*	almeno	22
على الفورِ	*ˁalā l-fawri*	subito (= فورا)	15
على طول	*ˁalā ṭūlin*	sempre dritto	10
على فكرة!	*ˁalā fikra!*	a proposito!	4
على كل	*ˁalā kullin*	a ogni modo	9
على كل حال	*ˁalā kulli ḥālin*	a ogni modo	9
على متنِ	*ˁalā matni*	a bordo di	30
على وشك أن	*ˁalā waški ˀan*	sul punto di	13
عمر، أعمار	*ˁumr, ˀaˁmār*	età	27
عمرو دياب	*ˁAmr Diyāb*	Amr Diab	29
عمل، أعمال	*ˁamal, ˀaˁmāl*	lavoro	26

عمل، يعمل	*ˁamila, yaˁmalu*	fare; lavorare	12
عمود فقري	*ˁamūd fiqariyy*	colonna vertebrale	29
عمود، أعمدة	*ˁamūd, ˀaˁmida*	colonna	29
عميد، عمداء	*ˁamīd, ˁumadāˀu*	preside	5
عميق، عماق	*ˁamīq, ˁimāq*	profondo	27
عن	*ˁan*	di, a proposito di	9
عند	*ˁinda*	presso	3
عندئذ	*ˁinda-ˀiḏin*	in quel momento	11
عندما	*ˁinda-mā*	quando (= لما)	15
عنكبوت، عناكب	*ˁankabūt, ˁanākibu*	ragno	30
عنوان، عناوين	*ˁunwān, ˁanāwīnu*	indirizzo; titolo	10
عوضا عن	*ˁiwaḍan ˁan*	al posto di	22
عيش	*ˁayš*	vita	27
عين، أعين	*ˁayn, ˀaˁyun*	occhio (f.!)	20
غادر، يغادر	*ġādara, yuġādiru*	lasciare; tradire	27
غاضب، غضاب	*ġāḍib, ġiḍāb*	arrabbiato	10
غال	*ġālin*	caro	19
غبي، ون	*ġabiyy, -ūna*	stupido	3
غد	*ġada*	l'indomani di	28
غدا	*ġadan*	domani	9
غداء	*ġadāˀ*	pranzo	15
غذائي، ون	*ġiḏāˀiyy*	alimentare	18
غرب	*ġarb*	occidente	11
غربي، ون	*ġarbiyy, -ūna*	occidentale	11
غرفة، غرف	*ġurfa, ġuraf*	stanza, camera	7
غريب، غرباء	*ġarīb, ġurabāˀu*	strano	6
غصن، أغصان	*ġuṣn, ˀaġṣān*	ramo	28
غضب	*ġaḍab*	furore, rabbia	22
غضب، يغضب	*ġaḍiba, yaġḍabu*	arrabbiarsi	9
غضبان	*ġaḍbān*	arrabbiato	9
غطاء، أغطية	*ġiṭāˀ, ˀaġṭiya*	coperchio, cappa	28
غفوة، غفوات	*ġafwa, ġafawāt*	sonnellino	20
غلاف، غلف	*ġilāf, ġuluf*	copertina	4
غليون، غلايين	*ġalyūn, ġalāyīnu*	pipa	12
غني، أغنياءُ	*ġaniyy, ˀaġniyāˀu*	ricco	17
غول، أغوال	*ġūl, ˀaġwāl*	mostro, orco	11
غولة، ات	*ġūla, -āt*	strega	11

غير، يغير	*ġayyara, yuġayyiru*	cambiare	7
غيظ	*ġayẓ*	collera	26
غيور، ون	*ġayūr, -ūna*	geloso	17
فـ	*fa-*	e, quindi, allora	9
فائدة، فوائد	*fāʔida, fawāʔidu*	utilità	28
قابل، يقابل	*qābala, yuqābilu*	incontrare	7
فاجع	*fāǧiʕ*	tragico, penoso	14
فأرة	*faʔra*	topo; mouse	2
فارغ، ون	*fāriġ, -ūna*	vuoto	19
فاز، يفوز بـ	*fāza, yafūzu bi-*	vincere qc	9
فاضٍ	*fāḍin*	libero, vuoto	14
فاضل	*Fāḍil*	Fadhel	9
فاضل، ون	*fāḍil, -ūna*	buono, adatto	19
فاطمة	*Fāṭima*	Fatima	12
فاغر	*fāġir*	spalancato	20
فاق، يفوق	*fāqa, yafūqu*	superare	30
فتاة، فتيات	*fatāt, fatayāt*	ragazza	12
فتح، يفتح	*fataḥa, yaftaḥu*	aprire	14
فتش، يفتش عن	*fattaša, yufattišu ʕan*	cercare	22
فتى، فتيان	*fatan, fityān*	ragazzo	12
فجأة	*faǧʔatan*	all'improvviso	17
فجر	*faǧr*	alba	7
فحص، يفحص	*faḥaṣa, yafḥaṣu*	esaminare	25
فخر الدين	*Faḫru d-Dīn*	Fakhreddine (n.pr.m.)	10
فخم	*faḫm*	lussuoso	30
فر، يفر من	*farra, yafirru min*	scappare da	26
فردي	*fardiyy*	singolo	7
فرصة، فرص	*furṣa, furaṣ*	occasione	19
فرعون، فراعنة	*firʕawn, farāʕinatu*	faraone	28
فرق، فروق	*farq, furūq*	differenza	9
فرملة، فرامل	*farmala, farāmilu*	freno	14
فرنسا	*Faransā*	Francia	7
فرنسي، ون	*faransiyy, -ūna*	francese	18
فروة، فراء	*farwa, firāʔ*	pelliccia	17
فريق، فرق	*farīq, firaq*	squadra	30
فستان، فساتين	*fustān, fasātīnu*	vestito da donna	29
فستق	*fustuq*	pistacchi	18

فسر، يفسر	*fassara, yufassiru*	spiegare	9
فصحى (العربية ال)	*fuṣḥā (al-ʕarabiyyatu l-)*	arabo classico, standard	5
فصفور	*fuṣfūr*	fosforo	21
فضل، يفضل	*faḍḍala, yufaḍḍilu*	preferire	7
فضي	*fiḍḍiyy*	d'argento	29
فطور	*fuṭūr*	colazione	14
فطوم	*Faṭṭūm*	(dimin. di) Fatima	12
فطيرة، فطائر	*faṭīra, faṭāʔiru*	frittella	3
فعل، أفعال	*fiʕl, ʔafʕāl*	azione; effetto; verbo	15
فعلا	*fiʕlan*	in effetti	15
فقد، يفقد	*faqada, yafqudu/yafqidu*	perdere	10
فقرة، ات	*fiqra, -āt*	vertebra	29
فقري	*fiqariyy*	vertebrale	29
فقط	*faqaṭ*	soltanto	14
فقير، فقراء	*faqīr, fuqarāʔ*	povero	13
فك، يفك	*fakka, yafukku*	smontare	28
فكر، أفكار	*fikr, ʔafkār*	pensiero	12
فكرة، فكر	*fikra, fikar*	idea	4
فلاح، ون	*fallāḥ, -ūna*	contadino	30
فلافل	*falāfilu*	falafel	17
فلسطين	*Filasṭīn*	Palestina	18
فلسطيني، ون	*filasṭīniyy, -ūna*	palestinese	5
فندق، فنادق	*funduq, fanādiqu*	albergo	7
فهد	*Fahd*	Fahd (n.pr.m.)	19
فهم، يفهم	*fahima, yafhamu*	capire	9
فورا	*fawran*	subito	3
فوضوي، ون	*fawḍawiyy, -ūna*	disordinato	9
فوضى	*fawḍā*	disordine	9
فوطة، فوط	*fūṭa, fuwaṭ*	panno	2
فوق	*fawqa*	al di sopra di	21
فول	*fūl*	fave (coll.)	26
فول سوداني	*fūl sūdāniyy*	arachidi	26
في	*fī*	in	2
في آخرِ	*fī ʔāḫiri*	in fondo a	5
في منتهى	*fī muntahā*	al colmo di	22
فيروس، ات	*vayrūs, -āt*	virus	2
فيصل	*Fayṣal*	Faysal (n.pr.m.)	11

فيلسوف، فلاسفة	*faylasūf, falāsifatu*	filosofo	20
قادر، ون على	*qādir, -ūna ˁalā*	capace di	27
قادم، ون	*qādim, -ūna*	prossimo	23
قارب، قوارب	*qārib, qawāribu*	barca	19
قارب، يقارب	*qāraba, yuqāribu*	avvicinarsi a	30
قارة، ات	*qārra, -āt*	continente	31
قاع، قيعان	*qāˁ, qīˁān*	fondo	31
قاعة، ات	*qāˁa, -āt*	aula	5
قاق، يقوق	*qāqa, yaqūqu*	chiocciare	31
قال، يقول	*qāla, yaqūlu*	dire	11
قام، يقوم	*qāma, yaqūmu*	alzarsi	18
قام، يقوم بـ	*qāma, yaqūmu bi-*	fare, eseguire	23
قاموس، قواميس	*qāmūs, qawāmīsu*	vocabolario	1
القاهرة	*al-Qāhira*	il Cairo	4
قبالة	*qubālata*	di fronte a	10
قبر، قبور	*qabr, qubūr*	tomba	31
قبض، يقبض	*qabaḍa, yaqbiḍu*	acchiappare	26
قبضة، قبضات	*qabḍa, qabaḍāt*	manciata	26
قبطان، قباطنة	*qubṭān, qabāṭinatu*	capitano (marina)	26
قبل	*qabla*	prima, prima di	4
قبو، أقبية	*qabw, ˀaqbiya*	seminterrato	13
قبيح، قباح	*qabīḥ, qibāḥ*	brutto	26
قتل، يقتل	*qatala, yaqtulu*	uccidere	14
قد	*qad*	(part. rafforzativa preverbale)	9; *9, 17*
قدر، أقدار	*qadr, ˀaqdār*	misura	14
قدر، يقدر	*qaddara, yuqaddiru*	valutare	19
القدس	*al-Quds*	Gerusalemme	18
قدم، أقدام	*qadam, ˀaqdām*	piede (f.!)	17
قدم، يقدم ه لـ	*qaddama, yuqaddimu li-*	presentare qn a	29
قرأ، يقرأ	*qaraˀa, yaqraˀu*	leggere	12
قراءة، قراءات	*qirāˀa, -āt*	lettura	25
قرار، ات	*qarār, -āt*	decisione	25
قرب، يقرب إلى	*qarraba, yuqarribu ˀilā*	avvicinare a	29
قرة	*qurra*	refrigerio	20
قرد، قردة	*qird, qirada*	scimmia	26
قرر، يقرر	*qarrara, yuqarriru*	decidere	9
قرصان، قراصنة	*qurṣān, qarāṣinatu*	pirata, corsaro	26

قرطبة	*Qurṭuba*	Cordova	25
قرطبي، ون	*qurṭubiyy, -ūna*	cordovano	25
قروي، ون	*qarawiyy, -ūna*	villico	27
قريب، أقرباء من	*qarīb, ʾaqribāʾu min*	vicino a	9
قريبا	*qarīban*	fra poco	28
قرية، قرى	*qarya, quran*	villaggio	18
قسم، أقسام	*qism, ʾaqsām*	sezione	21
قص، يقص	*qaṣṣa, yaquṣṣu*	tagliare	21
قص، يقص على	*qaṣṣa, yaquṣṣu ʿalā*	raccontare a	13
قصبة، ات	*qaṣaba*	canna; boccaglio	28
قصة، قصص	*qiṣṣa, qiṣaṣ*	storia, racconto	6
قصد، قصود	*qaṣd, quṣūd*	scopo, meta	22
قصد، يقصد	*qaṣada, yaqṣudu/yaqṣidu*	intendere	25
قصدا	*qaṣdan*	apposta	22
قصير، قصار	*qaṣīr, qiṣār*	corto	12
قضى، يقضي	*qaḍā, yaqḍī*	passare (tempo)	28
قط، قطط	*qiṭṭ, qiṭaṭ*	gatto	12
قطار مدني	*qiṭār madaniyy*	metropolitana	19
قطار، ات، قطر	*qiṭār, -āt, quṭur*	treno	19
قطب، يقطب	*qaṭṭaba, yuqaṭṭibu*	aggrottare	22
قطر	*Qaṭar*	Qatar	23
قطري، ون	*qaṭariyy, -ūna*	qatarita	23
القطرية	*al-Qaṭariyya*	Qatariya (linea aerea)	23
قطع، يقطع	*qaṭaʿa, yaqṭaʿu*	tagliare, interrompere	13
قطعة، قطع	*qiṭʿa, qiṭaʿ*	pezzo	13
قعر، قعور	*qaʿr, quʿūr*	fondo	31
قفاز، قفافيز	*quffāz, qafāfīzu*	guanto	29
قفز، يقفز	*qafaza, yaqfizu*	saltare	26
قفص، أقفص	*qafaṣ, ʾaqfāṣ*	gabbia	26
قلب، قلوب	*qalb, qulūb*	cuore	28
قلد، يقلد	*qallada, yuqallidu*	imitare	30
قلق، ون	*qaliq, -ūna*	preoccupato	23
قليل، ون	*qalīl, -ūna*	poco, scarso	9
قليلا	*qalīlan*	un po'	10
قمر	*Qamar*	Kamar (n.pr.f.)	17
قمر، أقمار	*qamar, ʾaqmār*	luna	5
قناة، قنوات	*qanāt, qanawāt*	canale	29

قنط، يقنط	*qaniṭa, yaqnaṭu*	disperare	26
قنينة، قناني	*qinnīna, qanāniyyu*	bottiglia	17
قهوة	*qahwa*	caffè	3
قوقعة، ات	*qawqaʕa, -āt*	guscio; conchiglia	27
قوي، أقوياء	*qawiyy, ʔaqwiyāʔu*	forte	29
قيادة، ات	*qiyāda, -āt*	guida	4
قيمة، قيم	*qīma, qiyam*	valore	11
ك	*ka-*	come (prep.)	6
كاتب، يكاتب	*kātaba, yukātibu*	scrivere a qn	13
كاتيا		Katia	10
كاحل، كواحل	*kāḥil, kawāḥilu*	caviglia	29
كاد، يكاد أن	*kāda, yakādu ʔan*	essere quasi	19
كاذب، ون	*kāḏib, -ūna*	bugiardo	17
كأس، كؤوس	*kaʔs, kuʔūs*	bicchiere, coppa	30
كامل، ون	*kāmil, -ūna*	completo, intero	23
كان، يكون	*kāna, yakūnu*	era	7
كباب	*kabāb*	spiedino	3
كبح، يكبح	*kabaḥa, yakbaḥu*	frenare	14
كبر، يكبر	*kabura, yakburu*	crescere, diventare grande	18
كبير، كبار	*kabīr, kibār*	grande	1
كتاب، كتب	*kitāb, kutub*	libro	1
كتابي	*kitābiyy*	scritto	3
كتب، يكتب	*kataba, yaktubu*	scrivere	12
كتكوت،كتاكيت	*katkūt, katākītu*	pulcino	20
كثيرا	*kaṯīran*	molto (avv.)	6
كثيف، كثاف	*kaṯīf, kiṯāf*	denso, spesso (agg.)	17
كذلك	*ka-ḏālika*	così; ugualmente	11
كرة، ات	*kura, -āt*	palla; polpetta	15
كرسي، كراسي	*kursiyy, karāsiyyu*	sedia	6
كرم	*karam*	generosità	30
كره، يكره	*kariha, yakrahu*	odiare	12
كريم، كرام	*karīm, kirām*	generoso	11
كسب، يكسب	*kasaba, yaksibu*	guadagnar(ci)	28
كسر، يكسر	*kasara, yaksiru*	rompere	22
كسكسي	*kuskusī*	cuscus (indecl.)	15
كسل	*kasal*	pigrizia	28
كعب، كعاب	*kaʕb, kiʕāb*	tacco	22

كف، كفوف	*kaff, kufūf*	palmo	26
كف، يكف عن	*kaffa, yakuffu ʕan*	smettere di	20
كفاية	*kifāya*	sufficienza	19
كفاية	*kifāyatan*	sufficientemente	19
كلا	*kallā*	certo che no	3
كلا	*kilā*	entrambi	21
كلام	*kalām*	discorso, parole	20
كلتا	*kiltā*	entrambe	21
كلف، يكلف	*kallafa, yukallifu*	costare	23
كلم، يكلم	*kallama, yukallimu*	rivolgersi a	22
كلما	*kulla-mā*	ogni volta che	20
كلما... كلما...	*kulla-mā... kulla-mā...*	più... più...	21
كلمة، ات	*kalima*	parola	1
كلية، ات	*kulliyya, -āt*	facoltà	4
كم...!	*kam...!*	quanto...!	6
كما	*kamā*	come (subordinante)	4
كما لو أن	*kamā law ʔan(na)*	come se	30
كنزة، ات	*kanza, -āt*	maglione	28
كهرباء	*kahrabāʔ*	elettricità	20
كهربائي، ون	*kahrabāʔiyy, -ūna*	elettrico	20
كوكب، كواكب	*kawkab, kawākibu*	pianeta	17
كوكبي، ون	*kawkabiyy, -ūna*	astrale; cosmopolita	29
كوى، يكوي	*kawā, yakwī*	stirare	17
الكويت	*al-Kuwayt*	Kuwayt	18
كيف، يكيف	*kayyafa, yukayyifu*	condizionare (aria)	25
كيف؟	*kayfa?*	come?	1
كيلومتر، ات	*kīlūmitr, -āt*	chilometro	19
گالكسي		Galaxy	10
لئيم، لئام	*laʔīm, liʔām*	disgraziato	17
لا	*lā*	no	1
لا ... إلا	*lā... ʔillā*	non ... se non/che	11
لا بد أن	*lā budda ʔan*	assolutamente	14
لاءم، يلاءم	*lāʔama, yulāʔimu*	convenire, stare bene a	23
لابس	*lābis*	vestito	6
لاحظ، يلاحظ	*lāḥaẓa, yulāḥiẓu*	notare, osservare	6
لازم	*lāzim*	necessario	15
لافتة، لوافت، ات	*lāfita, lawāfitu, lāfitāt*	cartellone	10

لاق، يليق بـ	*lāqa, yalīqu*	stare bene, donare	29
لباس بحر	*libāsu baḥrin*	costume da bagno	19
لباس، ألبسة	*libās, ʾalbisa*	indumento	19
لبس، يلبس	*labisa, yalbasu*	indossare	17
لبن	*laban*	yogurt	14
لحسن الحظ	*li-ḥusni l-ḥaẓẓi*	per fortuna	19
لحظة، لحظات	*laḥẓa, laḥaẓāt*	momento, attimo	10
لحق، يلحق	*laḥiqa, yalḥaqu*	raggiungere	14
لحية، لحى	*liḥya, luḥan*	barba	12
لدغ، يلدغ	*ladaġa, yaldaġu*	pungere, mordere	30
لدى	*ladā*	presso (= عند)	29
لذيذ، ون	*laḏīḏ, -ūna*	saporito	17
لسان، ألسن	*lisān, ʾalsun*	lingua	30
لساني، ون	*lisāniyy, -ūna*	linguistico	30
لسانيات	*lisāniyyāt*	linguistica (sost.)	30
لصق، لصاق	*laṣiq, liṣāq*	appiccicoso	28
لطش، يلطش	*laṭṭaša, yulaṭṭišu*	masticare una lingua	18
لطف	*luṭf*	garbo, gentilezza	31
لطيف، لطفاء	*laṭīf, luṭafāʾu*	gentile	15
لعل	*laʿalla*	forse	14
لعنة، ات	*laʿna, -āt*	imprecazione	19
لغة أم	*luġatu ʾummin*	lingua materna	18
لغة، ات	*luġa, -āt*	lingua	5
لقب، ألقاب	*laqab, ʾalqāb*	cognome; soprannome	4
لقب، يلقب	*laqqaba, yulaqqibu*	soprannominare	26
لقلق، لقالق	*laqlaq, laqāliqu*	cicogne	31
لقلق، يلقلق	*laqlaqa, yulaqliqu*	gloterare (cicogna)	31
للآن	*li-l-ʾāni*	finora	25
لم؟	*li-ma?* (= لماذا)	perché?	12
لما	*lammā*	quando (subord.)	7
لماذا؟	*li-māḏā?*	perché?	7
لمح، يلمح	*lamaḥa, yalmaḥu*	scorgere	19
لمس	*lams*	[il] toccare	20
لمس، يلمس	*lamasa, yalmusu*	toccare	20
الله	*Allāh*	Dio	1
الله أعلم!	*Allāhu ʾaʿlamu!*	lo sa Iddio!	9
لهجة، ات	*lahǧa, -āt*	dialetto, accento	5

لوث، يلوث	*lawwaṯa, yulawwiṯu*	inquinare	30
لولا	*law-lā*	se non fosse per	23
لون، ألوان	*lawn, ˀalwān*	colore	26
ليت	*layta*	magari	11
ليس	*laysa*	non è[m]	9
ليل، ليال	*layl, layālin*	notte	6
الليلة	*al-laylata*	stanotte	14
ليلة، ليال	*layla, layālin*	notte	14
ليمون	*laymūn*	limoni (coll.)	15
مؤدب، ون	*muˀaddab, -ūna*	educato	15
مؤلف، ون	*muˀallif, -ūna*	autore	12
مؤلم، ون	*muˀlim, -ūna*	doloroso	25
ما دام	*mā dāma*	fintantoché	28
ما زال	*mā zāla*	essere ancora	13
ما؟	*mā?*	cosa?	1
ماء، مياه	*māˀ, miyāh*	acqua	3
ماء، يموء	*māˀa, yamūˀu*	miagolare	21
مائدة، موائد	*māˀida, mawāˀidu*	tavolo	11
مات، يموت	*māta, yamūtu*	morire	14
ماجستير، ات	*māǧistīr, -āt*	laurea	28
ماذا؟	*māḏā?*	cosa?	3
مار، مارة	*mārr, -a*	passante	10
ماض	*māḍin*	passato	17
مال	*māl*	denaro, soldi (sg.)	13
مالك، ملاك	*mālik, mullāk*	proprietario	25
ماما	*māmā*	mamma	15
مأمول	*maˀmūl*	sperato	14
منع، يمنع	*manaˁa, yamnaˁu*	negare, rifiutare	25
ماهر، مهرة	*māhir, mahara*	capace, bravo	5
مباراة، مباريات	*mubārāt, -ayāt*	partita (calcio)	30
مبدأ، مبادئ	*mabdaˀ, mabādiˀu*	rudimento; principio	27
مبكرا	*mubakkiran*	presto	6
مبيت	*mabīt*	studentato	7
متأخر، ون	*mutaˀaḫḫir, -ūna*	tardo, tardivo, in ritardo	18
متأسف، ون	*mutaˀassif, -ūna*	dispiaciuto	22
متأكد، ون	*mutaˀakkid, -ūna*	sicuro, certo	15
متجر كبير	*matǧar kabīr*	supermercato	10

متجر، متاجر	*matǧar, matāǧiru*	negozio	10
متر، أمتار	*mitr, ˀamtār*	metro	10
مترجم، ون	*mutarǧim, -ūna*	traduttore	21
متزوج	*mutazawwiǧ*	sposato	9
متشابه، ون	*mutašābih, -ūna*	simile, uguale	9
متضايق، ون	*mutaḍāyiq, -ūna*	infastidito	12
متعدد، ون	*mutaˁaddid, -ūna*	numeroso	26
متن، متون	*matn, mutūn*	dorso (animale)	30
متواضع، ون	*mutawāḍiˁ, -ūna*	modesto	27
متوسط، ون	*mutawassiṭ, -ūna*	mediano	23
متوسل، ون	*mutawassil, -ūna*	implorante	21
مثل	*miṯla*	come (prep.)	5
مثل، أمثال	*maṯal, ˀamṯāl*	esempio	17
مثلا	*maṯalan*	per esempio	17
مجاور، ون	*muǧāwir, -ūna*	adiacente	13
مجتهد، ون	*muǧtahid, -ūna*	diligente	21
مجرد، ون	*muǧarrad, -ūna*	semplice, spoglio	25
مجمد	*muǧammad*	surgelato	20
مجموعة، ات	*maǧmūˁa,-āt*	gruppo, banda	22
مجنون، مجانين	*maǧnūn, maǧānīnu*	matto	6
محاضرة، ات	*muḥāḍara, -āt*	lezione (universitaria)	5
محاط، ون	*muḥāṭ*	circondato	19
محبط العزيمة	*muḥbaṭ al-ˁazīma*	scoraggiato	31
محبط، ون	*muḥbaṭ*	abbattuto	31
محبوب، ون	*maḥbūb, -ūna*	amato; popolare	29
محترف	*muḥtarif, -ūna*	professionista	9
محترم، ون	*muḥtaram, -ūna*	rispettato	25
محتمل، ون	*muḥtamal, -ūna*	probabile	28
محرق، محارق	*miḥraq, maḥāriqu*	bruciatore	28
محسوس، ون	*maḥsūs, -ūna*	sensibile	27
محطة، ات	*maḥaṭṭa, -āt*	stazione	11
محفظة، محافظ	*miḥfaẓa, maḥāfiẓu*	portafoglio	30
محل، ات	*maḥall, -āt*	luogo, posto	4
محلل نفساني	*muḥallil nafsāniyy*	psicanalista	12
محلل، ون	*muḥallil, -ūna*	analista	12
محمد	*Muḥammad*	Mohammed (n.pr.m.)	3

محيط، ات	*muḥīṭ, -āt*	oceano	31
مخالفة، ات	*muḫālafa, -āt*	multa	14
مخبز، مخابز	*maḫbaz, maḫābizu*	panetteria	14
مختلف، ون	*muḫtalif, -ūna*	diverso	11
مخدرات	*muḫaddirāt*	droga (pl.)	11
مخفر الشرطة	*maḫfar aš-šurṭa*	commissariato	25
مخلوط	*maḫlūṭ*	mescolato	15
مخلوق، ات	*maḫlūq, -āt*	creatura	26
مخيف، ون	*muḫīf, -ūna*	terribile	23
مد، يمد	*madda, yamuddu*	tendere, porgere	28
مدان، ون	*mudān, -ūna*	condannato	23
مدحى، مداح	*midḥan, madāḥin*	rullo compressore	14
مدخل، مداخل	*madḫal, madāḫilu*	ingresso (luogo)	27
مدرسة، مدارس	*madrasa, madārisu*	scuola	11
مدينة، مدن	*madīna, mudun*	città	7
مذعور، ون	*maḏʿūr, -ūna*	impaurito	26
مذهب، ون	*muḏahhab, -ūna*	dorato	26
مذياع، مذاييع	*miḏyāʿ, maḏāyīʿu*	radio (= راديو)	11
مر، يمر بـ	*marra, yamurru bi-*	passare da	13
مرآة، مرايا	*mirʾāt, marāyā*	specchio	15
مراهق، ون	*murāhiq, -ūna*	adolescente	25
مربى، مربيات	*murabban, murabbayāt*	marmellata	11
مرة، ات	*marra, -āt*	volta	6
مرتفع، ات	*murtafaʿ, -āt*	altura	27
مرتفع، ون	*murtafiʿ, -ūna*	elevato, alto	23
مرحب به	*muraḥḥabun bi-hi*	benvenuto	11
مرشح، ون	*muraššaḥ, -ūna*	candidato	11
مرض، أمراض	*maraḍ, ʾamrāḍ*	malattia	23
مرعب، ون	*murʿib, -ūna*	terribile	29
مرعوب، ون	*marʿūb*	spaventato	26
مرقص، مراقص	*marqaṣ, marāqiṣu*	discoteca	7
مرقط	*muraqqaṭ*	à pois	29
مركب، ات	*murakkab, -āt*	complesso (anche psicologico)	12
مركب، مراكب	*markab, marākibu*	nave	19
مركز إنترنت	*markaz ʾintarnat*	punto Internet	6
مركز، مراكز	*markaz, marākizu*	centro	6
مروان	*Marwān*	Marouan (n.pr.m.)	22

مريح، ون	*murīḥ, -ūna*	confortevole	12
المريخ	*al-Mirrīḫ*	Marte	17
مريض، مرضى	*marīḍ, marḍā*	ammalato	15
مزاج، أمزجة	*mizāǧ, ʾamziǧa*	umore	6
مزج، يمزج	*mazaǧa, yamziǧu*	mescolare, mischiare	30
مزدحم، ون	*muzdaḥim, -ūna*	affollato	14
مزدهر، ون	*muzdahir, -ūna*	fiorente	11
مزكم، ون	*muzakkam, -ūna*	raffreddato	15
مزيل الشعر	*muzīlu š-šaʿri*	depilante	22
مساء، أمساء	*masāʾ, ʾamsāʾ*	sera	7
مسافة، مسافات	*masāfa, -āt*	distanza	10
مسألة، مسائل	*masʾala, masāʾilu*	questione	5
مسبح، مسابح	*masbaḥ, masābiḥu*	piscina	19
مستحسن	*mustaḥsan*	raccomandato	15
مستحيل، ون	*mustaḥīl, -ūna*	impossibile	25
مستدير	*mustadīr*	rotondo	17
مستعجل، ون	*mustaʿǧil, -ūna*	affrettato	11
مسرور، ون	*masrūr, -ūna*	contento	13
مسكن، مساكن	*maskan, masākinu*	abitazione	13
مسكين، مساكين	*miskīn, masākīnu*	poverino	14
مسمار، مسامير	*mismār, masāmīru*	chiodo	22
مشاهد، ون	*mušāhid, -ūna*	(tele)spettatore	29
مشترك، ون	*muštarak, -ūna*	condiviso	13
مشروع، مشاريع	*mašrūʿ, mašārīʿu*	progetto	11
مشط، أمشاط	*mišṭ, ʾamšāṭ*	pettine	22
مشط، يمشط	*maššaṭa, yumaššiṭu*	pettinare	22
مشغول البال	*mašġūlu l-bāli*	preoccupato	12
مشغول، ون	*mašġūl, -ūna*	occupato	12
مشكلة، مشاكل	*muškila, mašākilu*	problema	2
مشمس	*mušmis*	assolato	28
مشمع، ات	*mušammaʿ, -āt*	impermeabile	15
مشهور، ون	*mašhūr, -ūna*	noto	12
مشى، يمشي	*mašā, yamšī*	camminare	18
مصاب، ون ب	*muṣāb, -ūna bi-*	colpito da	23
مصارع ثيران	*muṣāriʿ ṯīrān*	torero	25
مصارع، ون	*muṣāriʿ, -ūna*	lottatore	25
مصباح، مصابيح	*miṣbāḥ, maṣābīḥu*	lampione, fanale	10

مصر	*Miṣr*	Egitto	18
مصرف، مصارف	*maṣrif, maṣārifu*	banca	10
مصرفي	*maṣrifiyy*	bancario	30
مصطفى	*Muṣṭafā*	Mustafa (n.pr.m.)	1
مصعد، مصاعد	*miṣˤad, maṣāˤidu*	ascensore	13
مصقع، ون	*muṣaqqaˤ, -ūna*	gelato (di bevanda) (agg.)	18
مصنع، مصانع	*maṣnaˤ, maṣāniˤu*	fabbrica	14
مضجر، ون	*muḍğir, -ūna*	noioso, tedioso	27
مضخة، ات	*miḍaḫḫa, -āt*	pompa	19
مضطر، ون إلى	*muḍṭarr, -ūna ˀilā*	costretto a	14
مضى، يمضي	*maḍā, yamḍī*	passare (tempo)	19
مضى، يمضي عليه	*maḍā, yamḍī ˤalay-hi*	è (tot tempo) che	31
مطار، ات	*maṭār, -āt*	aeroporto	19
مطبخ، مطابخ	*maṭbaḫ, maṭābiḫu*	cucina	14
مطر، أمطار	*maṭar, ˀamṭār*	pioggia	15
مطرب، ون	*muṭrib, -ūna*	cantante	29
مطروق	*maṭrūq*	battuto	30
مطعم، مطاعم	*maṭˤam, maṭāˤimu*	ristorante	7
مطفأ، مطفؤون	*muṭfaˀ, -ūna*	spento	12
مطلق، ون	*muṭlaq, -ūna*	assoluto	25
مع	*maˤa*	con	2
مع السلامة	*maˤa s-salāma*	arrivederci	9
معاصر، ون	*muˤāṣir, -ūna*	contemporaneo	5
معبود، ون	*maˤbūd, -ūna*	adorato	20
معتدل، ون	*muˤtadil, -ūna*	moderato	28
معدني، ون	*maˤdiniyy, -ūna*	minerale	3
معدية، ات	*muˤaddiya, -āt*	traghetto	23
معروف، ون	*maˤrūf, -ūna*	conosciuto	21
معصور	*maˤṣūr*	spremuto	15
معطف، معاطف	*miˤṭaf, maˤāṭifu*	cappotto, giaccone	9
معظم	*muˤẓam*	la maggior parte	26
معقد، ون	*muˤaqqad, -ūna*	complicato	25
معكر المزاج	*muˤakkaru l-mizāği*	di cattivo umore	6
معكر، ون	*muˤakkar, -ūna*	turbato	6
معكرونة	*maˤkarūna*	pastasciutta, maccheroni	30
معلم، ون	*muˤallim, -ūna*	maestro	3
معنويات	*(al-)maˤnawiyyāt*	il morale	19

معنى، معان	*maʕnan, maʕānin*	significato	23
مغامر، ون	*muġāmir, -ūna*	curioso (di sapere); avventuroso	12
المغرب	*al-Maġrib*	il Marocco	23
مغرم، ون بـ	*muġram, -ūna bi-*	innamorato di	17
مغن، مغنون	*muġannin, -nnūna*	cantante[m]	14
مغنية، ات	*muġanniya, -āt*	cantante[f]	14
مفاجأة، مفاجآت	*mufāǧaʔa, -āt*	sorpresa	13
مفتاح يو آس بي	*miftāḥ yū ʔās bī*	chiave USB	2
مفتاح، مفاتيح	*miftāḥ, mafātīḥu*	chiave	2
مفتوح، ون	*maftūḥ*	aperto	18
مفضل	*mufaḍḍal*	preferito	14
مفهوم	*mafhūm*	capito	1
مقبرة، مقابر	*maqbara, maqābiru*	cimitero, necropoli	31
مقبول، ون	*maqbūl, , -ūna*	accettabile	13
مقدار، مقادير	*miqdār, maqādīru*	misura	25
مقدم، ون	*muqaddim, -ūna*	presentatore	21
مقرس، ون	*muqarras, -ūna*	congelato	22
مقص، مقاص	*miqaṣṣ, maqāṣṣu*	forbici (sg.)	21
مقصورة، ات	*maqṣūra, -āt*	cabina	14
مقعد، مقاعد	*maqʕad, maqāʕidu*	panchina	10
مقلق، ون	*muqliq, ūna*	allarmante	26
مقلي، ون	*maqliyy*	fritto	3
مقنع، ون	*muqniʕ, -ūna*	convincente	25
مقهى، مقاه	*maqhan, maqāhin*	bar, caffè	10
مقود، مقاود	*miqwad, maqāwidu*	volante	14
مقياس، مقاييس	*miqyās, maqāyīsu*	misuratore	15
مقيم، ون	*muqīm, -ūna*	residente	25
مكان، أماكن	*makān, ʔamākin*	luogo, posto	12
مكبر (الصوت)	*mukabbir (aṣ-ṣawt)*	microfono	29
مكتب، مكاتب	*maktab, makātibu*	ufficio, studio	5
مكتبة، ات	*maktaba, -āt*	biblioteca; libreria	25
مكث، يمكث	*makaṯa, yamkuṯu*	rimanere	27
ملأ، يملأ	*malaʔa, yamlaʔu*	riempire	18
ملاقاة	*mulāqāt*	incontro	19
ملاكم	*mulākim, -ūna*	pugile	9
ملاكمة	*mulākama*	pugilato	9
ملبس، ملابس	*malbas, malābisu*	indumento, vestito	29

ملصق، ون	*mulṣaq, -ūna*	incollato	21
ملعقة، ملاعق	*milʕaqa, malāʕiqu*	cucchiaio	26
ملك، ملوك	*malik, mulūk*	re	19
ملك، يملك	*malaka, yamliku*	possedere	26
ملل	*malal*	noia	25
ملهى، ملاه	*malhan, malāhin*	locale per divertimenti	27
مليء بـ	*malīʔ bi-*	pieno di	15
مليار، ات	*milyār, -āt*	miliardo	28
مليكة	*Malīka*	Malika (n.pr.f.)	17
مليون، ملايين	*malyūn, malāyīnu*	milione	28
ممتاز، ون	*mumtāz, -ūna*	eccellente	19
ممتع، ون	*mumtiʕ, -ūna*	accattivante	31
ممر، ات	*mamarr, -āt*	corridoio	5
ممكن	*mumkin*	possibile	15
مملح	*mumallaḥ*	salato	18
ممنوع	*mamnūʕ*	vietato	14
من	*man?*	chi?	2
من	*min*	di	2
من خلال	*min ḫilāli*	attraverso, mediante	31
من فضلك	*min faḍli-ka/i*	per piacere$^{m/f}$	3
من قبل	*min qablu*	prima (avv.)	26
مناسب، ون	*munāsib, -ūna*	adatto	15
مناسبة، ات	*munāsaba, -āt*	occasione	9
منبه، ات	*munabbih, -āt*	sveglia	14
منتن، ون	*muntin, -ūna*	puzzolente	22
منتهى	*muntahan*	finito; colmo (sost.)	22
منذ	*munḏu*	da (temporale)	9
منزل، منازل	*manzil, manāzilu*	abitazione, casa	6
منزه	*manzah*	belvedere	7
المنزه	*al-Manzah*	El Menzah (quart. di Tunisi)	7
منشار، مناشير	*minšār, manāšīru*	sega	26
منصرف، ون إلى	*munṣarif ʔilā*	intento a	25
منطقة، مناطق	*minṭaqa, manāṭiqu*	regione, zona	13
منعزل، ون	*munʕazil, -ūna*	isolato	27
منفضة، منافض	*minfaḍa, manāfiḍu*	posacenere	17
منقار، مناقير	*minqār, manāqīru*	becco	26
مهاجر، ون	*muhāǧir, -ūna*	immigrato	11

مهرج، ون	*muharriǧ, -ūna*	pagliaccio	6
مهل	*mahl*	lentezza	11
مهم، ون	*muhimm, -ūna*	importante	4
مهنة، مهن	*mihna, mihan*	professione	25
مهني، ون	*mihaniyy, -ūna*	professionale	25
مواء	*muwāʾ*	miagolio	21
مواصلات	*muwāṣalāt*	trasporti	14
موتر الأعصاب	*muwattaru l-ʾaʿṣābi*	innervosito	10
موجود	*mawǧūd*	situato; disponibile; c'è	17
مورة	*mūra*	baccalà	15
موسيقى	*mūsīqā*	musica	14
موسيقي	*mūsīqiyy*	musicale	29
موضوع مطروق	*mawḍūʿ maṭrūq*	luogo comune	30
موضوع، مواضيع	*mawḍūʿ, mawāḍīʿu*	argomento	5
موظف، ون	*muwaẓẓaf, -ūna*	impiegato	11
موعد، مواعد	*mawʿid, mawāʿidu*	appuntamento	4
موقع، مواقع	*mawqiʿ, mawāqiʿu*	sito	6
موقف، مواقف	*mawqif, mawāqifu*	parcheggio; fermata	19
مولود	*mawlūd*	nato	25
موميا، ت	*mūmiyā, -t*	mummia	28
ميكروباص، ات	*mīkrūbāṣ, -āt*	microbus	30
نابغة، نوابغ	*nābiġa, nawābiġu*	genio	9
ناد، نواد	*nādin, nawādin*	club, circolo	30
نادل، نوادل	*nādil, nawādilu*	cameriere	21
نادى، ينادي	*nādā, yunādī*	chiamare	13
نارجيلة، ات	*nārǧīla, -āt*	narghilè	28
ناس	*nās*	gente	6
الناصرة	*an-Nāṣira*	Nazaret	18
ناصية، نواص	*nāṣiya, nawāṣin*	fine della strada	28
ناطق، ون بـ	*nāṭiq, -ūna bi-*	parlante	28
نافذة، نوافذ	*nāfiḏa, nawāfiḏu*	finestra	13
نافع	*nāfiʿ*	utile, proficuo	12
نام، ينام	*nāma, yanāmu*	dormire	12
ناهز، يناهز	*nāhaza, yunāhizu*	avvicinarsi a (età)	12
ناو	*nāwin*	intenzionato a	21
نبات، ات	*nabāt, -āt*	pianta (botan.)	31
نبس، ينبس بـ	*nabasa, yanbisu bi-*	dire, proferire	14

نبه، ينبه	*nabbaha, yunabbihu*	avvertire	20
نبيذ، أنبذة	*nabīḏ, ʾanbiḏa*	vino	6
نبيلة	*Nabīla*	Nabila (n.pr.f.)	14
نتيجة، نتائج	*natīǧa, natāʾiǧu*	risultato	15
نجح، ينجح	*naǧaḥa, yanǧaḥu*	superare (esame)	26
نجمة، نجمات	*naǧma*	stella	27
نحو	*naḥwa*	verso	14
نزل، أنزال	*nuzl/nuzul, ʾanzāl*	locanda; albergo	27
نزل، ينزل	*nazala, yanzilu*	scendere	14
نزلة، نزلات	*nazla, nazalāt*	raffreddore	15
نزهة، ات	*nuzha, -āt*	passeggiata	27
نزول	*nuzūl*	(lo) scendere	20
نسبة، نسب	*nisba, nisab*	rapporto	22
نسمة، ات	*nasama, -āt*	anima (= abitante)	30
نسي، ينسى	*nasiya, yansā*	dimenticare	10
نصف، أنصاف	*niṣf, ʾanṣāf*	mezzo, metà	6
نصيحة، نصائح	*naṣīḥa, naṣāʾiḥu*	consiglio	10
نطق، ينطق بـ	*naṭaqa, yanṭuqu*	pronunciare	28
نظر، أنظار	*naẓar, ʾanẓār*	sguardo	20
نظر، ينظر إلى	*naẓara, yanẓuru ʾilā*	guardare	15
نظم، ينظم	*naẓẓama, yunaẓẓimu*	organizzare	25
نظيف، نظاف	*naẓīf, niẓāf*	pulito	2
نعس، ينعس	*naʿasa, yanʿasu*	addormentarsi	6
نعم	*naʿam*	sì	1
نعناع	*naʿnāʿ*	menta	28
نغمة، نغمات	*naġma, naġamāt*	melodia	29
نفس، أنفس	*nafs, ʾanfus*	anima (f.!); stesso (pron. riflessivo)	7; 7
نفساني	*nafsāniyy*	psicologico	12
نفق، أنفاق	*nafaq, ʾanfāq*	tunnel	25
نقد، نقود	*naqd, nuqūd*	denaro	30
نقص	*naqṣ*	mancanza; inferiorità	12
نقطة، نقط	*nuqṭa, nuqaṭ*	punto; goccia	15
ننعنع	*naʿnaʿ*	traslocare	13
نكتة، نكت	*nukta, nukat*	barzelletta	21
نهائي، ون	*nihāʾiyy, -ūna*	finale	30
نهار، أنهر	*nahār, ʾanhur*	giornata	14
نهاية، ات	*nihāya, -āt*	fine	9

نورس، نوارس	*nawras, nawārisu*	gabbiano	19
نوع، أنواع	*nawˁ, ˀanwāˁ*	tipo	29
نون	*nūn*	anguilla (in arabo marocchino)	31
نوى، ينوِي	*nawā, yanwī*	avere l'intenzione di	21
نِيء	*nayˀ*	crudo	12
نِياو	*nyāw*	miao	21
نية، ات	*niyya, -āt*	intenzione	14
النيل	*an-Nīl*	il Nilo	30
ها	*hā*	ecco	2
ها هو ذا	*hā huwa ḏā*	eccolo là	31
هائج، هياج	*hāˀiǧ, hiyāǧ*	imbizzarrito	30
هاتف، هواتف	*hātif, hawātifu*	telefono	17
هاتفي	*hātifiyy*	telefonico	17
هام، ون	*hāmm, -ūna*	importante	18
هانئ، ون	*hāniˀ, -ūna*	sereno	31
هب، يهب	*habba, yahubbu*	soffiare	17
هبط، يهبط	*habaṭa, yahbuṭu*	atterrare	19
هتف، يهتف	*hatafa, yahtifu*	esclamare	31
هدأ، يهدأ	*hadaˀa, yahdaˀu*	calmarsi	14
هدف، أهداف	*hadaf, ˀahdāf*	obiettivo	26
هدى	*Hudā*	Huda (n.pr.f.)	1
هذا	*hāḏā*	questo	1
هذب، يهذب	*haḏḏaba, yuhaḏḏibu*	educare	9
هزأ، يهزأ بـ	*hazaˀa, yahzaˀu bi-*	prendere in giro	20
هشام	*Hišām*	Hicham (n.pr.m.)	25
هضم، يهضم	*haḍama, yahḍumu*	digerire	18
هطل، يهطل	*haṭala, yahṭulu*	piovere a dirotto	15
هكذا	*hākaḏā*	così	6
هل...؟	*hal...?*	forse che...?	1
هناك	*hunāka*	lì; c'è	2
هند	*Hind*	Hind (n.pr.f.)	3
هندسة	*handasa*	ingegneria	25
هنيئا مريئا!	*hanīˀan marīˀan*	buon appetito!	15
هيا!	*hayyā!*	su, dai!	11
هيكل، هياكل	*haykal, hayākilu*	tempio; scheletro	28
و	*wa-*	e	1
واحد	*wāḥid*	uno	7

واسع	*wāsiˁ*	ampio, vasto	13
واصل، يواصل	*wāṣala, yuwāṣilu*	continuare	19
واضح	*wāḍiḥ*	chiaro, preciso	28
واطئ، ون	*wāṭiˀ, -ūna*	basso (agg.)	31
وافق، يوافق	*wāfaq, yuwāfiqu*	essere d'accordo	28
واقع	*wāqiˁ*	realtà	30
واقف	*wāqif*	in piedi^{m}	21
وإلا	*wa-ˀillā*	sennò, altrimenti	14
والد، ون	*wālid, -ūna*	genitore	18
والله...	*wa-Llāhi...*	per Dio; beh...	7
وجد، يجد	*waǧada, yaǧidu*	trovare	7
وجع، أوجاع	*waǧaˁ, ˀawǧāˁ*	dolore	25
وحده	*waḥda-hu*	da solo	6
ود، يود	*wadda, yawaddu*	desiderare	19
وداعا	*widāˁan*	addio	13
ودع، يدع	*wadaˁa, yadaˁu*	lasciar stare	27
ورشة، ات	*warša, -āt*	cantiere	26
ورق، أوراق	*waraq, ˀawrāq*	carta, documento	25
وزارة، ات	*wizāra, -āt*	ministero	27
وسخ، ون	*wasiḫ, -ūna*	sporco	2
وسط، أوساط	*wasaṭ, ˀawsāṭ*	centro	7
وسطى	*wusṭā*	media, di mezzo	9
وشاح، وشح	*wišāḥ, wušuḥ*	sciarpa	17
وصل، يصل إلى	*waṣala, yaṣilu ˀilā*	arrivare a	9
وضع، أوضاع	*waḍˁ, ˀawḍāˁ*	situazione	14
وضع، يضع	*waḍaˁa, yaḍaˁu*	mettere	9
وطن، أوطان	*waṭan, ˀawṭān*	patria	11
وطني، ون	*waṭaniyy, -ūna*	nazionale	11
وظف، يوظف	*waẓẓafa, yuwaẓẓifu*	impiegare	25
وقت، أوقات	*waqt, ˀawqāt*	tempo	13
وقف، يقف	*waqafa, yaqifu*	stare in piedi	21
وقود	*waqūd*	combustibile	19
وقوف	*wuqūf*	sosta	14
وكالة سفريات	*wikālatu safariyyātin*	agenzia di viaggi	23
وكالة، ات	*wikāla, -āt*	agenzia	10
ولادة، ات	*wilāda, -āt*	nascita	4
ولكن	*wa-lākin*	ma, però	2

يا	*yā*	(partic. vocativa)	2
يا إلهي!	*yā ʔilāh-ī!*	Dio mio!	17
يا سلام!	*yā Salām!*	Dio mio!	21
يا لـ	*yā la-l-...!*	che...! (esclamazione)	14
يا للحظ!	*yā la-l-ḥaẓẓu!*	che fortuna!	6
يا للضحك!	*yā la-ḍ-ḍaḥku!*	che ridere!	6
ياباني، ون	*yābāniyy, -ūna*	giapponese	12
يسار	*yasār*	sinistra	10
يعني	*yaʕnī*	cioè	18
يكفي	*yakfī*	basta[m]	9
اليمن	*al-Yaman*	Yemen	23
يمني، ون	*yamaniyy, -ūna*	yemenita	23
اليمنية	*al-Yamaniyya*	Yemeniya (linea aerea)	23
يمين	*yamīn*	destra	10
يورو	*yūrū*	euro (indecl.)	23
اليوم	*al-yawma*	oggi	3
يوم، أيام	*yawm, ʔayyām*	giorno	3
يونس	*Yūnis*	Younes (n.pr.m.)	29
ڤودكا		vodka	15
الڤيزوڤ	*al-Vīzūv*	il Vesuvio	30

Italiano-Arabo

Il lessico italiano-arabo, che contiene tutti i termini usati nelle letture del manuale, è concepito come promemoria: dei nominali non viene indicato il plurale e dei verbi il *muḍāriˁ*. Per ottenere queste informazioni sarà necessario cercare successivamente la parola araba nel lessico arabo-italiano.

a bordo di	على متنِ	*ˁalā matni*
a causa di	بسبب	*bi-sababi*
a chiocciola	حلزوني	*ḥalazūniyy*
à pois	مرقط	*muraqqaṭ*
a proposito	بالمناسبة	*bi-l-munāsabati*
a proposito di	عن	*ˁan*
a proposito!	على فكرة!	*ˁalā fikra!*
abbandonare	غادر	*ġādara*
abbattuto	محبط	*muḥbaṭ*
abbracciare	عانق	*ˁānaqa*
abbracciarsi	تعانق	*taˁānaqa*
abitante	نسمة	*nasama*
abitare	سكن	*sakana*
abitazione	مسكن	*maskan*
abito	ثوب	*ṯawb*
abitudine	عادة	*ˁāda*
accadere	حصل	*ḥaṣala*
accalcarsi	تراص	*tarāṣṣa*
accanto	بجانب	*bi-ǧānibi*
accattivante	ممتع	*mumtiˁ*
accettabile	مقبول	*maqbūl,*
acchiappare	قبض	*qabaḍa*
accompagnare	اصطحب	*iṣṭaḥaba*
accompagnare	رافق	*rāfaqa*
acqua	ماء	*mā*
acrofobia	رهبة الارتفاع	*rahbatu l-irtifāˁ*
a ogni modo	على كل حال	*ˁalā kulli ḥālin*
adatto	مناسب	*munāsib*
addio!	وداعا	*widāˁan*
addormentarsi	نعس	*naˁasa*
adesso	الآن	*al-ˀāna*
adiacente	مجاور	*muǧāwir*
adolescente	مراهق	*murāhiq*
adorato	معبود	*maˁbūd*
adunco	أعقف	*ˀaˁqafu*
aereo (agg.)	جوي	*ǧawwiyy*
aeroplano	طائرة	*ṭāˀira*
aeroporto	مطار	*maṭār*
affaccendarsi	انهمك	*inhamaka*
affacciarsi	أطل على	*ˀaṭalla ˁalā*
affamato	جوعان	*ǧawˁān*
affatto	البتة	*al-battata*
affitto	إيجار	*ˀīǧār*
affollato	مزدحم	*muzdaḥim*
affrettato	مستعجل	*mustaˁǧil*
agenzia	وكالة	*wikāla*
agenzia di viaggi	وكالة سفريات	*wikālatu safariyyātin*
aggiungere	أضاف	*ˀaḍāfa*
aggiungere	زاد	*zāda*
aggiunta	إضافة	*ˀiḍāfa*
aggiuntivo	إضافي	*ˀiḍāfiyy*
aggrottare	قطب	*qaṭṭaba*
Aïcha	عائشة	*ˁĀˀiša*
aio!	أخ!	*ˀuḫḫ!*
aiutare	ساعد	*sāˁada*
al colmo di	في منتهى	*fī muntahā*
al contrario	بالعكس	*bi-l-ˁaksi*
al di sopra di	فوق	*fawqa*
al posto di	عوضا عن	*ˁiwaḍan ˁan*
alba	فجر	*faǧr*
albergo	فندق	*funduq*
albergo	نزل	*nuzl/nuzul*

alberi	شجر	*šağar*
alcuni	بعض ال	*baʕḍu l-*
alcuno/a	أي	*ʔayy*
alga	طحلب	*ṭuḥlub*
alimentare	غذائي	*ġiḏāʔiyy*
all'improvviso	فجأة	*fağʔatan*
allarmante	مقلق	*muqliq*
allora	إذن	*ʔiḏan*
almeno	على الأقل	*ʕalā l-ʔaqall*
altezza	ارتفاع	*irtifāʕ*
alto	طويل	*ṭawīl*
altra	أخرى	*ʔuḫrā*
altrimenti	وإلا	*wa-ʔillā*
altro	آخر	*ʔāḫar*
altura	مرتفع	*murtafaʕ*
alzarsi	قام	*qāma*
amare	أحب	*ʔaḥabba*
amato	محبوب	*maḥbūb*
America	أمريكا	*ʔAmrīkā*
americano	أمريكي	*ʔamrīkiyy*
amico	صديق، حبيب	*ṣadīq, ḥabīb*
Amin	أمين	*ʔAmīn*
ammalato	مريض	*marīḍ*
ammirare	استحسن	*istaḥsana*
ampio	واسع	*wāsiʕ*
analista	محلل	*muḥallil*
anche	أيضا	*ʔayḍan*
andare	ذهب	*ḏahaba*
andarsene	انصرف	*inṣarafa*
anello	خاتم	*ḫātam*
anello da caviglia	خلخال	*ḫalḫāl*
angolo	ركن	*rukn*
anguilla	أنقليس	*ʔanqalīs*
anguilla (in arabo marocchino)	نون	*nūn*
anima	نفس	*nafs*

animale	حيوان	*ḥayawān*
anno	سنة	*sana*
annoiarsi	ضجِر	*ḍağara*
antipatico	ثقيل الدم	*ṯaqīlu d-dami*
anziana	عجوز	*ʕağūz*
anzianità	أقدمية	*ʔaqdamiyya*
aperto	مفتوح	*maftūḥ*
apparecchio	جهاز	*ğihāz*
appartamento	شقة	*šiqqa*
appiccicoso	لصق	*laṣiq*
applaudire	صفق	*ṣaffaqa*
applicazione	اجتهاد	*iğtihād*
appoggiarsi	اتكأ	*ittakaʔa*
appoggiarsi su	ارتكز على	*irtakaza ʕalā*
appollaiarsi	جثم	*ğaṯama*
apposta	قصدا	*qaṣdan*
appuntamento	موعد	*mawʕid*
aprire	فتح	*fataḥa*
aprirsi	انفتح	*infataḥa*
arabo	عربي	*ʕarabiyy*
arabo classico	(العربية ال) فصحى	*fuṣḥā (al-ʕarabiyyatu l-)*
arachidi	فول سوداني	*fūl sūdāniyy*
argomento	موضوع	*mawḍūʕ*
aria	جو	*ğaww*
arrabbiarsi	غضب	*ġaḍiba*
arrabbiato	غاضب، غضبان	*ġāḍib, ġaḍbān*
arrivare	وصل	*waṣala*
arrivare all'altezza di	حاذى	*ḥāḏā*
arrivederci	إلى اللقاء، مع السلامة	*ʔilā l-liqāʔi, maʕa s-salāmati*
arrossire	احمر	*iḥmarra*
artigiano	صانع	*ṣāniʕ*
ascella	إبط	*ʔibṭ*
ascensore	مصعد	*miṣʕad*
ascoltare	استمع إلى	*istamaʕa ʔilā*

aspettare	انتظر	*intaẓara*
aspirare	تنشق	*tanaššaqa*
aspirina	أسبيرين	*ʾasbīrīn*
assaggiare	ذاق	*ḏāqa*
assai	جدا	*ǧiddan*
assaporare	تذوق	*taḏawwaqa*
assetato	عطشان	*ʿaṭšān*
assicurazione	تأكيد	*taʾkīd*
assistitere	حضر	*ḥaḍara*
assolato	مشمس	*mušmis*
assolutamente	إطلاقا	*ʾiṭlāqan*
assoluto	مطلق	*muṭlaq*
assomigliare	أشبه	*ʾašbaha*
astrale	كوكبي	*kawkabiyy*
atlantico	أطلسي	*ʾaṭlasiyy*
atterrare	هبط	*habaṭa*
attesa	انتظار	*intiẓār*
attimo	لحظة	*laḥẓa*
attraverso	من خلال	*min ḫilāl*
aula	قاعة	*qāʿa*
aumentare	ازداد	*izdāda*
autentico	أصيل	*ʾaṣīl*
autobus	حافلة	*ḥāfila*
automatico	آلي	*ʾāliyy*
automobile	سيارة	*sayyāra*
autore	مؤلف	*muʾallif*
avambraccio	ساعد	*sāʿid*
aver bisogno	احتاج إلى	*iḥtāǧa ʾilā*
avere l'intenzione	نوى	*nawā*
avventuroso	مغامر	*muġāmir*
avverarsi	اتضح	*ittaḍaḥa*
avvertire	نبه	*nabbaha*
avvicinare	قرب إلى	*qarraba ʾilā*
avvicinarsi	اقترب من	*iqtaraba min*
avvicinarsi (di età)	ناهز	*nāhaza*
azione	فعل	*fiʿl*
Baalbek	بعلبك	*Baʿlabak*
baccalà	مورة	*mūra*
bacchetta	عصا	*ʿaṣan*
baciare	باس	*bāsa*
bacio	بوسة	*bawsa*
bagno	حمام	*ḥammām*
ballare	رقص	*raqaṣa*
banca	بنك، مصرف	*bank, maṣrif*
bancario	مصرفي	*maṣrifiyy*
bancomat (sportello)	صراف آلي	*ṣarrāf ʾāliyy*
bancomat (tessera)	بطاقة مصرفية	*biṭāqa maṣrifiyya*
bar	مقهى	*maqhan*
barba	لحية	*liḥya*
barbiere	حلاق	*ḥallāq*
barca	قارب	*qārib*
Barcellona	برشلونة	*Baršalūna*
barzelletta	نكتة	*nukta*
basso	واطئ	*wāṭiʾ*
basta	يكفي	*yakfī*
battuto	مطروق	*maṭrūq*
becco	منقار	*minqār*
bello	جميل	*ǧamīl*
belvedere	منزه	*manzah*
bene (avv.)	جيدا، حسنا	*ǧayyidan, ḥasanan*
benedire	بارك	*bāraka*
bensì	بل	*bal*
benvenuto	مرحب به	*muraḥḥab bi-hi*
benvenuto!	أهلا وسهلا	*ʾahlan wa-sahlan*
benzina	بنزين	*banzīn*
berbero	أمازيغي	*ʾamāzīġiyy*
bianco	أبيض	*ʾabyaḍ*
biblioteca	مكتبة	*maktaba*

bicchiere	كأس	*kaʔs*
biglietto	تذكرة	*taḏkira*
biondo	أشقر	*ʔašqar*
boccata	دفعة	*dufʕa*
bocciare	أسقط	*ʔasqaṭa*
bocciato	راسب	*rāsib*
bofonchiare	تمتم	*tamtama*
bontà	حسن	*ḥusn*
borbottare	دمدم	*damdama*
borghese	برجوازي	*burǧuwāziyy*
bottiglia	زجاجة، قنينة	*zuǧāǧa, qinnīna*
braccialetto	سوار	*siwār*
braccio	ذراع	*ḏirāʕ*
branco	زمرة	*zumra*
bravo	ماهر، شاطر	*māhir, šāṭir*
bretelle	حمالة	*ḥimāla/ ḥammāla*
britannico	بريطاني	*barīṭāniyy*
brodo	حساء	*ḥasāʔ*
bruciatore	محرق	*miḥraq*
brutto	قبيح	*qabīḥ*
bugiardo	كاذب	*kāḏib*
buon appetito!	هنيئا مريئا!	*hanīʔan marīʔan*
buono	جيد	*ǧayyid*
burocrazia	بيروقراطية	*bīrūqrāṭiyya*
burro	زبدة	*zubda*
buttare	ألقى بـ	*ʔalqā bi-*
buttare	رمى بـ	*ramā bi-*
cabina	مقصورة	*maqṣūra*
cacciare	طرد	*ṭarada*
cadere	سقط	*saqaṭa*
caffè	قهوة	*qahwa*
caffettano	جلباب، جلابية	*ǧilbāb, ǧallābiyya*
caldo	ساخن	*sāḫin*
calmarsi	هدأ	*hadaʔa*
calzino	جورب	*ǧawrab*
calzolaio	إسكافي	*ʔiskāfiyy*
cambiare	غير	*ġayyara*
cambiavalute	صراف	*ṣarrāf*
camera	غرفة	*ġurfa*
cameriere	نادل	*nādil*
camion	شاحنة	*šāḥina*
camminare	سار، مشى	*sāra*
cammino	سبيل	*sabīl*
campionato	بطولة	*buṭūla*
canale	قناة	*qanāt*
candidato	مرشح	*muraššaḥ*
canna	قصبة	*qaṣaba*
cantante	مطرب، مغن	*muṭrib*
cantiere	ورشة	*warša*
capace	قادر على	*qādir ʕalā*
capelli	شعر	*šaʕr*
capire	فهم	*fahima*
capitale	عاصمة	*ʕāṣima*
capitano (marina)	قبطان	*qubṭān*
capito	مفهوم	*mafhūm*
capo	رئيس	*raʔīs*
cappotto	معطف	*miʕṭaf*
caprone	تيس	*tays*
caro	عزيز	*ʕazīz*
carriera	سلك	*silk*
carro	عربة	*ʕaraba*
carta	ورق	*waraq*
cartellone	لافتة	*lāfita*
casa	بيت، منزل	*bayt, manzil*
Casablanca	الدار البيضاء	*ad-Dār al-Bayḍāʔ*
cassa	صندوق	*ṣandūq*
cassetto	درج	*durǧ*
cattivo	خبيث	*ḫabīṯ*
causa	سبب	*sabab*
caviglia	كاحل	*kāḥil*

cellulare	جوال	*ǧawwāl*
cena	عشاء	*ʕašāʔ*
cenare	تعشى	*taʕaššā*
centro	مركز، وسط	*markaz, wasaṭ*
cercare	فتش، بحث عن	*fattaša, baḥaṯa ʕan*
certamente	بالتأكيد	*bi-t-taʔkīd*
certificato	شهادة	*šahāda*
certificato medico	تقرير طبي	*taqrīr ṭibbiyy*
certo che no	كلا	*kallā*
certo!	طبعا!	*ṭabʕan*
cervello	دماغ	*dimāġ*
cetrioli	خيار	*ḫiyār*
che	أن، أن	*ʔanna, ʔan*
che fortuna!	يا للحظ!	*yā la-l-ḥaẓẓu!*
che ridere!	يا للضحك!	*yā la-ḍ-ḍaḥku!*
chi?	من	*man?*
chiacchierare	تحدث	*taḥaddaṯa*
chiamare	نادى	*nādā*
chiamarsi l'un l'altro	تنادى	*tanādā*
chiaro	واضح	*wāḍiḥ*
chiasso	ضجة	*ḍaǧǧa*
chiassoso	صاخب	*ṣāḫib*
chiave	مفتاح	*miftāḥ*
chiave USB	مفتاح يو آس بي	*miftāḥ yū ʔās bī*
chiedere (per sapere)	سأل	*saʔala*
chiedere (per ottenere)	طلب	*ṭalaba*
chilometro	كيلومتر	*kīlūmitr*
chiocciare	قاق	*qāqa*
chiodo	مسمار	*mismār*
chiudere	أغلق	*ʔaġlaqa*
ciao	أهلا	*ʔahlan*
cibo	أكل	*ʔakl*
ciclo	دورة	*dawra*

cicogne	لقلق	*laqlaq*
cigolare	صفر	*ṣafara*
cimitero	مقبرة	*maqbara*
cinema	سينما	*sīnamā*
cinese	صيني	*ṣīniyy*
cioè	يعني	*yaʕnī*
circa	تقريبا	*taqrīban*
circondato	محاط	*muḥāṭ*
città	مدينة	*madīna*
clacson	زمور، زمامير	*zammūr*
cliente	زبون	*zabūn*
club	ناد	*nādin*
coccodrillo	تمساح	*timsāḥ*
cognome	اسم العائلة، لقب	*ʔismu l-ʕāʔilati, laqab*
colazione	فطور	*fuṭūr*
collega	زميل	*zamīl*
collera	غيظ	*ġayẓ*
colonna	عمود	*ʕamūd*
colore	لون	*lawn*
colpa	ذنب	*ḏanb*
colpire	أصاب	*ʔaṣāba*
colpito	مصاب بـ	*muṣāb bi-*
combustibile	وقود	*waqūd*
come (prep.)	كـ مثل، كما	*ka-, miṯla, kamā*
come se	كما لو أن	*kamā law ʔan(na)*
come?	كيف؟	*kayfa?*
commissariato	مخفر الشرطة	*maḫfar aš-šurṭa*
commuoversi	تأثر	*taʔaṯṯara*
compagnia	صحبة	*ṣuḥba*
complesso	مركب	*murakkab*
completo	تام	*tāmm*
complicato	معقد	*muʕaqqad*
comportamento	تصرف	*taṣarruf*
comprare	اشترى	*ištarā*
computer	حاسوب	*ḥāsūb*

comunicazione	تواصل	*tawāṣul*
con	مع	*maʕa*
concentrare	ركز	*rakkaza*
concerto	حفلة	*ḥafla*
conchiglie	صدف	*ṣadaf*
condannato	مدان	*mudān*
condire	تبل	*tabbala*
condiviso	مشترك	*muštarak*
condizionare (aria)	كيف	*kayyafa*
condizione	حال	*ḥāl*
conducente	سائق	*sāʔiq*
condurre	أوصل	*ʔawṣala*
condurre a	أدى إلى	*ʔaddā ʔilā*
confessare	أقر بـ	*ʔaqarra bi-*
confortevole	مريح	*murīḥ*
congelarsi	تثلج	*taṯallağa*
congelato	مقرس	*muqarras*
congelatore	ثلاجة	*ṯallāğa*
connettersi	اتصل بـ	*ittaṣala bi-*
conoscere	عرف	*ʕarafa*
conosciuto	معروف	*maʕrūf*
conseguire	أحرز	*ʔaḥraza*
conservare	حفظ	*ḥafiẓa*
consiglio	نصيحة	*naṣīḥa*
contadino	فلاح	*fallāḥ*
contemporaneo	معاصر	*muʕāṣir*
contento	مسرور	*masrūr*
continente	قارة	*qārra*
continuare	استمر، واصل	*istamarra, wāṣala*
continuazione	استمرار	*istimrār*
conto	حساب	*ḥisāb*
contorcersi	تلوى	*talawwā*
contrario	عكس	*ʕaks*
contro	ضد	*ḍidda*
controllare	راقب	*rāqaba*
convenire	لاءم	*lāʔama*
convincente	مقنع	*muqniʕ*
coperchio	غطاء	*ġiṭāʔ*
coperta	بطانية	*baṭṭāniyya*
copertina	غلاف	*ġilāf*
coppa	كأس	*kaʔs*
coraggioso	شجاع	*šuğāʕ*
Cordova	قرطبة	*Qurṭuba*
cordovano	قرطبي	*qurṭubiyy*
corpo	جسم	*ğism*
corpulento	سمين	*samīn*
correre	ركض	*rakaḍa*
corridoio	ممر	*mamarr*
corto	قصير	*qaṣīr*
cosa	شيء	*šayʔ*
cosa?	ما؟، ماذا؟	*mā?*
così	هكذا، كذلك	*hākaḏā, kaḏālika*
costa	ساحل	*sāḥil*
costare	كلف	*kallafa*
costituzione	بنية	*bunya*
costoso	غال	*ġālin*
costretto	مضطر إلى	*muḍṭarr ʔilā*
costringere	أجبر	*ʔağbara*
costruire	بنى	*banā*
costume da bagno	لباس بحر	*libās baḥr*
cranio	جمجمة	*ğumğuma*
creatura	مخلوق	*maḫlūq*
credere	صدق	*ṣaddaqa*
crescere	كبر	*kabura*
crisi	أزمة	*ʔazma*
crudo	نيء	*nayʔ*
cucchiaio	ملعقة	*milʕaqa*
cucina	مطبخ	*maṭbaḫ*
cucinare	طبخ	*ṭabaḫa*
cultura	ثقافة	*ṯaqāfa*
culturale	ثقافي	*ṯaqāfiyy*

cuore	قلب	*qalb*
cura	علاج	*ˤilāǧ*
curioso	مغامر	*muġāmir*
cuscus	كسكسي	*kuskusī*
da (temporale)	منذ	*mun̲d̲u*
danno	بأس	*baˀs, ˀabˀus*
dare	أعطى	*ˀaˤṭā*
dare il nome	سمى	*sammā*
d'argento	فضي	*fiḍḍiyy*
darsi da fare	اجتهد	*iǧtahada*
da solo	وحده	*waḥda-hu*
data	تاريخ	*tārīḫ*
davanti	أمام	*ˀamāma*
debole	ضعيف	*ḍaˤīf*
decidere	قرر	*qarrara*
decisione	قرار	*qarār*
decollare	أقلع	*ˀaqlaˤa*
decollo	إقلاع	*ˀiqlāˤ*
deejay	ديجاي	
degno di	جدير ب	*ǧadīr bi-*
denaro	نقود، مال	*nuqūd, māl*
denso	كثيف	*kat̲īf*
dente	سن	*sinn*
dentro	داخل	*dāḫila*
depilante	مزيل الشعر	*muzīlu š-šaˤri*
depressione	انهيار	*inhiyār*
desiderare	ود	*wadda*
desideroso	راغب في	*rāġib fī*
destra	يمين	*yamīn*
destro (agg.)	أيمن	*ˀayman*
di	من	*min*
di cattivo umore	معكر المزاج	*muˤakkaru l-mizāǧi*
di fronte a	قبالة	*qubālata*
di modo che	بحيث أن	*bi-ḥayt̲u ˀan*
dialetto	دارجة، عامية، لهجة	*dāriǧa, ˤāmmiyya, lahǧa*
diavolo	شيطان	*šayṭān*
dichiarare	صرح	*ṣarraḥa*
differenza	فرق	*farq*
differire	اختلف	*iḫtalafa*
diffusione	رواج	*rawāǧ*
digerire	هضم	*haḍama*
diligente	مجتهد	*muǧtahid*
dimenticare	نسي	*nasiya*
diminuire	خفف	*ḫaffafa*
dinaro	دينار	*dīnār*
Dio	الله	*Allāh*
Dio mio!	يا إلهي! ، يا سلام!	*yā ˀilāh-ī!, yā Salām!*
dipendere	توقف على	*tawaqqafa ˤalā*
dire	قال	*qāla*
direzione	اتجاه	*ittiǧāh*
dirigersi	اتجه	*ittaǧaha*
disco	أسطوانة	*ˀusṭuwāna*
discorso	كلام	*kalām*
discoteca	مرقص	*marqaṣ*
discutere	تناقش	*tanāqaša*
disgraziato	لئيم	*laˀīm*
disimpegnato	طلق	*ṭaliq*
disoccupato	عاطل عن العمل	*ˤāṭil ˤan al-ˤamal*
disordinato	فوضوي	*fawḍawiyy*
disordine	فوضى	*fawḍā*
disperare	قنط	*qaniṭa*
dispiacere	أسف	*ˀasaf*
dispiaciuto	متأسف	*mutaˀassif*
disponibilità	رصيد	*raṣīd*
distanza	مسافة	*masāfa*
disturbare	أزعج	*ˀazˤaǧa*
dito	إصبع	*ˀiṣbaˤ*
ditta	شركة	*širka*
diventare	أصبح	*ˀaṣbaḥa*
diverse volte	عدة مرات	*ˤiddat marrāt*

diverso	مختلف	*muḫtalif*
divertimento	تسلية	*tasliya*
divertirsi	انبسط، تسلى	*inbasaṭa, tasallā*
doccia	دوش	*dūš*
Doha	الدوحة	*ad-Dawḥa*
dolere	أوجع	*ʾawǧaʿa*
dolore	وجع	*waǧaʿ*
doloroso	مؤلم	*muʾlim*
domanda	سؤال	*suʾāl*
domani	غدا	*ġadan*
donna	امرأة	*imraʾa*
dopo (avv.)	بعدئذ	*baʿda-ʾiḏin*
dopo (prep.)	بعد	*baʿda*
dopo che	بعد أن	*baʿda ʾan*
dopodomani	بعد غد	*baʿda ġadin*
dorato	مذهب	*muḏahhab*
dormire	نام	*nāma*
d'oro	ذهبي	*ḏahabiyy*
dorso	متن	*matn*
dove	حيث	*ḥayṯu*
dove?	أين؟	*ʾayna?*
droga	مخدرات	*muḫaddirāt*
droghiere	بقال	*baqqāl*
dubbio	شك، شكوك	*šakk*
dubitare	شك في	*šakka fī*
durante	خلال	*ḫilāla, ʾaṯnāʾa*
durare	استغرق	*istaġraqa*
durare	دام	*dāma*
e	و	*wa-*
è (tot tempo) che	مضى عليه	*maḍā ʿalay-hi*
ecc.	إلى آخره (= الخ)	*ʾilā ʾāḫiri-hi*
eccellente	ممتاز	*mumtāz*
eccezione	استثناء	*istiṯnāʾ*
eccitare	أثار	*ʾaṯāra*
ecco	ها	*hā*
eccolo là	ها هو ذا	*hā huwa ḏā*
economia	اقتصاد	*iqtiṣād*
economico	اقتصادي	*iqtiṣādiyy*
economico, a buon mercato	رخيص	*raḫīṣ*
edificio	بناية	*bināya*
educare	هذب	*haḏḏaba*
educato	مؤدب	*muʾaddab*
Egitto	مصر	*Miṣr*
elegante	أنيق	*ʾanīq*
elettricità	كهرباء	*kahrabāʾ*
elettrico	كهربائي	*kahrabāʾiyy*
elettronico	إلكتروني	*ʾiliktrūniyy*
elevarsi	ارتفع	*irtafaʿa*
elevarsi	تعالى	*taʿālā*
elevato	مرتفع	*murtafiʿ*
El Menzah	المنزه	*al-Manzah*
enorme	ضخم	*ḍaḫm*
entrambe	كلتا	*kiltā*
entrambi	كلا	*kilā*
entrare	دخل	*daḫala*
entusiasmo	حماس	*ḥamās*
erudito, dotto	علامة	*ʿallāma*
eruzione	ثوران	*ṯawarān*
esagerare	بالغ	*bālaġa*
esame	امتحان	*imtiḥān*
esaminare	فحص	*faḥaṣa*
esattamente	بالضبط	*bi-ḍ-ḍabṭ*
esattamente, del tutto	تماما	*tamāman*
esclamare	هتف	*hatafa*
eseguire	قام بـ	*qāma bi-*
esempio	مثل	*maṯal*
esitare	تردد	*taraddada*
espediente	حيلة	*ḥīla*
esposto	عريضة	*ʿarīḍa*
esprimere	عبر عن	*ʿabbara ʿan*
essere	كان	*kāna*

essere ancora	ما زال	*mā zāla*
essere d'accordo	وافق	*wāfaqa*
essere dispiaciuto	تأسف	*taʾassafa*
essere dolce	حلا	*ḥalā*
essere incantato	أُعجب بـ	*ʾuʿǧiba bi-*
essere inquinato	تلوث	*talawwaṯa*
essere livellato	اعتدل	*iʿtadala*
essere padrone di	امتلك ناصِية	*imtalaka nāṣiyata*
essere possibile	أمكن	*ʾamkanra*
essere probabile	احتمل	*iḥtamala*
essere quasi	كاد أن	*kāda ʾan*
essere sul punto di	أوشك أن	*ʾawšaka ʾan*
essere umano	إنسان	*ʾinsān*
estate	صيف	*ṣayf*
esterno	خارج	*ḫāriǧ*
estero	خارجي	*ḫāriǧiyy*
età	عمر	*ʿumr*
eterno	دائم	*dāʾim*
Euro	يورو	*yūrū*
evidente	ظاهر	*ẓāhir*
fabbrica	مصنع	*maṣnaʿ*
faccenda	شأن	*šaʾn*
faccenda	أمر	*ʾamr*
facilità	سهولة	*suhūla*
facoltà	كلية	*kulliyya*
Fadhel	فاضل	*Fāḍil*
Fahd	فهد	*Fahd*
Fakhreddine	فخر الدين	
falso	باطل	*bāṭil*
famiglia	عائلة	*ʿāʾila*
far bollire	أغلى	*ʾaġlā*
far cadere	أسقط	*ʾasqaṭa*
far entrare	دخل	*daḫḫala*
far pensare a	ذكر بـ	*ḏakkara bi-*
far ridere	أضحك	*ʾaḍḥaka*
far sapere	أعلم	*ʾaʿlama*
far sedere	أجلس	*ʾaǧlasa*
faraone	فرعون	*firʿawn*
fare	فعل، عمل، قام بـ	*faʿala, ʿamila, qāma bi-*
fare attenzione	انتبه إلى	*intabaha ʾilā*
fare avanti indietro	تمشى	*tamaššā*
fare bene	أحسن	*ʾaḥsana*
fare il bagno	استحم	*istaḥamma*
fare il solletico	دغدغ	*daġdaġa*
fare la conoscenza di	تعرف إلى	*taʿarrafa ʾilā*
fare la spesa	تسوق	*tasawwaqa*
farmacia	صيدلية	*ṣaydaliyya*
farsi coraggio	تشجع	*tašaǧǧaʿa*
fascino	سحر	*siḥr*
fastidio	ضيق	*ḍīq*
Fatima	فاطمة	*Fāṭima*
fave	فول	*fūl*
Faysal	فيصل	*Fayṣal*
felafel	فلافل	*falāfilu*
fermezza	حزم	*ḥazm*
festa	حفلة	*ḥafla*
fichi d'India	صبار	*ṣubbār*
fidanzarsi	خطب	*ḫaṭaba*
fidanzato	خطيب	*ḫaṭīb*
figlia	بنت	*bint*
figlio	ابن	*ibn*
fila	صف	*ṣaff*
filosofo	فيلسوف	*faylasūf*
filtrare	رشح	*raššaḥa*
finale	نهائي	*nihāʾiyy*
fine	نهاية	*nihāya*
fine della strada	ناصية	*nāṣiya*
finestra	نافذة	*nāfiḏa*
finire	انتهى	*intahā*
fino a	حتى	*ḥattā*

finora	للآن	*li-l-ʔāni*
fintantoché	مَا دَامَ	*mā dāma*
fiorente	مزدهر	*muzdahir*
fischiare	صفر	*ṣaffara*
fissare	حدد	*ḥaddada*
fissare qn	شخص بصره إلى	*šaḫaṣa baṣara-hu ʔilā*
fiutare	شم	*šamma*
fobia	رهبة	*rahba*
folla	زحمة	*zaḥma*
fondo	قاع، قعر	*qāʕ, qaʕr*
forbici	مقص	*miqaṣṣ*
forchetta	شوكة	*šawka, šuwak*
forfettario	إجمالي	*ʔiǧmāliyy*
forma	شكل	*šakl*
formaggio	جبنة	*ǧubna*
forse	ربما	*rubbamā*
forse	لعل	*laʕalla*
forse che...?	هل...؟	*hal...?*
forte	قوي	*qawiyy*
fortuna	حظ	*ḥaẓẓ*
fortunatamente	لحسن الحظ	*li-ḥusni l-ḥaẓẓi*
fosforo	فصفور	*fuṣfūr*
fra poco	قريبا	*qarīban*
francese	فرنسي	*faransiyy*
Francia	فرنسا	*Faransā*
fratello	أخ	*ʔaḫ, ʔiḫwa*
freddo	بارد	*bārid*
frenare	كبح	*kabaḥa*
freno	فرملة	*farmala*
frequentare	اختلف إلى	*iḫtalafa ʔilā*
fresco	طازج	*ṭāziǧ*
fretta	عجلة	*ʕaǧala*
frigorifero	برادة	*barrāda*
frittata	عجة	*ʕuǧǧa*
frittella	فطيرة	*faṭīra*
fritto	مقلي	*maqliyy*
fuliggine	سناج	*sināǧ*
fulvo	أصهب	*ʔaṣhabu*
fumare	دخن	*daḫḫana*
fumo	تدخين	*tadḫīn*
funzionare	دار	*dāra*
furioso	حانق	*ḥaniq*
furore, rabbia	غضب	*ġaḍab*
gabbia	قفص	*qafaṣ*
gabbiano	نورس	*nawras*
Galilea	الجليل	*al-Ǧalīl*
gallo	ديك	*dīk*
gamba	ساق	*sāq*
garbo	لطف	*luṭf*
gatto	قط	*qiṭṭ*
gelato (sost.)	بوظة	*būẓa*
gelato (di bevanda) (agg.)	مصقع	*muṣaqqaʕ*
geloso	غيور	*ġayūr*
generare	خلف	*ḫallafa*
generosità	كرم	*karam*
generoso	كريم	*karīm*
genio	نابغة	*nābiġa*
genitore	والد	*wālid*
gente	ناس	*nās*
gente	أهل	*ʔahl*
gentile	لطيف	*laṭīf*
geografia	جغرافيا	*ǧuġrāfiyā*
germogliare	برعم	*barʕama*
Gerusalemme	القدس	*al-Quds*
ghiaccio	ثلج	*ṯalǧ*
giapponese	ياباني	*yābāniyy*
giardino pubblico	حديقة	*ḥadīqa*
Giordania	الأردن	*al-ʔUrdun*
giornata	نهار	*nahār*
giorno	يوم	*yawm*

giovane serva	جارية	*ǧāriya*
girare	أدار	*ʔadāra*
gita	رحلة	*riḥla*
glaciale	ثلجي	*talǧiyy*
gloterare (cicogna)	لقلق	*laqlaqa*
goccia	نقطة	*nuqṭa*
golfo	خليج	*ḫalīǧ*
governo	حكومة	*ḥukūma*
grado	درجة	*daraǧa*
grande	كبير	*kabīr*
grandioso	عظيم	*ʕaẓīm*
grazie!	شكرا	*šukran*
grazioso, carino	ظريف	*ẓarīf*
gridare	صاح	*ṣāḥa*
gruppo	جماعة، مجموعة	*ǧamāʕa, maǧmūʕa*
guadagnar(ci)	كسب	*kasaba*
guadagnare	ربح	*rabiḥa*
guanto	قفاز	*quffāz*
guardare	تفرج على	*tafarraǧa ʕalā*
guardare	نظر إلى، تطلع في	*naẓara ʔilā, taṭallaʕa fī*
guardarsi	تراءى	*tarāʔā*
guarire	شفى	*šafā*
guerra	حرب	*ḥarb*
guida	دليل	*dalīl*
guidare	قيادة	*qiyāda*
guidare (veicolo)	ساق	*sāqa*
guscio	قوقعة	*qawqaʕa*
habitué	رائد	*rāʔid*
Haifa	حيفا	*Ḥayfā*
Hicham	هشام	*Hišām*
Hind	هند	*Hind*
Huda	هدى	*Hudā*
Ibrahim	إبراهيم	*ʔIbrāhīm*
idea	فكرة	*fikra*
idraulico	سمكري	*samkariyy*
ieri	أمس	*ʔamsi*
ignorante	جاهل	*ǧāhil*
il Cairo	القاهرة	*al-Qāhira*
Iman	إيمان	*ʔĪmān*
imbizzarrito	هائج	*hāʔiǧ*
imbronciato	عابس	*ʕābis*
imitare	قلد	*qallada*
immaginarsi	تصور	*taṣawwara*
immediatamente	حالا	*ḥālan*
immigrato	مهاجر	*muhāǧir*
imparare	تعلم	*taʕallama*
impaurito	مذعور	*maḏʕūr*
impazzire	جن	*ǧunna*
impermeabile	مشمع	*mušammaʕ*
impiegare	وظف	*waẓẓafa*
impiegato	موظف	*muwaẓẓaf*
implorante	متوسل	*mutawassil*
importante	مهم، هام	*muhimm, hāmm*
impossibile	مستحيل	*mustaḥīl*
imprecazione	لعنة	*laʕna*
in	في	*fī*
inaccettabile	دون المقبول	*dūna l-maqbūl*
incidente	حادثة	*ḥādiṯa*
inclinarsi	انحنى	*inḥanā*
incollato	ملصق	*mulṣaq*
incominciare	بدأ	*badaʔa*
incontrare	قابل	*qābala*
incontrarsi	تلاقي	*talāqā*
incontro	ملاقاة	*mulāqāt*
indicazione	إشارة	*ʔišāra*
indignazione	سخط	*suḫṭ*
indipendenza	استقلال	*istiqlāl*
indirizzo	عنوان	*ʕunwān*
indossare	ارتدى، لبس	*irtadā, labisa*

indulgenza	حلم	*ḥilm*
indumento	لباس	*libās*
indumento	ملبس	*malbas*
in effetti	فعلا	*fiʕlan*
infanzia	طفولة	*ṭufūla*
infastidito	متضايق	*mutaḍāyiq*
infelice	تعيس	*taʕīs*
inferiorità	نقص	*naqṣ*
influenza	إنفلونزة	*ʔinfilwanza*
in fondo a	في آخرِ	*fī ʔāḫiri*
informarsi	استخبر عن	*istaḫbara ʕan*
ingegneria	هندسة	*handasa*
ingenuo	ساذج	*sāḏiǧ*
inglese	إنجليزي	*ʔinǧilīziyy*
ingresso (luogo)	مدخل	*madḫal*
ingresso (*maṣdar*)	دخول	*duḫūl*
iniziare	ابتدأ	*ibtadaʔa, yabtadiʔu*
inizio	بداية	*bidāya*
innamorato	مغرم بـ	*muġram bi-*
innervosito	موتر الأعصاب	*muwattaru l-ʔaʕṣābi*
in piedi[m]	واقف	*wāqif*
in primo luogo	أولا	*ʔawwalan*
in quel momento	عندئذ	*ʕinda-ʔiḏin*
inquinare	لوث	*lawwaṯa*
in ritardo	متأخر	*mutaʔaḫḫir*
insalata	سلطة	*salaṭa*
insaponare	صبن	*ṣabbana*
in secondo luogo	ثانيا	*ṯāniyan*
insegnamento	تعليم	*taʕlīm*
insegnare	علم	*ʕallama*
insultare	شتم	*šatama*
insulto	شتيمة	*šatīma*
intelligente	ذكي	*ḏakiyy*
intendere	قصد	*qaṣada*
intenso	شديد	*šadīd*

intento a	منصرف إلى	*munṣarif ʔilā*
intenzionato a	ناو	*nāwin*
intenzione	نية	*niyya*
interesse	اهتمام	*ihtimām*
internazionale	دولي	*duwaliyy*
Internet	إنترنت	*ʔintarnat*
intero	كامل	*kāmil*
interrompersi	توقف عن	*tawaqqafa ʕan*
intorno a	حول	*ḥawla*
intraprendere	شرع في	*šaraʕa fī*
inventare	اخترع	*iḫtaraʕa*
invernale	شتوي	*šatawiyy*
invidiare	حسد	*ḥasada*
invitare	دعا	*daʕā*
iPod	آيبود	*ʔāypōd*
ironia	سخرية	*suḫriyya*
irritarsi	تضايق	*taḍāyaqa*
irritazione	تكدر	*takaddur*
iscrivere	سجل	*saǧǧala*
iscriversi	تسجل في	*tasaǧǧala*
isolato	منعزل	*munʕazil*
Italia	إيطاليا	*ʔīṭāliyā*
italiano	إيطالي	*ʔīṭāliyy*
Kamar	قمر	*Qamar*
Katia	كاتيا	
Kuwayt	الكويت	*al-Kuwayt*
là	ثم، هناك	*ṯamma, hunāka*
la Cina	الصين	*aṣ-Ṣīn*
l'altro ieri	أول أمس	*ʔawwala ʔamsi*
la maggior parte	معظم	*muʕẓam*
lamentarsi	شكا	*šakā*
lampione	مصباح	*miṣbāḥ*
lana	صوف	*ṣūf*
lasciare	ترك	*taraka*
lasciar stare	ودع	*wadaʕa*
la Sicilia	صقلية	*Ṣiqilliyyatu*

l'Atlante	الأطلس	*al-ʔAṭlas*
lato	جانب	*ǧānib*
latte	حليب	*ḥalīb*
laurea	ماجستير	*māǧistīr*
laurearsi	تخرج في/من	*taḫarraǧa fī/min*
lavare i piatti	جلى	*ǧalā*
lavorare	عمل	*ʕamila*
lavorare	اشتغل	*ištaġala*
lavoro	عمل، شغل	*ʕamal, šuġl*
leggere	قرأ	*qaraʔa*
leggero	خفيف	*ḫafīf*
legno	خشب	*ḫašab*
lentamente	ببطء	*bi-buṭʔin*
lentezza	بطء، مهل	*buṭʔ, mahl*
lessare	سلق	*salaqa*
lettera	رسالة	*risāla*
letteratura	أدب	*ʔadab*
letto	سرير	*sarīr*
lettura	قراءة	*qirāʔa*
lezione	درس	*dars*
lezione (universitaria)	محاضرة	*muḥāḍara*
lì	ثم، هناك	*ṯamma, hunāka*
libero	حر	*ḥurr*
libertà	حرية	*ḥurriyya*
libreria	مكتبة	*maktaba*
libro	كتاب	*kitāb*
limoni	ليمون	*laymūn*
l'indomani	غد	*ġada*
linea	خط	*ḫaṭṭ*
lingua	لسان، لغة	*lisān; luġa*
lingua materna	لغة أم	*luġatu ʔummin*
linguistica (sost.)	لسانيات	*lisāniyyāt*
locale per divertimenti	ملهى	*malhan*
lode	حمد	*ḥamd*
lontano	بعيد عن	*baʕīd ʕan*
lottare, combattere	صارع	*ṣāraʕa*
lottatore	مصارع	*muṣāriʕ*
luce	ضوء	*ḍawʔ*
lumaca	حلزون	*ḥalazūn*
luminoso	شرح	*šariḥ*
luna	قمر	*qamar*
lunghezza	طول	*ṭūl*
lungo	طويل	*ṭawīl*
luogo	محل	*maḥall*
luogo comune	موضوع مطروق	*mawḍūʕ maṭrūq*
lupo	ذئب	*ḏiʔb*
lussuoso	فخم	*faḫm*
ma	ولكن	*wa-lākin*
madre	أم	*ʔumm*
maestro	معلم	*muʕallim*
magari	ليت	*layta*
magia	سحر	*siḥr*
maglione	كنزة	*kanza*
mai	أبدا	*ʔabadan*
mal di mare	دوار (البحر)	*duwār (al-baḥr)*
malattia	مرض	*maraḍ*
malgrado	رغم	*raġma*
Malika	مليكة	*Malīka*
malva	خبازي	*ḫubbāziyy*
mamma	ماما	*māmā*
mancanza	نقص	*naqṣ*
manciata	قبضة	*qabḍa*
mangiare	أكل	*ʔakala*
marciapiede	رصيف	*raṣīf*
mare	بحر	*baḥr*
marito	زوج	*zawǧ*

marmellata	مربى	*murabban*
Marocco	المغرب	*al-Maġrib*
Marouan	مروان	*Marwān*
Marte	المريخ	*al-Mirrīḫ*
massa	جمهور	*ǧumhūr*
masticare una lingua	لطش	*laṭṭaša*
matrimonio	زواج	*zawāǧ*
mattina	صباح	*ṣabāḥ*
matto	مجنون	*maǧnūn*
mattoni	آجر	*ʾāǧurr*
mausoleo	ضريح	*ḍarīḥ*
media	وسطى	*wusṭā*
mediano	متوسط	*mutawassiṭ*
medicinale	دواء	*dawāʾ*
medico	طبيب	*ṭabīb*
medio	أوسط	*ʾawsaṭ*
melodia	نغمة	*naġma*
membro	عضو	*ʿuḍw*
menta	نعنع	*naʿnaʿ*
mentre	بينما	*bayna-mā*
meravigliarsi	تعجب	*taʿaǧǧaba*
mercato	سوق	*sūq*
meritare	استحق	*istaḥaqqa*
merito	استحقاق	*istiḥqāq*
mescolare	مزج	*mazaǧa*
mescolato	مخلوط	*maḫlūṭ*
mese	شهر	*šahr*
metà	نصف	*niṣf*
metro	متر	*mitr*
metropolitana	قطار مدني	*qiṭār madaniyy*
mettere	وضع	*waḍaʿa*
mettersi a	جعل	*ǧaʿala*
mettersi d'accordo su	اتفق على	*ittafaqa ʿalā*
mezzogiorno	ظهر	*ẓuhr*
miagolare	ماء	*māʾa*
miagolio	مواء	*muwāʾ*
microbus	ميكروباص	*mīkrūbāṣ*
microfono	مكبر (الصوت)	*mukabbir (aṣ-ṣawt)*
miele	عسل	*ʿasal*
migliorarsi	تحسن	*taḥassana*
migliore	أحسن	*ʾaḥsan*
miliardo	مليار	*milyār*
milione	مليون	*malyūn*
minerale	معدني	*maʿdiniyy*
ministero	وزارة	*wizāra*
minuto	دقيقة	*daqīqa*
misura	قدر، مقدار	*qadr, miqdār*
misuratore	مقياس	*miqyās*
moderato	معتدل	*muʿtadil*
modesto	متواضع	*mutawāḍiʿ*
Mohammed	محمد	*Muḥammad*
molto (avv.)	كثيرا	*kaṯīran*
momento	حين	*ḥīn*
mondiale	عالمي	*ʿālamiyy*
mondo	عالم	*ʿālam*
montagna	جبل	*ǧabal*
morale	معنويات	*(al-)maʿnawiyyāt*
morire	مات	*māta*
mostrare	أظهر، دل على	*ʾaẓhara, dalla*
mostro	غول	*ġūl*
motivo	سبب	*sabab*
mouse	فأرة	*faʾra*
mulo	بغل	*baġl*
multa	مخالفة	*muḫālafa*
mummia	موميا	*mūmiyā*
municipalità	بلدية	*baladiyya*
muratore	بناء	*bannāʾ*
muro	حائط	*ḥāʾiṭ*
musica	موسيقى	*mūsīqā*
musicale	موسيقي	*mūsīqiyy*

Mustafa	مصطفى	*Muṣṭafā*
Nabila	نبيلة	*Nabīla*
narghilè	شيشة، نارجيلة	*šīša, nārağīla*
nascita	ولادة	*wilāda*
nato	مولود	*mawlūd*
natura	طبيعة	*ṭabīʕa*
nave	مركب	*markab*
Nazaret	الناصرة	*an-Nāṣira*
nazionale	وطني	*waṭaniyy*
nazionalità	جنسية	*ğinsiyya*
nazione	دولة	*dawla*
nebbia	ضباب	*ḍabāb*
necessario	لازم	*lāzim*
necessità	حاجة	*ḥāğa*
negare	منع	*manaʕa*
negozio	دكان، متجر	*dukkān, matğar*
nei confronti di	تجاه	*tuğāha*
nervo	عصب	*ʕaṣab*
nervoso	عصبي	*ʕaṣabiyy*
neve	ثلج	*ṯalğ*
nido	عش	*ʕušš*
Nilo	النيل	*an-Nīl*
no	لا	*lā*
noia	ملل	*malal*
noioso	مضجر	*muḍğir*
noleggio	أجرة	*ʔuğra*
nome	اسم	*ism*
non ... se non/che	لا ... إلا	*lā... ʔillā*
non c'è di che!	عفوا	*ʕafwan*
non essere	ليس	*laysa*
nord	شمال	*šimāl*
notare	لاحظ	*lāḥaẓa*
notevole	بارز	*bāriz*
notizia	خبر	*ḫabar*
noto	مشهور	*mašhūr*
notorietà	شهرة	*šuhra*
notte	ليل، ليال	*layl, layālin*
numeroso	عديد	*ʕadīd*
numeroso	متعدد	*mutaʕaddid*
nuovo	جديد	*ğadīd*
o	أو	*ʔaw*
obbligatorio	إجباري	*ʔiğbāriyy*
obiettivo	هدف	*hadaf*
occasione	فرصة، مناسبة	*furṣa, munāsaba*
occhio	عين	*ʕayn*
occidentale	غربي	*ġarbiyy*
occidentalizzarsi	تفرنج	*tafarnağa*
occidente	غرب	*ġarb*
occupato	مشغول	*mašġūl*
oceano	محيط	*muḥīṭ*
odiare	كره	*kariha*
odore	رائحة	*rāʔiḥa*
offendere	أهان	*ʔahāna*
oggi	اليوم	*al-yawma*
ogni volta che	كلما	*kullamā*
olive	زيتون	*zaytūn*
ombra	ظل	*ẓill*
ombrello	شمسية	*šamsiyya*
onore	شرف	*šaraf*
opinione	رأي	*raʔy*
oppure	أم	*ʔam*
orale	شفهي	*šafahiyy*
ordinare	طلب	*ṭalaba*
ordine	أمر	*ʔamr*
orecchio	أذن	*ʔuḏun*
organizzare	نظم	*naẓẓama*
orientale	شرقي	*šarqiyy*
orso	دب	*dubb*
osceno	بذيء	*baḏīʔ*
ospite	ضيف	*ḍayf*
osservare	لاحظ	*lāḥaẓa*
ottenere	حصل على	*ḥaṣala ʕalā*

ovviamente	بطبيعة الحال	*bi-ṭabīˁati l-ḥāli*
oziare	تكاسل	*takāsala*
ozio	بطالة	*biṭāla*
padrone	رب	*rabb*
paese	بلاد	*bilād*
pagare	دفع	*dafaˁa*
pagliaccio	مهرج	*muharriğ*
Palestina	فلسطين	*Filasṭīn*
palestinese	فلسطيني	*filasṭīniyy*
palla	كرة	*kura*
palmo	كف	*kaff*
panchina	مقعد	*maqˁad*
pancia	بطن	*baṭn*
pane	خبز	*ḫubz*
panetteria	مخبز	*maḫbaz*
panno	فوطة	*fūṭa*
pantalone	بنطلون	*banṭalūn*
papa	بابا	*bābā, bābawāt*
pappagallo	ببغاء	*babbaġāˀ*
parcheggiare	صف	*ṣaffa*
parcheggio	موقف	*mawqif*
pareggiare	تساوى	*tasāwā*
parere	رأي	*raˀy*
parlante	ناطق بـ	*nāṭiq bi-*
parlare	تكلم	*takallama*
parola	كلمة	*kalima*
parte	جزء	*ğuzˀ*
partire	سافر	*sāfara*
partita	مباراة	*mubārāt*
partito	حزب	*ḥizb*
passante	مار	*mārr*
passaporto	جواز سفر	*ğawāzu safarin*
passare da	مر بـ	*marra bi-*
passare la notte	بات	*bāta*
passato	ماض	*māḍin*
passeggero	راكب	*rākib*

passeggiare	تجول، تنزه	*tağawwala*
passeggiata	نزهة	*nuzha*
pastasciutta	معكرونة	*maˁkarūna*
patate	بطاطا	*baṭāṭā*
patria	وطن	*waṭan*
paziente	صابر	*ṣābir*
pazienza	صبر	*ṣabr*
pazzesco	جنوني	*ğunūniyy*
pelliccia	فروة	*farwa*
pensiero	فكر	*fikr*
perché?	لماذا؟، لم؟	*li-māḏā?, li-ma?*
percorrere	اجتاز	*iğtāza*
perdere	خسر، فقد	*ḫasira; faqada*
perdonare	سامح	*sāmaḥa*
per esempio	مثلا	*maṯalan*
permesso	إذن، جواز، رخصة	*ˀiḏn, ğawāz, ruḫṣa*
però	ولكن	*wa-lākin*
per piacere[m/f]	من فضلك	*min faḍli-ka/i*
persona	شخص	*šaḫṣ*
per tutto il	طول	*ṭūla*
pesante	ثقيل	*ṯaqīl*
pesce	سمك	*samak*
pescespada	سيف	*sayf*
pescivendolo	سماك	*sammāk*
pestare	داس	*dāsa*
pettinare	مشط	*maššaṭa*
pettine	مشط	*mišṭ*
pezzo	قطعة	*qiṭˁa*
piacere!	تشرفنا!	*tašarrafnā!*
piacere a	أعجب	*ˀaˁğaba*
pianeta	كوكب	*kawkab*
piangere	بكى	*bakā*
piano	طابق	*ṭābiq*
pianta	نبات	*nabāt*
piantare un chiodo	دق	*daqqa*

pianterreno	طابق أرضي	*ṭābiq ʔarḍiyy*
piatto	صحن، طبق	*ṣaḥn, ṭabaq*
piazza	ساحة	*sāḥa*
piccante	حريف	*ḥirrīf*
picchiare	ضرب	*ḍaraba*
piede	قدم	*qadam*
pieno di	مليء بـ	*malīʔ bi-*
pigrizia	كسل	*kasal*
pillola	حبة	*ḥabba*
pioggia	مطر	*maṭar*
piovere a dirotto	هطل	*haṭala*
pipa	غليون	*ġalyūn*
pirata	قرصان	*qurṣān*
piscina	مسبح	*masbaḥ*
pistacchi	فستق	*fustuq*
più... più...	كلما... كلما...	*kulla-mā... kulla-mā...*
piuttosto	بالأحرى	*bi-l-ʔaḥrā*
pizza	بيتسا	*bītsā*
Plaza	پلازا	
poco	قليل	*qalīl*
poco a poco	شيئا فشيئا	*šayʔan fa-šayʔan*
poggiare	حط	*ḥaṭṭa*
poi	ثم	*ṯumma*
poiché	إذ أن	*ʔiḏ ʔanna*
polizia	شرطة	*šurṭa*
poliziotto	شرطي	*šurṭiyy*
pompa	مضخة	*miḍaḫḫa*
popolare	عامي	*ʕāmmiyy*
portafoglio	محفظة	*miḥfaẓa*
portare	أحضر	*ʔaḥḍara*
posacenere	منفضة	*minfaḍa*
possedere	ملك، امتلك	*malaka imtalaka*
possibile	ممكن	*mumkin*
possibilità	إمكانية	*ʔimkāniyya*
posto	مكان	*makān*
potenziamento	تمكين	*tamkīn*
potere	استطاع	*istaṭāʕa*
poverino	مسكين	*miskīn*
povero	فقير	*faqīr*
pozzanghera	بركة	*birka*
pranzo	غداء	*ġadāʔ*
precedente	سابق	*sābiq*
precisione	ضبط	*ḍabṭ*
preferibile	أفضل	*ʔafḍal*
preferire	فضل	*faḍḍala*
preferito	مفضل	*mufaḍḍal*
pregare	رجا	*rağā*
prendere	أخذ	*ʔaḫaḏa*
prendere il sole	تشمس	*tašammasa*
prendere in affitto	استأجر	*istaʔğara*
prendere in giro	ضحك على، هزأ بـ	*ḍaḥika ʕalā, hazaʔa bi-*
prendere un mezzo	ركب	*rakiba*
preoccupante	شاغل للبال	*šāġilun li-l-bāli*
preoccupare	شغل	*šaġala*
preoccupato	قلق، مشغول البال	*qaliq, mašġūlu l-bāli*
preparare	أعد	*ʔaʕadda*
presentare	قدم هـ لـ	*qaddama li-*
presentarsi a	تقدم لـ	*taqaddama li-*
presentatore	مقدم	*muqaddim*
preside	عميد	*ʕamīd*
presso	عند، لدى	*ʕinda, ladā*
presto	مبكرا	*mubakkiran*
prezzo	ثمن	*ṯaman*
prima (avv.)	من قبل	*min qablu*
prima di	قبل	*qabla*
primavera	ربيع	*rabīʕ*
prioritario	أولوي	*ʔawlawiyy*
probabile	محتمل	*muḥtamal*

probabilità	احتمال	*iḥtimāl*
problema	مشكلة	*muškila*
proferire	نبس بـ	*nabasa bi-*
professionale	مهني	*mihaniyy*
professione	مهنة	*mihna*
professionista	محترف	*muḥtarif*
professore	أستاذ	*ˀustāḏ*
profondo	عميق	*ˁamīq*
profumare	عطر	*ˁaṭṭara*
profumo	عطر	*ˁiṭr*
progetto	مشروع	*mašrūˁ*
programma	برنامج	*barnāmağ*
progredire	تقدم	*taqaddama*
pronome dimostrativo	اسم الإشارة	*ismu l-ˀišārati*
pronto! (telefonico)	آلو	*ˀālō*
pronunciare	نطق بـ	*naṭaqa*
proprietario	صاحب، مالك	*ṣāḥib, mālik*
proprio	إن	*ˀinna*
prossimo	قادم	*qādim*
provare	حاول	*ḥāwala*
provare	جرب	*ğarraba*
provocare	سبب	*sabbaba*
psicanalista	محلل نفساني	*muḥallil nafsāniyy*
psicologico	نفساني	*nafsāniyy*
pubblicità	إعلان	*ˀiˁlān*
pubblicitario	إعلاني	*ˀiˁlāniyy*
pubblico	جمهور	*ğumhūr*
pugilato	ملاكمة	*mulākama*
pugile	ملاكم	*mulākim*
pulcino	كتكوت	*katkūt*
pulito	نظيف	*naẓīf*
pullman	حافلة نقل	*ḥāfilatu naqlin*
pungere	لدغ	*ladaġa*
punire	عاقب	*ˁāqaba*

punta	طرف	*ṭaraf*
punto	نقطة	*nuqṭa*
punto Internet	مركز إنترنت	*markaz ˀintarnat*
puzzare	أنتن	*ˀantana*
puzzolente	منتن	*muntin*
Qatar	قطر	*Qaṭar*
qatarita	قطري	*qaṭariyy*
Qatariya	القطرية	*al-Qaṭariyya*
quale...?	أي...؟	*ˀayyu...?*
quando	عندما، لما	*ˁinda-mā, lammā*
quando?	متى؟	*matā?*
quanto a... (ebbene)...	أما ... فـ..	*ˀammā... fa-...*
quanto...!	كم...!	*kam...!*
quartiere	حارة، حي	*ḥāra, ḥayy*
quarto	ربع	*rubˁ*
quasi	تقريبا	*taqrīban*
quello	ذلك	*ḏālika*
questione	مسألة	*masˀala*
questo	هذا	*hāḏā*
questo pomeriggio	بعد الظهر	*baˁda ẓ-ẓuhri*
quindi	ثم	*ṯumma*
quindi, allora, e	فـ	*fa-*
quinto	خامس	*ḫāmis*
Rabat	الرباط	*ar-Ribāṭ*
raccomandabile	مستحسن	*mustaḥsan*
raccontare	حكى	*ḥakā*
raccontare a	قص على	*qaṣṣa ˁalā*
raccontare a qn	حدث ه	*ḥaddaṯa*
raccontatore	حاك	*ḥākin*
radere	حلق	*ḥalaqa*
radio	مذياع، راديو	*miḏyāˁ*
raffreddato	مزكم	*muzakkam*
raffreddore	نزلة	*nazla*

ragazza	بنت	*bint*
ragazza	فتاة	*fatāt*
ragazzo	شاب، فتى	*šābb, fatan*
raggio	شعاع	*šuʕāʕ*
raggiungere	بلغ، لحق	*balaġa, laḥiqa*
ragno	عنكبوت	*ʕankabūt*
rallegrare	سر	*sarra*
ramo	غصن	*ġuṣn*
rapporto	نسبة	*nisba*
rattoppare	رقع	*raqqaʕa*
rattristare	أحزن	*ʔaḥzana*
re	ملك	*malik*
realtà	واقع	*wāqiʕ*
recente	حديث	*ḥadīṯ*
recitare	تلا	*talā*
refrigerio	قرة	*qurra*
regione	منطقة	*minṭaqa*
regolare	ربط	*rabaṭa*
rendersi conto di	أدرك	*ʔadraka*
residente	مقيم	*muqīm*
restituire	رجع، رد	*rağğaʕa, radda*
revisionare	عاين	*ʕāyana*
ricarica	شحن	*šaḥn*
ricco	غني، ثري	*ġaniyy, ṯariyy*
richiedere	تطلب	*taṭallaba*
ricordare	ذكر	*ḏakara*
ricordarsi	تذكر	*taḏakkara*
ridere	ضحك	*ḍaḥika*
riempire	ملأ	*malaʔa*
riempirsi	امتلأ	*imtalaʔa*
riflesso	انعكاس	*inʕikās*
riflettere	تبصر	*tabaṣṣara*
rifugiarsi	عاذ	*ʕāḏa*
Rima	ريمة	*Rīma*
rimanere	بقي، مكث	*baqiya, makaṯa*
rimanere incinta	حبلت	*ḥabilat*

ringraziare	شكر	*šakara*
rinnovare	جدد	*ğaddada*
riordinare	رتب	*rattaba*
riparare	صلح	*ṣallaḥa*
ripassare	راجع	*rāğaʕa*
ripetere	أعاد	*ʔaʕāda*
riposarsi	استراح	*istarāḥa*
riscaldare	سخن	*saḫḫana*
risiedere	أقام بـ	*ʔaqāma bi-*
riso	رز	*ruzz*
rispettare	احترم	*iḥtarama*
rispettato	محترم	*muḥtaram*
rispetto	احترام	*iḥtirām*
rispondere	أجاب، جاوب	*ʔağāba*
risposta	جواب	*ğawāb*
ristorante	مطعم	*maṭʕam*
risultato	نتيجة	*natīğa*
risuonare	دوى	*dawwā*
ritenere	اعتقد	*iʕtaqada*
ritenere	ظن هـ	*ẓanna*
ritornare	عاد	*ʕāda*
riuscire a	تمكن من	*tamakkana min*
rivolgere la parola a	خاطب	*ḫāṭaba*
rivolgersi a	كلم	*kallama*
rock	روك	
romanzo	رواية	*riwāya*
rompere	كسر	*kasara*
rondini	سنونو	*sunūnū*
rossetto	حمرة	*ḥumra*
rosso	أحمر	*ʔaḥmar*
rotondo	مستدير	*mustadīr*
rovesciare	صرع	*ṣaraʕa*
rubinetto	حنفية	*ḥanafiyya*
rudimento	مبدأ	*mabdaʔ*
rullo compressore	مدحى	*midḥan*

russare	شخر	*šaḫara*
saadita	سعدي	*saʕdiyy*
sabbia	رمل	*raml*
salato	مملح	*mumallaḥ*
salire	صعد	*ṣaʕida*
salmone	سلمون	*salmūn*
salsa	صلصة	*ṣalṣa*
saltare	قفز	*qafaza*
salutare	سلم على	*sallama ʕalā*
salute	صحة	*ṣiḥḥa*
saluto	تحية	*taḥiyya*
Sanaa	صنعاء	*Ṣanʕāʔ*
sangue	دم	*dam*
sapere	درى	*darā*
sapere	عرف	*ʕarafa*
sapere a fondo	أتقن	*ʔatqana*
sapone	صابون	*ṣābūn*
saporito	لذيذ	*laḏīḏ*
Sara	سارة	*Sāra*
sassolini (coll.)	حصى	*ḥaṣan*
Sawsan	سوسن	*Sawsan*
sazio	شبعان	*šabʕān*
sbarazzarsi di	تخلص من	*taḫallaṣa min*
scadenza	انتهاء	*intihāʔ*
scala a pioli	سلم	*sullam*
scaldabagno	سخان	*saḫḫān*
scaldarsi	تدفأ	*tadaffaʔa*
scappare da	فر من	*farra min*
scarpa	حذاء	*ḥiḏāʔ*
scatola	علبة	*ʕulba*
scegliere	اختار	*iḫtāra*
scendere	نزل	*nazala*
scheletro	هيكل	*haykal*
schermo	شاشة	*šāša*
sciarpa	وشاح	*wišāḥ*
scimmia	قرد	*qird*
sciocco	أبله	*ʔablah*
sciopero	إضراب	*ʔiḍrāb*
sciroppo	شراب	*šarāb*
scommettere	راهن	*rāhana*
scopo	قصد	*qaṣd*
scoprire	اكتشف	*iktašafa*
scoraggiato	محبط العزيمة	*muḥbaṭ al-ʕazīma*
scorgere	لمح، أبصر	*lamaḥa, ʔabṣara*
scritto	كتابي	*kitābiyy*
scrivere	كتب	*kataba*
scrivere a qn	كاتب	*kātaba*
scuola	مدرسة	*madrasa*
scusarsi	اعتذر	*iʕtaḏara*
sdraiarsi	رقد	*raqada*
sdraiato	راقد	*rāqid*
se Dio vuole	إن شاء الله	*ʔin šāʔa Llāhu*
se non fosse per	لولا	*law-lā*
secco	جاف	*ǧāff*
secondo (sost.)	ثانية	*ṯāniya*
sedersi	جلس	*ǧalasa*
sedia	كرسي	*kursiyy*
seduto	جالس	*ǧālis*
sega	منشار	*minšār*
segreto (agg.)	سري	*sirriyy*
segreto (sost.)	سر	*sirr*
semaforo	ضوء أحمر	*ḍawʔ ʔaḥmar*
sembrare che	ظهر أن	*ẓahara*
seminterrato	قبو	*qabw*
semplice	بسيط	*basīṭ*
sempre	دائما	*dāʔiman*
sempre dritto	على طول	*ʕalā ṭūlin*
sennò	وإلا	*wa-ʔillā*
sensibile	محسوس	*maḥsūs*
sentire	أحس	*ʔaḥassa*
senza	دون، بدون	*dūna, bi-dūni*
sera	مساء	*masāʔ*

serbatoio	خزان	*ḫazzān*
sereno	هانئ	*hāniˀ*
seriamente	بجد، جديا	*bi-ǧiddin, ǧiddiyyan*
serio	جدي، رصين	*ǧiddiyy, raṣīn*
serpentina	أنبوب حلزوني	*ˀanbūb ḥalazūniyy*
servire	خدم	*ḫadama*
sesso	جنس	*ǧins*
settimana	أسبوع	*ˀusbūˁ*
sezione	قسم	*qism*
sforzo	جهد	*ǧahd*
sgabello	إسكملة	*ˀiskamla*
sguardo	نظر	*naẓar*
Shadia	شادية	*Šādiya*
shampoo	شامبو	*šāmbū*
shaykh	شيخ	*šayḫ*
shock	صدمة	*ṣadma*
sì	نعم، بلى	*naˁam, balā*
sia... sia...	إما... أو/وإما	*ˀimmā... ˀaw/ wa-ˀimmā*
siciliano	صقلي	*ṣiqilliyy*
sicuro	متأكد	*mutaˀakkid*
sigaretta	سيجارة	*sīgāra*
significato	معنى	*maˁnan*
signora	سيدة	*sayyida*
signore	سيد	*sayyid*
signorina	آنسة	*ˀānisa*
silenzio	صمت	*ṣamt*
simile	متشابه	*mutašābih*
simpatico	خفيف الدم	*ḫafīfu ad-dami*
sincerità	صراحة	*ṣarāḥa*
singolo	فردي	*fardiyy*
sinistra	يسار، شمال	*yasār, šimāl*
sinistro	أيسر	*ˀaysar*
sistemarsi	استقر	*istaqarra*
sito	موقع	*mawqiˁ*
situato	موجود	*mawǧūd*

situazione	وضع، حالة	*waḍˁ, ḥāla*
smettere di	كف عن	*kaffa ˁan*
smontare	فك	*fakka*
snello	رشيق	*rašīq*
snob	سنوبي	*s(u)nūbiyy*
sobborgo	ضاحية	*ḍāḥiya*
socio	شريك	*šarīk*
soddisfatto	راض	*rāḍin*
soffiare	هب	*habba*
soffrire di	عانى ه	*ˁānā*
soggiorno	إقامة	*ˀiqāma*
sognare	حلم بـ	*ḥalama*
sogno	حلم	*ḥulm*
sollevare	رفع	*rafaˁa*
soltanto	فقط	*faqaṭ*
soluzione	حل	*ḥall*
sonnellino	غفوة	*ġafwa*
sopportare	احتمل	*iḥtamala*
sopracciglio	حاجب	*ḥāǧib*
soprannome	لقب	*laqab*
soprannominare	لقب	*laqqaba*
sorprendere	دهش	*dahaša*
sorella	أخت	*ˀuḫt*
sorpresa	مفاجأة	*mufāǧaˀa*
sorridere	ابتسم	*ibtasama*
sosta	وقوف	*wuqūf*
sostare	توقف	*tawaqqafa*
sottoporre	أخضع	*ˀaḫḍaˁa*
Souad	سعاد	*Suˁād*
sovrastare	خيم	*ḫayyama*
spada	سيف	*sayf*
Spagna	إسبانيا	*ˀIsbāniyā*
spagnolo	إسباني	*ˀisbāniyy*
spalancato	فاغر	*fāġir*
sparire	اختفى	*iḫtafā*
spaventarsi per	ذُعر لـ	*ḏuˁira li-*

spaventato	مرعوب	*marˁūb*
spavento	رعب	*raˁb*
spazzatura	زبالة	*zibāla*
specchio	مرآة	*mirˀāt*
spedire	أرسل إلى	*ˀarsala ˀilā*
spendere	أنفق	*ˀanfaqa*
spento	مطفأ	*muṭfaˀ*
sperato	مأمول	*maˀmūl*
spiaggia	شاطئ	*šāṭiˀ*
spiedino	كباب	*kabāb*
spiegare	فسر	*fassara*
spiegazione	تفسير	*tafsīr*
spingere	دفع	*dafaˁa*
spirito	بال	*bāl*
splendido	رائع	*rāˀiˁ*
sporco	وسخ	*wasiḫ*
sposarsi con	تزوج من	*tazawwaǧa min*
sposato	متزوج	*mutazawwiǧ*
spremuta	عصير	*ˁaṣīr*
spremuto	معصور	*maˁṣūr*
squadra	فريق	*farīq*
stampante	طابعة	*ṭābiˁa*
stanco	تعبان	*taˁbānu*
stanotte	الليلة	*al-laylata*
stanza	حجرة	*ḥuǧra*
stare a sentire	أصغى إلى	*ˀaṣġā ˀilā*
stare bene a	لاق بـ	*lāqa*
stare in piedi	وقف	*waqafa*
stazione	محطة	*maḥaṭṭa*
stella	نجمة	*naǧma*
stentoreo	جهير	*ǧahīr*
sterile	عاقر	*ˁāqir*
stesso (pron. riflessivo)	نفس	*nafs*
stile	أسلوب	*ˀuslūb*
stirare	كوى	*kawā*

storia	تاريخ	*tārīḫ*
storia	قصة	*qiṣṣa*
straccione	صعلوك	*ṣuˁlūk*
strada	طريق	*ṭarīq*
straniero	أجنبي	*ˀaǧnabīyy*
strano	غريب	*ġarīb*
strato	طبقة	*ṭabaqa*
strega	غولة	*ġūla*
strillare	صرخ	*ṣaraḫa*
stringere	شد على	*šadda ˁalā*
strozzare	خنق	*ḫanaqa*
strumento	أداة، آلة	*ˀadāt, ˀāla*
studentato	مبيت	*mabīt*
studente	طالب	*ṭālib*
studiare	درس	*darasa*
studio	دراسة	*dirāsa*
stupido	سخيف، غبي	*saḫīf, ġabiyy*
stupore	دهشة	*dahša*
su (prep)	على	*ˁalā*
su!, dai!	هيا!	*hayyā!*
subito	فورا، على الفورِ	*fawran, ˁalā l-fawri*
succo	عصير	*ˁaṣīr*
sud	جنوب	*ǧanūb*
Sudan	السودان	*as-Sūdān*
sufficientemente	كفاية	*kifāyatan*
sufficienza	كفاية	*kifāya*
Suhayla	سهيلة	*Suhayla*
sul punto di	على وشك أن	*ˁalā waški ˀan*
suonare	رن	*ranna*
suonare (musica)	عزف	*ˁazafa*
suonare il clacson	زمر	*zammara*
superare	سبق، فاق	*sabaqa, fāqa*
superare (esame)	نجح	*naǧaḥa*
supermercato	متجر كبير	*matǧar kabīr*
surgelato	مجمد	*muǧammad*

sushi	سوشي	
svariati	شتى	*šattā*
sveglia	منبه	*munabbih*
svegliarsi	استيقظ	*istayqaẓa*
sveglio di notte	سهران	*sahrān*
svignarsela	انسل	*insalla*
svolazzare	رفرف	*rafrafa*
tabacco	تبغ	*tibġ*
tacco	كعب	*kaʕb*
tacere	سكت	*sakata*
tagliare	قص، قطع	*qaṣṣa, qaṭaʕa*
tarantola	رتيلاء	*rutaylāʔ*
tante grazie	شكرا جزيلا	*šukran ǧazīlan*
tardo	متأخر	*mutaʔaḫḫir*
Tarek	طارق	*Ṭāriq*
tasca	جيب	*ǧayb*
tassì	سيارة أجرة، تاكسي	*sayyāratu ʔuǧratin*
tavolo	طاولَة، مائدة	*ṭāwila, māʔida*
tecnologia	تكنولوجيا	*tiknūlūǧiyā*
tedesco	ألماني	*ʔalmāniyy*
Tel Aviv	تل أبيبٍ	*Tall ʔAbīb*
telefonare	تلفن	*talfana*
telefonico	هاتفي	*hātifiyy*
telefono	هاتف	*hātif*
telespettatore	مشاهد	*mušāhid*
televisione	تلفزة	*talfaza*
televisivo	تلفازي	*tilfāziyy*
televisore	تلفاز	*tilfāz*
temere	خاف	*ḫāfa*
temperatura	حرارة	*ḥarāra*
tempestare qn di	ضيق ه ب	*ḍayyaqa bi-*
tempo	وقت	*waqt*
tempo atmosferico	طقس	*ṭaqs*
tenda	ستار	*sitār*
tendere	مد	*madda*

tenere una conferenza	ألقى محاضرة	*ʔalqā muḥāḍara*
tenerezza	حنان	*ḥanān*
terminare	أتم	*ʔatamma*
terribile	مخيف	*muḫīf*
terribile	مرعب	*murʕib*
terzo (1/3)	ثلث	*ṯulṯ*
tessera	بطاقة	*biṭāqa*
tiepido	دافئ	*dāfiʔ*
tipo	نوع	*nawʕ*
tirare	سحب	*saḥaba*
tirare fuori	أخرج	*ʔaḫraǧa*
titolo	عنوان	*ʕunwān*
toccare	لمس، يلمس	*lamasa*
tofu	توفو	
tollerare	تسامح	*tasāmaḥa*
tomba	قبر	*qabr*
tonno	تن	*tunn*
topo	فأرة	*faʔra*
torero	مصارع ثيران	*muṣāriʕ ṯīrān*
tornare	رجع	*raǧaʕa*
toro	ثور	*ṯawr*
torre	برج	*burǧ*
tosse	سعال	*suʕāl*
tossire	سعل	*saʕala*
tra	بين	*bayna*
tradizionale	تقليدي	*taqlīdiyy*
tradizione	تقليد	*taqlīd*
tradurre	ترجم	*tarǧama*
traduttore	مترجم	*mutarǧim*
traduzione	ترجمة	*tarǧama*
traffico	سير	*sayr*
traghetto	معدية	*muʕaddiya*
tragico	فاجع	*fāǧiʕ*
traguardo	شأو	*šaʔw*
tram	حافِلة كهربائية	*ḥāfila kahrabāʔiyya*

trascinare	جر	ğarra
trascorrere (tempo)	قضى	qaḍā, maḍā
traslocare	نقل	naqala
trasmettere	بث	baṯṯa
trasporti	مواصلات	muwāṣalāt
tremare	ارتجف	irtağafa
treno	قطار	qiṭār
Tripoli	طرابلس	Ṭarābulusu
triste	حزين	ḥazīn
tropicale	استوائي	istiwāʾiyy
trovare	وجد	wağada
Tunisi	تونس	Tūnus
Tunisia	تونس	Tūnus
tunnel	نفق	nafaq
turbato	معكر	muʿakkar
turista	سائح	sāʾiḥ
turistico	سياحي	siyāḥiyy
Tutankhamen	توت عنخ آمون	Tūt ʿAnḫ ʾĀmūn
ubriaco	سكران	sakrān
uccello	طير	ṭayr
uccidere	قتل	qatala
udire	سمع	samiʿa
ufficio	مكتب	maktab
uguale	متشابه	mutašābih
ultimo	أخير، آخر	ʾaḫīr, ʾāḫir
umiliare	أهان	ʾahāna
umore	مزاج	mizāğ
uno	واحد	wāḥid
un po'	قليلا	qalīlan
uova	بيض	bayḍ
usato	بال	bālin
uscire	خرج	ḫarağa
utile	نافع	nāfiʿ
utilità	فائدة	fāʾida
valigia	حقيبة	ḥaqība

valore	قيمة	qīma
valutare	قدر	qaddara
vasca	حوض	ḥawḍ
vedere	رأى	raʾā
veloce	سريع	sarīʿ
velocità	سرعة	surʿa
vendicarsi	انتقم من	intaqama min
Venezia	البندقية	al-Bunduqiyya
venire	جاء	ğāʾa
venire a sapere	علم	ʿalima
vento	ريح	rīḥ
veramente	حقا	ḥaqqan
verde	أخضر	ʾaḫḍar
verità	حق، حقيقة	ḥaqq, ḥaqīqa
vero	صحيح	ṣaḥīḥ
verso	إلى، نحو	naḥwa, ʾilā
vertebra	فقرة	fiqra
vertebrale	فقري	fiqariyy
vespa	دبور	dabbūr
vestiti	ملابس	malābisu
vestito	لابس	lābis
vestito da donna	فستان	fustān
Vesuvio	الڤيزوڤ	al-Vīzūv
veterinario	بيطري	bayṭariyy
via	شارع	šāriʿ
viaggiare	سافر	sāfara
viaggio	سفر، سفرة	safar, safra
vicino	قريب من	qarīb min
vietato	ممنوع	mamnūʿ
villaggio	قرية	qarya
villico	قروي	qarawiyy
vincere	فاز ب	fāza bi-
vino	نبيذ	nabīḏ
viola	بنفسجي	banafsağiyy
virus	فيروس	vayrūs

visita	زيارة	*ziyāra*
visitare	زار	*zāra*
vita	حياة، عيش	*ḥayāt, ʿayš*
vivere	عاش	*ʿāša*
vocabolario	قاموس	*qāmūs*
vocazione	دعوة	*daʿwa*
Vodafone	ڤودافون	
vodka	ڤودكا	
volante	مقود	*miqwad*
volare	طار	*ṭāra*
volere	أراد	*ʾarāda*
volo	طيران	*ṭayarān*
volontà	عزيمة	*ʿazīma*
volta	مرة	*marra*
voltarsi	التفت	*iltafata*
vomitare	تقيأ	*taqayyaʾa*
voto scolastico	علامة	*ʿalāma*
vulcano	بركان	*burkān*
vuoto	فاض	*fāḍin*
vuoto	فارغ	*fāriġ*
Yemen	اليمن	*al-Yaman*
yemenita	يمني	*yamaniyy*
Yemeniya	اليمنية	*al-Yamaniyya*
yogurt	لبن	*laban*
Younes	يونس	*Yūnis*
zanzare	بعوض	*baʿūḍ*
Zaynab	زينب	*Zaynab*
zittire	أسكت	*ʾaskata*
zona	منطقة	*minṭaqa*
zuppa	شوربة	*šawraba*

Tracce dei CD-Audio

Tracce CD 1	Unità	Contenuto	Pagina
1	Scrittura e fonetica	Esercizi orali	5
2	Scrittura e fonetica	Esercizi orali (*Voce maschile*)	9
3	Scrittura e fonetica	Esercizi orali (*Voce femminile*)	9
4	Scrittura e fonetica	Esercizi orali	12
5	Scrittura e fonetica	Esercizi orali	14
6	Scrittura e fonetica	Esercizi orali (*Voce femminile*)	17
7	Scrittura e fonetica	Esercizi orali (*Voce maschile*)	17
8	Scrittura e fonetica	Esercizi orali	20
9	Scrittura e fonetica	Esercizi orali	23
10	Scrittura e fonetica	Esercizi orali	*27*
11	Scrittura e fonetica	Esercizi orali	*29*
12	Scrittura e fonetica	Esercizi orali	*31*
13	Scrittura e fonetica	Esercizi orali (*Prima voce maschile*)	33
14	Scrittura e fonetica	Esercizi orali (*Seconda voce maschile*)	33
15	Scrittura e fonetica	Esercizi orali	*42*
16	Scrittura e fonetica	Esercizi orali	*42*
17	Scrittura e fonetica	Esercizi orali	*42*
18	Scrittura e fonetica	Esercizi orali	42
19	Scrittura e fonetica	Esercizi orali	48
20	Scrittura e fonetica	Esercizi orali	50
21	1	Testo 1	51
22	1	Testo 1	53
23	2	Testo 1	60
24	2	Testo 2	62
25	3	Testo 1	68
26	3	Testo 2	70
27	4	Testo 1	75
28	4	Testo 2	77
29	5	Testo 1	83
30	5	Testo 2	84
31	6	Testo 1	91
32	6	Testo 2	94
33	7	Testo 1	101
34	7	Testo 2	103
35	9	Testo 1	118
36	9	Testo 2	122
37	10	Testo 1	132
38	10	Testo 2	135
39	11	Testo 1	145
40	11	Testo 2	151

TRACCE CD 1	UNITÀ	CONTENUTO	PAGINA
41	12	Testo 1	160
42	12	Testo 2	164
43	13	Testo 1	175
44	13	Testo 2	180
45	14	Testo 1	189
46	14	Testo 2	192
47	15	Testo 1	203
48	15	Testo 2	206
49	17	Testo 1	222
50	17	Testo 2	228
51	18	Testo 1	237
52	18	Testo 2	240
53	19	Testo 1	251
54	19	Testo 2	255

TRACCE CD 2	UNITÀ	CONTENUTO	PAGINA
1	20	Testo 1	265
2	20	Testo 2	271
3	21	Testo 1	279
4	21	Testo 2	284
5	22	Testo 1	291
6	22	Testo 2	297
7	23	Testo 1	305
8	23	Testo 2	310
9	25	Testo 1	322
10	25	Testo 2	326
11	26	Testo 1	333
12	26	Testo 2	336
13	27	Testo 1	342
14	27	Testo 2	345
15	28	Testo 1	353
16	28	Testo 2	357
17	29	Testo 1	365
18	29	Testo 2	367
19	30	Testo 1	374
20	30	Testo 2	379
21	31	Testo 1	387
22	31	Testo 2	390

COLLANA DI STUDI ORIENTALI
diretta da *Federico Masini*

BRUNO A.L., AHN M.
Corso di lingua coreana. In allegato al volume 2 Cd-Audio
2009, 19,5×26, di pagine XVIII-398
ISBN 978-88-203-4286-9

DE MAIO S., NEGRI C., OUE J. (a cura di)
Corso di lingua giapponese. Volume 1
2007, 19,5×26, di pagine 288
ISBN 978-88-203-3663-9

DE MAIO S., NEGRI C., OUE J. (a cura di)
Corso di lingua giapponese. Volume 2
2007, 19,5×26, di pagine 256
ISBN 978-88-203-3664-6

DE MAIO S., NEGRI C., OUE J. (a cura di)
Corso di lingua giapponese. Volume 3
2008, 19,5×26, di pagine 248
ISBN 978-88-203-3665-3

MASINI F., ZHANG T., BAI H., DI TORO A., LIANG D.
Il cinese per gli italiani. Volume 1: Corso base. Livelli A1-A2 del Quadro Comune Europeo di Riferimento per le Lingue. In allegato al volume 2 Cd-Audio
2010, 2ª edizione, 19,5×26, di pagine XII-308
ISBN 978-88-203-4527-3

MASINI F., ZHANG T., BAI H., DI TORO A., LIANG D.
Il cinese per gli italiani. Volume 2: Corso intermedio. Livelli B1-B2 del Quadro Comune Europeo di Riferimento per le Lingue. In allegato al volume 2 Cd-Audio
2010, 2ª edizione, 19,5×26, di pagine XII-308
ISBN 978-88-203-4528-0

MASINI F., ZHANG T., SUN T., DE TROIA P., LIANG D.
Il cinese per gli italiani. Corso avanzato. In allegato al volume 2 Cd-Audio
2008, 19,5×26, di pagine XII-228
ISBN 978-88-203-3688-2

MASINI F., ZHANG T., BAI H., LIANG D.
Impariamo il cinese. Corso di lingua per studenti italiani. In allegato al volume 2 Cd-Audio
2007, 19,5×26, di pagine XVI-320
ISBN 978-88-203-3709-2

MASTANGELO M., OZAWA N., SAITO M.
Grammatica giapponese
2006, 19,5×26, di pagine XXIV-376
ISBN 978-88-203-3616-5

MILANETTI G, GUPTA S.T.
Corso di lingua hindi. In allegato al volume 2 Cd-Audio
2008, 19,5×26, di pagine XVIII-286
ISBN 978-88-203-4067-4

ZHANG S. (a cura di)
Dizionario di cinese. Edizione minore. Cinese-Italiano/Italiano-Cinese. Prefazione di *Federico Masini*
2007, 15,5×23,5, di pagine XXX-1394
ISBN 978-88-203-3783-4